필수개념으로 꽉 채운 **개념기본서**

낯선개념

수학 Ⅱ

KB059992

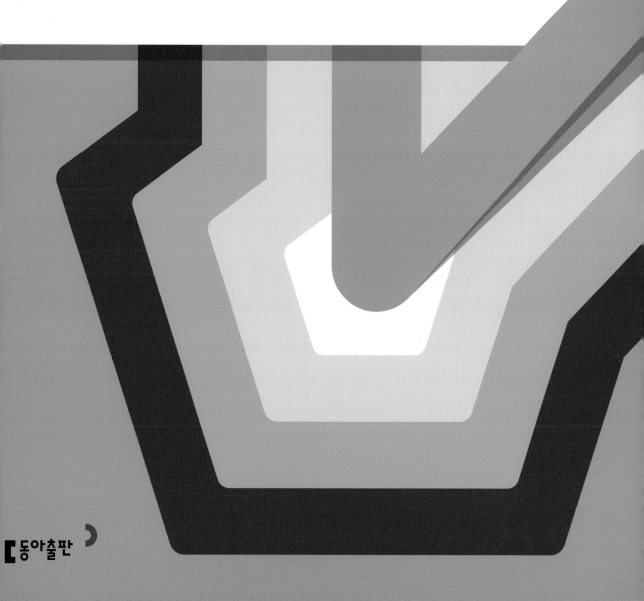

동아출판

날카롭게 선별한 개념기본서

고등 수학, 겁먹을 필요 없다!
특별한 사람만 수학을 잘하는 것은 아니다.

날카롭게 설명하고 엄선한 문제로
수학의 기본을 다지면,
누구나 수학을 잘할 수 있다.

고등 수학의 편안한 출발
날선개념으로 시작하자!

⊘ 날선 가이드

나는 어떤 스타일인가요? 문항을 읽고 체크해 보세요.

☐ 수학Ⅱ를 처음 공부해요.

☐ 수학 개념이 문제에 어떻게 적용되는지 알고 싶어요.

☐ 능률을 생각하지 않고 무조건 열심히 공부해요.

☐ 수학 문제를 봐도 무슨 말인지 모르겠어요.

☐ 선생님이 설명해 주시면 알겠는데, 다시 풀려면 막막해요.

위 문항 중 한 개 이상 체크했다면 **날선개념**으로 꼭 공부해야 합니다!
수학Ⅱ를 미리 공부하고 싶을 때
또는 수학 개념을 내 것으로 만들고 싶을 때 **날선개념**으로 공부하세요.
대표Q의 [날선 Guide]로 스스로 생각하는 힘을 키우면
공부 능률도 오르고 수학에 자신감이 생깁니다.

집필진	이창형 | 서울대학교 수학과 및 동 대학원
	김창훈 | 서울대학교 수학교육과
	이창무 | 서울대학교 수학과, 현 대성마이맥 강사
인쇄일	2019년 7월 31일
발행일	2019년 8월 10일
펴낸이	이욱상
펴낸데	동아출판㈜
신고번호	제300-1951-4호(1951. 9. 19)
편집팀장	이상민
책임편집	박지나, 장수경, 김성일, 김경숙, 김형순, 김성희, 김윤미
디자인팀장	목진성
책임디자인	강혜빈

필수개념으로 꽉 채운 개념기본서

날선개념

수학 II

낯선개념
이런 점이 좋아요!

1. 학습 플랜 관리
낯선개념 학습 Note에 목표와 학습 계획을
세우고 기록하면서 규칙적인 학습 습관을
기를 수 있어요.

2. 주제별 개념 학습
수학 개념을 주제별로 모아
간단하고 명확하게 설명하고 있어
이해하기 쉬워요.

3. 대표Q & 낯선Q 문제로 생각하는 힘을 향상
유형별로 풀이를 외우는 학습은
진짜 수학 공부가 아니에요.
낯선 Guide를 통해 어떤 개념이 사용되는지
생각하는 힘을 길러 보세요.

4. 복습과 오답 Note로 완벽 이해
낯선개념 학습 Note를 이용하여
문제를 풀이하고 오답 Note를 만들어
개념을 완벽히 내 것으로 만들어 보세요.

수학은
공식을 외우는 것이 아니라
생각하는 힘을 키우는
즐거운 습관입니다.

이 책의 구성과 특징

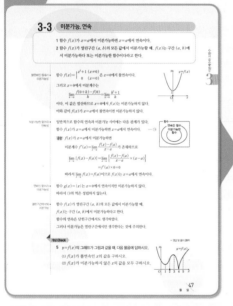

1 개념 완결 학습

3-3 미분가능, 연속

2 대표 문제와 유제

대표 Q4 미분가능

> **날선개념**
> **학습 Note**와
> 연계하여 학습할 수
> 있습니다.

필수개념 개념을 주제별로 나눠 필수개념을 한눈에
보고, 예시를 통해 원리를 쉽게 이해할 수
있습니다.

개념 Check 개념에 따른 확인 문제를 바로 풀어 봄으로써
개념과 원리를 확실히 익힐 수 있습니다.

공부한 날 공부한 날짜를 쓰면서 스스로 진도를 확인할
수 있습니다.

대표Q 개념 이해를 돕고 최신 출제 경향을 반영한
대표 문제를 제시하였습니다.

날선 Guide 문제를 푸는 원리와 접근 방법을 제시하여
스스로 생각하고 문제를 해결할 수 있습니다.

날선 Point 문제를 해결하는 데 핵심이 되는 내용을
정리하였습니다.

유제 대표Q와 유사한 문제 및 발전 문제로 구성하여
대표 문제를 충분히 연습할 수 있습니다.

+ 날선개념 학습 Note

• 대표Q 학습 Note

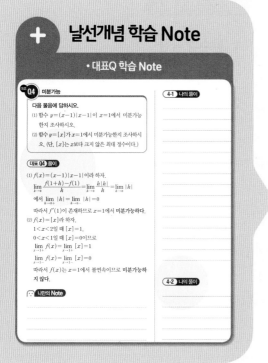

대표 **04** 미분가능

다음 물음에 답하시오.
(1) 함수 $y=(x-1)|x-1|$이 $x=1$에서 미분가능
한지 조사하시오.
(2) 함수 $y=[x]$가 $x=1$에서 미분가능한지 조사하시
오. (단, $[x]$는 x보다 크지 않은 최대 정수이다.)

대표 **04** 풀이

(1) $f(x)=(x-1)|x-1|$이라 하자.
$$\lim_{h\to 0}\frac{f(1+h)-f(1)}{h}=\lim_{h\to 0}\frac{h|h|}{h}=\lim_{h\to 0}|h|$$
에서 $\lim_{x\to 1}|h|=\lim_{x\to 1}|h|=0$
따라서 $f'(1)$이 존재하므로 $x=1$에서 **미분가능하다.**
(2) $f(x)=[x]$라 하자.
$1<x<2$일 때 $[x]=1$,
$0<x<1$일 때 $[x]=0$이므로
$$\lim_{x\to 1+}f(x)=\lim_{x\to 1+}[x]=1$$
$$\lim_{x\to 1-}f(x)=\lim_{x\to 1-}[x]=0$$
따라서 $f(x)$는 $x=1$에서 불연속이므로 **미분가능하**
지 않다.

나만의 Note

4-1 나의 풀이

4-2 나의 풀이

3 연습과 실전

연습과 실전

3 미분계수와 도함수

Step 1 연습

01 함수 $f(x)=x^2$이고, $x=2$에서 $f(x)$의 미분계수와 x의 값이 a
변할 때 $f(x)$의 평균변화율이 같다. a의 값을 구하시오.

Step 2 실전

10 구간 $(-3, 6)$에서 정의된 함수 $y=f(x)$
의 그래프가 그림과 같다. 다음 설명 중
옳은 것은?
① $f'(1)<0$
② $\lim_{x\to 2}\frac{f(x)-f(2)}{x-2}=0$
③ $\lim_{x\to -2}\frac{f(x)-f(-2)}{x+2}$ 는 음수에 수렴한다.
④ $f(x)$가 미분가능하지 않은 x의 값은 2개이다.
⑤ $f'(x)=0$인 x의 값은 3개이다.

11 이차함수 $f(x)=ax^2+bx$에서 x가 1에서 3까지 변할 때의 평균변
$\lim_{h\to 0}\frac{f(3-2h)-f(3)}{h}$ 의 값을 구하시오.

대표Q 풀이　대표Q 문제를 해결한 후 자세한
풀이를 확인할 수 있습니다.

나의 풀이　유제 풀이를 Note에 써 보면서 실력을
점검할 수 있습니다.

연습과 실전　단원 마무리 문제를 2단계로 나누어
단계적으로 학습할 수 있습니다.

Step 1　기본이 되는 문제를 Step1에서 연습할 수
있습니다.

Step 2　학교 시험, 교육청, 평가원, 수능 기출 문제를
엄선하여 Step2에서 실전에 대비할 수 있습니다.

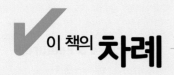

이 책의 **차례**

수학 II

Contents

Where there is a will,
there is a way.

한없이 가까워지는 것을 수학적으로 어떻게 표현할 수 있을까?

함수 $f(x)$에서 x의 값이 한없이 커져도 함숫값은 일정한 값에 가까워질 수도 있고, x의 값이 어떤 수에 한없이 가까워질 때 함숫값은 무한히 커질 수도 있다.

이 단원에서는 x의 값이 한없이 커지거나 작아질 때, 또는 x의 값이 어떤 수에 한없이 가까워질 때 함수의 극한에 대해 배운다. 또 함수의 극한의 성질을 이용하여 여러 가지 함수의 극한을 구해 보자.

함수의 극한

1

함수의 극한

1 함수의 극한

x의 값이 a가 아니면서 a에 한없이 가까워질 때, 함수 $f(x)$의 값이 일정한 값 L에 가까워지면 $f(x)$는 L에 수렴한다고 하고, L을 $x=a$에서 $f(x)$의 **극한값** 또는 **극한**이라 한다. 이것을 기호로 다음과 같이 나타낸다.

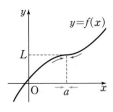

$$x \to a\text{일 때 } f(x) \to L \quad \text{또는} \quad \lim_{x \to a} f(x) = L$$

2 우극한과 좌극한

(1) x의 값이 a보다 크면서 a에 한없이 가까워질 때 $x \to a+$로 나타내고, x의 값이 a보다 작으면서 a에 한없이 가까워질 때 $x \to a-$로 나타낸다.

(2) $x \to a+$이면서 함수 $f(x)$의 값이 일정한 값 L에 가까워지면 $\lim\limits_{x \to a+} f(x) = L$로 나타내고 L을 $x=a$에서 $f(x)$의 **우극한**이라 한다.

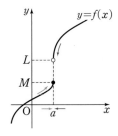

또 $x \to a-$이면서 함수 $f(x)$의 값이 일정한 값 M에 가까워지면 $\lim\limits_{x \to a-} f(x) = M$으로 나타내고 M을 $x=a$에서 $f(x)$의 **좌극한**이라 한다.

(3) $x=a$에서 $f(x)$의 우극한과 좌극한이 같으면 $f(x)$는 $x=a$에서 수렴한다. 곧,

$$\lim_{x \to a+} f(x) = \lim_{x \to a-} f(x) = L \iff \lim_{x \to a} f(x) = L$$

함수의 극한 ●

$f(x) = x+1$일 때, x의 값이 1이 아니면서 1에 한없이 가까워지면 $f(x)$의 값은 2에 한없이 가까워진다. 이때 2를 $x=1$에서 $f(x)$의 극한값 또는 극한이라 하고, $x=1$에서 $f(x)$는 2에 수렴한다고 한다. 이것을 기호로

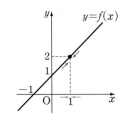

$$x \to 1\text{일 때 } f(x) \to 2 \quad \text{또는} \quad \lim_{x \to 1} f(x) = 2$$

와 같이 나타낸다. 이때 lim는 리미트(limit)로 읽는다.

$g(x) = \begin{cases} x+1 & (x \neq 1) \\ 1 & (x = 1) \end{cases}$일 때, $x \to 1$이면 $g(x)$의 값은 2에 한없이 가까워지므로 $g(x)$는 2에 수렴한다. 곧, $\lim\limits_{x \to 1} g(x) = 2$이다.

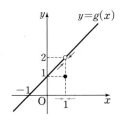

이때 $x \to 1$이면 $x=1$이 아니면서 $x=1$에 한없이 가까워진다는 뜻이므로 $g(1)$과는 관계없다.

우극한과 좌극한 ● $h(x)=\begin{cases} x+1 & (x\geq 1) \\ x & (x<1) \end{cases}$ 라 하자.

x의 값이 1보다 크면서 1에 한없이 가까워지면 $h(x)$의 값은 2에 한없이 가까워진다. 이것을 기호로

$$x \to 1+ \text{일 때 } h(x) \to 2 \quad \text{또는} \quad \lim_{x \to 1+} h(x)=2$$

와 같이 나타내고, 2를 $x=1$에서 $h(x)$의 우극한이라 한다.

또 x의 값이 1보다 작으면서 1에 한없이 가까워지면 $h(x)$의 값은 1에 한없이 가까워진다. 이것을 기호로

$$x \to 1- \text{일 때 } h(x) \to 1 \quad \text{또는} \quad \lim_{x \to 1-} h(x)=1$$

과 같이 나타내고, 1을 $x=1$에서 $h(x)$의 좌극한이라 한다.

함수의 발산 ● $x \to 1$일 때 $h(x)$는 일정한 값에 가까워진다고 할 수 없다. 이때 $h(x)$는 $x=1$에서 수렴하지 않는다고 하거나 발산한다고 한다. 이와 같이 우극한과 좌극한이 다르면 함수의 극한은 존재하지 않는다.

함수가 수렴할 조건 ● $f(x)=x+1$이면 $\lim\limits_{x \to 1+} f(x) = \lim\limits_{x \to 1-} f(x)=2$이다.

이와 같이 $x=a$에서 함수 $f(x)$의 우극한과 좌극한이 존재하고 두 값이 같으면 $f(x)$는 $x=a$에서 수렴하고, 극한은 좌극한(또는 우극한)이다.

$$\lim_{x \to a+} f(x) = \lim_{x \to a-} f(x)=L \iff \lim_{x \to a} f(x)=L$$

개념 Check

◆ 정답 및 풀이 1쪽

1 $y=f(x)$의 그래프가 그림과 같을 때, 다음 극한값을 구하시오.

(1) $\lim\limits_{x \to 2+} f(x)$ (2) $\lim\limits_{x \to 2-} f(x)$

(3) $\lim\limits_{x \to 2} f(x)$

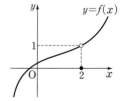

2 $y=g(x)$의 그래프가 그림과 같을 때, 다음 물음에 답하시오.

(1) $\lim\limits_{x \to -1+} g(x)$의 값을 구하시오.

(2) $\lim\limits_{x \to -1-} g(x)$의 값을 구하시오.

(3) $x \to -1$일 때, $g(x)$의 극한을 조사하시오.

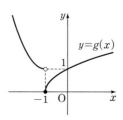

1 x의 값이 한없이 커지는 경우 $x \to \infty$로 나타낸다.

또 x의 값이 음수이고 절댓값이 한없이 커지는 경우

$x \to -\infty$로 나타낸다. ∞는 무한대라 읽는다.

2 $x \to a$일 때 함수 $f(x)$의 값이 한없이 커지면 $f(x)$는 무한

대로 발산한다고 하고 $\lim\limits_{x \to a} f(x) = \infty$로 나타낸다.

또 $x \to a$일 때 함수 $f(x)$의 값이 음수이고 절댓값이 한없

이 커지면 $f(x)$는 음의 무한대로 발산한다고 하고

$\lim\limits_{x \to a} f(x) = -\infty$로 나타낸다.

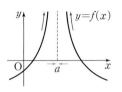
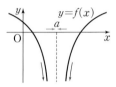

∞(무한대) ● $f(x) = \dfrac{1}{x}$이라 하자.

x의 값이 한없이 커지는 경우 기호 ∞를 사용하여 $x \to \infty$로

나타낸다.

$x \to \infty$일 때 $f(x)$의 값은 0에 한없이 가까워지므로

$\lim\limits_{x \to \infty} f(x) = 0$과 같이 나타낸다.

또 x의 값이 음수이고 절댓값이 한없이 커지는 경우 $x \to -\infty$로 나타낸다.

$x \to -\infty$일 때 $f(x)$의 값은 0에 한없이 가까워지므로 $\lim\limits_{x \to -\infty} f(x) = 0$과 같이 나타낸다.

이때 ∞는 실수가 아니다. 다만 $x \to \infty$라는 것은 x의 값이 한없이 커진다는 것을 뜻한다.

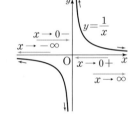

무한대로 발산 ● $x \to 0+$일 때 $f(x)$의 값은 한없이 커진다. 이때에도 ∞를 사용하여 $\lim\limits_{x \to 0+} f(x) = \infty$로 나

타내고 무한대(또는 양의 무한대)로 발산한다고 한다.

또 $x \to 0-$일 때 $f(x)$의 값은 음수이고 절댓값이 한없이 커진다.

이때에는 $\lim\limits_{x \to 0-} f(x) = -\infty$로 나타내고 음의 무한대로 발산한다고 한다.

$$\lim_{x \to 0+} \frac{1}{x} = \infty, \ \lim_{x \to 0-} \frac{1}{x} = -\infty, \ \lim_{x \to \infty} \frac{1}{x} = 0, \ \lim_{x \to -\infty} \frac{1}{x} = 0$$

또 $g(x) = x^3$이면 $x \to \infty$일 때 $g(x)$의 값은 한없이 커지고,

$x \to -\infty$일 때 $g(x)$의 값은 음수이고 절댓값이 한없이 커진다. 따라서

$$\lim_{x \to \infty} g(x) = \infty, \ \lim_{x \to -\infty} g(x) = -\infty$$

▶ 개념 Check

◆ 정답 및 풀이 1쪽

3 다음 극한을 조사하시오.

  (1) $\lim\limits_{x \to \infty} \dfrac{1}{2x}$ (2) $\lim\limits_{x \to \infty} \dfrac{1}{x^2}$ (3) $\lim\limits_{x \to 0+} \dfrac{2}{x}$ (4) $\lim\limits_{x \to 0-} \left(-\dfrac{1}{x}\right)$

1-3 함수의 극한의 성질과 계산

1 함수의 극한의 성질

함수 $f(x)$, $g(x)$에 대하여 $\lim\limits_{x \to a} f(x)$, $\lim\limits_{x \to a} g(x)$가 존재할 때,

(1) $\lim\limits_{x \to a} cf(x) = c \lim\limits_{x \to a} f(x)$ (단, c는 상수)

(2) $\lim\limits_{x \to a} \{f(x) \pm g(x)\} = \lim\limits_{x \to a} f(x) \pm \lim\limits_{x \to a} g(x)$

(3) $\lim\limits_{x \to a} f(x)g(x) = \lim\limits_{x \to a} f(x) \times \lim\limits_{x \to a} g(x)$

(4) $\lim\limits_{x \to a} \dfrac{f(x)}{g(x)} = \dfrac{\lim\limits_{x \to a} f(x)}{\lim\limits_{x \to a} g(x)}$ (단, $\lim\limits_{x \to a} g(x) \neq 0$)

참고 극한의 성질은 $x \to a+$, $x \to a-$, $x \to \infty$, $x \to -\infty$일 때에도 성립한다.

2 함수의 극한의 계산

(1) $f(x)$가 다항함수이면 $\lim\limits_{x \to a} f(x) = f(a)$

(2) $f(x)$, $g(x)$가 다항함수이고 $g(a) \neq 0$이면 $\lim\limits_{x \to a} \dfrac{f(x)}{g(x)} = \dfrac{f(a)}{g(a)}$

(3) $\dfrac{0}{0}$, $\dfrac{\infty}{\infty}$, $0 \times \infty$, $\infty - \infty$ 꼴은 식을 정리한 다음 극한을 구한다.

함수의 극한의 성질

$f(x) = x^2 - 2$, $g(x) = x - 1$이라 하면

$$\lim\limits_{x \to 2} f(x) = 2, \ \lim\limits_{x \to 2} g(x) = 1$$

이다. 이때 $cf(x)$, $f(x) \pm g(x)$, $f(x)g(x)$, $\dfrac{f(x)}{g(x)}$의 극한은

극한의 성질을 이용하여 다음과 같이 구하는 것이 간단하다.

$$\lim\limits_{x \to 2} 3f(x) = 3 \lim\limits_{x \to 2} f(x) = 3 \times 2 = 6$$

$$\lim\limits_{x \to 2} \{f(x) + g(x)\} = \lim\limits_{x \to 2} f(x) + \lim\limits_{x \to 2} g(x) = 2 + 1 = 3$$

$$\lim\limits_{x \to 2} \{f(x) - g(x)\} = \lim\limits_{x \to 2} f(x) - \lim\limits_{x \to 2} g(x) = 2 - 1 = 1$$

$$\lim\limits_{x \to 2} f(x)g(x) = \lim\limits_{x \to 2} f(x) \times \lim\limits_{x \to 2} g(x) = 2 \times 1 = 2$$

$$\lim\limits_{x \to 2} \dfrac{f(x)}{g(x)} = \dfrac{\lim\limits_{x \to 2} f(x)}{\lim\limits_{x \to 2} g(x)} = \dfrac{2}{1} = 2$$

다항함수의 극한

상수함수 $f(x) = c$ (c는 상수)는 모든 실수 x에서 $f(x)$의 값이 c이

므로 a의 값에 관계없이

$$\lim\limits_{x \to a} f(x) = c$$

또 함수 $f(x) = x$를 생각하면 $\lim\limits_{x \to a} f(x) = \lim\limits_{x \to a} x = a$

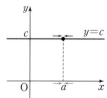

$f(x)=2x^2-3$이면 극한의 성질에서

$$\lim_{x \to a} f(x)=\lim_{x \to a}(2x^2-3)=2(\lim_{x \to a}x)^2-\lim_{x \to a}3=2a^2-3=f(a)$$

이와 같이 $f(x)$가 다항함수이면 $\lim_{x \to a} f(x)=f(a)$이다.

또 분수함수 $\dfrac{f(x)}{g(x)}$에서 $f(x)$, $g(x)$가 다항함수이면

$\lim_{x \to a}f(x)=f(a)$, $\lim_{x \to a}g(x)=g(a)$이다.

따라서 $g(a) \neq 0$이면 극한의 성질에서 $\lim_{x \to a}\dfrac{f(x)}{g(x)}=\dfrac{f(a)}{g(a)}$

$\dfrac{0}{0}$ 꼴의 극한 ● $f(x)=\dfrac{x^2-4}{x-2}$이면 $x \to 2$일 때 (분모) $\to 0$이므로 극한의 성질을 이용할 수 없다.

그런데 $f(x)=\dfrac{(x+2)(x-2)}{x-2}=x+2$이므로 $\lim_{x \to 2}(x+2)=4$ $\longrightarrow$ $\dfrac{0}{0}$ 꼴은 약분한다.

참고 $x \to 2$라는 것은 $x=2$가 아니면서 2에 한없이 가까워진다는 뜻이다.

따라서 $f(x)=\dfrac{x^2-4}{x-2}$는 $x=2$에서 정의되지 않아도 $x=2$에서 $\lim_{x \to 2}f(x)$를 생각할 수 있다.

$\dfrac{\infty}{\infty}$ 꼴의 극한 ● $g(x)=\dfrac{2x^2-3}{x^2}$이면 $x \to \infty$일 때 (분모) $\to \infty$, (분자) $\to \infty$이다.

그런데 $g(x)$의 분모, 분자를 x^2으로 나누면 $g(x)=2-\dfrac{3}{x^2}$이므로

$$\lim_{x \to \infty}g(x)=\lim_{x \to \infty}\left(2-\dfrac{3}{x^2}\right)=2$$ $\longrightarrow$ $\dfrac{\infty}{\infty}$ 꼴은 분모의 최고차항으로 분모, 분자를 나눈다.

이와 같이 $\dfrac{0}{0}$, $\dfrac{\infty}{\infty}$, $0 \times \infty$, $\infty-\infty$ 꼴은 함수를 변형한 다음 극한을 구한다.

이런 꼴의 극한은 **대표 Q1, Q2, Q3**에서 더 공부해 보자.

참고 ∞는 수가 아니므로 $\dfrac{\infty}{\infty}=1$, $0 \times \infty=0$, $\infty-\infty=0$과 같이 계산할 수 없다는 것에 주의한다.

◆ 정답 및 풀이 1쪽

개념 Check

4 $f(x)=x^2+2x-1$, $g(x)=2x-1$일 때, 다음 극한값을 구하시오.

(1) $\lim_{x \to 2}f(x)$ 　　　　　　　　　　　(2) $\lim_{x \to 2}g(x)$

(3) $\lim_{x \to 2}f(x)g(x)$ 　　　　　　　　(4) $\lim_{x \to 2}\dfrac{f(x)}{g(x)}$

대표 Q1 $\dfrac{0}{0}$ 꼴의 극한

◆ 정답 및 풀이 1쪽

다음 극한값을 구하시오.

(1) $\displaystyle\lim_{x \to 2} \dfrac{x^3-8}{x-2}$

(2) $\displaystyle\lim_{x \to -1} \dfrac{x^2+2x+1}{x^2-x-2}$

(3) $\displaystyle\lim_{x \to 0} \dfrac{\sqrt{x+4}-2}{\sqrt{2x}}$

날선 Guide 분수 꼴의 극한은 먼저 분자, 분모의 극한을 조사한다.

(1) $x \to 2$일 때 (분모) $\to 0$, (분자) $\to 0$이다.

분자를 인수분해하면

$$\lim_{x \to 2} \dfrac{x^3-8}{x-2} = \lim_{x \to 2} \dfrac{(x-2)(x^2+2x+4)}{x-2}$$

이므로 분모, 분자는 $x-2$를 인수로 가진다.

따라서 $x-2$를 약분하고 극한을 조사한다.

(2) $x \to -1$일 때 (분모) $\to 0$, (분자) $\to 0$이다.

여기에서도 분모, 분자를 인수분해하고 $x+1$을 약분할 수 있는지 확인한다.

(3) $x \to 0$일 때 (분모) $\to 0$, (분자) $\to 0$이다.

분자가 무리식이므로 바로 인수분해할 수는 없지만

분모, 분자에 $\sqrt{x+4}+2$를 곱해 분자를 유리화하면 x를 약분할 수 있는 꼴로 정리할

수 있다.

답 (1) 12 (2) 0 (3) $\dfrac{\sqrt{2}}{8}$

날선 Point

$x \to a$일 때, $\dfrac{0}{0}$ 꼴의 극한

- 유리식이면 분모, 분자를 인수분해하고 $x-a$를 약분한다.
- 무리식이면 $(\sqrt{a}+\sqrt{b})(\sqrt{a}-\sqrt{b})=a-b$를 이용하여 유리화한다.

1-1 다음 극한값을 구하시오.

(1) $\displaystyle\lim_{x \to 0} \dfrac{(x-1)^3+1}{x}$

(2) $\displaystyle\lim_{x \to -1} \dfrac{x^3-x^2-3x-1}{x^3+1}$

1-2 다음 극한값을 구하시오.

(1) $\displaystyle\lim_{x \to 1} \dfrac{x^2-1}{\sqrt{x+3}-2}$

(2) $\displaystyle\lim_{x \to 2} \dfrac{\sqrt{x^2-3}-1}{x-2}$

대표 Q2 $\dfrac{\infty}{\infty}$ 꼴의 극한

다음 극한을 조사하시오.

(1) $\displaystyle\lim_{x\to\infty}\dfrac{2x^2+4x}{3x^2+1}$ (2) $\displaystyle\lim_{x\to\infty}\dfrac{3x^2-x}{x^3+1}$ (3) $\displaystyle\lim_{x\to\infty}\dfrac{x^4+1}{x^2+x-1}$

(4) $\displaystyle\lim_{x\to\infty}\dfrac{x}{\sqrt{x^2+1}+2x}$ (5) $\displaystyle\lim_{x\to-\infty}\dfrac{\sqrt{x^2+1}-2x}{x}$

날선 Guide (1) $x\longrightarrow\infty$일 때 (분모) $\longrightarrow\infty$, (분자) $\longrightarrow\infty$이다.

분모의 최고차항 x^2으로 분모, 분자를 나누면 $\displaystyle\lim_{x\to\infty}\dfrac{2+\dfrac{4}{x}}{3+\dfrac{1}{x^2}}$

$x\longrightarrow\infty$일 때 $\dfrac{4}{x}\longrightarrow0$, $\dfrac{1}{x^2}\longrightarrow0$이므로 극한을 구할 수 있다.

(2) $\dfrac{\infty}{\infty}$ 꼴이므로 분모의 최고차항 x^3으로 분모, 분자를 나눈다.

(3) $\dfrac{\infty}{\infty}$ 꼴이므로 분모의 최고차항 x^2으로 분모, 분자를 나눈다.

(4) 분모, 분자가 무리식인 경우도 $\dfrac{\infty}{\infty}$ 꼴이면 분모의 최고차항으로 나눈다.

$\sqrt{x^2}=x$이므로 분모, 분자를 x로 나눈 $\displaystyle\lim_{x\to\infty}\dfrac{1}{\sqrt{1+\dfrac{1}{x^2}}+2}$ 을 조사한다.

(5) $x\longrightarrow-\infty$이므로 $x=-t$로 놓으면 $t\longrightarrow\infty$이다.

t에 대한 식으로 변형하여 극한을 조사한다.

참고 $x=-t$로 놓지 않고 계산해도 되지만

$x<0$일 때 $\sqrt{x^2+1}$을 x로 나누면 $-\sqrt{1+\dfrac{1}{x^2}}$이므로 부호에 주의해야 한다.

답 (1) $\dfrac{2}{3}$ (2) 0 (3) ∞로 발산 (4) $\dfrac{1}{3}$ (5) -3

날선 Point

• $x\longrightarrow\infty$일 때, $\dfrac{\infty}{\infty}$ 꼴의 극한 ➡ 분모의 최고차항으로 분모, 분자를 나눈다.

• $x\longrightarrow-\infty$이면 $x=-t$로 치환한다.

2-1 다음 극한을 조사하시오.

(1) $\displaystyle\lim_{x\to\infty}\dfrac{2x^3-x+3}{5x^3+2x^2}$ (2) $\displaystyle\lim_{x\to\infty}\dfrac{x^2+x-4}{2x^3-1}$ (3) $\displaystyle\lim_{x\to\infty}\dfrac{x^3+1}{2x^2-1}$

(4) $\displaystyle\lim_{x\to\infty}\dfrac{\sqrt{2x^2-5}+x}{x}$ (5) $\displaystyle\lim_{x\to-\infty}\dfrac{x}{\sqrt{2x^2+3x}+x}$

$0 \times \infty$, $\infty - \infty$ 꼴의 극한

◆ 정답 및 풀이 2쪽

다음 극한을 조사하시오.

(1) $\lim\limits_{x \to 0} \dfrac{1}{x}\left(\dfrac{1}{x-1}+1\right)$

(2) $\lim\limits_{x \to \infty} (x^3 - 4x^2 + 1)$

(3) $\lim\limits_{x \to \infty} (\sqrt{x^2 + 2x} - x)$

낙선 **Guide** (1) $x \to 0$일 때 $\dfrac{1}{x-1}+1 \to 0$이고, $\dfrac{1}{x}$의 절댓값은 한없이 커진다.

그런데 $\dfrac{1}{x-1}+1 = \dfrac{1+x-1}{x-1} = \dfrac{x}{x-1}$이므로

$$\dfrac{1}{x}\left(\dfrac{1}{x-1}+1\right) = \dfrac{1}{x} \times \dfrac{x}{x-1}$$

따라서 x를 약분할 수 있는 꼴로 정리할 수 있다.

이와 같이 $0 \times \infty$ 꼴은 식을 정리한 다음, $\dfrac{0}{0}$ 꼴의 극한을 조사한다.

(2) $x \to \infty$일 때 $x^3 \to \infty$, $4x^2 \to \infty$이므로 $\infty - \infty$ 꼴이다.

차수가 가장 높은 x^3으로 묶은 다음 $x^3\left(1 - \dfrac{4}{x} + \dfrac{1}{x^3}\right)$의 극한을 조사한다.

(3) $x \to \infty$일 때 $\sqrt{x^2 + 2x} \to \infty$, $x \to \infty$이므로 $\infty - \infty$ 꼴이다.

무리식이 있으므로 분모를 1로 생각하고

분모, 분자에 $\sqrt{x^2 + 2x} + x$를 곱한 다음, 극한을 조사한다.

답 (1) -1 (2) ∞로 발산 (3) 1

낙선 **Point**
- $x \to a$일 때, $0 \times \infty$ 꼴의 극한 ➡ 식을 정리하고 $x - a$를 약분한다.
- $\infty - \infty$ 꼴의 극한 ➡ 다항식은 최고차항으로 묶고,
  $\sqrt{a} - \sqrt{b}$ 꼴은 분모, 분자에 $\sqrt{a} + \sqrt{b}$를 곱하여 식을 정리한다.

3-1 다음 극한을 조사하시오.

(1) $\lim\limits_{x \to -2} \dfrac{1}{x+2}\left(2 + \dfrac{4}{x}\right)$

(2) $\lim\limits_{x \to 0+} \dfrac{1}{x^2}\left(\dfrac{1}{x-1}+1\right)$

3-2 다음 극한을 조사하시오.

(1) $\lim\limits_{x \to -\infty} (x^3 - 4x^2 + 1)$

(2) $\lim\limits_{x \to \infty} (\sqrt{x^2 + 4x + 2} - \sqrt{x^2 - 2x - 1})$

다음 물음에 답하시오.

(1) $\displaystyle\lim_{x \to 1}\frac{x^2-1}{|x-1|}$의 극한을 조사하시오.

(2) $\displaystyle\lim_{x \to 1}[x]$의 극한을 조사하시오. (단, $[x]$는 x보다 크지 않은 최대 정수이다.)

날선 Guide (1) $x \to 1+$이면 $x>1$이므로 $|x-1|=x-1$이고,

$x \to 1-$이면 $x<1$이므로 $|x-1|=-(x-1)$이다.

따라서 우극한 $\displaystyle\lim_{x \to 1+}\frac{x^2-1}{|x-1|}$과 좌극한 $\displaystyle\lim_{x \to 1-}\frac{x^2-1}{|x-1|}$을 각각 구할 수 있다.

이때 우극한과 좌극한이 존재하고 두 값이 같으면 극한이 존재한다.

그리고 우극한과 좌극한이 다르면 극한이 존재하지 않는다.

(2) $1<x<2$이면 $[x]=1$이고,

$0<x<1$이면 $[x]=0$이므로

$x \to 1+$일 때와 $x \to 1-$일 때로 나누어 생각한다.

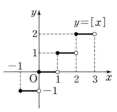

답 (1) 극한이 존재하지 않는다.　(2) 극한이 존재하지 않는다.

날선 **Point** • 절댓값이나 가우스 기호를 포함한 극한

➡ 우극한과 좌극한으로 나누어 생각한다.

• $\displaystyle\lim_{x \to a+} f(x)= \lim_{x \to a-} f(x)=L \iff \lim_{x \to a} f(x)=L$

4-1 다음 극한을 조사하시오.

(1) $\displaystyle\lim_{x \to 0}\frac{1}{|x|}$　　　　　　(2) $\displaystyle\lim_{x \to 0}\frac{x}{|x|}$　　　　　　(3) $\displaystyle\lim_{x \to 0}\frac{x^2}{|x|}$

4-2 다음 극한을 조사하시오. (단, $[x]$는 x보다 크지 않은 최대 정수이다.)

(1) $\displaystyle\lim_{x \to 2}[x-2]$　　　　　　　　(2) $\displaystyle\lim_{x \to 2}[x-2](x-2)$

4-3 함수 $y=f(x)$의 그래프가 그림과 같을 때, 다음 극한을 조사하시오.

(1) $\displaystyle\lim_{x \to 1}f(x^2)$　　　　　　(2) $\displaystyle\lim_{x \to -1}f(-x^2)$

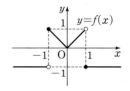

함수 $y=f(x)$, $y=g(x)$의 그래프가 그림과 같을 때, 다음 극한을 조사하시오.

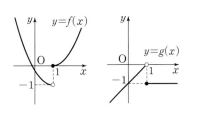

(1) $\lim\limits_{x \to 1} (x-1)f(x)$ (2) $\lim\limits_{x \to 1} x^2 f(x)$

(3) $\lim\limits_{x \to 1} f(x)g(x)$

날선 Guide (1) $f(x)$는 $x=1$에서 극한이 존재하지 않는다. 그러나

$$\lim_{x \to 1+} f(x)=0, \ \lim_{x \to 1-} f(x)=-1$$

이므로 $\lim\limits_{x \to 1+} (x-1)f(x)$, $\lim\limits_{x \to 1-} (x-1)f(x)$를 각각 구할 수 있다.

그리고 두 값이 같으면 $x=1$에서 $(x-1)f(x)$의 극한이 존재한다.

(2) 역시 $\lim\limits_{x \to 1+} x^2 f(x)$와 $\lim\limits_{x \to 1-} x^2 f(x)$를 각각 구한다.

(3) $x=1$에서 $f(x)$와 $g(x)$의 우극한과 좌극한이 존재하므로

$$\lim_{x \to 1+} f(x)g(x)=\lim_{x \to 1+} f(x) \times \lim_{x \to 1+} g(x)$$

$$\lim_{x \to 1-} f(x)g(x)=\lim_{x \to 1-} f(x) \times \lim_{x \to 1-} g(x)$$

가 성립한다.

이를 이용하여 $\lim\limits_{x \to 1+} f(x)g(x)$와 $\lim\limits_{x \to 1-} f(x)g(x)$를 각각 구한다.

답 (1) 0   (2) 극한이 존재하지 않는다.   (3) 0

 날선 Point $x=a$에서 $f(x)g(x)$의 극한

➡ $\lim\limits_{x \to a+} f(x)g(x)$와 $\lim\limits_{x \to a-} f(x)g(x)$를 각각 조사한다.

5-1 함수 $y=f(x)$의 그래프가 그림과 같을 때, 다음 극한값을 구하시오.

(1) $\lim\limits_{x \to -1} (x+1)f(x)$ (2) $\lim\limits_{x \to 0} x^2 f(x+1)$

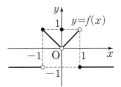

5-2 함수 $y=f(x)$, $y=g(x)$의 그래프가 그림과 같을 때, 다음 극한을 조사하시오.

(1) $\lim\limits_{x \to 0} f(x)g(x)$

(2) $\lim\limits_{x \to 1} f(x)g(x)$

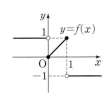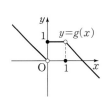

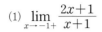
함수 $y=f(x)$의 그래프가 그림과 같을 때, 다음 극한을 조사하시오.

(1) $\displaystyle\lim_{x \to -1+} \dfrac{2x+1}{x+1}$

(2) $\displaystyle\lim_{x \to \infty} f\left(\dfrac{2x+1}{x+1}\right)$

(3) $\displaystyle\lim_{x \to -\infty} f\left(\dfrac{2x+1}{x+1}\right)$

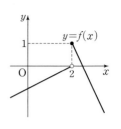

날선 Guide (1) $y=\dfrac{2x+1}{x+1}=2-\dfrac{1}{x+1}$ 의 그래프는 그림과 같다.

이 그래프에서 $\displaystyle\lim_{x \to -1+} \dfrac{2x+1}{x+1}$ 을 조사한다.

(2) $y=\dfrac{2x+1}{x+1}$ 의 그래프에서 $x \to \infty$일 때, $\dfrac{2x+1}{x+1}$의 값은

2보다 작으면서 2에 한없이 가까워진다.

곧, $\dfrac{2x+1}{x+1}=t$로 놓으면 $x \to \infty$일 때 $t \to 2-$ 이다.

이를 이용하여 $y=f(x)$의 그래프에서 $\displaystyle\lim_{x \to \infty} f\left(\dfrac{2x+1}{x+1}\right)$ 을 조사한다.

(3) $x \to -\infty$일 때, $\dfrac{2x+1}{x+1} \to 2+$ 임을 이용한다.

답 (1) $-\infty$로 발산 (2) 0 (3) 1

날선 Point

· $\dfrac{ax+b}{cx+d}$ 꼴의 극한 ➡ 그래프를 이용한다.

· $\displaystyle\lim_{x \to 0+} \dfrac{1}{x}=\infty,\ \lim_{x \to 0-} \dfrac{1}{x}=-\infty,\ \lim_{x \to \infty} \dfrac{1}{x}=0,\ \lim_{x \to -\infty} \dfrac{1}{x}=0$

6-1 $f(x)=\dfrac{3x-1}{1-x}$일 때, 다음 극한을 조사하시오.

(1) $\displaystyle\lim_{x \to 0} f(x)$

(2) $\displaystyle\lim_{x \to 1+} f(x)$

(3) $\displaystyle\lim_{x \to 1-} f(x)$

(4) $\displaystyle\lim_{x \to \infty} f(x)$

6-2 함수 $y=f(x)$의 그래프가 그림과 같을 때, 다음 극한값을 구하시오.

(1) $\displaystyle\lim_{x \to \infty} f\left(\dfrac{x}{x-1}\right)$

(2) $\displaystyle\lim_{x \to \infty} f\left(\dfrac{x-2}{x-1}\right)$

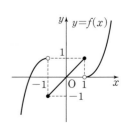

1-4 함수의 극한과 미정계수

1 $\lim\limits_{x \to a} \dfrac{f(x)}{g(x)}$의 극한이 존재하고 $\lim\limits_{x \to a} g(x) = 0$이면 $\lim\limits_{x \to a} f(x) = 0$이다.

2 $\lim\limits_{x \to a} \dfrac{f(x)}{g(x)}$의 극한이 0이 아닌 값이고 $\lim\limits_{x \to a} f(x) = 0$이면 $\lim\limits_{x \to a} g(x) = 0$이다.

함수의 극한과 미정계수 (1)

$\lim\limits_{x \to 1} \dfrac{x^2 + a}{x - 1}$ $\cdots$ ㉠의 값이 존재한다고 하자.

$x \to 1$일 때, 분모 $x - 1 \to 0$이고 분자 $x^2 + a \to 1 + a$이다.

$1 + a \neq 0$이면 $x \to 1$일 때 $\dfrac{x^2 + a}{x - 1}$의 절댓값은 한없이 커지므로

㉠의 값이 존재하면 $1 + a = 0$, 곧 $a = -1$이다.   → 이때 극한값은 $\lim\limits_{x \to 1} \dfrac{x^2 - 1}{x - 1} = \lim\limits_{x \to 1}(x + 1) = 2$

일반적으로 $\lim\limits_{x \to a} \dfrac{f(x)}{g(x)}$의 극한이 존재하고 $\lim\limits_{x \to a} g(x) = 0$일 때,

$\lim\limits_{x \to a} f(x) \neq 0$이면 $x \to a$일 때 $\dfrac{f(x)}{g(x)}$의 절댓값은 한없이 커지므로 $\lim\limits_{x \to a} f(x) = 0$이다.

곧, 극한값이 존재하고 (분모) $\to 0$이면 (분자) $\to 0$이다.

함수의 극한과 미정계수 (2)

$\lim\limits_{x \to 1} \dfrac{x - 1}{x^2 + a} = b \ (b \neq 0)$라 하자.

$x \to 1$일 때, 분자 $x - 1 \to 0$이고 분모 $x^2 + a \to 1 + a$이다.

그런데 $1 + a \neq 0$이면 $\lim\limits_{x \to 1} \dfrac{x - 1}{x^2 + a} = \dfrac{0}{1 + a} = 0$

따라서 극한값 $b \neq 0$이면 $1 + a = 0$, 곧 $a = -1$이다.   → 이때 극한값은 $b = \lim\limits_{x \to 1} \dfrac{x - 1}{x^2 - 1} = \lim\limits_{x \to 1} \dfrac{1}{x + 1} = \dfrac{1}{2}$

일반적으로 $\lim\limits_{x \to a} \dfrac{f(x)}{g(x)}$의 극한이 0이 아닌 값이고 $\lim\limits_{x \to a} f(x) = 0$일 때,

$\lim\limits_{x \to a} g(x) \neq 0$이면 $x \to a$일 때 $\dfrac{f(x)}{g(x)} \to 0$이므로 $\lim\limits_{x \to a} g(x) = 0$이다.

곧, 0이 아닌 극한값이 존재하고 (분자) $\to 0$이면 (분모) $\to 0$이다.

개념 Check
◆ 정답 및 풀이 5쪽

5 $\lim\limits_{x \to 2} \dfrac{x^3 + a}{x - 2} = b$일 때, 상수 a, b의 값을 구하시오.

6 $\lim\limits_{x \to -1} \dfrac{x^2 - 1}{x + a} = b \ (b \neq 0)$일 때, 상수 a, b의 값을 구하시오.

a가 아니면서 a에 가까운 모든 x에 대하여

1 $f(x) \leq g(x)$이면 $\lim_{x \to a} f(x) \leq \lim_{x \to a} g(x)$

2 $f(x) \leq h(x) \leq g(x)$이고 $\lim_{x \to a} f(x) = \lim_{x \to a} g(x) = p$이면 $\lim_{x \to a} h(x) = p$

참고 위의 대소 관계는 $x \to a+$, $x \to a-$, $x \to \infty$, $x \to -\infty$일 때에도 성립한다.

함수의 극한의
대소 관계 ⑴

$f(x) = 1 - \dfrac{1}{x}$, $g(x) = 1 + \dfrac{1}{x}$이라 하면

$x > 0$에서 $f(x) < g(x)$이지만

$\lim_{x \to \infty} f(x) = 1$, $\lim_{x \to \infty} g(x) = 1$이므로

$$\lim_{x \to \infty} f(x) \leq \lim_{x \to \infty} g(x)$$

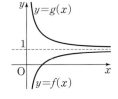

이와 같이 $f(x) < g(x)$인 경우도 극한의 대소 관계에서는 등호가 성립할 수 있다.

이 성질은 $x \to a$일 때에도 성립한다.

일반적으로 a가 아니면서 a에 가까운 모든 x에 대하여

$$f(x) \leq g(x)\text{이면 } \lim_{x \to a} f(x) \leq \lim_{x \to a} g(x)$$

이다. 이때 $f(x) < g(x)$인 경우도 성립한다.

함수의 극한의
대소 관계 ⑵

$f(x) = 1 - \dfrac{1}{x}$, $g(x) = 1 + \dfrac{1}{x}$이고 $f(x) < h(x) < g(x)$라 하면

$$\lim_{x \to \infty} f(x) \leq \lim_{x \to \infty} h(x) \leq \lim_{x \to \infty} g(x)$$

그런데 $\lim_{x \to \infty} f(x) = 1$, $\lim_{x \to \infty} g(x) = 1$이므로

$$1 \leq \lim_{x \to \infty} h(x) \leq 1 \qquad \therefore \ \lim_{x \to \infty} h(x) = 1$$

이와 같이 함수에 대한 부등식이 주어진 경우 다음 성질을 이용하여 극한을 구할 수 있다.

a가 아니면서 a에 가까운 모든 x에 대하여 $f(x) \leq h(x) \leq g(x)$일 때,

$$\lim_{x \to a} f(x) = \lim_{x \to a} g(x) = p\text{이면 } \lim_{x \to a} h(x) = p$$

개념 Check ◆ 정답 및 풀이 **5**쪽

7 $x > 2$에서 $\dfrac{1}{x-1} < f(x) < \dfrac{1}{x-2}$일 때, $\lim_{x \to \infty} f(x)$의 값을 구하시오.

다음 물음에 답하시오.

(1) $\lim\limits_{x \to 1} \dfrac{x^2+ax+b}{x^2-1}=3$일 때, 상수 a, b의 값을 구하시오.

(2) $\lim\limits_{x \to -1} \dfrac{x+1}{\sqrt{x+2}+a}=b$이고 $b \neq 0$일 때, 상수 a, b의 값을 구하시오.

날선 Guide (1) $x \to 1$일 때, 극한값이 존재하고 (분모) $\to 0$이므로 (분자) $\to 0$이다.

따라서 $x \to 1$일 때 (분자)$=1+a+b=0$이다.

이때

$$(분자)=x^2+ax-(a+1)=(x-1)(x+a+1)$$

이므로 분모와 분자를 $x-1$로 나눌 수 있다.

$\dfrac{0}{0}$ 꼴의 극한이므로 분모, 분자를 $x-1$로 약분하는 꼴임에 착안하여 계산한다.

(2) $x \to -1$일 때, 0이 아닌 극한값이 존재하고 (분자) $\to 0$이므로 (분모) $\to 0$이다.

곧, $x \to -1$일 때, (분모) $\to 0$임을 이용하여 a의 값을 구한다.

그리고 $\dfrac{0}{0}$ 꼴의 극한이므로 분모, 분자에 $\sqrt{x+2}-a$를 곱한 다음, $x+1$을 약분할 수 있도록 정리한다.

답 (1) $a=4$, $b=-5$ (2) $a=-1$, $b=2$

날선 Point $\lim\limits_{x \to a} \dfrac{f(x)}{g(x)}=L$일 때,
- (분모) $\to$ 0이면 (분자) $\to 0$
- (분자) $\to 0$, $L \neq 0$이면 (분모) $\to 0$

7-1 다음을 만족시키는 상수 a, b의 값을 구하시오.

(1) $\lim\limits_{x \to -2} \dfrac{x^2+a}{x^2+x-2}=b$

(2) $\lim\limits_{x \to 0} \dfrac{\sqrt{x+a}+b}{2x}=\dfrac{3}{4}$

7-2 $\lim\limits_{x \to 2} \dfrac{x^3-2x^2}{x^2+ax+b}=2$일 때, 상수 a, b의 값을 구하시오.

다음 물음에 답하시오.

(1) $\lim\limits_{x \to \infty} \dfrac{f(x)}{x^2-1} = 3$, $\lim\limits_{x \to -1} \dfrac{f(x)}{x^2-1} = 3$인 다항함수 $f(x)$를 구하시오.

(2) $\lim\limits_{x \to 1} \dfrac{f(x)}{x-1} = -2$, $\lim\limits_{x \to 3} \dfrac{f(x)}{x-3} = 6$인 차수가 가장 낮은 다항함수 $f(x)$를 구하시오.

날선 Guide (1) $x \to \infty$일 때 $\dfrac{f(x)}{x^2-1}$의 극한값이 0이 아니고, 분모가 이차식이다.

이때 분자 $f(x)$가 일차식이면 극한값이 0이고, 삼차식 이상이면 ∞ 또는 $-\infty$로 발산하므로 $f(x)$는 이차식이다.

따라서 $f(x) = ax^2 + bx + c\ (a \neq 0)$로 놓고 $\lim\limits_{x \to \infty} \dfrac{f(x)}{x^2-1} = 3$, $\lim\limits_{x \to -1} \dfrac{f(x)}{x^2-1} = 3$에 대입하여 a, b, c의 값을 구한다.

(2) $\lim\limits_{x \to 1} \dfrac{f(x)}{x-1} = -2$에서 $x \to 1$일 때 (분모) $\to 0$이므로 (분자) $\to 0$, 곧 $f(1) = 0$

$\lim\limits_{x \to 3} \dfrac{f(x)}{x-3} = 6$에서 $x \to 3$일 때 (분모) $\to 0$이므로 (분자) $\to 0$, 곧 $f(3) = 0$

따라서 $f(x) = (x-1)(x-3)Q(x)\ (Q(x)$는 다항식)로 놓을 수 있다.

$f(x)$를 $\lim\limits_{x \to 1} \dfrac{f(x)}{x-1} = -2$, $\lim\limits_{x \to 3} \dfrac{f(x)}{x-3} = 6$에 대입하여 $Q(x)$에 대한 조건을 찾는다.

참고 $f(x)$와 $g(x)$가 다항함수이고 $\lim\limits_{x \to \infty} \dfrac{f(x)}{g(x)} = k\ (k \neq 0)$이면

$f(x)$와 $g(x)$의 차수는 같고, 최고차항의 계수는 $f(x)$가 $g(x)$의 k배이다.

답 (1) $f(x) = 3x^2 - 3$ (2) $f(x) = x(x-1)(x-3)$

날선 Point • $f(x)$, $g(x)$가 다항함수일 때,

$\lim\limits_{x \to \infty} \dfrac{f(x)}{g(x)} = a\ (a \neq 0) \iff f(x)$, $g(x)$의 차수가 같다.

• $f(x)$가 다항함수이고 $f(a) = 0$이면 $\Rightarrow$ $f(x) = (x-a)Q(x)\ (Q(x)$는 다항식)

8-1 다음을 만족시키는 다항함수 $f(x)$를 구하시오.

$$\lim\limits_{x \to \infty} \dfrac{f(x) - 3x^3}{x^2} = 2, \ \lim\limits_{x \to 0} \dfrac{f(x)}{x} = 2$$

8-2 $\lim\limits_{x \to 0} \dfrac{f(x)}{x} = 2$, $\lim\limits_{x \to -1} \dfrac{f(x)}{x+1} = 1$인 차수가 가장 낮은 다항함수 $f(x)$를 구하시오.

$f(x), g(x)$가 함수일 때, 다음 물음에 답하시오.

(1) $x>0$에서 $x^2-2x<f(x)<x^2+3x$일 때, $\displaystyle\lim_{x\to\infty}\dfrac{f(x)}{2x^2+1}$의 값을 구하시오.

(2) $\displaystyle\lim_{x\to\infty}f(x)=\infty$, $\displaystyle\lim_{x\to\infty}\{f(x)-g(x)\}=2$일 때, $\displaystyle\lim_{x\to\infty}\dfrac{f(x)-2g(x)}{f(x)+g(x)}$의 값을 구하시오.

날선 Guide (1) $x^2-2x<f(x)<x^2+3x$에서 $2x^2+1>0$이므로

$$\dfrac{x^2-2x}{2x^2+1}<\dfrac{f(x)}{2x^2+1}<\dfrac{x^2+3x}{2x^2+1}$$

그런데 부등식의 극한에서는 등호가 가능하므로

$$\lim_{x\to\infty}\dfrac{x^2-2x}{2x^2+1}\le\lim_{x\to\infty}\dfrac{f(x)}{2x^2+1}\le\lim_{x\to\infty}\dfrac{x^2+3x}{2x^2+1}$$

따라서 $\displaystyle\lim_{x\to\infty}\dfrac{x^2-2x}{2x^2+1}$와 $\displaystyle\lim_{x\to\infty}\dfrac{x^2+3x}{2x^2+1}$의 값이 같으면 $\displaystyle\lim_{x\to\infty}\dfrac{f(x)}{2x^2+1}$의 값도 구할 수 있다.

(2) $f(x)-g(x)=h(x)$라 하면 $g(x)=f(x)-h(x)$이다.

이 식을 $\dfrac{f(x)-2g(x)}{f(x)+g(x)}$에 대입하고, $\displaystyle\lim_{x\to\infty}f(x)=\infty$, $\displaystyle\lim_{x\to\infty}h(x)=2$를 이용한다.

참고 $\displaystyle\lim_{x\to\infty}f(x)$의 값이 존재하지 않으므로

$\displaystyle\lim_{x\to\infty}f(x)-\lim_{x\to\infty}g(x)=2$라 하면 안 된다는 것에 주의한다.

답 (1) $\dfrac{1}{2}$ (2) $-\dfrac{1}{2}$

날선 Point $f(x)<h(x)<g(x)$일 때,

$\displaystyle\lim_{x\to\infty}f(x)=\lim_{x\to\infty}g(x)=p$이면 $\displaystyle\lim_{x\to\infty}h(x)=p$

9-1 $f(x)$가 함수이고 $x>0$에서 $2x^2-1<xf(x)<2x^2+1$일 때, $\displaystyle\lim_{x\to\infty}\dfrac{f(x)}{x}$의 값을 구하시오.

9-2 $f(x), g(x)$가 함수이고 $\displaystyle\lim_{x\to3}f(x)=3$, $\displaystyle\lim_{x\to3}\dfrac{f(x)+g(x)}{1-g(x)}=2$일 때, $\displaystyle\lim_{x\to3}g(x)$의 값을 구하시오.

대표 Q10 극한의 활용

중심의 좌표가 $\left(a,\ a+\dfrac{1}{a}\right)$이고 직선 $y=x$에 접하는 원이 있다. 원점 O와 원 위의 점 사이 거리의 최솟값을 $f(a)$라 할 때, $\displaystyle\lim_{a\to\infty}\dfrac{f(a)}{a}$의 값을 구하시오. (단, $a>0$)

날선 Guide 원의 중심을 C, 반지름의 길이를 r라 하자.

원점 O와 원 위를 움직이는 점 사이의 거리의 최솟값은 $\overline{OC}-r$이다.

또 원과 직선 $y=x$가 접하므로 중심 C와 직선 $y=x$ 사이의 거리가 r와 같다.

이를 이용하여 r를 a로 나타낸 다음, $f(a)$를 구한다.

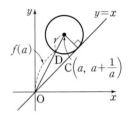

참고 직선과 원이 접하면

중심과 직선 사이의 거리가 반지름의 길이와 같고, 접점을 지나는 반지름과 접선은 수직이다.

답 $\sqrt{2}$

날선 Point **극한의 활용**

➡ 점의 좌표, 거리, 도형의 넓이 등을 식으로 나타낸 후 극한의 성질을 이용하여 극한값을 구한다.

10-1 직선 $y=t$가 함수 $y=|x^2-1|$의 그래프와 만나는 점의 개수를 $f(t)$라 할 때, 다음 극한을 조사하시오.

(1) $\displaystyle\lim_{t\to 1-}f(t)$ (2) $\displaystyle\lim_{t\to 0}f(t)$

10-2 곡선 $y=x^2$ 위의 점 $P(t,\ t^2)\ (t>0)$에 대하여

$$\overline{PO}=\overline{PQ},\ \overline{RO}=\overline{RP}$$

인 x축 위의 점 Q, y축 위의 점 R가 있다. 삼각형 POQ와 삼각형 PRO의 넓이를 각각 $S(t),\ T(t)$라 할 때, $\displaystyle\lim_{t\to 0+}\dfrac{T(t)-S(t)}{t}$의 값을 구하시오. (단, O는 원점이다.)

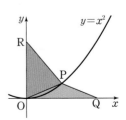

1 함수의 극한

01 함수 $y=f(x)$의 그래프가 그림과 같을 때,
$\displaystyle\lim_{x \to -1-} f(x) - \lim_{x \to 1+} f(x)$의 값은?

① -2 ② -1 ③ 0

④ 1 ⑤ 2

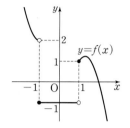

02 보기에서 옳은 것만을 있는 대로 고르시오.

┌ 보기 ├

ㄱ. $\displaystyle\lim_{x \to -\infty} \frac{1}{x(x-1)}=0$ ㄴ. $\displaystyle\lim_{x \to 0-} \frac{1}{x(x-1)}=-\infty$

ㄷ. $\displaystyle\lim_{x \to 0+} \frac{1}{x(x-1)}=\infty$ ㄹ. $\displaystyle\lim_{x \to 1-} \frac{1}{x(x-1)}=-\infty$

03 다음 극한값을 구하시오.

(1) $\displaystyle\lim_{x \to 2} \frac{x^2+7x-18}{x-2}$

(2) $\displaystyle\lim_{x \to 0} \frac{\sqrt{1+x}-\sqrt{1-x}}{x}$

(3) $\displaystyle\lim_{x \to 3} \frac{1}{x-3}\left(\frac{1}{x+1}-\frac{1}{4}\right)$

(4) $\displaystyle\lim_{x \to \infty} \frac{-4x^2+3x-1}{2x^2+5x-2}$

(5) $\displaystyle\lim_{x \to \infty} (\sqrt{2x+3}-\sqrt{2x-1})$

(6) $\displaystyle\lim_{x \to -\infty} \frac{x-\sqrt{x^2-1}}{x+1}$

04 함수 $y=f(x)$의 그래프가 그림과 같을 때,
$\displaystyle\lim_{x \to 1-} f(x)f(1-x)$의 값은?

① -2 ② -1 ③ 0

④ 1 ⑤ 2

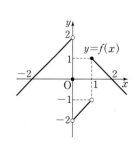

05 $f(x)$가 다항함수이고 $\lim\limits_{x \to 1}(x+1)f(x)=1$일 때, $\lim\limits_{x \to 1}(2x^2+1)f(x)$의 값을 구하시오.

06 다음 극한값을 구하시오. (단, $[x]$는 x보다 크지 않은 최대 정수이다.)

(1) $\lim\limits_{x \to 2+}\dfrac{[x]^2+[x]-2}{[x+2]}$
(2) $\lim\limits_{x \to 2-}\dfrac{x^2+2x-8}{|x-2|}$

07 $-2<x<2$에서 정의된 함수 $y=f(x)$의 그래프가 그림과 같을 때, 다음 극한을 조사하시오.

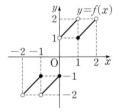

(1) $\lim\limits_{x \to 1}xf(x)$
(2) $\lim\limits_{x \to -1}xf(x)$
(3) $\lim\limits_{x \to 0}xf(x)$

08 실수 전체의 집합에서 정의된 함수 $y=f(x)$의 그래프가 그림과 같다.

$\lim\limits_{t \to \infty}f\left(\dfrac{t-1}{t+1}\right)+\lim\limits_{t \to \infty}f\left(\dfrac{4t-1}{t+1}\right)$의 값은?

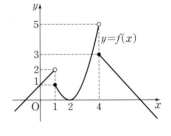

① 3   ② 4   ③ 5

④ 6   ⑤ 7

09 $\lim\limits_{x \to 1}\dfrac{ax+b}{\sqrt{x+1}-\sqrt{2}}=2\sqrt{2}$일 때, ab의 값은?

① -3 ② -2 ③ -1 ④ 1   ⑤ 2

10 $\lim\limits_{x \to \infty} (\sqrt{x^2+ax} - \sqrt{x^2-ax}) = 4$일 때, 상수 a의 값은?

① 2   ② 3   ③ 4   ④ 5   ⑤ 6

11 함수 $f(x)$에 대하여 $\lim\limits_{x \to 2} \dfrac{f(x)-3}{x-2} = 5$일 때, 다음 극한값을 구하시오.

(1) $\lim\limits_{x \to 0} \dfrac{f(x+2)}{x^2-4}$ (2) $\lim\limits_{x \to 2} \dfrac{x-2}{\{f(x)\}^2-9}$

 수능 기출

12 최고차항의 계수가 1인 이차함수 $f(x)$가 $\lim\limits_{x \to a} \dfrac{f(x)-(x-a)}{f(x)+(x-a)} = \dfrac{3}{5}$ 을 만족시킨다. 방정식 $f(x)=0$의 두 근을 α, β라 할 때, $|\alpha-\beta|$의 값은?

① 1   ② 2   ③ 3   ④ 4   ⑤ 5

13 $f(x)$가 다항함수이고 $\lim\limits_{x \to \infty} \dfrac{f(x)-x^3}{x^2+2x} = -2$, $\lim\limits_{x \to 3} \dfrac{f(x)}{x^2-2x-3} = 1$일 때, $f(x)$를 구하시오.

14 함수의 극한에 대한 다음 설명 중 옳은 것을 모두 고르면?

① $\lim\limits_{x \to a} \{f(x)+g(x)\}$, $\lim\limits_{x \to a} \{f(x)-g(x)\}$가 존재하면 $\lim\limits_{x \to a} f(x)$와 $\lim\limits_{x \to a} g(x)$가 존재한다.

② $\lim\limits_{x \to a} f(x)g(x)$가 존재하면 $\lim\limits_{x \to a} f(x)$와 $\lim\limits_{x \to a} g(x)$가 존재한다.

③ $\lim\limits_{x \to a} f(x)$, $\lim\limits_{x \to a} \dfrac{f(x)}{g(x)}$가 존재하면 $\lim\limits_{x \to a} g(x)$가 존재한다. (단, $g(x) \neq 0$)

④ $\lim\limits_{x \to a} g(x)$, $\lim\limits_{x \to a} \dfrac{f(x)}{g(x)}$가 존재하면 $\lim\limits_{x \to a} f(x)$가 존재한다. (단, $g(x) \neq 0$)

⑤ $f(x) < g(x)$이면 $\lim\limits_{x \to a} f(x) < \lim\limits_{x \to a} g(x)$이다.

교육청 기출

15 최고차항의 계수가 1인 이차함수 $f(x)$가 $\lim_{x \to 0} |x| \left\{ f\left(\dfrac{1}{x}\right) - f\left(-\dfrac{1}{x}\right) \right\} = k$,

$\lim_{x \to \infty} f\left(\dfrac{1}{x}\right) = 3$을 만족시킬 때, $f(2)$의 값은?

① 1 　　② 3 　　③ 5 　　④ 7 　　⑤ 9

16 함수 $f(x)$가 모든 실수 x에 대하여
$$3x^2 - 8x + 4 \le f(x) \le 5x^2 - 16x + 12$$
일 때, $\lim_{x \to 2} \dfrac{f(x)}{x-2}$의 값을 구하시오.

17 함수 $f(x)$, $g(x)$에 대하여 $\lim_{x \to 2} f(x) = \infty$이고 $\lim_{x \to 2} \dfrac{2f(x) - 3g(x)}{f(x)} = 0$일 때,

$\lim_{x \to 2} \dfrac{f(x) + 4g(x)}{f(x) - 2g(x)}$의 값을 구하시오.

18 그림과 같이 직선 $y = x + 1$ 위에 점 $A(-1, 0)$과 $P(t, t+1)$이 있다. 점 P를 지나고 직선 $y = x+1$에 수직인 직선이 y축과 만나는 점을 Q라 할 때, $\lim_{t \to \infty} \dfrac{\overline{AQ}^2}{\overline{AP}^2}$의 값을 구하시오.

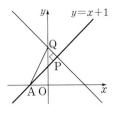

19 함수 $y = f(x)$의 그래프가 그림과 같을 때, 다음 극한값을 구하시오.

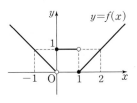

(1) $\lim_{x \to 2+} f(f(x))$ 　　　(2) $\lim_{x \to 2-} f(f(x))$

(3) $\lim_{x \to 1+} f(f(x))$ 　　　(4) $\lim_{x \to 1-} f(f(x))$

운동하는 물체의 위치, 한 지점의 온도 등은 시간에 따라 연속적으로 변한다. 이것을 시간에 대한 함수로 나타낼 수 있으며, 이처럼 연속적으로 변화하는 두 양 사이의 함수는 연속함수가 된다.

이 단원에서는 함수의 극한을 바탕으로 연속함수의 성질을 알아보고 연속인 함수에 대하여 성립하는 최대·최소 정리와 사잇값 정리에 대해 살펴보자.

함수의 연속

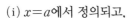

2-1 함수의 연속

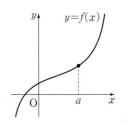

1 함수 $f(x)$가 다음을 모두 만족시키면 $f(x)$는 $x=a$에서 연속이라 한다.

(i) $x=a$에서 정의되고,

(ii) $\lim\limits_{x \to a} f(x)$의 값이 존재하고, $\lim\limits_{x \to a} f(x)=f(a)$이다.

2 함수 $f(x)$가 $x=a$에서 연속이면 $y=f(x)$의 그래프는 $x=a$에서 연결되어 있다.

함수의 연속 ● 함수 $f(x)=x+1$, $g(x)=\begin{cases} x+1 & (x \geq 1) \\ x & (x<1) \end{cases}$, $h(x)=\begin{cases} x+1 & (x \neq 1) \\ 1 & (x=1) \end{cases}$ 의 그래프는 그림과 같다.

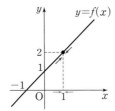 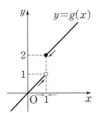 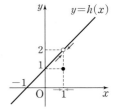

$y=f(x)$의 그래프는 $x=1$에서 연결되어 있지만, $y=g(x)$와 $y=h(x)$의 그래프는 $x=1$에서 끊어져 있다. 끊어진 형태를 극한을 이용하여 설명할 수 있다.

(i) $g(x)$는 $x=1$에서 우극한과 좌극한이 다르다. 곧, $x=1$에서 극한값이 존재하지 않는다.

(ii) $h(x)$는 $x=1$에서 극한값이 존재하지만, $\lim\limits_{x \to 1} h(x)=2$, $h(1)=1$이므로 극한값과 함숫값이 다르다.

이와 같은 이유로 극한을 이용하여 함수의 연속을 다음과 같이 정의한다.

> $x=a$에서 정의된 함수 $f(x)$에 대하여
>
> $\lim\limits_{x \to a} f(x)=f(a)$이면 $f(x)$는 $x=a$에서 연속이다.

함수의 불연속 ● 그리고 $x=a$에서 정의되지 않거나, $\lim\limits_{x \to a} f(x)$의 값이 존재하지 않거나, $\lim\limits_{x \to a} f(x) \neq f(a)$이면 함수 $f(x)$는 $x=a$에서 불연속이라 한다.

◆ 정답 및 풀이 **13**쪽

1 함수 $y=f(x)$의 그래프가 그림과 같을 때, 다음 중 $f(x)$가 주어진 x의 값에서 연속인 것을 모두 고르면?

① $x=a$ ② $x=b$ ③ $x=c$

④ $x=d$ ⑤ $x=e$

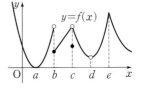

1 구간

(1) 집합 $\{x|a\leq x\leq b\}$, $\{x|a<x<b\}$, $\{x|a\leq x<b\}$, $\{x|a<x\leq b\}$ $(a<b)$를 각각 $[a, b]$, (a, b), $[a, b)$, $(a, b]$로 나타내고 구간이라 한다.

이때 $[a, b]$를 닫힌구간, (a, b)를 열린구간, $[a, b)$와 $(a, b]$를 반닫힌 구간 또는 반열린 구간이라 한다.

(2) 집합 $\{x|x\geq a\}$, $\{x|x>a\}$, $\{x|x\leq a\}$, $\{x|x<a\}$, $\{x|x$는 실수$\}$를 각각 $[a, \infty)$, (a, ∞), $(-\infty, a]$, $(-\infty, a)$, $(-\infty, \infty)$로 나타낸다.

2 구간에서 함수의 연속

함수 $f(x)$가 어떤 구간에 속하는 모든 x에서 연속일 때, $f(x)$는 그 구간에서 연속 또는 그 구간에서 **연속함수**라 한다.

구간 •

앞으로 함수에서 x값의 범위는 집합보다 구간을 이용하여 나타낸다.

위에서 정의한 구간을 그림으로 나타내면 다음과 같다.

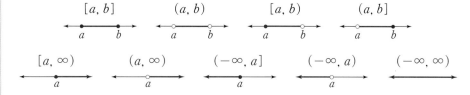

구간에서 •
함수의 연속

함수 $f(x)=\begin{cases} x+1 & (x\geq 1) \\ x & (x<1) \end{cases}$는 $x=1$에서 연속이 아니므로 $x=1$을 포

함한 구간, 예를 들어 구간 $(0, 2)$에서는 연속이 아니다.

그러나 구간 $(1, \infty)$에 속하는 모든 x에서 연속이므로 $f(x)$는 구간

$(1, \infty)$에서 연속 또는 연속함수라 한다.

또 $\lim\limits_{x\to 1+} f(x)=f(1)$이므로 구간 $[1, \infty)$에서 생각하면 $x=1$에서도

연속이라 할 수 있다. 따라서 $f(x)$는 구간 $[1, \infty)$에서 연속이다.

이와 같이 닫힌구간 $[a, b]$에서 함수 $f(x)$의 연속은 다음과 같이 정의한다.

(i) 함수 $f(x)$가 열린구간 (a, b)에서 연속이다.

(ii) $\lim\limits_{x\to a+} f(x)=f(a)$, $\lim\limits_{x\to b-} f(x)=f(b)$

▶ **개념 Check**

◆ 정답 및 풀이 13쪽

2 다음 집합을 구간의 기호를 사용하여 나타내시오.

(1) $\{x|-3<x<5\}$　　　(2) $\{x|4\leq x\leq 10\}$　　　(3) $\{x|x<3\}$

1 연속함수의 성질

두 함수 $f(x)$, $g(x)$가 $x=a$에서 연속이면 다음 함수도 $x=a$에서 연속이다.

(1) $cf(x)$ (단, c는 상수)   (2) $f(x)+g(x)$, $f(x)-g(x)$

(3) $f(x)g(x)$ (4) $\dfrac{f(x)}{g(x)}$ (단, $g(a)\neq0$)

2 다항함수, 유리함수의 연속

(1) 다항함수 $y=f(x)$는 구간 $(-\infty, \infty)$에서 연속이다.

(2) 유리함수 $y=\dfrac{f(x)}{g(x)}$는 $g(x)\neq0$인 모든 실수 x에서 연속이다.

연속함수의 성질

두 함수 $f(x)$, $g(x)$가 $x=a$에서 연속이라 하자.

$\lim\limits_{x\to a}f(x)=f(a)$, $\lim\limits_{x\to a}g(x)=g(a)$이므로 함수의 극한의 성질에서

$$\lim_{x\to a}\{f(x)+g(x)\}=\lim_{x\to a}f(x)+\lim_{x\to a}g(x)=f(a)+g(a)$$

따라서 함수 $f(x)+g(x)$는 $x=a$에서 연속이다.

이와 같이 함수의 극한의 성질에서 다음 연속함수의 성질을 얻을 수 있다.

두 함수 $f(x)$, $g(x)$가 $x=a$에서 연속이면 다음 함수도 $x=a$에서 연속이다.

(1) $cf(x)$ (단, c는 상수)   (2) $f(x)+g(x)$, $f(x)-g(x)$

(3) $f(x)g(x)$ (4) $\dfrac{f(x)}{g(x)}$ (단, $g(a)\neq0$)

다항함수의 연속

상수함수 $y=c$와 항등함수 $y=x$는 구간 $(-\infty, \infty)$에서 연속이다.

따라서 다항함수 $y=x^3-x^2+2x+4$는 연속함수의 곱과 합으로 생각할 수 있으므로 구간 $(-\infty, \infty)$에서 연속이다.

이와 같은 이유로 다항함수 $y=f(x)$는 구간 $(-\infty, \infty)$에서 연속이다.

유리함수의 연속

$f(x)$와 $g(x)$가 다항함수이고 $g(a)\neq0$이면 $\dfrac{f(x)}{g(x)}$는 $x=a$에서 연속이다.

따라서 유리함수 $y=\dfrac{f(x)}{g(x)}$는 $g(x)\neq0$인 모든 실수 x에서 연속이다.

▶ **개념 Check**

◆ 정답 및 풀이 **13**쪽

3 다음 함수가 연속인 구간을 구하시오.

(1) $y=3x^3-4x^2+1$ (2) $y=\dfrac{x^2+3x+1}{x+2}$

다음 물음에 답하시오.

(1) $x=1$에서 함수 $f(x)=\begin{cases} \dfrac{|x-1|}{x-1} & (x\neq 1) \\ 1 & (x=1) \end{cases}$의 연속성을 조사하시오.

(2) $-1\leq x\leq 4$에서 함수 $g(x)=x-[x]$가 불연속인 x의 값을 모두 구하시오.

(단, $[x]$는 x보다 크지 않은 최대 정수이다.)

낱선 Guide (1) $x>1$일 때, $f(x)=\dfrac{x-1}{x-1}=1$

$x<1$일 때, $f(x)=\dfrac{-(x-1)}{x-1}=-1$

이므로 $y=f(x)$의 그래프를 그릴 수 있다.

그리고 $x=1$에서 그래프가 연결되어 있는지 확인한다.

참고 그래프를 그리지 않고 극한으로 확인할 수도 있다. 곧, $\lim\limits_{x\to 1}f(x)$의 값이 존재하고 이 값이 $f(1)$과 같으면 $f(x)$는 $x=1$에서 연속이다. 보통은 그래프를 그려 조사하는 것이 편하다.

(2) $-1\leq x<0$일 때, $[x]=-1$이므로 $g(x)=x-(-1)$

$0\leq x<1$일 때, $[x]=0$이므로 $g(x)=x-0$

$\qquad\qquad \vdots$

이와 같이 범위를 나누어 $[x]$의 값과 $g(x)$를 구한다.

그리고 $y=g(x)$의 그래프를 그리고 불연속인 x의 값을 모두 구한다.

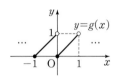

답 (1) 불연속 (2) 0, 1, 2, 3, 4

 함수의 연속 ➡ 그래프를 그려 그래프가 연결되어 있는지 확인한다.

1-1 $x=1$에서 함수 $f(x)=\begin{cases} \dfrac{x^2-1}{x-1} & (x\neq 1) \\ 2 & (x=1) \end{cases}$의 연속성을 조사하시오.

1-2 구간 $(-1, 3)$에서 다음 함수가 불연속인 x의 값을 모두 구하시오.

(단, $[x]$는 x보다 크지 않은 최대 정수이다.)

(1) $y=[x]$ (2) $y=x[x]$

다음 물음에 답하시오.

(1) 함수 $f(x)=\begin{cases} \dfrac{x^2+ax+b}{x-2} & (x\neq 2) \\ 3 & (x=2) \end{cases}$ 이 구간 $(-\infty,\ \infty)$에서 연속일 때, 상수 $a,\ b$의

값을 구하시오.

(2) 함수 $f(x)$가 구간 $(-\infty,\ \infty)$에서 연속이고 $(x+1)f(x)=x^2+5x+a$일 때, 상수 a 의 값과 $f(-1)$의 값을 구하시오.

낱선 Guide (1) $\dfrac{x^2+ax+b}{x-2}$ 는 $x\neq 2$에서 연속이므로 $f(x)$가 $x=2$에서 연속일 조건만 찾으면 충분 하다.

곧, $\lim\limits_{x\to 2}f(x)=f(2)$이므로 $\lim\limits_{x\to 2}\dfrac{x^2+ax+b}{x-2}=3$

$x\to 2$일 때, (분모)$\to 0$이므로 (분자)$\to 0$이다. 이것을 이용하여 $a,\ b$의 값을 구한다.

(2) $x\neq -1$일 때, $f(x)=\dfrac{x^2+5x+a}{x+1}$

$f(x)$는 $x\neq -1$에서 연속이므로 $f(x)$가 $x=-1$에서 연속일 조건만 찾으면 충분하다.

곧, $\lim\limits_{x\to -1}f(x)=f(-1)$이므로 $\lim\limits_{x\to -1}\dfrac{x^2+5x+a}{x+1}=f(-1)$

따라서 a의 값과 극한값을 차례로 구한다.

답 (1) $a=-1,\ b=-2$ (2) $a=4,\ f(-1)=3$

낱선 Point $x=a$에서 정의된 함수 $f(x)$가 $x=a$에서 연속이면 $\lim\limits_{x\to a}f(x)$의 값이 존재하고 $\lim\limits_{x\to a}f(x)=f(a)$이다.

2-1 함수 $f(x)=\begin{cases} \dfrac{x^2+a}{x-1} & (x\neq 1) \\ b & (x=1) \end{cases}$ 가 구간 $(-\infty,\ \infty)$에서 연속일 때, 상수 $a,\ b$의 값을 구하시오.

2-2 함수 $f(x)$가 구간 $[0,\ \infty)$에서 연속이고 $(x-2)f(x)=\sqrt{x}+a$일 때, 상수 a의 값과 $f(2)$의 값을 구하시오.

함수 $y=f(x)$와 $y=g(x)$의 그래프가 그림과 같을 때, 구간 $(-\infty, \infty)$에서 다음 함수가 불연속인 x의 값을 모두 구하시오.

(1) $f(x)g(x)$ (2) $\{f(x)\}^2$

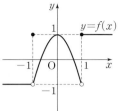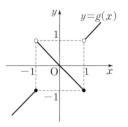

 Guide (1) $f(x)$와 $g(x)$는 $x\neq-1$, $x\neq1$에서 연속이므로 $f(x)g(x)$도 $x\neq-1$, $x\neq1$에서 연속이다.

따라서 $f(x)g(x)$가 $x=-1$과 $x=1$에서 연속인지만 조사하면 충분하다.

$x=-1$일 때, 다음 세 값이 같으면 연속이다.
$$\lim_{x\to-1+}f(x)g(x),\ \lim_{x\to-1-}f(x)g(x),\ f(-1)g(-1)$$

$x=1$일 때에도 다음 세 값이 같으면 연속이다.
$$\lim_{x\to1+}f(x)g(x),\ \lim_{x\to1-}f(x)g(x),\ f(1)g(1)$$

(2) $f(x)$는 $x\neq-1$, $x\neq1$에서 연속이므로 $\{f(x)\}^2$도 $x\neq-1$, $x\neq1$에서 연속이다.

따라서 $\{f(x)\}^2$이 $x=-1$과 $x=1$에서 연속인지만 조사하면 충분하다.

$\lim_{x\to-1+}\{f(x)\}^2,\ \lim_{x\to-1-}\{f(x)\}^2,\ \{f(-1)\}^2$과

$\lim_{x\to1+}\{f(x)\}^2,\ \lim_{x\to1-}\{f(x)\}^2,\ \{f(1)\}^2$을 각각 비교한다.

답 (1) -1, 1 (2) 없다.

Point $x=a$에서 함수 $f(x)g(x)$의 연속성

❶ $\lim_{x\to a+}f(x)g(x)$, $\lim_{x\to a-}f(x)g(x)$를 구하고,

❷ $f(a)g(a)$와 비교한다.

3-1 함수 $y=f(x)$와 $y=g(x)$의 그래프가 그림과 같을 때, 구간 $(-\infty, \infty)$에서 다음 함수가 불연속인 x의 값을 구하시오.

(1) $f(x)g(x)$ (2) $\{f(x)\}^2$

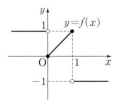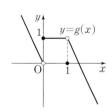

함수 $y=g(x)$의 그래프는 그림과 같다. $f(x)$는 x^2의 계수가 1인
이차함수이고 함수 $f(x)g(x)$가 구간 $(-\infty, \infty)$에서 연속일 때,
$f(x)$를 구하시오.

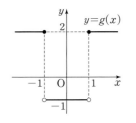

날선 Guide $f(x)$는 구간 $(-\infty, \infty)$에서 연속이고, $g(x)$는 $x=-1$과 $x=1$에서 불연속이므로
$f(x)g(x)$가 구간 $(-\infty, \infty)$에서 연속이면 $f(x)g(x)$는 $x=-1$과 $x=1$에서도 연속
이다.

그런데 $\lim\limits_{x\to1+} g(x)=2$, $\lim\limits_{x\to1-} g(x)=-1$이므로

$$\lim_{x\to1+} f(x)g(x)=\lim_{x\to1+} f(x) \times \lim_{x\to1+} g(x)=2f(1)$$
$$\lim_{x\to1-} f(x)g(x)=\lim_{x\to1-} f(x) \times \lim_{x\to1-} g(x)=-f(1)$$

따라서 $2f(1)=-f(1)$, 곧 $f(1)=0$이다.

이와 같은 이유로

$\lim\limits_{x\to a+} g(x) \neq \lim\limits_{x\to a-} g(x)$일 때, $f(x)$와 $f(x)g(x)$가 $x=a$에서 연속이면 $f(a)=0$이다.

이 결과를 이용하면 극한을 구하지 않고도 연속 또는 불연속일 조건을 찾을 수 있다.

참고 $x=a$에서 함수 $f(x)$와 $f(x)g(x)$가 연속이고 $f(a)\neq0$이라 하자.

함수 $g(x)=\dfrac{f(x)g(x)}{f(x)}$는 $x=a$에서 연속이다.

따라서 $x=a$에서 $f(x)$와 $f(x)g(x)$가 연속이고, $g(x)$가 연속이 아니면 $f(a)=0$이다.

답 $f(x)=(x+1)(x-1)$

날선 Point $\lim\limits_{x\to a+} g(x) \neq \lim\limits_{x\to a-} g(x)$일 때,
$f(x)$와 $f(x)g(x)$가 $x=a$에서 연속이면 $f(a)=0$이다.

4-1 함수 $y=g(x)$의 그래프는 그림과 같다. $f(x)$는 x^2의 계수가 1인 이
차함수이고 함수 $f(x)g(x)$가 구간 $(-\infty, \infty)$에서 연속일 때, $f(x)$
를 구하시오.

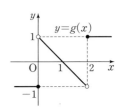

4-2 함수 $f(x)=\begin{cases} x+3 & (x\leq a) \\ x^2-x & (x>a) \end{cases}$, $g(x)=x-(2a+7)$이다.

함수 $f(x)g(x)$가 구간 $(-\infty, \infty)$에서 연속일 때, 상수 a의 값을 모두 구하시오.

2-4 최대·최소 정리

함수 $f(x)$가 닫힌구간 $[a, b]$에서 연속이면 $f(x)$는 구간 $[a, b]$에서 반드시 최댓값과 최솟값을 가진다.

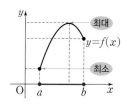

최댓값과 최솟값

$f(x)=(x-2)^2+1$이라 하자.
닫힌구간 $[1, 4]$에서 $f(x)$의
최댓값은 $f(4)=(4-2)^2+1=5$,
최솟값은 $f(2)=1$
이다.

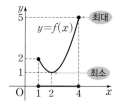 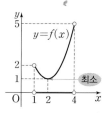

따라서 연속함수 $f(x)$는 닫힌구간 $[1, 4]$에서 최댓값과 최솟값을 가진다.

그러나 열린구간 $(1, 4)$에서 $f(x)$의 최댓값은 없다. $x \to 4-$일 때, $f(x)$의 값이 5에 한없이 가까워지지만 $f(x)=5$인 x는 구간 $(1, 4)$에 없기 때문이다.

최댓값이나 최솟값이 없는 경우

$g(x)=\begin{cases} -x+3 & (x<2) \\ x & (x\geq 2) \end{cases}$ 는 $x=2$에서 불연속인 함수이다.

닫힌구간 $[1, 4]$에서 $g(x)$의 최솟값은 없다.

$x \to 2-$일 때, $g(x)$의 값이 1에 한없이 가까워지지만 $g(x)=1$인 x는 구간 $[1, 4]$에 없기 때문이다.

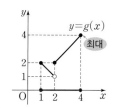

이와 같이 함수가 연속이 아니면 닫힌구간에서 최댓값이나 최솟값이 없을 수 있다.

최대·최소 정리

함수 $f(x)$가 닫힌구간 $[a, b]$에서 연속이면 $f(x)$는 구간 $[a, b]$에서 반드시 최댓값과 최솟값을 가진다. 이를 **최대·최소 정리**라 한다.

최대·최소 정리를 이용하면 함수의 최댓값과 최솟값이 있다는 것만 알 수 있다. 함수 $f(x)$의 최댓값이나 최솟값을 직접 구할 때에는 $y=f(x)$의 그래프를 그리거나 실수의 성질을 이용해야 한다.

▶ 개념 Check

◆ 정답 및 풀이 16쪽

4 주어진 구간에서 다음 함수의 최댓값과 최솟값을 구하시오.

(1) $y=-x^2-4x+1$ $[-3, 1]$ (2) $y=\dfrac{x+1}{x-1}$ $[2, 4]$

2-5 사잇값 정리

함수 $f(x)$가 닫힌구간 $[a, b]$에서 연속이고 $f(a) \neq f(b)$일 때, $f(a)$와 $f(b)$ 사이의 임의의 값 k에 대하여 $f(c) = k$인 c가 열린구간 (a, b)에 적어도 하나 존재한다.

사잇값 정리 ●

$f(x) = x^2 - 2x$라 하자.

함수 $f(x)$는 구간 $[0, 3]$에서 연속이므로 $y = f(x)$의 그래프는
연결되어 있다.

따라서 $f(0) = 0$, $f(3) = 3$ 사이의 임의의 값 k를 생각하면
$y = f(x)$의 그래프와 직선 $y = k$는 그림과 같이 적어도 한 점에서
만난다.

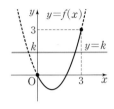

이와 같이 함수 $f(x)$가 구간 $[a, b]$에서 연속이고 $f(a) \neq f(b)$
이면 $f(a)$와 $f(b)$ 사이의 임의의 값 k에 대하여 $y = f(x)$의 그
래프와 직선 $y = k$는 적어도 한 점에서 만난다. 따라서 $f(c) = k$
인 c가 구간 (a, b)에 적어도 하나 존재한다. 이를 **사잇값 정리**
라 한다.

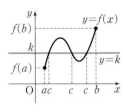

사잇값 정리에서 $f(c) = k$인 c가 적어도 하나 존재한다는 뜻은 그림과 같이 2개 이상인 경우
도 있다는 뜻이다.

사잇값 정리를
생각할 수
없는 경우 ●

$g(x) = \dfrac{1}{x-1} + 2$라 하자.

$g(0) = 1$, $g(2) = 3$이지만 $g(c) = 2$인 c가 구간 $(0, 2)$에 존재하
지 않는다.

이와 같이 불연속인 경우 사잇값 정리를 생각할 수 없다.

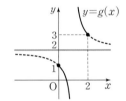

방정식의
실근의 존재 ●

함수 $h(x)$에 대하여 $h(1) < 0$, $h(4) > 0$일 때,
$y = h(x)$의 그래프를 그리면 그림과 같이
$1 < x < 4$에서 방정식 $h(x) = 0$의 해가 존재한다.

이는 사잇값 정리로 다음과 같이 정리할 수 있다.

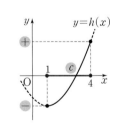

함수 $h(x)$가 구간 $[1, 4]$에서 연속이고

$h(1) < 0$, $h(4) > 0$이므로

방정식 $h(x) = 0$의 해가 구간 $(1, 4)$에 적어도 하나 존재한다.

개념 Check

◆ 정답 및 풀이 **16**쪽

5 함수 $f(x) = x^3 + 2x - 3$일 때, $f(c) = -3$인 c가 구간 $(-1, 1)$에 적어도 하나 존재함
을 설명하시오.

Q5 사잇값 정리

 ◆ 정답 및 풀이 16쪽

보기에서 옳은 것만을 있는 대로 고른 것은?

┌─ 보기 ───

ㄱ. 방정식 $2x^3+x^2-5=0$은 구간 $(1, 2)$에서 실근을 갖는다.

ㄴ. 함수 $f(x)$에 대하여 $f(-2)>0$, $f(3)<0$이면 방정식 $f(x)=0$은 구간 $(-2, 3)$에서 실근을 갖는다.

ㄷ. 함수 $f(x)$가 구간 $[1, 5]$에서 연속이고 $f(1)f(2)<0$, $f(3)f(5)<0$이면 방정식 $f(x)=0$은 구간 $(1, 5)$에서 적어도 2개의 실근을 갖는다.

└──

① ㄱ   ② ㄷ   ③ ㄱ, ㄴ   ④ ㄱ, ㄷ   ⑤ ㄱ, ㄴ, ㄷ

날선 Guide 사잇값 정리에서 다음이 성립한다.

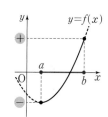

함수 $f(x)$가 닫힌구간 $[a, b]$에서 연속이고 $f(a)$와 $f(b)$의 부호가 다르면 방정식 $f(x)=0$은 열린구간 (a, b)에서 적어도 하나의 실근을 갖는다.

근의 존재에 대한 문제는 이 성질을 이용한다.

ㄱ. $f(x)=2x^3+x^2-5$라 할 때 $f(1)$, $f(2)$의 부호를 확인한다.

ㄴ. 함수 $f(x)$는 구간에서 연속이어야 함에 주의한다.

ㄷ. 구간 $(1, 2)$와 구간 $(3, 5)$로 나누어 생각한다.

곧, 사잇값 정리에서는 어떤 구간에서 해가 적어도 하나 있다는 것만 확인할 수 있다.

답 ④

날선 Point 근의 존재에 대한 문제 ➡ 사잇값 정리를 생각한다.

5-1 $f(x)=x^5+x^3+2x^2+k$, $g(x)=x^3+5x^2+3$이라 하자. 구간 $(1, 2)$에서 방정식 $f(x)=g(x)$가 적어도 하나의 실근을 가질 때, 정수 k의 개수를 구하시오.

5-2 함수 $f(x)$가 구간 $(-\infty, \infty)$에서 연속이고

$$f(-2)=-3, f(-1)=2, f(1)=5, f(2)=-2, f(4)=1, \lim_{x\to-\infty}f(x)=\infty$$

일 때, 방정식 $f(x)=0$은 적어도 몇 개의 실근을 갖는지 구하시오.

함수의 연속 2

01 함수 $y=f(x)$의 그래프가 그림과 같을 때, 다음 중 옳은 것을 모두 고르면?

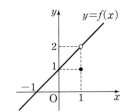

① $\lim\limits_{x\to 1} f(x)$가 존재하지 않는다.

② $f(x)$는 $x=1$에서 불연속이다.

③ $\lim\limits_{x\to 1}(x-1)f(x)$가 존재하지 않는다.

④ $(x-1)f(x)$는 $x=1$에서 불연속이다.

⑤ $x^2 f(x)$는 $x=1$에서 불연속이다.

02 함수 $f(x)=\begin{cases} \dfrac{\sqrt{x^2+4}+a}{x^2} & (x\neq 0) \\ b & (x=0) \end{cases}$ 가 $x=0$에서 연속일 때, 상수 a, b의 값을 구하시오.

03 함수 $f(x)$가 구간 $(-\infty,\ \infty)$에서 연속이고 $(x-1)f(x)=x^3+4x^2-x-4$일 때, $f(1)$의 값을 구하시오.

04 $f(x)=x+1$, $g(x)=x^2+1$일 때, 다음 중 구간 $(-\infty,\ \infty)$에서 연속인 함수가 아닌 것은?

① $3f(x)+g(x)$ ② $f(x)g(x)$ ③ $\{g(x)\}^2$

④ $\dfrac{f(x)}{g(x)}$ ⑤ $\dfrac{g(x)}{f(x)}$

05 연속함수 $f(x)$가 $f(1)=k+2$, $f(2)=k-4$를 만족시킬 때, 방정식 $f(x)=2$가 구간 $(1, 2)$에서 적어도 하나의 실근을 갖도록 하는 정수 k의 개수를 구하시오.

06 함수 $f(x)=a[x]^2-3[x]+2$가 $x=3$에서 연속이 되도록 하는 상수 a의 값을 구하시오. (단, $[x]$는 x보다 크지 않은 최대 정수이다.)

07 $y=f(x)$의 그래프가 그림과 같다. $(3x-a)f(x)$가 $x=2$에서 연속일 때, 상수 a의 값은?

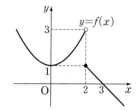

① -6 ② -3 ③ 3

④ 6 ⑤ 9

08 함수 $f(x)=\begin{cases} 3x & (0\leq x<1) \\ x^2+ax+b & (1\leq x\leq 4) \end{cases}$는 구간 $(-\infty,\ \infty)$에서 연속이고 $f(x+4)=f(x)$이다. $f(10)$의 값을 구하시오.

09 실수 전체의 집합에서 정의된 두 함수 $f(x)$와 $g(x)$에 대하여

  $x<0$일 때, $f(x)+g(x)=x^2+4$

  $x>0$일 때, $f(x)-g(x)=x^2+2x+8$

이다. $f(x)$가 $x=0$에서 연속이고 $\lim\limits_{x\to 0-} g(x) - \lim\limits_{x\to 0+} g(x)=6$일 때, $f(0)$의 값을 구하시오.

10 -1이 아닌 실수 a에 대하여 함수 $f(x)=\begin{cases} -x-1 & (x\leq 0) \\ 2x+a & (x>0) \end{cases}$일 때, 함수 $g(x)=f(x)f(x-1)$이 실수 전체의 집합에서 연속이 되도록 하는 상수 a의 값을 구하시오.

11 함수 $f(x)=\begin{cases}\dfrac{1}{x+2} & (x\neq-2)\\[2mm] 1 & (x=-2)\end{cases}$ 과 이차함수 $g(x)$에 대하여

$\displaystyle\lim_{x\to\infty}\dfrac{g(x)-x^2}{x^2}=1$이고 함수 $f(x)g(x)$는 모든 실수에서 연속일 때, $g(x)$를 구하시오.

12 두 함수

$$f(x)=\begin{cases}x^2-4x+6 & (x<2)\\ 1 & (x\geq2)\end{cases},\ g(x)=ax+1$$

에 대하여 함수 $\dfrac{g(x)}{f(x)}$가 실수 전체의 집합에서 연속일 때, 상수 a의 값은?

① $-\dfrac{5}{4}$　　② -1　　③ $-\dfrac{3}{4}$　　④ $-\dfrac{1}{2}$　　⑤ $-\dfrac{1}{4}$

13 함수 $f(x)$가 구간 $(-\infty,\ \infty)$에서 연속이고, $f(-x)=-f(x)$, $f(1)f(2)<0$, $f(3)f(4)<0$이다. 방정식 $f(x)=0$의 실근은 적어도 몇 개인지 구하시오.

14 함수 $y=f(x)$와 $y=g(x)$의 그래프가 그림과 같을 때, **보기**에서 옳은 것만을 있는 대로 고른 것은?

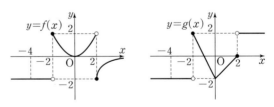

┌─ 보기 ┐
ㄱ. $f(x)g(x)$는 $x=-2$에서 불연속이다.
ㄴ. $f(x)g(x)$는 구간 $[-4,\ 1]$에서 최댓값과 최솟값을 가진다.
ㄷ. 방정식 $f(x)g(x)=0$은 구간 $(-4,\ 1)$에서 적어도 하나의 실근을 갖는다.
└──────┘

① ㄱ　　② ㄱ, ㄴ　　③ ㄱ, ㄷ　　④ ㄴ, ㄷ　　⑤ ㄱ, ㄴ, ㄷ

우리는 일상생활에서 계절의 변화, 인구의 변화 등 다양한 변화 현상을 경험하게 되는데 이 변화 현상에는 질서와 규칙이 있다. 증가하고 감소하는 변화 상태로부터 질서와 규칙을 찾아내고 수학적으로 다루는 도구가 바로 함수이며, 그 함수의 변화를 다루는 것이 미분이다.

이 단원에서는 여러 가지 변화의 현상을 설명해 줄 평균변화율과 미분계수에 대해 알아보고, 미분계수가 기하적으로 어떤 의미를 갖는지 알아보자.

또 함수의 미분가능성과 연속성 사이에는 어떤 관계가 있는지 알아보고, 다항함수의 도함수를 구하는 방법을 알아보자.

미분계수와 도함수

1 x가 a에서 b까지 변할 때, 함수 $y=f(x)$의 **평균변화율**은

$$\frac{\Delta y}{\Delta x}=\frac{f(b)-f(a)}{b-a}=\frac{f(a+\Delta x)-f(a)}{\Delta x}$$

2 평균변화율은 곡선 $y=f(x)$ 위의 두 점

   $\mathrm{P}(a,\,f(a))$, $\mathrm{Q}(b,\,f(b))$를 지나는 직선의 기울기이다.

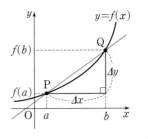

함수 $y=x^2$의
평균변화율

함수 $y=x^2$의 그래프 위의 두 점

   $\mathrm{P}(1,\,1)$, $\mathrm{Q}(3,\,9)$

를 지나는 직선 PQ의 기울기는

$$\frac{9-1}{3-1}=4$$

이다. 이 기울기를 x가 1에서 3까지 변할 때, $y=x^2$의

평균변화율이라 한다.

x값의 변화량 $3-1$을 x의 증분이라 하고 Δx로 나타내고,

y값의 변화량 $9-1$을 y의 증분이라 하고 Δy로 나타낸다.

Δx는 델타 x, Δy는 델타 y로 읽는다.

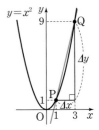

평균변화율과
직선의 기울기

x가 a에서 b까지 변할 때, 함수 $y=f(x)$의 평균변화율은

$$\frac{\Delta y}{\Delta x}=\frac{f(b)-f(a)}{b-a}$$

이다. 이 값은 곡선 $y=f(x)$ 위의 두 점

$\mathrm{P}(a,\,f(a))$, $\mathrm{Q}(b,\,f(b))$를 지나는 직선의 기울기이다.

또 x가 a에서 b까지 변할 때, $b-a=\Delta x$라 하면 함수 $y=f(x)$

의 평균변화율은

$$\frac{\Delta y}{\Delta x}=\frac{f(a+\Delta x)-f(a)}{\Delta x}$$

이다.

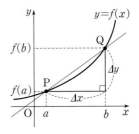

개념 Check

◆ 정답 및 풀이 **20**쪽

1   다음 물음에 답하시오.

(1) x가 0에서 2까지 변할 때, 함수 $f(x)=2x^2-1$의 평균변화율을 구하시오.

(2) x가 -1에서 3까지 변할 때, 함수 $f(x)=x^3+x$의 평균변화율을 구하시오.

3-2 미분계수(순간변화율)

1 함수 $y=f(x)$에 대하여

$$\lim_{\Delta x \to 0} \frac{f(a+\Delta x)-f(a)}{\Delta x} = \lim_{x \to a} \frac{f(x)-f(a)}{x-a}$$

가 존재할 때, $y=f(x)$는 $x=a$에서 **미분가능하다** 고 한다. 이때 이 극한값을 $x=a$에서 $f(x)$의 순간 **변화율** 또는 **미분계수**라 하고 $f'(a)$로 나타낸다.

2 $f'(a)$는 곡선 $y=f(x)$ 위의 점 $\mathrm{P}(a, f(a))$에서 접선의 기울기이다.

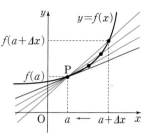

$y=x^2$의
미분계수
(순간변화율)

x가 1에서 $1+\Delta x$까지 변할 때, 함수 $f(x)=x^2$의 평균변화율은

$$\frac{(1+\Delta x)^2 - 1^2}{\Delta x} = \frac{2\Delta x + (\Delta x)^2}{\Delta x} = 2+\Delta x$$

이다. 따라서 $\Delta x \to 0$일 때 평균변화율은 2에 수렴한다.

이때 극한값 2를 $x=1$에서 함수 $f(x)=x^2$의 순간변화율 또는 미분계수라 하고 $f'(1)$로 나타낸다.

f'은 f 프라임으로 읽는다.

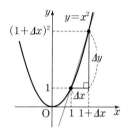

미분계수
(순간변화율)

일반적으로 x가 a에서 $a+\Delta x$까지 변할 때, 함수 $y=f(x)$의 평균변화율은

$$\frac{\Delta y}{\Delta x} = \frac{f(a+\Delta x)-f(a)}{\Delta x}$$

$\Delta x \to 0$일 때 평균변화율 $\dfrac{\Delta y}{\Delta x}$의 극한값이 존재하면

$y=f(x)$는 $x=a$에서 미분가능하다고 한다.

이때 극한값을 $x=a$에서 순간변화율 또는 미분계수라 하고 $f'(a)$로 나타낸다. 곧,

$$f'(a) = \lim_{\Delta x \to 0} \frac{\Delta y}{\Delta x} = \lim_{\Delta x \to 0} \frac{f(a+\Delta x)-f(a)}{\Delta x}$$

직접 $f'(a)$를 구할 때에는 계산의 편의를 위해 Δx 대신 h를 써서

$$f'(a) = \lim_{h \to 0} \frac{f(a+h)-f(a)}{h}$$

를 계산한다.

또 $a+\Delta x = x$로 놓으면 $f'(a)$는 다음과 같이 쓸 수도 있다.

$$f'(a) = \lim_{x \to a} \frac{f(x)-f(a)}{x-a}$$

이 식을 이용하여 $f(x)=x^2$일 때 $x=1$에서 미분계수를 구하면

$$f'(1) = \lim_{x \to 1} \frac{f(x)-f(1)}{x-1}$$

$$= \lim_{x \to 1} \frac{x^2-1}{x-1} = \lim_{x \to 1} (x+1) = 2$$

미분가능성 ● 함수 $g(x)=|x|$의 $x=0$에서 미분계수를 생각하면

$$\lim_{h \to 0} \frac{g(0+h)-g(0)}{h}=\lim_{h \to 0} \frac{|h|}{h}$$

여기에서

$$\lim_{h \to 0+} \frac{|h|}{h}=\lim_{h \to 0+} \frac{h}{h}=\lim_{h \to 0+} 1=1$$

$$\lim_{h \to 0-} \frac{|h|}{h}=\lim_{h \to 0-} \frac{-h}{h}=\lim_{h \to 0-} (-1)=-1$$

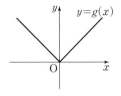

이므로 극한값이 존재하지 않는다. 따라서 $g(x)=|x|$는 $x=0$에서 미분가능하지 않다.

이와 같이 극한값을 조사하면 함수가 미분가능한지 아닌지 확인할 수 있다.

그리고 $y=g(x)$의 그래프는 그림과 같이 $x=0$에서 뾰족하다.

미분계수
(순간변화율)의
기하적 의미

구간 $[1, 1+\Delta x]$에서 함수 $f(x)=x^2$의 평균변화율은 곡선 $y=x^2$
위의 $x=1$인 점과 $x=1+\Delta x$인 점을 지나는 직선의 기울기이다.

그리고 $\Delta x \to 0$일 때, 두 점을 연결하는 직선은 $x=1$인 점에서 곡
선의 접선에 한없이 가까워진다고 생각할 수 있다.

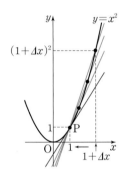

그런데 기울기의 극한은 $f'(1)=\lim\limits_{\Delta x \to 0} \dfrac{f(1+\Delta x)-f(1)}{\Delta x}$이므로

$x=1$인 점에서 곡선 $y=f(x)$의 접선의 기울기는 $f'(1)$이다.

또 접선의 방정식은

$$y-1=2(x-1), \ \ 곧 \ \ y=2x-1$$

이와 같은 이유로 $f(x)$가 $x=a$에서 미분가능할 때,

$f'(a)$는 $x=a$에서 곡선 $y=f(x)$에 접하는 직선의 기울기이다.

곡선 $y=f(x)$의 접선은 곡선과 한 점에서 만나는 직선이라고 공부하였다. 앞으로는 $f(x)$가
$x=a$에서 미분가능할 때, $x=a$에서 곡선의 접선은 곡선 위의 점 $(a, f(a))$를 지나고 기울
기가 $f'(a)$인 직선이라 생각한다.

◢ 개념 Check

◆ 정답 및 풀이 20쪽

2 다음 함수의 $x=1$에서 미분계수를 구하시오.

    (1) $f(x)=2x+3$ (2) $f(x)=-x^2$

3 함수 $f(x)=|x-1|$이 $x=1$에서 미분가능한지 조사하시오.

4 곡선 $y=2x^2$ 위의 점 $(2, 8)$에서 접선의 기울기를 구하시오.

3-3 미분가능, 연속

1 함수 $f(x)$가 $x=a$에서 미분가능하면 $x=a$에서 연속이다.

2 함수 $f(x)$가 열린구간 (a, b)의 모든 값에서 미분가능할 때, $f(x)$는 구간 (a, b)에서 미분가능하다 또는 미분가능한 함수이다라고 한다.

불연속인 점에서 미분가능성

함수 $f(x)=\begin{cases} x^2+1 & (x\neq 0) \\ 0 & (x=0) \end{cases}$ 은 $x=0$에서 불연속이다.

그리고 $x=0$에서 미분계수는

$$\lim_{h\to 0}\frac{f(0+h)-f(0)}{h}=\lim_{h\to 0}\frac{h^2+1}{h}$$

이다. 이 값은 발산하므로 $x=0$에서 $f(x)$는 미분가능하지 않다.

이와 같이 $f(x)$가 $x=a$에서 불연속이면 미분가능하지 않다.

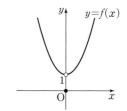

미분가능한 함수의 연속성

일반적으로 함수의 연속과 미분가능 사이에는 다음 관계가 있다.

함수 $f(x)$가 $x=a$에서 미분가능하면 $x=a$에서 연속이다. $\cdots$ ㉠

증명 $f(x)$가 $x=a$에서 미분가능하면

미분계수 $f'(a)=\lim_{x\to a}\dfrac{f(x)-f(a)}{x-a}$가 존재하므로

$$\lim_{x\to a}\{f(x)-f(a)\}=\lim_{x\to a}\left\{\frac{f(x)-f(a)}{x-a}\times(x-a)\right\}$$
$$=f'(a)\times 0=0$$

따라서 $\lim_{x\to a}f(x)=f(a)$이므로 $f(x)$는 $x=a$에서 연속이다.

연속인 함수의 미분가능성

함수 $g(x)=|x|$는 $x=0$에서 연속이지만 미분가능하지 않다.

따라서 ㉠의 역은 성립하지 않는다.

열린구간에서의 미분가능

함수 $f(x)$가 열린구간 (a, b)의 모든 값에서 미분가능할 때, $f(x)$는 구간 (a, b)에서 미분가능하다고 한다.

함수의 연속은 닫힌구간에서도 생각하였다.

그러나 미분가능은 열린구간에서만 생각한다는 것에 주의한다.

개념 Check

◆ 정답 및 풀이 **20**쪽

5 $y=f(x)$의 그래프가 그림과 같을 때, 다음 물음에 답하시오.

(1) $f(x)$가 불연속인 x의 값을 구하시오.

(2) $f(x)$가 미분가능하지 않은 x의 값을 모두 구하시오.

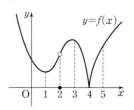

다음 물음에 답하시오.

(1) x가 -1에서 2까지 변할 때, 함수 $f(x)=x^2-1$의 평균변화율과 $x=a$에서 $f(x)$의 순간변화율이 같다. a의 값을 구하시오.

(2) 함수 $y=\sqrt{x}$의 $x=2$에서 미분계수를 구하시오.

날선 Guide (1) x가 -1에서 2까지 변할 때, 함수 $f(x)$의 평균변화율은

$$\frac{f(2)-f(-1)}{2-(-1)}$$

또 $x=a$에서 함수 $f(x)$의 순간변화율은

$$\lim_{h \to 0}\frac{f(a+h)-f(a)}{h} \ \text{또는} \ \lim_{x \to a}\frac{f(x)-f(a)}{x-a}$$

두 값이 같을 때 a의 값을 구한다.

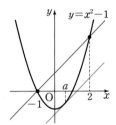

(2) $f(x)=\sqrt{x}$라 할 때,

$$\lim_{h \to 0}\frac{f(2+h)-f(2)}{h} \ \text{또는} \ \lim_{x \to 2}\frac{f(x)-f(2)}{x-2}$$

를 계산한다.

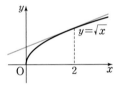

참고 미분계수와 순간변화율은 같은 말이다. 그리고 곡선에서 접선의 기울기이다.

답 (1) $\dfrac{1}{2}$ (2) $\dfrac{\sqrt{2}}{4}$

날선 Point
- x가 a에서 b까지 변할 때 평균변화율

→ $\dfrac{\Delta y}{\Delta x}=\dfrac{f(b)-f(a)}{b-a}$

- $x=a$에서 순간변화율 (미분계수)

→ $f'(a)=\lim_{h \to 0}\dfrac{f(a+h)-f(a)}{h} \ \text{또는} \ f'(a)=\lim_{x \to a}\dfrac{f(x)-f(a)}{x-a}$

1-1 x가 0에서 3까지 변할 때, 함수 $f(x)=x^3$의 평균변화율과 $x=a \ (0<a<3)$에서 $f(x)$의 순간변화율이 같다. a의 값을 구하시오.

1-2 곡선 $y=\dfrac{1}{x}$ 위의 점 $(1, 1)$에서 접선의 기울기를 구하시오.

Q2 $f'(a)=\lim\limits_{h\to0}\dfrac{f(a+h)-f(a)}{h}$ 를 이용하는 극한

◆ 정답 및 풀이 **21**쪽

$f(x)$가 미분가능한 함수이고 $f'(1)=2$일 때, 다음 극한값을 구하시오.

(1) $\lim\limits_{h\to0}\dfrac{f(1+2h)-f(1)}{h}$

(2) $\lim\limits_{h\to0}\dfrac{f(1+h^2)-f(1)}{h}$

(3) $\lim\limits_{h\to0}\dfrac{f(1+h)-f(1-3h)}{h}$

낼선 Guide $f'(1)=2$이고 $\dfrac{0}{0}$ 꼴의 극한이므로

$$f'(1)=\lim\limits_{\Delta x\to0}\dfrac{f(1+\Delta x)-f(1)}{\Delta x}$$

을 이용할 수 있는 꼴로 변형한다.

이때 Δx는 모두 같은 꼴임에 주의한다.

$$\boxed{\lim\limits_{\bullet\to0}\dfrac{f(a+\bullet)-f(a)}{\bullet}=f'(a)}$$
●끼리 같은 꼴이다.

(1) $\Delta x=2h$인 꼴이므로 다음과 같이 변형한다.

$$\lim\limits_{h\to0}\dfrac{f(1+2h)-f(1)}{h}=\lim\limits_{h\to0}\left\{\dfrac{f(1+2h)-f(1)}{2h}\times2\right\}$$

이때 $h\to0$이면 $2h\to0$이다.

(2) $\Delta x=h^2$인 꼴이므로 다음과 같이 변형한다.

$$\lim\limits_{h\to0}\dfrac{f(1+h^2)-f(1)}{h}=\lim\limits_{h\to0}\left\{\dfrac{f(1+h^2)-f(1)}{h^2}\times h\right\}$$

이때 $h\to0$이면 $h^2\to0$이다.

(3) $f(1+h)-f(1-3h)=\{f(1+h)-f(1)\}-\{f(1-3h)-f(1)\}$

이므로 주어진 식은 $\lim\limits_{h\to0}\left\{\dfrac{f(1+h)-f(1)}{h}-\dfrac{f(1-3h)-f(1)}{h}\right\}$

여기에서 $\dfrac{f(1+h)-f(1)}{h}$과 $\dfrac{f(1-3h)-f(1)}{h}$의 극한을 따로 생각한다.

답 (1) 4 (2) 0 (3) 8

 $\dfrac{0}{0}$ 꼴의 극한 ➡ 미분계수 $f'(a)=\lim\limits_{h\to0}\dfrac{f(a+h)-f(a)}{h}$ 를 이용할 수 있는 꼴로 변형한다.

2-1 $f(x)$가 미분가능한 함수이고 $f'(a)=3$일 때, 다음 극한값을 구하시오.

(1) $\lim\limits_{h\to0}\dfrac{f(a-2h)-f(a)}{h}$

(2) $\lim\limits_{h\to0}\dfrac{f(a+2h)-f(a)}{3h}$

(3) $\lim\limits_{h\to0}\dfrac{f(a+2h^3)-f(a)}{h^2}$

(4) $\lim\limits_{h\to0}\dfrac{f(a+2h)-f(a-h)}{h}$

49

월   일

$f(x)$가 미분가능한 함수이고 $f(1)=3$, $f'(1)=2$일 때, 다음 극한값을 구하시오.

(1) $\lim\limits_{x \to 1}\dfrac{f(x)-f(1)}{x^2-1}$

(2) $\lim\limits_{x \to 1}\dfrac{f(x^2)-f(1)}{x-1}$

(3) $\lim\limits_{x \to 1}\dfrac{x^3-1}{f(x)-f(1)}$

(4) $\lim\limits_{x \to 1}\dfrac{f(x^2)-x^2f(1)}{x-1}$

날선 Guide $f'(1)=2$이고, $\dfrac{0}{0}$ 꼴의 극한이므로

$$f'(1)=\lim_{x \to 1}\frac{f(x)-f(1)}{x-1}$$

을 이용할 수 있는 꼴로 변형한다.

$$\lim_{\bullet \to \blacktriangle}\frac{f(\bullet)-f(\blacktriangle)}{\bullet - \blacktriangle}=f'(\blacktriangle)$$
●끼리, ▲끼리 같은 꼴이다.

(1) $x^2-1=(x+1)(x-1)$이므로

$$\lim_{x \to 1}\frac{f(x)-f(1)}{x^2-1}=\lim_{x \to 1}\left\{\frac{f(x)-f(1)}{x-1}\times\frac{1}{x+1}\right\}$$

로 변형하고 극한값을 구한다.

(2) $f(x^2)$이 있으므로 $\lim\limits_{x \to 1}\dfrac{f(x^2)-f(1)}{x^2-1}=f'(1)$을 이용한다.

(3) $\lim\limits_{x \to 1}\dfrac{x-1}{f(x)-f(1)}=\dfrac{1}{f'(1)}$임을 이용한다.

(4) $f(x^2)-x^2f(1)=f(x^2)-f(1)-\{x^2f(1)-f(1)\}$

$$=f(x^2)-f(1)-(x^2-1)f(1)$$

이므로 주어진 식을 다음과 같이 변형하고 극한값을 구한다.

$$\lim_{x \to 1}\left\{\frac{f(x^2)-f(1)}{x-1}-\frac{(x^2-1)f(1)}{x-1}\right\}$$

답 (1) 1 (2) 4 (3) $\dfrac{3}{2}$ (4) -2

날선 Point $\dfrac{0}{0}$ 꼴의 극한 ➡ 미분계수 $f'(a)=\lim\limits_{x \to a}\dfrac{f(x)-f(a)}{x-a}$ 를 이용할 수 있는 꼴로 변형한다.

3-1 $f(x)$가 미분가능한 함수이고 $f(a)=2$, $f'(a)=-1$, $f'(a^2)=3$일 때, 다음 극한을 a로 나타내시오.

(1) $\lim\limits_{x \to a}\dfrac{f(x)-f(a)}{x^3-a^3}$

(2) $\lim\limits_{x \to a}\dfrac{f(x^2)-f(a^2)}{x^3-a^3}$

(3) $\lim\limits_{x \to a}\dfrac{x^2-a^2}{f(x)-f(a)}$

(4) $\lim\limits_{x \to a}\dfrac{af(x)-xf(a)}{x-a}$

대표 Q4 미분가능

다음 물음에 답하시오.

(1) 함수 $y=(x-1)|x-1|$이 $x=1$에서 미분가능한지 조사하시오.

(2) 함수 $y=[x]$가 $x=1$에서 미분가능한지 조사하시오.

   (단, $[x]$는 x보다 크지 않은 최대 정수이다.)

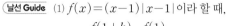 **Guide** (1) $f(x)=(x-1)|x-1|$이라 할 때,

$\displaystyle\lim_{h\to 0}\frac{f(1+h)-f(1)}{h}$이 존재하는지 조사한다.

또는 $|x-1|$을 포함한 꼴이므로

$x\to 1+$일 때와 $x\to 1-$일 때로 나누어 생각한다.

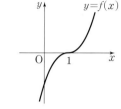

(2) 함수 $f(x)$가 $x=a$에서 미분가능하면 $x=a$에서 연속

이다. 따라서 $f(x)$가 $x=a$에서 불연속이면 $x=a$에서

미분가능하지 않다.

곧, $f(x)=[x]$가 $x=1$에서 연속인지부터 조사한다.

또는 연속인지 조사하지 않고

$\displaystyle\lim_{h\to 0}\frac{f(1+h)-f(1)}{h}$이 존재하는지 조사해도 된다.

이 경우도 좌극한과 우극한을 나누어 생각한다.

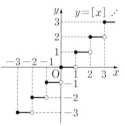

답 (1) 미분가능하다. (2) 미분가능하지 않다.

Point
- $\displaystyle\lim_{h\to 0}\frac{f(a+h)-f(a)}{h}$ 가 존재하면 함수 $f(x)$는 $x=a$에서 미분가능하다.
- $f(x)$가 $x=a$에서 불연속이면 $x=a$에서 미분가능하지 않다.

4-1 다음 함수가 $x=1$에서 미분가능한지 조사하시오.

(1) $y=|x^2-1|$ (2) $y=|x-1|^3$

4-2 함수 $y=[x]$가 다음 값에서 미분가능한지 조사하시오.

(단, $[x]$는 x보다 크지 않은 최대 정수이다.)

(1) $x=1.5$ (2) $x=-2$

3-4 도함수

$f(x)=x^2$의 도함수

함수 $f(x)=x^2$의 $x=a$에서 미분계수는

$$f'(a)=\lim_{h\to 0}\frac{f(a+h)-f(a)}{h}$$

$$=\lim_{h\to 0}\frac{(a+h)^2-a^2}{h}=\lim_{h\to 0}(2a+h)=2a$$

따라서 실수 a에 미분계수 $2a$를 대응시키는 함수를 생각할 수

있다. 이 함수를 $f(x)=x^2$의 도함수라 하고 기호 f'을 써서

$f'(a)=2a$로 나타낸다.

보통 함수는 x를 이용하여 나타내므로

$f'(a)=2a$는 $f'(x)=2x$로 쓴다.

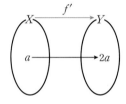

도함수

함수 $f(x)$가 정의역의 모든 원소에 대하여 미분가능할 때

$$f'(x)=\lim_{h\to 0}\frac{f(x+h)-f(x)}{h} \quad \cdots\ \bigcirc$$

가 존재한다. 따라서 x에 $f'(x)$를 대응시키는 함수를 생각할 수 있다.

이 함수를 $f(x)$의 **도함수**라 하고 다음과 같이 나타낸다.

$$\boldsymbol{f'(x),\quad y',\quad \frac{dy}{dx},\quad \frac{d}{dx}f(x)}$$

또 도함수를 구하는 것을 미분한다고 하고, 미분하는 방법을 미분법이라 한다.

도함수의 정의를 이용하여 도함수를 구하려면 $\bigcirc$을 계산하면 된다.

도함수와 미분계수

도함수 $f'(x)$를 알고 있는 경우 $x=a$에서 $f(x)$의 미분계수는 $f'(x)$에 $x=a$를 대입한 값

$f'(a)$이다.

▶ **개념 Check** ◀ 정답 및 풀이 **23**쪽

6 도함수의 정의를 이용하여 다음 함수의 도함수를 구하시오.

(1) $f(x)=4x$ (2) $f(x)=x^3$

1 도함수의 성질

함수 $f(x)$, $g(x)$가 미분가능할 때

(1) $\{cf(x)\}'=cf'(x)$ (c는 상수)

(2) $\{f(x)\pm g(x)\}'=f'(x)\pm g'(x)$

(3) $\{f(x)g(x)\}'=f'(x)g(x)+f(x)g'(x)$

2 다항함수의 미분

(1) $f(x)=c$ (c는 상수) $\Rightarrow$ $f'(x)=0$

(2) $f(x)=x$ $\Rightarrow$ $f'(x)=1$

(3) $f(x)=x^n$ (n은 자연수) $\Rightarrow$ $f'(x)=nx^{n-1}$

(4) $y=\{f(x)\}^n$ (n은 자연수) $\Rightarrow$ $y'=n\{f(x)\}^{n-1}f'(x)$

도함수의 성질 (1) ● 함수 $f(x)$, $g(x)$가 미분가능하다고 하자.

$cf(x)$ (c는 상수)의 도함수는

$$\{cf(x)\}'=\lim_{h\to 0}\frac{cf(x+h)-cf(x)}{h}$$
$$=c\lim_{h\to 0}\frac{f(x+h)-f(x)}{h}=cf'(x)$$

도함수의 성질 (2) ● $f(x)+g(x)$의 도함수는

$$\{f(x)+g(x)\}'=\lim_{h\to 0}\frac{\{f(x+h)+g(x+h)\}-\{f(x)+g(x)\}}{h}$$
$$=\lim_{h\to 0}\left\{\frac{f(x+h)-f(x)}{h}+\frac{g(x+h)-g(x)}{h}\right\}$$
$$=f'(x)+g'(x)$$

같은 방법으로 하면 $\{f(x)-g(x)\}'=f'(x)-g'(x)$

도함수의 성질 (3) ● $f(x)g(x)$의 도함수는

$$\{f(x)g(x)\}'=\lim_{h\to 0}\frac{f(x+h)g(x+h)-f(x)g(x)}{h}$$
$$=\lim_{h\to 0}\left[\frac{\{f(x+h)-f(x)\}g(x+h)}{h}+\frac{f(x)\{g(x+h)-g(x)\}}{h}\right]$$
$$=f'(x)g(x)+f(x)g'(x)$$

함수의 곱의 미분은 $\{f(x)g(x)\}'=f'(x)g'(x)$가 아님에 주의한다.

또 이를 이용하면 미분가능한 세 함수의 곱 fgh의 도함수는 다음과 같다.

$$(fgh)'=\{(fg)h\}'=(fg)'h+(fg)h'=f'gh+fg'h+fgh'$$

이 식도 공식처럼 기억하고 이용한다.

$f(x)=c$와 $f(x)=x$의 도함수

$f(x)=c$일 때

$$f'(x)=\lim_{h \to 0}\frac{f(x+h)-f(x)}{h}=\lim_{h \to 0}\frac{c-c}{h}=\lim_{h \to 0}0=0$$

$f(x)=x$일 때

$$f'(x)=\lim_{h \to 0}\frac{f(x+h)-f(x)}{h}=\lim_{h \to 0}\frac{x+h-x}{h}=\lim_{h \to 0}1=1$$

$$\therefore \ y=c \Rightarrow y'=0, \quad y=x \Rightarrow y'=1$$

$f(x)=x^n$의 도함수

$y=c$, $y=x$의 미분과 도함수의 성질을 이용하면

$y=x^2$은 $y=x \times x$로 생각할 수 있으므로

$$y'=x' \times x+x \times x'=x+x=2x$$

또 $y=x^3$은 $y=x^2 \times x$로 생각할 수 있으므로

$$y'=(x^2)' \times x+x^2 \times x'=2x \times x+x^2=3x^2$$

이와 같이 생각하면 n이 자연수일 때, 다음을 알 수 있다.

$$f(x)=x^n \Rightarrow f'(x)=nx^{n-1}$$

다항함수의 미분

함수 $y=x^3-3x^2+1$은 도함수의 성질을 이용하여 다음과 같이 미분한다.

$$y'=(x^3)'-(3x^2)'+(1)'=(x^3)'-3(x^2)'+(1)'=3x^2-6x$$

$y=\{f(x)\}^n$의 도함수

$f(x)$가 다항함수일 때 $y=\{f(x)\}^2$의 도함수는 다음과 같다.

$\{f(x)\}^2=f(x) \times f(x)$로 생각할 수 있으므로

$$y=f'(x)f(x)+f(x)f'(x)=2f(x)f'(x)$$

같은 방법으로 하면 $y=\{f(x)\}^3$의 도함수는 $y'=3\{f(x)\}^2f'(x)$

$$y=\{f(x)\}^n \ (n\text{은 자연수}) \Rightarrow y'=n\{f(x)\}^{n-1}f'(x)$$

참고 n이 자연수일 때, $(x^n)'=nx^{n-1}$은 수학적 귀납법을 이용하여 증명할 수 있다.

$n=1$일 때 $y=x$의 도함수는 $y'=1$이므로 성립한다.

$n=k$일 때 $(x^k)'=kx^{k-1}$이 성립한다고 가정하면

$$(x^{k+1})'=(x^k x)'=(x^k)'x+x^k(x)'=kx^{k-1}x+x^k=(k+1)x^k$$

따라서 $n=k+1$일 때에도 성립한다.

▶ 개념 Check

◆ 정답 및 풀이 24쪽

7 다음 함수의 도함수를 구하시오.

(1) $y=-3$ (2) $y=2x^5$

8 다음 함수를 미분하시오. 또 $x=1$에서 미분계수를 구하시오.

(1) $y=3x^2+2x-1$ (2) $y=x^4-2x^3-5x+2$

다음 함수를 미분하시오.

(1) $y=5+5x-4x^2+2x^3$

(2) $y=(x^2+x+1)(2x-1)$

(3) $y=(x+1)(x-2)(x^2-x)$

(4) $y=(x^2-2x+3)^2$

날선 Guide

(1) $y'=(5)'+5(x)'-4(x^2)'+2(x^3)'$을 계산한다.

다항함수를 미분할 때에는 다음 도함수의 성질을 이용한다.

$$(x^n)'=nx^{n-1}$$

$$\{cf(x)\}'=cf'(x)$$

$$\{f(x)\pm g(x)\}'=f'(x)\pm g'(x)$$

(2) $(fg)'=f'g+fg'$이므로 다음과 같이 미분한다.

$$y=(x^2+x+1)'(2x-1)+(x^2+x+1)(2x-1)'$$

(3) 세 함수의 곱이다. 곱의 미분을 계속 적용하는 것보다

다음 미분법을 공식처럼 기억하고 적용하는 것이 간단하다.

$$(fgh)'=f'gh+fg'h+fgh'$$ → 하나씩 미분한다.

(4) $f(x)=x^2-2x+3$이라 하면 $y=f\times f$이므로

$$y'=f'f+ff'$$

을 계산한다고 생각해도 되고, 다음 공식을 이용해도 된다.

$$y=\{f(x)\}^n \Rightarrow y'=n\{f(x)\}^{n-1}f'(x)$$

답 (1) $y'=6x^2-8x+5$ (2) $y'=6x^2+2x+1$

(3) $y'=4x^3-6x^2-2x+2$ (4) $y'=4(x-1)(x^2-2x+3)$

날선 Point

• $(fg)'=f'g+fg'$, $(fgh)'=f'gh+fg'h+fgh'$

• $y=\{f(x)\}^n$ ➡ $y'=n\{f(x)\}^{n-1}f'(x)$

5-1 다음 함수를 미분하시오.

(1) $y=\dfrac{1}{5}x^5-\dfrac{3}{4}x^4-2x+3$

(2) $y=(x^3+2)(1-2x)$

(3) $y=(x^2-3x+1)(x^3-2x)$

(4) $y=(x-1)(2x+1)(5x-2)$

5-2 다음 함수를 미분하시오.

(1) $y=(2x+3)^3$

(2) $y=(x+1)^3(1-3x)^2$

대표 Q6 다항함수 구하기

정답 및 풀이 25쪽

다음 물음에 답하시오.

(1) $f(2)=3$, $f'(1)=1$, $f'(0)=-3$인 이차함수 $f(x)$를 구하시오.

(2) $f(x)$가 다항함수이고 모든 실수 x에 대하여 $f(x)+f'(x)=2x^3+6x^2+3x+4$일 때, $f(x)$를 구하시오.

날선 Guide (1) $f(x)$가 이차함수이므로 $f(x)=ax^2+bx+c$로 놓고

$f(2)$, $f'(1)$, $f'(0)$의 값을 a, b, c로 나타낸다.

이때 $f'(1)$, $f'(0)$의 값은 미분계수의 정의를 이용하여 구하지 말고,

도함수 $f'(x)$를 구한 다음 $x=1$, $x=0$을 대입하여 구한다.

(2) $f(x)$가 이차함수이면 $f'(x)$는 일차함수,

$f(x)$가 삼차함수이면 $f'(x)$는 이차함수,

$\vdots$

$f(x)$가 n차함수이면 $f'(x)$는 $(n-1)$차함수이다.

이 문제에서

$$f(x)+f'(x)=2x^3+6x^2+3x+4$$

이므로 $f(x)$는 삼차함수이고 삼차항은 $2x^3$이다.

따라서 $f(x)=2x^3+ax^2+bx+c$로 놓고 주어진 식에 대입한다.

이와 같이 다항함수를 구하는 문제에서는 먼저 다항함수의 차수부터 찾는다.

답 (1) $f(x)=2x^2-3x+1$　(2) $f(x)=2x^3+3x+1$

날선 Point
- $f'(a)$는 $f'(x)$를 구한 다음 $x=a$를 대입한다.
- $f(x)$가 n차함수이면 $f'(x)$는 $(n-1)$차함수이다.

6-1 함수 $f(x)=x^3+a^2x^2+ax+b$에서 $f(-1)=-1$, $f'(-1)=3$이다. 상수 a, b의 값을 구하시오. (단, $a\neq0$)

6-2 $f(x)$가 이차함수이고 모든 실수 x에 대하여 $(x+1)f'(x)-2f(x)-1=0$이다. $f(0)=0$일 때, $f(x)$를 구하시오.

6-3 $f(x)$는 최고차항의 계수가 1인 다항함수이고 모든 실수 x에 대하여 $f(x)f'(x)=2x^3-9x^2+5x+c$이다. 상수 c의 값과 $f(x)$를 구하시오.

56

3 미분계수와 도함수

다음 물음에 답하시오.

(1) $f(x)=x^4+2x^2-1$일 때, $\displaystyle\lim_{h\to 0}\dfrac{f(1+2h)-f(1)}{h}$의 값을 구하시오.

(2) $\displaystyle\lim_{x\to 1}\dfrac{x^n-4x^2+a}{x-1}=-3$일 때, 상수 a와 자연수 n의 값을 구하시오.

날선 Guide (1) $f(1+2h)$를 전개하여 극한을 구하는 것은 쉽지 않다.

$\dfrac{0}{0}$ 꼴의 극한이므로

$$\lim_{h\to 0}\frac{f(1+2h)-f(1)}{h}=\lim_{h\to 0}\left\{\frac{f(1+2h)-f(1)}{2h}\times 2\right\}$$

와 같이 변형한 다음 미분계수를 생각한다.

(2) 극한값이 존재하고 $x\to 1$일 때 (분모)$\to 0$이므로 (분자)$\to 0$이다.

$f(x)=x^n-4x^2+a$로 놓으면 $f(1)=0$이므로 주어진 조건식은

$$\lim_{x\to 1}\frac{f(x)-f(1)}{x-1}=-3$$

이다. 이때 좌변은 $f'(1)$임을 이용한다.

답 (1) 16 (2) $a=3$, $n=5$

 날선 Point $\dfrac{0}{0}$ 꼴의 극한 ➡ 미분계수를 이용한다.

7-1 $f(x)=x^5-2x^2$일 때, 다음 값을 구하시오.

(1) $\displaystyle\lim_{h\to 0}\dfrac{f(1+2h)-f(1-h)}{h}$ (2) $\displaystyle\lim_{x\to -1}\dfrac{f(x^2)-f(1)}{x+1}$

7-2 $\displaystyle\lim_{x\to -1}\dfrac{x^6+3x+2}{x+1}$의 값을 구하시오.

7-3 함수 $f(x)=x^3+ax^2+bx+c$가 다음을 만족시킬 때, $f(x)$를 구하시오.

$$\lim_{x\to 2}\frac{f(x)}{x-2}=5,\quad \lim_{x\to 1}\frac{f(x)-f(1)}{x^2-1}=-1$$

다항식 $f(x)=x^{10}+px+q$일 때, 다음 물음에 답하시오.

(1) $f(x)$가 $(x-1)^2$으로 나누어떨어질 때, 상수 p, q의 값을 구하시오.

(2) $f(x)$를 $(x+1)^2$으로 나눈 나머지가 $5x-2$일 때, 상수 p, q의 값을 구하시오.

낱선 Guide (1) $f(x)$를 $(x-1)^2$으로 나누었을 때의 몫을 $Q(x)$라 하면

$$f(x)=(x-1)^2Q(x) \qquad \cdots \ \text{㉠}$$

㉠의 양변에 $x=1$을 대입하면 $f(1)=0$

또 ㉠에서 $f(x)$, $Q(x)$는 다항식이므로 양변을 x에 대하여 미분하면

$$f'(x)=2(x-1)Q(x)+(x-1)^2Q'(x)$$

다시 양변에 $x=1$을 대입하면 $f'(1)=0$

곧, $f(1)=0$, $f'(1)=0$을 이용하여 p, q의 값을 구한다.

(2) $f(x)$를 $(x+1)^2$으로 나누었을 때의 몫을 $Q(x)$라 하면

$$f(x)=(x+1)^2Q(x)+5x-2$$

이 식과 이 식의 양변을 x에 대하여 미분한 식에서 $f(-1)$과 $f'(-1)$을 생각한다.

참고 ㉠은 x에 대한 항등식이므로 양변을 x에 대하여 미분할 수 있다.

하지만 방정식 $x^3-2x+1=x^2-1$은 양변을 x에 대하여 미분한 다음

$3x^2-2=2x$를 풀어서는 안 된다는 것에 주의한다.

답 (1) $p=-10$, $q=9$ (2) $p=15$, $q=7$

 낱선 Point $f(x)$를 $(x-a)^2$으로 나눈 나머지 ➡ $f(a)$, $f'(a)$를 생각한다.

8-1 다항식 x^5+ax^2+b가 $(x+1)^2$으로 나누어떨어질 때, 상수 a, b의 값을 구하시오.

8-2 $f(x)$가 다항식이고, $f(2)=5$, $f'(2)=-2$일 때, $f(x)$를 $(x-2)^2$으로 나눈 나머지를 구하시오.

함수 $f(x)=\begin{cases} x^3+ax+b & (x\geq 1) \\ -x^2+1 & (x<1) \end{cases}$ 이 $x=1$에서 미분가능할 때, 상수 a, b의 값을 구하시오.

날선 Guide $f_1(x)=x^3+ax+b$, $f_2(x)=-x^2+1$이라 하자.

(i) $f(x)=\begin{cases} f_1(x) & (x\geq 1) \\ f_2(x) & (x<1) \end{cases}$ 가 $x=1$에서 미분가능하므로

$x=1$에서 연속이다.

곧, $f(1)=\lim\limits_{x\to 1+}f(x)=\lim\limits_{x\to 1-}f(x)$이므로

$$f(1)=f_1(1)=f_2(1)$$

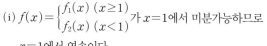

(ii) 또 $x=1$에서 미분계수 $\lim\limits_{x\to 1}\dfrac{f(x)-f(1)}{x-1}$이 존재한다.

그런데 f_1과 f_2가 각각 미분가능한 함수이므로

$$\lim_{x\to 1+}\frac{f_1(x)-f_1(1)}{x-1}=f_1'(1),\ \lim_{x\to 1-}\frac{f_2(x)-f_2(1)}{x-1}=f_2'(1)$$

따라서 $x=1$에서 미분가능하므로 $f_1'(1)=f_2'(1)$이다.

이때 f_1', f_2'의 도함수가 간단하면 도함수를 구하고 $x=1$을 대입하면 된다.

답 $a=-5$, $b=4$

날선 Point

$f(x)=\begin{cases} f_1(x) & (x\geq a) \\ f_2(x) & (x<a) \end{cases}$ 가 $x=a$에서 미분가능

➡ $f_1(a)=f_2(a)$, $f_1'(a)=f_2'(a)$ (단, f_1, f_2가 미분가능하다.)

9-1 함수 $f(x)=\begin{cases} x^4+ax+1 & (x\geq -1) \\ bx^2+x & (x<-1) \end{cases}$ 가 $x=-1$에서 미분가능할 때, 상수 a, b의 값을 구하시오.

9-2 그림과 같이 좌표평면에 반직선 $y=1$ $(x\geq 1)$이 있다. $x<1$인 부분에 $y=x^2+ax+b$ 꼴의 곡선을 그려 구간 $(-\infty,\ \infty)$에서 미분가능한 함수의 그래프를 만들려고 한다. 상수 a, b의 값을 구하시오.

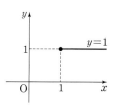

$f(x)$가 미분가능한 함수이고 모든 실수 x, y에 대하여

$$f(x+y)=f(x)+f(y)+2xy$$

가 성립할 때, 다음 물음에 답하시오.

(1) $f(0)$의 값을 구하시오.

(2) $f'(0)=5$일 때, 도함수 $f'(x)$를 구하시오.

날선 Guide $f(x+y)=f(x)+f(y)+2xy$ ⋯ ㉠

(1) ㉠에 $x=0$, $y=0$을 대입하면 $f(0)$의 값을 구할 수 있다.

(2) 도함수의 정의에서

$$f'(x)=\lim_{h \to 0} \frac{f(x+h)-f(x)}{h}$$

이고 ㉠에서 $f(x+h)=f(x)+f(h)+2xh$이므로

$$f'(x)=\lim_{h \to 0} \frac{f(h)+2xh}{h}$$

따라서 $f'(0)=5$에서 $\lim_{h \to 0} \dfrac{f(0+h)-f(0)}{h}=5$임을 이용할 수 있는 꼴로 정리한다.

참고 $f(x)$가 다항함수라는 조건이 없으므로 $f(x)$의 차수를 정하고, 식을 구하는 꼴은 아니니다.

답 (1) 0 (2) $f'(x)=2x+5$

$f(x)$가 주어지지 않은 도함수 문제

➡ $f'(x)=\lim_{h \to 0} \dfrac{f(x+h)-f(x)}{h}$ 를 이용한다.

10-1 $f(x)$가 미분가능한 함수이고 모든 실수 x에 대하여 $f(x)>0$, 모든 실수 x, y에 대하여

$$f(x+y)=f(x)f(y)$$

이다. $f'(0)=3$일 때, $\dfrac{f'(x)}{f(x)}$를 구하시오.

10-2 $f(x)$가 미분가능한 함수이고 모든 실수 x, y에 대하여

$$f(x+y)=f(x)+f(y)-5xy+2$$

이다. $f'(0)=5$일 때, $f'(x)$를 구하시오.

3 미분계수와 도함수

01 함수 $f(x)=x^2$이고, $x=2$에서 $f(x)$의 미분계수와 x의 값이 a에서 $a+2$까지 변할 때 $f(x)$의 평균변화율이 같다. a의 값을 구하시오.

02 $f(x)$가 미분가능한 함수이고 $\lim\limits_{h \to 0} \dfrac{f(1+3h)-f(1)}{2h}=2$일 때, $f'(1)$의 값을 구하시오.

03 $f(2)=2$, $f'(2)=4$, $f'(-2)=8$일 때, 다음 극한값을 구하시오.

(1) $\lim\limits_{x \to -2} \dfrac{f(x)-f(-2)}{x^2-4}$ (2) $\lim\limits_{x \to 2} \dfrac{xf(2)-2f(x)}{x-2}$

04 $f(x)$가 미분가능한 함수이고 $\lim\limits_{x \to 2} \dfrac{f(x+1)-8}{x-2}=5$일 때, $f(3)+f'(3)$의 값을 구하시오.

05 함수 $f(x)=(x^2+x)(ax^4+3x-2)$에 대하여 $f'(1)=-2$일 때, 상수 a의 값을 구하시오.

06 함수 $f(x)=ax^2+b$가 모든 실수 x에 대하여 $4f(x)=\{f'(x)\}^2+x^2+4$를 만족시킨다. $f(2)$의 값을 구하시오.

07 $f(x)$, $g(x)$가 다항함수이고

$$\lim_{x \to 3} \frac{f(x)-2}{x-3}=1, \ \lim_{x \to 3} \frac{g(x)-1}{x-3}=2$$

일 때, $x=3$에서 함수 $y=f(x)g(x)$의 미분계수를 구하시오.

08 다항식 $x^{100}+x-1$을 $(x-1)^2$으로 나눈 나머지를 $R(x)$라 할 때, $R(-1)$의 값을 구하시오.

09 함수 $f(x)=\begin{cases} x^3+ax & (x<1) \\ bx^2+x+1 & (x \geq 1) \end{cases}$ 이고 $x=1$에서 미분가능할 때, 상수 a, b에 대하여 $a+b$의 값은?

① 4 ② 5 ③ 6 ④ 7 ⑤ 8

10 구간 $(-3, 6)$에서 정의된 함수 $y=f(x)$의 그래프가 그림과 같다. 다음 설명 중 옳은 것은?

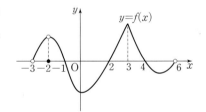

① $f'(1)<0$

② $\lim\limits_{x \to 2} \dfrac{f(x)-f(2)}{x-2}=0$

③ $\lim\limits_{x \to -2+} \dfrac{f(x)-f(-2)}{x+2}$ 는 음수에 수렴한다.

④ $f(x)$가 미분가능하지 않은 x의 값은 2개이다.

⑤ $f'(x)=0$인 x의 값은 3개이다.

11 이차함수 $f(x)=ax^2+bx$에서 x가 1에서 3까지 변할 때의 평균변화율은 0이다. $\lim\limits_{h \to 0} \dfrac{f(3-2h)-f(3)}{f(1+h)-f(1)}$의 값을 구하시오.

12 $f(x)$가 미분가능한 함수이고 $\displaystyle\lim_{x \to 1} \frac{\{f(x)\}^2 - 2f(x)}{x-1} = 2$, $f(1) = 0$일 때, $f'(1)$의 값을 구하시오.

13 $f(x)$가 미분가능한 함수이고 모든 실수 x에 대하여
$$\lim_{n \to \infty} n\left\{f\left(x+\frac{1}{n}\right) - f\left(x-\frac{1}{n}\right)\right\} = 2x+4$$
일 때, $f'(1)$의 값을 구하시오.

14 $f(x)$, $g(x)$가 다항함수이고
$$f(1) = 2, \ f'(1) = 3, \ \lim_{x \to 1} \frac{f(x)g(x)-6}{x-1} = 5$$
일 때, $g(1)g'(1)$의 값을 구하시오.

15 보기 중 $x=0$에서 연속이지만 미분가능하지 않은 함수만을 있는 대로 고른 것은?

┌─ **보기** ┐
ㄱ. $y = |x|$ ㄴ. $y = x|x|$ ㄷ. $y = \dfrac{|x|}{x}$
ㄹ. $y = x - |x|$ ㅁ. $y = x^2 - 3|x|$
└─────────┘

① ㄱ, ㄴ ② ㄴ, ㄷ ③ ㄷ, ㅁ ④ ㄴ, ㄷ, ㅁ ⑤ ㄱ, ㄹ, ㅁ

16 함수 $f(x)$는 $x=0$에서 연속이지만 미분가능하지 않다. **보기** 중 $x=0$에서 미분가능한 함수만을 있는 대로 고른 것은?

┌─ **보기** ┐
ㄱ. $y = xf(x)$ ㄴ. $y = x^2 f(x)$ ㄷ. $y = \dfrac{1}{1+xf(x)}$
└─────────┘

① ㄱ ② ㄴ ③ ㄷ ④ ㄱ, ㄴ ⑤ ㄱ, ㄴ, ㄷ

교육청 기출

17 $f(x)=(x-1)(x-2)(x-3)\times\cdots\times(x-10)$일 때, $\dfrac{f'(1)}{f'(4)}$의 값은?

① -80 ② -84 ③ -88 ④ -92 ⑤ -96

수능 기출

18 최고차항의 계수가 1이고 $f(1)=0$인 삼차함수 $f(x)$가

$$\lim_{x\to 2}\frac{f(x)}{(x-2)\{f'(x)\}^2}=\frac{1}{4}$$을 만족시킬 때, $f(3)$의 값은?

① 4 ② 6 ③ 8 ④ 10 ⑤ 12

19 다음 조건을 모두 만족시키는 다항함수 $f(x)$를 구하시오.

(가) $\displaystyle\lim_{x\to\infty}\frac{f(x)}{x^3}=2$ (나) $\displaystyle\lim_{x\to 0}\frac{f(x)}{x}=-2$

(다) 곡선 $y=f(x)$ 위의 $x=-1$인 점에서 접선의 기울기는 3이다.

수능 기출

20 그림은 함수 $y=1$과 함수 $y=0$의 그래프의 일부이다.
두 점 A$(0,\ 1)$, B$(1,\ 0)$ 사이를 $0\le x\le 1$에서 정의된
함수 $y=ax^3+bx^2+cx+1$의 그래프를 이용하여 연
결하였다. 이렇게 연결된 그래프 전체를 나타내는 함수
가 구간 $(-\infty,\ \infty)$에서 미분가능하도록 상수 $a,\ b,\ c$의 값을 정할 때,
$a^2+b^2+c^2$의 값을 구하시오.

21 $x>0$에서 $f(x)$는 미분가능한 함수이다. $2x\le f(x)\le 3x$이고 $f(1)=2$,
$f(2)=6$일 때, $f'(1)$과 $f'(2)$의 값을 구하시오.

이 단원에서는 앞서 배운 미분계수와 접선의 기울기가 같음을 이용하여 미분가능한 함수의 접선의 방정식을 구하는 방법과 롤의 정리, 평균값 정리에 대하여 알아보자.

4-1 접선의 방정식

4-2 롤의 정리, 평균값 정리

접선과 평균값 정리

4-1 접선의 방정식

1 $f(x)$가 미분가능한 함수일 때, 곡선 $y=f(x)$ 위의
점 $P(a, f(a))$에서 접선의 방정식은
$$y-f(a)=f'(a)(x-a)$$

2 접점이 주어지지 않은 경우 접점을 $(a, f(a))$로 놓고
접선의 방정식을 구한다.

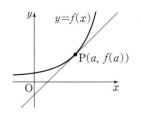

접점이 주어진 경우 ●

$f(x)$가 미분가능한 함수일 때,

$x=a$에서 곡선 $y=f(x)$에 접하는 직선의 기울기는 $f'(a)$이다.

따라서 곡선 $y=f(x)$ 위의 점 $(a, f(a))$에서 접선의 방정식은
$$y-f(a)=f'(a)(x-a)$$
이다.

예를 들어 곡선 $y=x^2$ 위의 점 $P(1, 1)$에서 접선의 방정식은
다음과 같이 구한다.

$f(x)=x^2$이라 하면 $f'(x)=2x$, $\underline{f'(1)=2}$이므로
　　　　　　　　　　　　　└─→ 접선의 기울기
$$y-1=2(x-1) \qquad \therefore y=2x-1$$

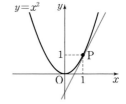

접점이 주어지지 않은 경우 ●

접점이 주어지지 않은 경우 접점을 $(a, f(a))$로 놓고 푼다.

예를 들어 곡선 $y=x^2$에 접하고 기울기가 -2인 접선의 방정식은
다음과 같이 구한다.

접점의 좌표를 (a, a^2)이라 하자.

$f(x)=x^2$이라 하면 $f'(x)=2x$이고 접선의 기울기가 -2이므로
$$f'(a)=-2, 2a=-2 \qquad \therefore a=-1$$

곧, 접점이 $(-1, 1)$이므로 접선의 방정식은
$$y-1=-2(x+1) \qquad \therefore y=-2x-1$$

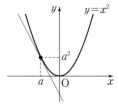

개념 Check ◆ 정답 및 풀이 **33**쪽

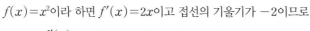

1 $f(x)$가 다음과 같을 때, 곡선 $y=f(x)$ 위의 $x=-1$인 점에서 접선의 방정식을 구하시오.

(1) $f(x)=x^2-2x$ 　　　　　　　　(2) $f(x)=x^3+x^2+1$

2 $f(x)=-2x^2+x$일 때, 다음 물음에 답하시오.

(1) 접선의 기울기가 3인 접점의 좌표를 구하시오.

(2) 기울기가 3인 접선의 방정식을 구하시오.

◆ 정답 및 풀이 **33**쪽

대표 Q1 접점이 주어진 경우

곡선 $y=x^3-x$에 대하여 다음 물음에 답하시오.

(1) 곡선 위의 $x=-2$인 점에서 접선의 방정식을 구하시오.

(2) 곡선 위의 $x=2$인 점을 지나고 이 점에서의 접선에 수직인 직선의 방정식을 구하시오.

 Guide $f(x)=x^3-x$라 하자.

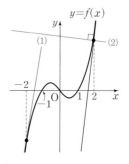

(1) 접선의 기울기가 $f'(-2)$이므로 접선의 방정식은
$$y-f(-2)=f'(-2)(x+2)$$
이다. $f'(-2)$를 구하기 위해 $f'(x)$부터 구한다.

(2) 곡선 위의 $x=2$인 점에서 접선의 기울기는 $f'(2)$이므로 점 $(2, f(2))$를 지나고 접선에 수직인 직선의 방정식은
$$y-f(2)=-\frac{1}{f'(2)}(x-2)$$
이다.

참고 $y=x^3-x$에 $y=0$을 대입하면
$$0=x^3-x,\ x(x^2-1)=0 \qquad \therefore\ x=0\ 또는\ x=\pm1$$
따라서 $y=x^3-x$의 그래프는 위와 같이 그릴 수 있다.

일반적으로 x^3의 계수가 양수인 삼차 함수의 그래프는 그림과 같다.

삼차, 사차함수의 그래프를 그리는 방법은 다음 단원에서 공부하겠지만 그 래프를 알면 접선에 대한 문제를 이해하기 편하므로 오른쪽 그림 정도는 기억하자.

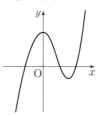

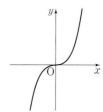

답 (1) $y=11x+16$　(2) $y=-\dfrac{1}{11}x+\dfrac{68}{11}$

 Point 곡선 $y=f(x)$ 위의 점 $\mathrm{P}(a, f(a))$에서

• 접선의 방정식 ➡ $y-f(a)=f'(a)(x-a)$

• 점 P를 지나고 접선에 수직인 직선의 방정식 ➡ $y-f(a)=-\dfrac{1}{f'(a)}(x-a)$

1-1 곡선 $y=x^3$에 대하여 다음 물음에 답하시오.

(1) 곡선 위의 $x=0$인 점에서 접선의 방정식을 구하시오.

(2) 곡선 위의 $x=1$인 점을 지나고 이 점에서의 접선에 수직인 직선의 방정식을 구하시오.

대표 Q2

> 곡선 $y=x^3-x$에 대하여 다음 물음에 답하시오.
>
> (1) 곡선에 접하고 직선 $y=2x+1$에 평행한 직선의 방정식을 모두 구하시오.
>
> (2) 곡선에 접하고 점 $(-1,\ 1)$을 지나는 직선의 방정식을 모두 구하시오.

날선 Guide $f(x)=x^3-x$라 하자.

(1) 그림과 같이 기울기가 2인 접선은 2개이다.

접점의 좌표를 모르므로 접점을 $(a,\ f(a))$로 놓는다.

이때 접선의 기울기는 $f'(a)$이므로 $f'(a)=2$인 a의 값

부터 찾는다.

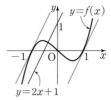

(2) 그림과 같이 접선을 2개 생각할 수 있다.

접점을 $(a,\ f(a))$라 하면 접선의 방정식은

$$y-f(a)=f'(a)(x-a)$$

이다. 이 직선이 점 $(-1,\ 1)$을 지나는 조건을 이용하여

a의 값부터 구한다.

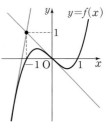

답 (1) $y=2x-2,\ y=2x+2$ (2) $y=-x,\ y=\dfrac{23}{4}x+\dfrac{27}{4}$

날선 Point

• 기울기가 m인 접선의 방정식

➡ 접점을 $(a,\ f(a))$로 놓고, $f'(a)=m$인 a의 값부터 구한다.

• 곡선 밖의 점 A를 지나는 접선의 방정식

➡ 접선의 방정식을 $y-f(a)=f'(a)(x-a)$로 놓고, 점 A를 지날 조건을 찾는다.

2-1 곡선 $y=x^4+x-1$에 대하여 다음 물음에 답하시오.

(1) 곡선에 접하고 직선 $3x+y-4=0$에 평행한 직선의 방정식을 구하시오.

(2) 곡선에 접하고 직선 $x+5y+5=0$에 수직인 직선의 방정식을 구하시오.

2-2 다음 물음에 답하시오.

(1) 곡선 $y=x^2+3$에 접하고 점 $(1,\ 0)$을 지나는 직선의 방정식을 모두 구하시오.

(2) 원점에서 곡선 $y=x^3-2x^2+8$에 그은 접선의 방정식을 구하시오.

대표 Q3 여러 가지 접선

◆ 정답 및 풀이 35쪽

다음 물음에 답하시오.

(1) 곡선 $y=x^3+ax^2-2x+b$는 두 점 $(-1, 2)$, $(3, c)$를 지난다. 이 두 점에서의 접선이 평행할 때, 상수 a, b, c의 값을 구하시오.

(2) 곡선 $y=x^3-x^2+1$ 위의 $x=-1$인 점에서 접선이 이 곡선과 만나는 다른 점의 좌표를 구하시오.

낱선 Guide (1) $f(x)=x^3+ax^2-2x+b$라 하자.

두 점 $(-1, 2)$, $(3, c)$를 지나므로

$$f(-1)=2, f(3)=c$$

또 두 점에서의 접선이 평행하므로

$$f'(-1)=f'(3)$$

세 방정식을 풀면 a, b, c의 값을 구할 수 있다.

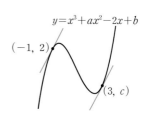

(2) 접선의 방정식을 $y=mx+n$이라 하면 방정식

$$x^3-x^2+1=mx+n$$

$$x^3-x^2-mx+1-n=0 \qquad \cdots \text{㉠}$$

의 해가 곡선과 직선의 접점의 x좌표이다.

이때 $x=-1$에서 곡선과 직선이 접하므로 ㉠은

$x=-1$을 중근으로 가진다. 곧, ㉠의 좌변이 $(x+1)^2$으로 나누어떨어진다는 것을 이용하면 쉽게 인수분해할 수 있다.

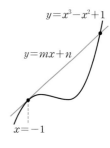

답 (1) $a=-3$, $b=4$, $c=-2$ (2) $(3, 19)$

낱선 Point
- 접선의 기울기에 대한 조건 ➡ $f'(a)$를 확인한다.
- 곡선 $y=f(x)$와 $y=mx+n$이 곡선 위의 점 $x=a$에서 접하면 $f(x)=mx+n$은 $(x-a)^2$으로 나누어떨어진다.

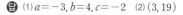

3-1 곡선 $y=x^4+ax^3+bx^2+c$는 두 점 $(0, 1)$, $(1, 0)$을 지난다. 이 두 점에서의 접선이 평행할 때, 상수 a, b, c의 값을 구하시오.

3-2 곡선 $y=x^4-6x^3+8$ 위의 $x=1$인 점에서 접선이 이 곡선과 만나는 다른 점의 x좌표를 모두 구하시오.

대표 Q4 접하는 곡선과 직선

다음 물음에 답하시오.

(1) 두 곡선 $y=-x^2+5$, $y=x^2-6x+10$에 동시에 접하는 직선의 방정식을 모두 구하시오.

(2) 곡선 $y=x^3+ax^2+5$와 곡선 $y=x^2+1$이 접할 때, 상수 a의 값을 구하시오.

날선 Guide

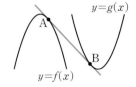

(1) $f(x)=-x^2+5$, $g(x)=x^2-6x+10$이라 하자.

곡선 $y=f(x)$ 위의 점 $A(\alpha, f(\alpha))$에서의 접선과

곡선 $y=g(x)$ 위의 점 $B(\beta, g(\beta))$에서의 접선이

일치한다는 뜻이다. 따라서 두 접선

$$y-f(\alpha)=f'(\alpha)(x-\alpha)$$

$$y-g(\beta)=g'(\beta)(x-\beta)$$

가 같을 α, β의 값부터 구한다.

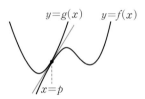

(2) $f(x)=x^3+ax^2+5$, $g(x)=x^2+1$이라 하고

두 곡선 $y=f(x)$, $y=g(x)$가 $x=p$인 점에서 접한

다고 하자.

두 곡선이 $x=p$인 점에서 만나므로

$$f(p)=g(p) \qquad \cdots \text{㉠}$$

또 만나는 점에서 곡선 $y=f(x)$와 $y=g(x)$의 접선이 일치하므로 접선의 기울기가

같다.

$$\therefore f'(p)=g'(p) \qquad \cdots \text{㉡}$$

㉠, ㉡에서 p의 값부터 구한다.

답 (1) $y=-2x+6$, $y=-4x+9$ (2) -2

날선 Point

곡선 $y=f(x)$, $y=g(x)$가 $x=p$인 점에서 접한다.

➡ $f(p)=g(p)$, $f'(p)=g'(p)$

4-1 다음 두 곡선에 동시에 접하는 직선의 방정식을 구하시오.

$$y=x^3, y=x^3+4$$

4-2 곡선 $y=x^3+3x^2+2$와 곡선 $y=3x^2+ax$가 접할 때, 상수 a의 값을 구하시오.

4-2 롤의 정리, 평균값 정리

1 롤의 정리

함수 $f(x)$가 구간 $[a, b]$에서 연속이고 구간 (a, b)에서 미분가능할 때, $f(a)=f(b)$이면

$$f'(c)=0$$

인 c가 구간 (a, b)에 적어도 하나 존재한다.

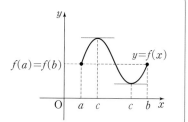

2 평균값 정리

함수 $f(x)$가 구간 $[a, b]$에서 연속이고 구간 (a, b)에서 미분가능할 때,

$$\frac{f(b)-f(a)}{b-a}=f'(c)$$

인 c가 구간 (a, b)에 적어도 하나 존재한다.

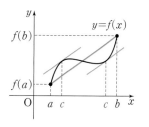

롤의 정리

그림은 $f(a)=f(b)$이고 미분가능한 함수 $y=f(x)$이다. 이때 $f(x)$는 $x=c$에서 최대 또는 최소이고, 이 점에서 접선은 x축에 평행하다. 곧, 기울기가 0이므로 $f'(c)=0$이다.

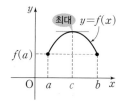 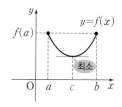

이와 같이 함수 $f(x)$가 구간 $[a, b]$에서 연속이고 (a, b)에서 미분가능할 때, $f(a)=f(b)$이면 $f'(c)=0$인 c가 구간 (a, b)에 적어도 하나 존재한다. 이를 롤의 정리라 한다.

$y=f(x)$의 그래프가 그림과 같으면 $f'(c)=0$인 c는 3개이다. 이때 c_1, c_3에서 부분적으로 최대, c_2에서 부분적으로 최소이다.

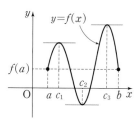

평균값 정리

그림은 $f(a) \neq f(b)$이고 미분가능한 함수 $y=f(x)$이다. 이때 두 점 $P(a, f(a))$, $Q(b, f(b))$를 지나는 직선 PQ에 평행한 접선을 그을 수 있다. 따라서 접점의 x좌표를 c라 하면 $f'(c)$가 직선 PQ의 기울기이므로

$$\frac{f(b)-f(a)}{b-a}=f'(c)$$

이다. 이때 좌변은 구간 $[a, b]$에서 평균변화율이다.

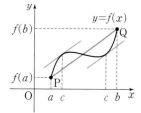

함수 $f(x)$가 구간 $[a, b]$에서 연속이고 구간 (a, b)에서 미분가능할 때,

$$\frac{f(b)-f(a)}{b-a}=f'(c)$$

인 c가 구간 (a, b)에 적어도 하나 존재한다. 이를 평균값 정리라 한다.

접선과 평균값 정리

롤의 정리는 평균값 정리에서 $f(a)=f(b)$인 경우이다.

롤의 정리의 증명

$f(x)$가 구간 $[a, b]$에서 연속이면 최대·최소 정리에서 최댓값과 최솟값이 있다. 따라서 $f(x)$가 상수함수가 아니고 $f(a)=f(b)$이면 구간 (a, b)에서 최대 또는 최소인 점 c가 존재한다.

$x=c$에서 최대이면 구간 (a, b)의 모든 x에 대하여 $f(c) \geq f(x)$이다.

$x>c$이면 $\dfrac{f(x)-f(c)}{x-c} \leq 0$이므로 $\displaystyle\lim_{x \to c+} \dfrac{f(x)-f(c)}{x-c} \leq 0$ $\cdots$ ㉠

$x<c$이면 $\dfrac{f(x)-f(c)}{x-c} \geq 0$이므로 $\displaystyle\lim_{x \to c-} \dfrac{f(x)-f(c)}{x-c} \geq 0$ $\cdots$ ㉡

그런데 $f(x)$가 $x=c$에서 미분가능하므로 $f'(c)$가 존재하고

㉠에서 $f'(c) \leq 0$, ㉡에서 $f'(c) \geq 0$이므로 $f'(c)=0$이다.

$x=c$에서 $f(x)$가 최소일 때에도 같은 이유로 $f'(c)=0$이다.

$f(x)$가 상수함수이면 구간 (a, b)의 모든 x에 대하여 $f'(c)=0$이다.

따라서 $f'(c)=0$인 c가 적어도 하나 존재한다.

평균값 정리의 증명

점 $P(a, f(a))$, $Q(b, f(b))$를 지나는 직선의 방정식을 $y=g(x)$라 하면

$$g(x)=\dfrac{f(b)-f(a)}{b-a}(x-a)+f(a)$$

또 $h(x)=f(x)-g(x)$라 하면 $h(a)=h(b)=0$이다.

그런데 $f(x)$, $g(x)$가 구간 $[a, b]$에서 연속이고 구간 (a, b)에서 미분가능하므로 $h(x)$도 구간 $[a, b]$에서 연속이고 구간 (a, b)에서 미분가능하다.

따라서 롤의 정리에서 $h'(c)=0$인 c가 구간 (a, b)에 적어도 하나 존재한다.

그런데 $g'(x)=\dfrac{f(b)-f(a)}{b-a}$ (상수)이므로 $h'(c)=0$이면 $f'(c)-g'(c)=0$이고

$$f'(c)=g'(c) \qquad \therefore \dfrac{f(b)-f(a)}{b-a}=f'(c)$$

개념 Check

◆ 정답 및 풀이 **36**쪽

3 $f(x)=-x^2+4x+3$일 때, 구간 $[-1, 5]$에서 롤의 정리를 만족시키는 실수 c의 값을 구하시오.

4 $f(x)=x^2-x$일 때, 다음 등식을 만족시키는 실수 c의 값을 구하시오.

$$\dfrac{f(3)-f(0)}{3-0}=f'(c) \text{ (단, } 0<c<3)$$

Q5 평균값 정리

다음 물음에 답하시오.

(1) $f(x)=x(x^2-3)$일 때, 구간 $[-3, 3]$에서 평균값 정리를 만족시키는 실수 c의 값을 모두 구하시오.

(2) $y=f(x)$의 그래프가 그림과 같을 때, $f(x)$에 대하여 구간 $[0, 5]$에서 평균값 정리를 만족시키는 실수 c의 개수를 구하시오.

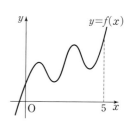

날선 Guide (1) 함수 $f(x)$가 구간 $[a, b]$에서 연속이고 구간 (a, b)에서 미분가능할 때, 다음을 만족시키는 c가 구간 (a, b)에 적어도 하나 존재한다.

$$\frac{f(b)-f(a)}{b-a}=f'(c) \quad \cdots \text{㉠}$$

이 문제에서는 구간 $(-3, 3)$에서 이 등식을 만족시키는 c의 값을 구하면 된다.

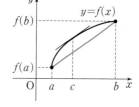

(2) ㉠에서 $\dfrac{f(b)-f(a)}{b-a}$는 점 $(a, f(a))$, $(b, f(b))$를 지나는 직선의 기울기이고,

$f'(c)$는 $x=c$에서 접선의 기울기이다.

따라서 점 $(0, f(0))$, $(5, f(5))$를 지나는 직선에 평행한 접선의 기울기를 생각한다.

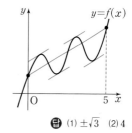

답 (1) $\pm\sqrt{3}$ (2) 4

날선 Point $f(x)$가 구간 $[a, b]$에서 연속이고 구간 (a, b)에서 미분가능하면

➡ 점 $(a, f(a))$, $(b, f(b))$를 지나는 직선에 평행한 접선이 존재한다.

5-1 다음 함수에 대하여 주어진 구간에서 평균값 정리를 만족시키는 실수 c의 값을 모두 구하시오.

(1) $f(x)=x(x-1)(x-2)$, 구간 $[0, 3]$

(2) $f(x)=(x-1)^2(x+1)^2$, 구간 $[-2, 2]$

01 곡선 $y=x^4+x^3+x^2+ax$ 위의 $x=1$인 점에서의 접선이 점 $(-2, 4)$를 지날 때, 상수 a의 값은?

① -16 ② -14 ③ -12 ④ -10 ⑤ -8

02 곡선 $y=x^4-2x^2$에 접하고 y축과 점 $(0, -1)$에서 만나는 직선의 방정식을 구하시오.

03 곡선 $y=x^3-3x^2-x$의 접선 중 기울기가 가장 작은 직선의 방정식을 구하시오.

04 곡선 $y=2x^3+ax^2+b$ 위의 점 $(1, 1)$에서의 접선이 직선 $y=-\dfrac{1}{2}x+2$와 수직일 때, 상수 a, b의 값을 구하시오.

05 곡선 $y=x^3+ax^2+bx$는 두 점 $(-2, 2)$, $(1, c)$를 지난다. 이 두 점에서 곡선에 접하는 직선이 평행할 때, $a+b+c$의 값은?

① -1 ② 0 ③ 1 ④ 2 ⑤ 3

06 $f(x)=x^3-kx^2+2x$일 때, 구간 $[0, 3]$에서 평균값 정리를 만족시키는 실수가 2이고, 구간 $[1, 2]$에서 롤의 정리를 만족시키는 실수가 c이다. $k+c$의 값은?

① $\dfrac{\sqrt{3}}{3}$　　② $2-\dfrac{\sqrt{3}}{3}$　　③ $2+\dfrac{\sqrt{3}}{3}$　　④ $4-\dfrac{\sqrt{3}}{3}$　　⑤ $4+\dfrac{\sqrt{3}}{3}$

07 곡선 $y=x^3-2x^2+ax+3$에 접하고 직선 $y=-x+3$에 평행한 직선이 존재하지 않을 때, 정수 a의 최솟값을 구하시오.

08 점 $(1, p)$에서 곡선 $y=x^2$에 그은 두 접선이 수직일 때, p의 값을 구하시오.

09 두 곡선 $y=x^3-ax^2$, $y=2x^2+bx+c$가 점 $(-1, 1)$에서 만나고 이 점에서의 두 곡선의 접선이 수직일 때, 상수 a, b, c의 값을 구하시오.

교육청 기출

10 최고차항의 계수가 1인 삼차함수 $f(x)$에 대하여 곡선 $y=f(x)$ 위의 점 $(2, 4)$에서의 접선이 점 $(-1, 1)$에서 이 곡선과 만날 때, $f'(3)$의 값을 구하시오.

4 접선과 평균값 정리

11 좌표평면 위의 원점 O에서 곡선 $y=x^4-2x^2+8$에 그은 두 접선의 접점과 원점 O가 이루는 삼각형의 넓이는?

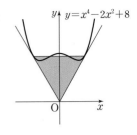

① $6\sqrt{2}$ ② $8\sqrt{2}$ ③ $7\sqrt{3}$

④ $10\sqrt{2}$ ⑤ $9\sqrt{3}$

12 구간 $[0, 2]$에서 정의된 함수 $f(x)=ax(x-2)^2$ $\left(a>\dfrac{1}{2}\right)$에 대하여 곡선 $y=f(x)$와 직선 $y=x$의 교점 중 원점 O가 아닌 점을 A라 하자. 점 P가 O에서 A까지 곡선 $y=f(x)$ 위를 움직일 때, 삼각형 OAP의 넓이가 최대인 P의 x좌표는 $\dfrac{1}{2}$이다. 상수 a의 값을 구하시오.

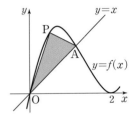

13 두 다항함수 $f(x), g(x)$가 다음 조건을 모두 만족시킨다.

(가) $g(x)=x^3f(x)-7$ (나) $\lim\limits_{x\to 2}\dfrac{f(x)-g(x)}{x-2}=2$

곡선 $y=g(x)$ 위의 점 $(2, g(2))$에서의 접선의 방정식을 구하시오.

14 함수 $f(x)=\dfrac{1}{3}x^3+x^2+2$가 구간 $[-1, 2]$에 속하는 임의의 두 수 a, b $(a<b)$에 대하여 $\dfrac{f(b)-f(a)}{b-a}=k$를 만족시키는 실수 k값의 범위를 구하시오.

정답 개수 :　/14　오답 번호 Check :

미분은 자연 현상이나 사회 현상을 연구하는 자연과학이나 공학, 경제학, 사회학 등에서 활용도가 높은 내용 영역이다. 경제 성장률이나 환율, 금리, 주가와 같은 금융 시장의 변동 예측 등 변화 상태를 한눈에 파악하는 데 함수의 그래프를 활용하면 편리할 때가 있다.

이 단원에서는 함수의 증가와 감소, 극대와 극소에 대하여 알아보고, 도함수의 부호를 조사하여 극대와 극소를 판정하는 방법을 알아보자. 또 삼차함수, 사차함수의 그래프의 개형을 그리는 방법에 대하여 알아보자.

미분과 그래프

개념

1 함수 $f(x)$가 어떤 구간에서

(1) $x_1<x_2$일 때 $f(x_1)<f(x_2)$이면 증가한다고 하고

(2) $x_1<x_2$일 때 $f(x_1)>f(x_2)$이면 감소한다고 한다.

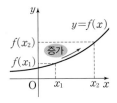
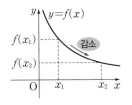

2 함수 $f(x)$가

(1) $x=a$를 포함하는 적당한 열린구간에서 $f(x)\leq f(a)$이면 $x=a$에서 극대라 하고 $f(a)$를 극댓값이라 한다.

(2) $x=b$를 포함하는 적당한 열린구간에서 $f(x)\geq f(b)$이면 $x=b$에서 극소라 하고 $f(b)$를 극솟값이라 한다.

(3) 극댓값과 극솟값을 통틀어 극값이라 한다.

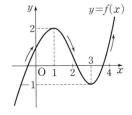

증가와 감소

$y=f(x)$의 그래프가 그림과 같다고 하자.

구간 $(-\infty, 1]$ 또는 $[3, \infty)$에서 x가 커지면 y도 커지므로

$x_1<x_2$이면 $f(x_1)<f(x_2)$이다.

이때 $f(x)$는 구간 $(-\infty, 1]$ 또는 $[3, \infty)$에서 증가한다고 한다.

또 구간 $[1, 3]$에서 x가 커지면 y는 작아지므로

$x_1<x_2$일 때 $f(x_1)>f(x_2)$이다.

이때 $f(x)$는 구간 $[1, 3]$에서 감소한다고 한다.

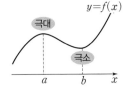

극대와 극소

위의 함수 $f(x)$는 구간 $(0, 2)$에서 $x=1$일 때 $f(x)$가 최대이다. 따라서 $f(x)$는 $x=1$ 부근에서 최대라는 뜻으로 극대라 하고, 함숫값 2를 극댓값이라 한다.

또 구간 $(2, 4)$에서 $x=3$일 때 $f(x)$가 최소이다. 따라서 $f(x)$는 $x=3$ 부근에서 최소라는 뜻으로 극소라 하고, 함숫값 -1을 극솟값이라 한다.

극댓값 2와 극솟값 -1을 통틀어 극값이라 한다.

개념 Check

◆ 정답 및 풀이 **40**쪽

1 $y=f(x)$의 그래프가 그림과 같을 때, 다음을 구하시오.

(1) $f(x)$가 구간 $[a, 4]$에서 증가할 때, a의 최솟값

(2) $f(x)$가 구간 $(-\infty, b]$에서 감소할 때, b의 최댓값

(3) $f(x)$가 극대인 x의 값

(4) $f(x)$가 극소인 x의 값

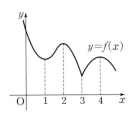

5-2 증감과 미분, 극값과 미분

1 함수 $f(x)$가 어떤 구간에서 미분가능할 때, 이 구간에서

(1) $f'(x)>0$이면 $f(x)$는 증가한다.

(2) $f'(x)<0$이면 $f(x)$는 감소한다.

2 함수 $f(x)$가 미분가능할 때

(1) $x=a$에서 극대 또는 극소이면 $f'(a)=0$이다.

(2) $x=a$에서 극대이면 $f'(a)=0$이고, $f'(x)$의 부호가 $+$에서 $-$로 바뀐다.

(3) $x=b$에서 극소이면 $f'(b)=0$이고, $f'(x)$의 부호가 $-$에서 $+$로 바뀐다.

증가, 감소와 미분

함수가 미분가능하면 도함수의 부호를 조사하여 증감을 알 수 있다.

함수 $f(x)$가 구간 (a, b)에서 미분가능하고 $f'(x)>0$이라 하자.

x_1, x_2 $(x_1<x_2)$에 대하여 평균값 정리를 적용하면

$$\frac{f(x_2)-f(x_1)}{x_2-x_1}=f'(c) \ (x_1<c<x_2) \quad \cdots \ \bigcirc$$

인 c가 존재한다.

$f'(c)>0$이고 $x_2-x_1>0$이므로 $f(x_2)-f(x_1)>0$

따라서 $f(x)$는 증가한다.

또 $f'(x)<0$이면 $\bigcirc$에서

$f'(c)<0$이고 $x_2-x_1>0$이므로 $f(x_2)-f(x_1)<0$이다.

따라서 $f(x)$는 감소한다.

$$f'(x)>0 \text{이면 } f(x) \text{는 증가}$$

$$f'(x)<0 \text{이면 } f(x) \text{는 감소}$$

예를 들어 $f(x)=x^2$이라 하면

구간 $(0, \infty)$에서 $f'(x)=2x>0$이므로 $f(x)$는 증가하고,

구간 $(-\infty, 0)$에서 $f'(x)=2x<0$이므로 $f(x)$는 감소한다.

극대, 극소와 미분

$f(x)$가 미분가능하다고 하자.

$x=a$에서 극대이면 a를 포함한 어떤 구간에서

$x<a$일 때 증가하고, $x>a$일 때 감소한다.

따라서 $f'(x)$의 부호가 $+$에서 $-$로 바뀌고,

$f'(a)=0$임을 알 수 있다.

또 $x=b$에서 극소이면 b를 포함한 어떤 구간에서

$x<b$일 때 감소하고, $x>b$일 때 증가한다.

따라서 $f'(x)$의 부호가 $-$에서 $+$로 바뀌고, $f'(b)=0$임을 알 수 있다.

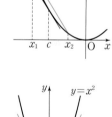

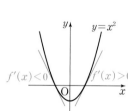

그래프를 그려 보면 이차함수 $f(x)=x^2+2x$는 $x=-1$에서 극소임을 알 수 있다.

이는 도함수를 이용하여 다음과 같이 설명할 수 있다.

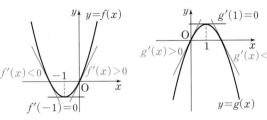

$f'(x)=2x+2$이므로 $f'(-1)=0$이고 $x=-1$에서 $f'(x)$의 부호가 $-$에서 $+$로 바뀌므로 극소이고 극솟값은 $f(-1)=-1$이다.

또 $g(x)=-x^2+2x$라 하면 $g'(x)=-2x+2$이므로 $g'(1)=0$이고 $x=1$에서 $g'(x)$의 부호가 $+$에서 $-$로 바뀌므로 극대이고 극댓값은 $g(1)=1$이다.

$f'(x)=0$과 극대, 극소

$f(x)=x^3$이라 하면 $f'(x)=3x^2$이므로 $f'(0)=0$이다.

그런데 $x<0$일 때에도 $x>0$일 때에도 $f'(x)>0$이고, $f(x)$는 증가하므로 $x=0$에서 극대도 극소도 아니다.

이와 같이 $f'(a)=0$이어도 $x=a$의 좌우에서 부호 변화가 없으면 $x=a$에서 극값을 가지지 않는다.

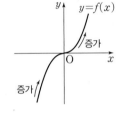

또 미분가능한 함수 $f(x)$가 어떤 구간에서 $f'(x)>0$이면 $f(x)$는 증가하지만, 증가한다고 해서 $f'(x)>0$은 성립하지 않는다는 것도 알 수 있다.

따라서 $f'(a)=0$일 때에는 $x=a$ 부근에서 $f'(x)$의 부호 변화를 따로 조사해야 증가, 감소를 알 수 있다.

$g(x)=|x|$라 하면 $g(x)$는 $x=0$에서 극소이다.

이와 같이 극대, 극소는 미분가능하지 않은 경우도 생각할 수 있다.

참고 $f'(a)=0$이고 $x=a$의 좌우에서 $f'(x)$의 부호가 $+$에서 $-$로 바뀐다고 하자.

$x<a$에서 $f'(x)>0$이면 $f(x)$는 증가하므로 $f(x)<f(a)$

$x>a$에서 $f'(x)<0$이면 $f(x)$는 감소하므로 $f(x)<f(a)$

따라서 $f(x)\leq f(a)$이므로 $x=a$에서 $f(x)$는 극대이다.

$x=a$에서 $f'(x)$의 부호가 $-$에서 $+$로 바뀌는 경우도 같은 방법으로 $x=a$에서 극소이다.

개념 Check

◆ 정답 및 풀이 **40**쪽

2 주어진 구간에서 다음 함수의 증가와 감소를 조사하시오.

(1) $f(x)=\dfrac{1}{3}x^3-x^2-3x+1$ $(-1, 3)$ (2) $f(x)=x^4-4x^3-10$ $(3, 5)$

3 도함수의 부호를 이용하여 다음 함수의 극값을 구하시오.

(1) $f(x)=x^2-3x+1$ (2) $f(x)=-2x^2-4x$

5-3 다항함수의 그래프를 그리는 방법

다항함수 $f(x)$의 그래프는 다음 순서로 그린다.

❶ $f'(x)=0$의 해를 찾는다.

❷ 해의 부근에서 $f'(x)$의 부호 변화를 조사하고 극댓값, 극솟값을 찾는다.

❸ 좌표평면에 극값을 나타내고 극값을 매끄러운 곡선으로 연결한다.

다항함수의 그래프를 그리는 방법

함수 $f(x)=x^3-3x$의 극대, 극소를 조사하고 이를 이용하여 $y=f(x)$의 그래프를 그리는 방법을 알아보자.

(1) $f(x)$는 미분가능한 함수이므로 $f'(x)=0$인 x의 값에서 극대 또는 극소이다.

따라서 $f'(x)=0$의 해부터 구한다.

$f'(x)=3x^2-3=3(x+1)(x-1)$이므로

$f'(x)=0$의 해는 $x=-1$ 또는 $x=1$

(2) $x=-1$, $x=1$의 좌우에서 $f'(x)$의 부호를 조사하면

$x<-1$일 때, $f'(x)>0$ ➡ 증가

$-1<x<1$일 때, $f'(x)<0$ ➡ 감소

$x>1$일 때, $f'(x)>0$ ➡ 증가

따라서 $x=-1$에서 극대이고 극댓값은 $f(-1)=-1+3=2$

$x=1$에서 극소이고 극솟값은 $f(1)=1-3=-2$

(3) $\lim\limits_{x\to\infty} f(x)=\infty$, $\lim\limits_{x\to-\infty} f(x)=-\infty$

따라서 극대점 $(-1, 2)$와 극소점 $(1, -2)$를 좌표평면에 나타내고 그래프를 그리면 그림과 같다.

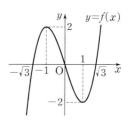

(4) 위의 결과를 다음 표와 같이 정리할 수도 있다. 이 표를 증감표라 한다.

x	$\cdots$	-1	$\cdots$	1	$\cdots$
$f'(x)$	$+$	0	$-$	0	$+$
$f(x)$	↗	2	↘	-2	↗

$y=x^3$의 그래프

$g(x)=x^3$이라 하면 $g'(x)=3x^2$

$g'(x)=0$에서 $x=0$

따라서 증감표는 다음과 같다.

x	$\cdots$	0	$\cdots$
$g'(x)$	$+$	0	$+$
$g(x)$	↗	0	↗

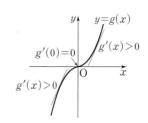

$g(x)$는 항상 증가하고, 그래프는 그림과 같은 꼴로 그린다.

다음 함수 $f(x)$의 극값을 구하고, $y=f(x)$의 그래프를 그리시오.

(1) $f(x)=x^3+3x^2-9x+1$

(2) $f(x)=-x^3+12x+2$

(3) $f(x)=\dfrac{1}{3}x^3-x^2+x-2$

(4) $f(x)=\dfrac{1}{3}x^3+\dfrac{1}{2}x^2+x$

날선 Guide (1) $f'(x)=3x^2+6x-9=3(x+3)(x-1)$

$f'(x)=0$에서 $x=-3$ 또는 $x=1$이므로 $f(x)$의 증감표를 만들면

x	$\cdots$	-3	$\cdots$	1	$\cdots$
$f'(x)$	$+$	0	$-$	0	$+$
$f(x)$	↗	극대	↘	극소	↗

따라서 $x=-3$에서 극대, $x=1$에서 극소임을 알 수 있다.

그리고 $f(-3)$, $f(1)$의 값을 구하면 함수의 그래프도 그릴 수 있다.

(2) $f'(x)=-3x^2+12=-3(x+2)(x-2)$

$f'(x)=0$의 실근은 $x=-2$ 또는 $x=2$

따라서 $x=-2$, $x=2$의 좌우에서 $f'(x)$의 부호와 $f(x)$의 증감을 조사한다.

(3) $f'(x)=x^2-2x+1$이므로 $f'(1)=0$이다.

그러나 $x=1$의 좌우에서 $f'(x)$의 부호가 바뀌지 않으므로

$f(x)$는 $x=1$에서 극값을 갖지 않는다.

(4) $f'(x)=x^2+x+1=\left(x+\dfrac{1}{2}\right)^2+\dfrac{3}{4}>0$

이므로 $f(x)$는 증가하는 함수이다.

그리고 삼차함수의 그래프는 그림과 같은 꼴로 그린다.

답 (1) 극댓값 : 28, 극솟값 : -4 (2) 극댓값 : 18, 극솟값 : -14
(3) 극댓값과 극솟값은 없다. (4) 극댓값과 극솟값은 없다.

 날선 Point 삼차함수의 그래프 ➡ $f'(x)=0$의 실근을 구하고
해의 좌우에서 $f'(x)$의 부호 변화부터 조사한다.

1-1 다음 함수 $f(x)$의 극값을 구하고, $y=f(x)$의 그래프를 그리시오.

(1) $f(x)=x(x-2)^2$

(2) $f(x)=-x^3-6x^2-9x+3$

(3) $f(x)=x^3+3x^2+3x+2$

(4) $f(x)=-x^3-x+2$

다음 함수 $f(x)$의 극값을 구하고, $y=f(x)$의 그래프를 그리시오.

(1) $f(x)=3x^4+4x^3-12x^2+10$ (2) $f(x)=3x^4-4x^3+4$

(3) $f(x)=-x^4-4x+1$

날선 Guide (1) $f'(x)=12x^3+12x^2-24x=12x(x+2)(x-1)$

$f'(x)=0$에서 $x=-2$ 또는 $x=0$ 또는 $x=1$이므로 $f(x)$의 증감표를 만들면

x	$\cdots$	-2	$\cdots$	0	$\cdots$	1	$\cdots$
$f'(x)$	$-$	0	$+$	0	$-$	0	$+$
$f(x)$	$\searrow$	극소	$\nearrow$	극대	$\searrow$	극소	$\nearrow$

따라서 $x=0$에서 극대, $x=-2$, $x=1$에서 극소임을 알 수 있다.

그리고 $f(-2)$, $f(0)$, $f(1)$의 값을 구하면 함수의 그래프도 그릴 수 있다.

(2) $f'(x)=12x^3-12x^2=12x^2(x-1)$

$f'(x)=0$의 실근은 $x=0$ 또는 $x=1$

이를 이용하여 위와 같은 증감표를 만든다.

이때 $x=0$의 좌우에서 $f'(x)$의 부호 변화가 없고, $x=1$의 좌우에서 $f'(x)$의 부호 변화가 있으므로 $x=1$에서만 $f(x)$는 극값을 가짐에 주의한다.

그리고 그래프는 그림과 같은 꼴로 그린다.

(3) $f'(x)=-4x^3-4=-4(x+1)(x^2-x+1)$

$f'(x)=0$의 실근은 $x=-1$

이를 이용하여 증감표를 만들고 그래프를 그린다.

답 (1) 극댓값 : 10, 극솟값 : -22, 5   (2) 극댓값 : 없다, 극솟값 : 3

(3) 극댓값 : 4, 극솟값 : 없다.

 날선 Point 사차함수의 그래프 ➡ $f'(x)=0$의 실근을 구하고 해의 좌우에서 $f'(x)$의 부호 변화부터 조사한다.

2-1 다음 함수 $f(x)$의 극값을 구하고, $y=f(x)$의 그래프를 그리시오.

(1) $f(x)=3x^4-8x^3-6x^2+24x-1$ (2) $f(x)=-x^4+2x^2+2$

(3) $f(x)=-3x^4-4x^3+6x^2+12x$

삼차함수, 사차함수의 그래프 정리

1 삼차함수의 그래프

$f(x)=ax^3+bx^2+cx+d \ (a>0)$의 그래프는 $f'(x)=0$의 실근에 따라 다음과 같이 정리할 수 있다.

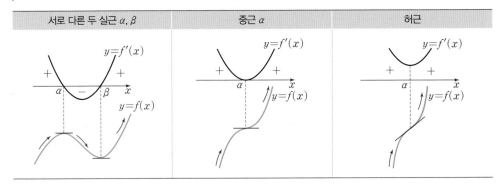

서로 다른 두 실근 α, β	중근 α	허근

두 번째 그림에서 $x=\alpha$인 점에서 $y=f(x)$ 그래프의 접선은 x축에 평행한 직선이다.

그러나 세 번째 그림에서 $x=\alpha$인 점에서 $y=f(x)$ 그래프의 접선은 기울기가 양(＋)인 직선이다.

그리고 다른 점에서 접선의 기울기는 $x=\alpha$에서 접선의 기울기보다 크다.

참고 $a<0$일 때에는 위의 그래프를 x축에 대칭이동한 꼴이라 생각하면 된다.

2 사차함수의 그래프

$f(x)=ax^4+bx^3+cx^2+dx+e \ (a>0)$의 그래프는 $f'(x)=0$의 실근에 따라 다음과 같이 정리할 수 있다.

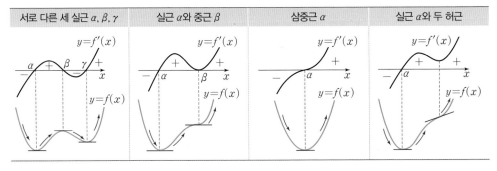

서로 다른 세 실근 α, β, γ	실근 α와 중근 β	삼중근 α	실근 α와 두 허근

위의 그림에서 $f'(x)=0$이 서로 다른 세 실근을 가지는 경우가 아니면 $f(x)$는 극솟값만 가지는 것을 알 수 있다. 그리고 $f(x)$의 극댓값이 있으면 $f'(x)=0$의 해는 서로 다른 세 실수이고 $f(x)$의 극솟값이 두 개라는 것도 알 수 있다.

사차함수 $f(x)$가 극값을 하나만 가진다.

➡ $f'(x)=0$이 서로 다른 세 실근을 갖지 않는다.

참고 $a<0$일 때에는 위의 그래프를 x축에 대칭이동한 꼴이라 생각하면 된다.
따라서 $f(x)$의 극솟값이 있으면 $f'(x)=0$의 해는 서로 다른 세 실수이고 $f(x)$의 극댓값이 두 개라는 것도 알 수 있다.

대표 Q3

다음 물음에 답하시오.

(1) 함수 $f(x)=x^3-2x^2+ax+2$가 구간 $(-\infty, \infty)$에서 증가할 때, 실수 a값의 범위를 구하시오.

(2) 함수 $f(x)=x^3+ax^2-(a+2)x-1$이 구간 $(1, 3)$에서 감소할 때, 실수 a값의 범위를 구하시오.

날선 Guide (1) $f(x)$가 삼차함수일 때 구간 $(-\infty, \infty)$에서 증가하면 그래프가 [그림 1]과 같아야 한다.

따라서 x^3의 계수가 양수이고 $f'(x)\geq0$이다. 이때 등호가 포함된다는 것에 주의한다.

또 구간 $(-\infty, \infty)$에서 감소하면 [그림 2]와 같으므로 x^3의 계수가 음수이고 $f'(x)\leq0$이다.

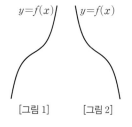

[그림 1]　　[그림 2]

(2) x^3의 계수가 양수이고 구간 $(1, 3)$에서 감소하므로 이 구간에서 $f'(x)\leq0$이다. $f'(x)$가 이차함수이므로 그림과 같이 $1<x<3$에서 $y=f'(x)$의 그래프가 x축 아래쪽에 있을 조건을 찾는다.

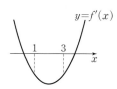

이 문제에서는 $f(x)$가 감소하는 범위가 구간 $(1, 3)$을 포함한다는 뜻임에 주의한다.

참고 $f(x)$가 미분가능한 함수일 때, $f'(x)$의 부호만으로 $f(x)$의 증감을 조사해도 충분하다. 그러나 삼차함수, 사차함수의 경우 그래프의 개형을 알고 있으므로 그래프까지 같이 생각하면 보다 쉽게 증가, 감소의 조건을 찾을 수 있다.

답 (1) $a\geq\dfrac{4}{3}$　(2) $a\leq-5$

날선 Point 증가, 감소의 판별

증가 ➡ $f'(x)\geq0$,　감소 ➡ $f'(x)\leq0$

3-1 함수 $f(x)=-x(x^2-ax+1)$에 대하여 다음 물음에 답하시오.

(1) 구간 $(-\infty, \infty)$에서 감소할 때, 실수 a값의 범위를 구하시오.

(2) 구간 $(-3, -1)$에서 증가할 때, 실수 a값의 범위를 구하시오.

3-2 함수 $f(x)=x^3+ax^2-(a^2-4a)x+3$이 극값을 갖지 않을 때, 정수 a의 개수를 구하시오.

삼차함수의 극대와 극소

◆ 정답 및 풀이 **43**쪽

다음 물음에 답하시오.

(1) 함수 $f(x)=x^3-3x^2-9x+a$의 그래프가 x축에 접할 때, 양수 a의 값을 구하시오.

(2) 함수 $f(x)=x^3+ax^2+bx+c$가 $x=1$과 $x=3$에서 극값을 가진다. $f(x)$의 극댓값이 5일 때, 극솟값을 구하시오.

(3) 함수 $f(x)=-x^3+6x^2+ax+b$는 $x=-1$에서 극솟값 2를 가진다. $f(x)$가 극대인 x의 값과 극댓값을 구하시오.

날선 Guide (1) $f(x)$는 x^3의 계수가 양수이므로 그림과 같이 $f(x)$가 극대 또는 극소인 점에서 x축에 접한다.

따라서 극댓값 또는 극솟값이 0이다.

먼저 $f'(x)=0$인 x의 값부터 찾는다.

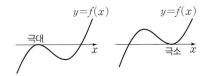

(2) $y=f(x)$의 그래프가 그림과 같으므로 $x=1$에서 극대이고 $x=3$에서 극소이다. 곧, 조건은 다음과 같이 정리할 수 있다.

$$f'(1)=0, f'(3)=0, f(1)=5$$

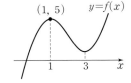

(3) x^3의 계수가 음수이고 극값을 가지므로 그래프는 그림과 같다. 이때 극소인 점의 좌표는 $(-1, 2)$이다.

$$f'(-1)=0, f(-1)=2$$

임을 이용하여 a, b의 값부터 구한다.

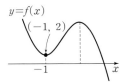

답 (1) 27 (2) 1 (3) $x=5$, 극댓값 : 110

날선 Point
• 극값에 대한 조건 ➡ 그래프부터 생각한다.
• $x=a$에서 극값이 b이다. ➡ $f'(a)=0, f(a)=b$

4-1 함수 $f(x)=x^3+3x^2+a$의 극댓값과 극솟값의 절댓값이 같을 때, 상수 a의 값을 구하시오.

4-2 함수 $f(x)=x^3+ax^2+x+b$의 그래프가 $x=1$인 점에서 x축에 접할 때, 극값을 구하시오.

4-3 함수 $f(x)=-x^3+ax^2+bx+c$가 $x=-2$와 $x=2$에서 극값을 가진다. 극솟값이 -2일 때, 극댓값을 구하시오.

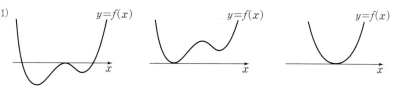

다음 물음에 답하시오.

(1) 함수 $f(x)=x^4-4x^2+a$의 그래프가 x축에 접할 때, 양수 a의 값을 구하시오.

(2) 함수 $f(x)=x^4+ax^2+bx-10$이 $x=-1$과 $x=3$에서 극값을 가진다. $f(x)$의 극댓 값을 구하시오.

(3) 함수 $f(x)=x^4+x^3+ax^2+2a-3$이 극댓값을 갖지 않을 때, 상수 a의 값 또는 범위 를 구하시오.

길잡이 **Guide** (1)

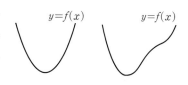

$f(x)$는 x^4의 계수가 양수이므로 그림과 같이 $f(x)$가 극대 또는 극소인 점에서 x축에 접한다. 따라서 극댓값 또는 극솟값이 0이므로 $f'(x)=0$인 x의 값부터 찾는다.

(2) $f(x)$가 $x=-1$과 $x=3$에서 극값을 가지므로

$$f'(-1)=0, f'(3)=0$$

이다. 이를 이용하여 a, b의 값을 구한다.

(3) x^4의 계수가 양수이므로 $y=f(x)$의 그래프가 그림과 같을 때, $f(x)$는 극댓값을 갖지 않는 다. 따라서 방정식 $f'(x)=0$의 해가 중근을 갖거나 허근을 갖는다.

답 (1) 4 (2) 1 (3) $a=0$ 또는 $a\geq\dfrac{9}{32}$

길잡이 **Point**
• 극값에 대한 조건 ➡ 그래프부터 생각한다.
• $x=a$에서 극값이 b이다. ➡ $f'(a)=0, f(a)=b$

5-1 함수 $f(x)=3x^4-8x^3+ax^2+bx+15$에 대하여 다음 물음에 답하시오.

(1) $y=f(x)$의 그래프가 $x=-1$인 점에서 x축에 접할 때, 상수 a, b의 값을 구하시오.

(2) $f(x)$가 $x=1$과 $x=2$에서 극값을 가질 때, $f(x)$의 극솟값을 모두 구하시오.

5-2 함수 $f(x)=x^4+2(a-1)x^2+4ax$의 극값이 하나뿐일 때, 상수 a의 값 또는 범위를 구하시오.

$y=f'(x)$의 그래프가 그림과 같을 때, 다음 중 옳은 것을 모두 고르면?

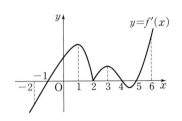

① $f(x)$는 구간 $(-2, 1)$에서 증가한다.

② $f(x)$는 구간 $(4, 5)$에서 감소한다.

③ $f(x)$는 $x=1$에서 극대이다.

④ $f(x)$는 $x=2$에서 극소이다.

⑤ 구간 $[-2, 6]$에서 $f(x)$의 극값은 3개이다.

날선 Guide $y=f'(x)$의 그래프에서 부호를 조사하면 $f(x)$의 증가, 감소와 극대, 극소를 확인할 수 있다. 곧,

(i) $f'(x)>0$이면 $f(x)$는 증가하고

　　$f'(x)<0$이면 $f(x)$는 감소한다.

(ii) $f'(a)=0$이고

　　$f'(x)$의 부호가 양에서 음으로 바뀌면 $f(x)$는 $x=a$에서 극대이고

　　$f'(x)$의 부호가 음에서 양으로 바뀌면 $f(x)$는 $x=a$에서 극소이다.

답 ②, ⑤

날선 Point $y=f'(x)$의 그래프에서 $f'(x)$의 부호를,

$y=f(x)$의 그래프에서 $f(x)$의 증가와 감소를 확인한다.

6-1 $f(x)$는 구간 $(-2, 8)$에서 미분가능한 함수이다.
$y=f(x)$의 그래프가 그림과 같을 때, $f(x)f'(x)<0$을 만족시키는 정수 x의 합을 구하시오.

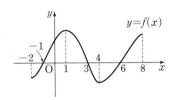

6-2 도함수 $y=f'(x)$의 그래프는 그림과 같이 y축에 대칭이고

$$f'(-1)=f'(0)=f'(1)=0$$

이다. $f(1)=0$일 때, $f(x)$가 증가하는 x값의 범위를 구하시오.

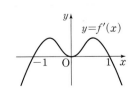

함수 $f(x)$는 x^4의 계수가 양수인 사차함수이고, 다음 조건을 모두 만족시킨다.

㈎ 모든 실수 x에 대하여 $f(x)=f(-x)$이다.

㈏ $f(x)$는 $x=1$에서 극소이고, 극솟값은 1이다.

㈐ $f(x)$의 극댓값은 3이다.

이때 $f(x)$를 구하시오.

날선 Guide ㈎에서 $y=f(x)$의 그래프는 y축에 대칭이다.

이때 $f(x)$는 $x=-1$에서도 극소이고, 극솟값은 1이다.

따라서 $y=f(x)$의 그래프는 직선 $y=1$과 $x=-1$, $x=1$인

점에서 접하므로 방정식 $f(x)=1$은 $x=-1$과 $x=1$을 중근

으로 가진다. 따라서

$$f(x)-1=a(x+1)^2(x-1)^2 \ (a>0)$$

으로 놓을 수 있다.

극댓값이 3임을 이용하여 a의 값을 구한다.

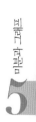

참고 (i) 위의 그래프에서 $x=0$에서 $f(x)$는 극대임을 알 수 있다.

(ii) $f(x)=ax^4+bx^3+cx^2+dx+e$라 할 때, $f(x)=f(-x)$이면

$$ax^4+bx^3+cx^2+dx+e=ax^4-bx^3+cx^2-dx+e$$
$$2bx^3+2dx=0 \qquad \therefore \ b=0, \ d=0$$

따라서 $f(x)=ax^4+cx^2+e$ 꼴이다.

그리고 $f(1)=1, f'(1)=0$임을 이용할 수도 있다.

답 $f(x)=2x^4-4x^2+3$

날선 Point 다항함수 $f(x)$가 $x=a$에서 극값 p를 가진다.

➡ $f(x)-p$는 $(x-a)^2$으로 나누어떨어진다.

7-1 함수 $f(x)$는 x^4의 계수가 1인 사차함수이다. 또 $y=f(x)$의 그래프는 x축과 $x=0$, $x=2$인 점에서 접한다. 다음 물음에 답하시오.

⑴ $f(x)$의 극댓값을 구하시오.

⑵ $f(x)$에 대하여 구간 $[0, 2]$에서 평균값 정리를 만족시키는 c의 값을 구하시오.

5-4 최대와 최소

1 닫힌구간에서 연속인 함수의 최댓값과 최솟값은 다음 순서로 구한다.

❶ 극댓값, 극솟값을 구하고, 증감표를 만들거나 그래프를 그린다.

❷ 구간 양 끝에서의 함숫값, 극댓값, 극솟값을 비교한다.

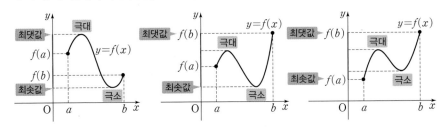

2 구간에서 극값이 하나뿐일 때

극댓값 ➡ 최댓값, 극솟값 ➡ 최솟값

함수의 •
최댓값과 최솟값

삼차함수 $f(x) = x^3 - 3x^2 + 2$에 대하여

$$f'(x) = 3x^2 - 6x = 3x(x-2)$$

$f'(x) = 0$에서 $x = 0$ 또는 $x = 2$이고

$f(0) = 2, f(2) = -2$이므로 그래프는 그림과 같다.

따라서 구간 $(-\infty, \infty)$에서 $f(x)$의 최댓값과 최솟값은 없다.

그러나 예를 들어 구간 $[-1, 4]$에서 $f(-1) = -2, f(4) = 18$이므로

최댓값은 $f(4) = 18$ (구간 끝에서의 함숫값)

최솟값은 $f(-1) = f(2) = -2$ (극솟값)

이와 같이 최댓값과 최솟값은 함수의 그래프를 그려 구할 수 있다.

이때 최댓값과 최솟값은 극값과 구간 양 끝에서의 함숫값을 구해야 한다.

극값이 하나뿐인 •
경우

오른쪽 그림과 같이 구간에서 극값이 하나뿐일 때,

극대이면 극댓값이 최댓값

극소이면 극솟값이 최솟값

임을 이용하면 그래프를 그리거나 증감표를 만들지 않아도 된다.

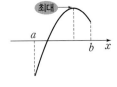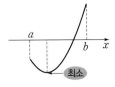

개념 Check

◆ 정답 및 풀이 **47**쪽

4 함수 $f(x) = -x^3 + 6x$일 때, 다음 구간에서 최댓값과 최솟값을 구하시오.

(1) $(-\infty, \infty)$　　　　(2) $[-1, 2]$　　　　(3) $[-2, 3]$

주어진 구간에서 다음 함수의 최댓값과 최솟값을 구하시오.

(1) $f(x)=x^3-4x^2+4x+1$ [0, 3]

(2) $f(x)=-2x^3-3x^2+12x+5$ [-4, 2]

(3) $f(x)=x^4-2x^2-2$ [-1, 2]

날선 Guide (1) $f'(x)=3x^2-8x+4=(3x-2)(x-2)$

$f'(x)=0$에서 $x=\dfrac{2}{3}$ 또는 $x=2$

구간 [0, 3]에서 $f(x)$의 증감표를 만들면

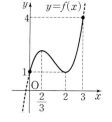

x	0	$\cdots$	$\dfrac{2}{3}$	$\cdots$	2	$\cdots$	3
$f'(x)$		+	0	−	0	+	
$f(x)$		↗	극대	↘	극소	↗	

따라서 $x=\dfrac{2}{3}$ 또는 $x=3$에서 최대이고, $x=0$ 또는 $x=2$

에서 최소이다.

증감표 대신 그래프를 생각해도 충분하다.

(2) 구간 [-4, 2]에서 $f'(x)=0$인 x의 값을 찾고, 증감표나 그래프를 생각한다.

(3) 구간 [-1, 2]에서 $f'(x)=0$인 x의 값을 찾고, 증감표나 그래프를 생각한다.

답 (1) 최댓값 : 4, 최솟값 : 1 (2) 최댓값 : 37, 최솟값 : −15 (3) 최댓값 : 6, 최솟값 : −3

 날선 Point 다항함수 $f(x)$의 최대, 최소

➡ $f'(x)=0$의 해를 찾고, 증감표나 그래프를 생각한다.

8-1 다음 구간에서 $f(x)=x^3-9x^2+24x+5$의 최댓값과 최솟값을 구하시오.

(1) [-1, 3] 　　　　　　　　　　　 (2) [0, 5]

8-2 다음 구간에서 $f(x)=-x^4+4x^3-4x^2+6$의 최댓값과 최솟값을 구하시오.

(1) [-1, 3] 　　　　　　　　　　　 (2) $\left[\dfrac{1}{2}, 4\right]$

8-3 구간 [-2, 3]에서 함수 $f(x)=|3x^4-4x^3-12x^2|$의 최댓값을 구하시오.

다음 물음에 답하시오.

(1) 구간 $[-4, 1]$에서 함수 $f(x)=x^3-12x+a$의 최댓값이 10일 때, 상수 a의 값과 $f(x)$의 최솟값을 구하시오.

(2) 구간 $[0, 3]$에서 삼차함수 $f(x)=ax^3-3ax^2+2$의 최댓값이 6일 때, 상수 a의 값과 $f(x)$의 최솟값을 구하시오.

날선 Guide

(1) $f'(x)=3x^2-12=3(x+2)(x-2)$

구간 $[-4, 1]$에서 $y=f(x)$의 그래프는 그림과 같으므로 $f(x)$는 $x=-2$에서 최대이고,

$\qquad x=-4$ 또는 $x=1$에서 최소이다.

이를 이용하여 a의 값과 $f(x)$의 최솟값을 차례로 구한다.

(2) $f'(x)=3ax^2-6ax=3ax(x-2)$

$a>0$일 때와 $a<0$일 때로 나누어 생각하면 $y=f(x)$의 그래프는 그림과 같다.

$a>0$일 때와 $a<0$일 때 중 최댓값이 6이 가능한 경우부터 찾는다.

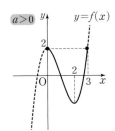 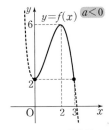

답 (1) $a=-6$, 최솟값 : -22 (2) $a=-1$, 최솟값 : 2

 함수의 최대, 최소 ➡ 극값부터 구하고, 그래프를 생각한다.

9-1 구간 $[-1, 3]$에서 함수 $f(x)=-2x^3+3x^2+12x+a$의 최댓값이 18일 때, 상수 a의 값과 $f(x)$의 최솟값을 구하시오.

9-2 구간 $[-1, 4]$에서 함수 $f(x)=x^4-4x^3+a$의 최솟값이 -7일 때, 상수 a의 값과 $f(x)$의 최댓값을 구하시오.

9-3 구간 $[0, 4]$에서 사차함수 $f(x)=ax^4-4ax^3+b$의 최댓값이 21, 최솟값이 6일 때, 상수 a, b의 값을 모두 구하시오.

그림과 같이 곡선 $y=-x^2+2x$와 x축으로 둘러싸인 부분에 내접하고 한 변이 x축 위에 있는 직사각형 ABCD가 있다. 직사각형 ABCD의 넓이가 최대일 때, 점 A의 좌표를 구하시오.

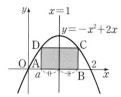

날선 Guide 그림과 같이 점 A의 좌표를 $(a, 0)$이라 하자.

$$y=-x^2+2x=-(x-1)^2+1$$

이므로 곡선은 직선 $x=1$에 대칭이다. 따라서 점 B의 x좌표는 $2-a$이고 변 AB의 길이는 $2(1-a)$이다.

또 변 AD의 길이는 점 D의 y좌표인 $-a^2+2a$이다.

직사각형의 넓이를 $f(a)$라 하면

$$f(a)=2(1-a)(-a^2+2a)$$

따라서 $f(a)$가 최대일 때 a의 값을 구한다.

이때 $0<a<1$임에 주의한다.

❷ $\left(\dfrac{3-\sqrt{3}}{3},\ 0\right)$

날선 Point **좌표평면에서 길이, 넓이**

- 좌표를 이용하여 나타낸다.
- 변수의 범위를 찾는다.

10-1 그림과 같이 곡선 $y=-x^2(x-4)$ 위의 점 P에서 x축에 내린 수선의 발을 H라 하자. 삼각형 OPH 넓이의 최댓값을 구하시오.
(단, O는 원점이고, 점 H는 곡선이 x축과 만나는 두 점 사이에 있다.)

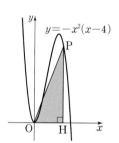

10-2 가로가 12 cm, 세로가 6 cm인 직사각형 모양의 종이가 있다. 그림과 같이 네 모퉁이에서 크기가 같은 정사각형 모양을 잘라 낸 후 남은 부분을 접어서 뚜껑이 없는 직육면체 모양의 상자를 만들려고 한다. 만든 상자의 부피가 최대일 때, 잘라 낸 정사각형 모양 종이의 한 변의 길이를 구하시오.

01 함수 $f(x)=x^3-5x^2+ax-9$가 감소하는 x값의 범위가 $1\le x\le b$일 때, $a-b$의 값을 구하시오.

02 함수 $f(x)=\dfrac{1}{3}x^3-ax^2+3ax$의 역함수가 존재할 때, a의 최댓값은?

① 3   ② 4   ③ 5   ④ 6   ⑤ 7

03 함수 $y=x^3-3ax^2+4a$의 그래프가 x축에 접할 때, 양수 a의 값을 구하시오.

04 함수 $f(x)=\dfrac{1}{3}x^3-ax^2+(2a+3)x-2$가 극댓값과 극솟값을 모두 갖도록 하는 a의 값 중 가장 작은 자연수는?

① 1   ② 2   ③ 3   ④ 4   ⑤ 5

05 $f(x)$는 이차함수, $g(x)$는 삼차함수이고 $y=f'(x)$와 $y=g'(x)$의 그래프는 그림과 같다.
$h(x)=f(x)-g(x)$라 할 때, $h(x)$가 극대인 x의 값을 구하시오.

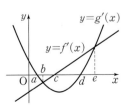

06 함수 $f(x)$의 도함수 $f'(x)$의 그래프가 오른쪽 그림과 같을 때, 다음 중 함수 $y=f(x)$의 그래프가 될 수 있는 것은?

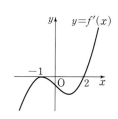

①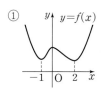

②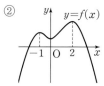

③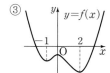

④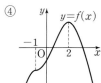

⑤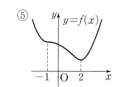

07 구간 $[-1, 2]$에서 $f(x)=x^4-8x^2+4$의 최댓값과 최솟값의 합은?

① -10　　② -8　　③ -6　　④ -4　　⑤ -2

08 구간 $[0, 2]$에서 $f(x)=2ax^3-3ax^2+b$의 최댓값이 3, 최솟값이 -2일 때, 상수 a, b의 값을 구하시오. (단, $a>0$)

09 밑면의 반지름의 길이와 높이의 합이 6인 원기둥의 부피의 최댓값을 구하시오.

10 함수 $f(x)=ax^3+bx^2+cx+d$일 때, $y=f(x)$의 그 래프가 그림과 같다. $|b+c|-|b|+|c|$를 간단히 하면? (단, $|\beta|>|\alpha|$)

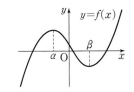

① $2(b+c)$ ② $2b-c$ ③ $2c$

④ $-2c$ ⑤ 0

11 함수 $f(x)=-x^3+(a-1)x^2-(a-1)x+3$이 $x_1<x_2$인 임의의 두 실수 x_1, x_2에 대하여 $f(x_1)>f(x_2)$를 만족시키는 실수 a값의 범위를 구하시오.

12 함수 $f(x)=-2x^3+(a+2)x^2$이 구간 $(0, 5)$에서 증가할 때, 실수 a의 최솟값은?

① 13 ② 14 ③ 15 ④ 16 ⑤ 17

13 함수 $f(x)=x^3+3(a-1)x^2+3(a^2-2a)x+2$는 $x=1$에서 극대이다. 실수 a의 값과 $f(x)$의 극댓값, 극솟값을 구하시오.

14 함수 $f(x)=-2x^3+ax^2+4a^2x-3$이 $x>1$에서 극댓값을 갖고 $-1<x<1$에서 극솟값을 가질 때, 실수 a값의 범위를 구하시오.

15 최고차항의 계수가 1이고 $f(0)=0$인 삼차함수 $f(x)$와 도함수 $f'(x)$가 다음 조건을 모두 만족시킨다.

> ㈎ 함수 $f(x)$는 $x=4$에서 극소이다.
> ㈏ 모든 실수 x에 대하여 $f'(1-x)=f'(1+x)$

$f(1)$의 값을 구하시오.

16 모든 계수가 정수인 사차함수 $y=f(x)$는 다음 조건을 모두 만족시킨다.

> ㈎ 모든 실수 x에 대하여 $f(-x)=f(x)$이다.
> ㈏ $f(0)=3$, $f(1)=0$
> ㈐ $-8<f'(1)<-2$

함수 $y=f(x)$의 극솟값은?

① -5　　　② -3　　　③ -1　　　④ 1　　　⑤ 3

17 함수 $f(x)$는 x^3의 계수가 2인 삼차함수이다. $f(5)=0$, $|f(x)|$는 $x\neq2$일 때만 미분가능할 때, $f(x)$의 극댓값을 구하시오.

🔍**평가원 기출**

18 a는 양수이고 함수 $f(x)=x^3+ax^2-a^2x+2$이다. 구간 $[-a,a]$에서 $f(x)$가 최댓값 M, 최솟값 $\dfrac{14}{27}$를 가질 때, $a+M$의 값을 구하시오.

19 함수 $f(x)=-2x^3+3x^2+12x-5$, $g(x)=x^2-2x$일 때, 구간 $[0,3]$에서 $(f\circ g)(x)$의 최댓값과 최솟값을 구하시오.

20 등식 $x^2+3y^2=9$를 만족시키는 실수 x, y에 대하여 x^2+xy^2의 최솟값은?

① $-\dfrac{5}{3}$　　② -1　　③ $-\dfrac{1}{3}$　　④ $\dfrac{2}{3}$　　⑤ 2

21 그림과 같이 두 곡선 $y=x^3$, $y=-x^3+2x$의 교점 중 제1사분면에 있는 점을 A라 하고 두 곡선과 직선 $x=k$ $(0<k<1)$가 만나는 점을 각각 B, C라 하자. 사각형 OBAC의 넓이가 최대일 때, 실수 k의 값을 구하시오. (단, O는 원점이다.)

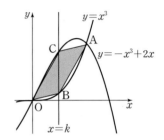

22 모든 모서리의 길이가 3인 정사각뿔에 내접하는 직육면체의 부피의 최댓값은?

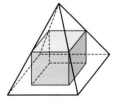

① $2\sqrt{2}$　　② $3\sqrt{2}$　　③ $4\sqrt{2}$

④ $5\sqrt{2}$　　⑤ $6\sqrt{2}$

23 삼차함수 $y=f(x)$와 일차함수 $y=g(x)$의 그래프가 그림과 같고, $f'(b)=f'(d)=0$이다. 함수 $y=f(x)g(x)$는 $x=p$와 $x=q$에서 극소이다. 다음 중 옳은 것은? (단, $p<q$)

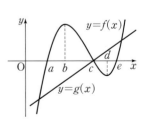

① $a<p<b$이고 $c<q<d$　　② $a<p<b$이고 $d<q<e$

③ $b<p<c$이고 $c<q<d$　　④ $b<p<c$이고 $d<q<e$

⑤ $c<p<d$이고 $d<q<e$

정답 개수 :　／23　오답 번호 **Check** :

이 단원에서는 도함수와 함수의 그래프를 이용하여 방정식의 실근의 개수를 구하고, 함수의 증가와 감소, 최대와 최소를 이용하여 부등식이 성립함을 증명해 보자. 또 수직선 위를 움직이는 점의 속도와 가속도는 각각 위치와 속도를 미분한 것임을 이해하고, 위치와 속도와 가속도의 관계를 활용하여 문제를 해결해 보자.

미분의 활용

6-1 방정식과 그래프

개념

1 방정식 $f(x)=0$의 실근의 개수

 $\iff y=f(x)$의 그래프가 x축과 만나는 점의 개수

2 방정식 $f(x)=0$이 중근을 가진다.

 $\iff$ 그래프가 x축과 접한다.

 $\iff f(x)$가 미분가능하면 $f(a)=0$, $f'(a)=0$인 a가 있다.

3 방정식 $f(x)=g(x)$의 실근의 개수

 $\iff y=f(x)$와 $y=g(x)$의 그래프가 만나는 점의 개수

 또는 $y=f(x)-g(x)$의 그래프가 x축과 만나는 점의 개수

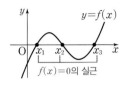

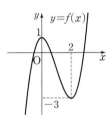

삼차방정식의 실근의 개수

삼차방정식 $x^3-3x^2+1=0$을 푸는 것은 쉽지 않다.

그러나 $f(x)=x^3-3x^2+1$이라 할 때,

$$f'(x)=3x^2-6x=3x(x-2)$$

이고 $f(0)=1$, $f(2)=-3$이므로 $y=f(x)$의 그래프는 그림과 같다. 따라서 실근이 3개라는 것을 알 수 있다.

이와 같이 방정식 $f(x)=0$의 해를 직접 구하지 않아도 $y=f(x)$의 그래프를 그리면 실근의 개수는 알 수 있다.

삼차방정식의 근의 판별

x^3의 계수가 양수인 삼차방정식 $f(x)=0$의 실근은 다음과 같이 판별할 수 있다.

(1) $f'(x)=0$이 서로 다른 두 실근을 가질 때, $y=f(x)$의 그래프는 그림과 같다.

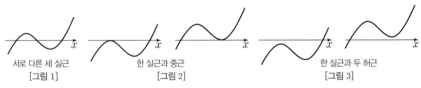

서로 다른 세 실근
[그림 1]

한 실근과 중근
[그림 2]

한 실근과 두 허근
[그림 3]

[그림 1] 극댓값과 극솟값의 부호가 다르면 근은 서로 다른 세 실근이다. → (극댓값)×(극솟값)<0

[그림 2] 극댓값 또는 극솟값이 0이면 근은 한 실근과 중근이다. → (극댓값)×(극솟값)=0

[그림 3] 극댓값과 극솟값의 부호가 같으면 근은 한 실근과 두 허근이다. → (극댓값)×(극솟값)>0

(2) $f'(x)=0$의 근이 중근 또는 서로 다른 두 허근일 때

$y=f(x)$의 그래프는 증가하는 꼴이므로 그림과 같고 x축과 한 점에서 만난다.

따라서 근은 삼중근이거나 한 실근과 두 허근이다.

특히 삼중근이면 $f'(x)=0$이 중근 a를 가지고, $f(a)=0$이다.

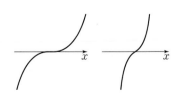

사차방정식의 근의 판별

x^4의 계수가 양수인 사차방정식 $f(x)=0$의 실근의 개수도 $y=f(x)$의 그래프를 그린 다음, x축과 만나는 점의 개수를 조사하면 된다.

그림은 $f'(x)=0$이 서로 다른 세 실근을 가질 때, 몇 가지 $y=f(x)$의 그래프와 방정식 $f(x)=0$의 실근의 개수를 정리한 것이다.

| 실근 4개 | 실근 2개, 중근 1개 | 실근 2개, 허근 2개 | 허근 4개 | 중근 1개, 허근 2개 |

$f(x)=0$의 서로 다른 실근이 4개인 경우는 첫 번째 그림과 같이 $f(x)$의 극값이 3개이고 극댓값과 극솟값의 부호가 다른 경우뿐이다.

참고 그래프를 그려 근을 판별할 때, 극값의 위치 또는 부호에 주의한다.

방정식 $f(x)=0$이 중근을 갖는 경우

방정식 $f(x)=0$이 중근을 가지면 $y=f(x)$의 그래프는 x축에 접한다.

이때 함수 $f(x)$가 미분가능하면 $f(x)$는 0인 극값을 가지므로 $f(a)=0$, $f'(a)=0$인 a가 있다.

또 $f(x)$가 다항식이면 $f(x)=(x-a)^2Q(x)$ 꼴로 나타낼 수 있다.

방정식 $f(x)=g(x)$의 실근의 개수

(1) 방정식 $f(x)=g(x)$의 실근의 개수는

두 함수 $y=f(x)$와 $y=g(x)$의 그래프가 만나는 점의 개수이다.

보통 두 함수의 그래프를 같이 그려 비교하기가 쉽지 않으므로

$y=f(x)-g(x)$의 그래프를 그리고 x축과 교점의 개수를 구한다.

(2) $y=f(x)-g(x)$를 바로 그리기 어려운 경우 $f(x)=g(x)$에서 몇 항을 적당히 이항한 다음 두 함수의 그래프의 교점을 찾는 꼴로 바꾼다.

◀ **개념 Check** ▶

◆ 정답 및 풀이 **57**쪽

1 다음 방정식의 실근의 개수를 구하시오.

(1) $x^3-3x+3=0$ (2) $x^3+x^2+2x-3=0$

2 다음 방정식의 실근의 개수를 구하시오.

(1) $x^4-2x^2-1=0$ (2) $3x^4-4x^3-12x^2+4=0$
(3) $3x^4+4x^3+4=0$

6-2 부등식과 그래프

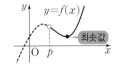

1 어떤 구간에서 부등식 $f(x)>0$이 성립할 조건

　(1) 곡선 $y=f(x)$가 x축 위쪽에 있을 조건을 찾는다.

　(2) $f(x)$의 최솟값이 0보다 클 조건을 찾는다.

2 어떤 구간에서 부등식 $f(x)>g(x)$가 성립할 조건

　(1) 곡선 $y=f(x)-g(x)$가 x축 위쪽에 있을 조건을 찾는다.

　(2) 곡선 $y=f(x)$가 곡선 $y=g(x)$보다 위쪽에 있을 조건을 찾는다.

부등식
$f(x)>0$이
성립할 조건 (1)

구간 $(-1, \infty)$에서 부등식 $x^3-3x^2+a>0$이 성립할 조건을 찾아보자.

$f(x)=x^3-3x^2+a$라 할 때,

$$f'(x)=3x^2-6x=3x(x-2)$$

$f(-1)=-4+a$, $f(0)=a$, $f(2)=-4+a$이므로

구간 $(-1, \infty)$에서 $f(x)>0$이려면

$$f(-1)=f(2)=-4+a>0 \qquad \therefore \ a>4$$

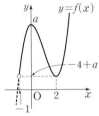

이와 같이 그래프를 이용하면 어떤 구간에서 부등식이 성립할 조건을 찾을 수 있다.

방정식에서와 마찬가지로 증감표만으로 풀어도 된다.

부등식
$f(x)>0$이
성립할 조건 (2)

$f(x)$의 최솟값이 0보다 클 조건을 찾는다고 생각해도 된다.

곧, $f(x)$의 최솟값이 $f(2)=-4+a$이므로 $-4+a>0 \qquad \therefore \ a>4$

이와 같이 부등식이 성립할 조건은 최솟값 또는 최댓값에 대한 조건이므로 **극값, 경계에서의 함숫값**을 먼저 구해야 한다.

부등식
$f(x)>g(x)$가
성립할 조건

어떤 구간에서 부등식 $f(x)>g(x)$가 성립할 조건을 찾을 때에는

곡선 $y=f(x)$가 곡선 $y=g(x)$보다 위쪽에 있을 조건을 찾는다.

두 곡선을 동시에 그려 비교하는 것이 쉽지 않으면

$f(x)-g(x)>0$에서 곡선 $y=f(x)-g(x)$가 x축 위쪽에 있을 조건을 찾는다.

필요하면 $f(x)>g(x)$에서 몇 항을 적당히 이항한 다음 두 곡선을 비교할 수도 있다.

▷ **개념 Check**　　　　　　　　　　　　　　　　　　　　　　◆ 정답 및 풀이 **57**쪽

3 구간 $(-2, 2)$에서 부등식 $x^3-3x+a>0$이 성립할 때, 실수 a값의 범위를 구하시오.

4 모든 실수 x에 대하여 부등식 $x^4+4x+a\geq0$이 성립할 때, 실수 a값의 범위를 구하시오.

> 방정식 $x^3+3x^2-9x+k=0$에 대하여 다음 물음에 답하시오.
>
> (1) 서로 다른 세 실근을 가질 때, 실수 k값의 범위를 구하시오.
>
> (2) 음의 실근 한 개와 서로 다른 두 양의 실근을 가질 때, 실수 k값의 범위를 구하시오.
>
> (3) 양의 실근 한 개와 두 허근을 가질 때, 실수 k값의 범위를 구하시오.

날선 Guide 다음 두 가지 방법을 생각할 수 있다.

> **방법 1** $f(x)=x^3+3x^2-9x+k$로 놓으면
>
> $f'(x)=3x^2+6x-9=3(x+3)(x-1)$
>
> 따라서 $y=f(x)$의 그래프가 그림과 같을 조건을 극값 또는 함숫값의 부호를 이용하여 찾는다.

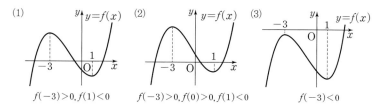

(1) $f(-3)>0, f(1)<0$ (2) $f(-3)>0, f(0)>0, f(1)<0$ (3) $f(-3)<0$

> **방법 2** $x^3+3x^2-9x=-k$에서 $f(x)=x^3+3x^2-9x$로 놓고 $y=f(x)$의 그래프와 직선 $y=-k$의 교점을 생각한다.
>
> 따라서 직선 $y=-k$가 $y=f(x)$의 그래프와 만나는 점의 x좌표가 조건을 만족시키도록 직선의 위치를 정한다.

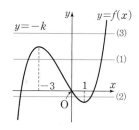

답 (1) $-27<k<5$ (2) $0<k<5$ (3) $k<-27$

> **날선 Point**
> • $f(x)=0$의 실근 ➡ $y=f(x)$의 그래프가 x축과 만나는 점의 x좌표
> • $f(x)=g(x)$의 실근 ➡ $y=f(x), y=g(x)$의 그래프가 만나는 점의 x좌표

1-1 방정식 $3x^4-8x^3-6x^2+24x-k=0$에 대하여 다음 물음에 답하시오.

(1) 서로 다른 네 실근을 가질 때, 실수 k값의 범위를 구하시오.

(2) 중근 한 개와 서로 다른 두 실근을 가질 때, 실수 k의 값을 모두 구하시오.

(3) 중근 한 개와 두 허근을 가질 때, 실수 k의 값을 구하시오.

(4) 서로 다른 두 실근과 두 허근을 가질 때, 실수 k값의 범위를 구하시오.

대표 Q2 곡선과 직선의 교점의 개수

◆ 정답 및 풀이 59쪽

곡선 $y=x^3-2x+1$과 직선 $y=x+k$에 대하여 다음 물음에 답하시오.

(1) 서로 다른 세 점에서 만날 때, 실수 k값의 범위를 구하시오.

(2) 서로 다른 두 점에서 만날 때, 실수 k의 값을 모두 구하시오.

 날선 Guide 곡선 $y=x^3-2x+1$과 직선 $y=x+k$의 교점의 x좌표는 방정식

$$x^3-2x+1=x+k, \quad 곧\ x^3-3x+1-k=0$$

의 실근이다. 따라서 위의 방정식이

    (1) 서로 다른 세 실근을 가질 조건

    (2) 중근과 다른 한 실근을 가질 조건

을 찾으면 된다.

이때 $f(x)=x^3-3x+1-k$로 놓고 $y=f(x)$의 그래프와 x축의 교점을 생각하거나

$x^3-3x+1=k$에서 $y=x^3-3x+1$의 그래프와 직선 $y=k$의 교점을 생각한다.

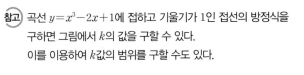

참고 곡선 $y=x^3-2x+1$에 접하고 기울기가 1인 접선의 방정식을 구하면 그림에서 k의 값을 구할 수 있다.

이를 이용하여 k값의 범위를 구할 수도 있다.

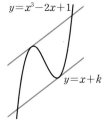

답 (1) $-1<k<3$ (2) $-1, 3$

 날선 Point $y=f(x), y=g(x)$의 그래프가 만나는 점의 x좌표 ➡ 방정식 $f(x)=g(x)$의 실근

2-1 곡선 $y=x^4-2x^2-2x-1$과 직선 $y=-2x+k$에 대하여 다음 물음에 답하시오.

(1) 서로 다른 네 점에서 만날 때, 실수 k값의 범위를 구하시오.

(2) 접할 때, 실수 k의 값을 모두 구하시오.

2-2 곡선 $y=x^4-x^2$과 곡선 $y=-x^4+3x^2+a$가 서로 다른 네 점에서 만날 때, 실수 a값의 범위를 구하시오.

다음 물음에 답하시오.

(1) 모든 실수 x에 대하여 부등식 $x^4+4a^3x+48>0$이 성립할 때, 실수 a값의 범위를 구하시오.

(2) $f(x)=5x^3-10x^2+k$, $g(x)=5x^2+2$라 할 때, 구간 $(0, 3)$에서 부등식 $f(x)\ge g(x)$가 성립하는 실수 k의 최솟값을 구하시오.

날선 Guide (1) $f(x)=x^4+4a^3x+48$로 놓을 때, $f(x)>0$이면 $y=f(x)$의 그래프는 그림과 같다.

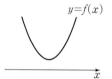

$f'(x)=0$의 실근을 찾고, $f(x)$의 증감을 조사하거나 그래프를 그린 다음, 최솟값이 0보다 클 조건을 찾는다.

(2) 구간 $(0, 3)$에서 $y=f(x)$와 $y=g(x)$의 그래프를 그리고 크기를 비교하는 것은 쉽지 않다.

$$f(x)\ge g(x) \Longleftrightarrow f(x)-g(x)\ge 0$$

이므로 $h(x)=f(x)-g(x)$로 놓고, $h(x)$의 증감을 조사하거나 그래프를 그린 다음, $h(x)\ge 0$일 조건을 찾는다.

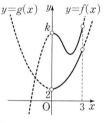

답 (1) $-2<a<2$ (2) 22

날선 Point
• 부등식이 성립할 조건 ➡ 그래프를 그리고 극값, 최솟값을 조사한다.
• $f(x)\ge g(x)$ ➡ $f(x)-g(x)\ge 0$을 생각한다.

3-1 모든 실수 x에 대하여 부등식 $x^4-4x-a^2+4a>0$이 성립하는 상수 a값의 범위를 구하시오.

3-2 $x>0$에서 부등식 $x^3-3ax+2>0$이 성립하는 양수 a값의 범위를 구하시오.

3-3 $f(x)=x^4-x^3+5x+k^2$, $g(x)=-x^3+6x^2-3x+2k$일 때, 모든 실수 x에 대하여 부등식 $f(x)>g(x)$가 성립하는 실수 k값의 범위를 구하시오.

Q4 대표 두 도함수의 그래프가 주어진 문제

◆ 정답 및 풀이 61쪽

$f(x)$는 삼차함수, $g(x)$는 이차함수이고 $y=f'(x)$, $y=g'(x)$의 그래프는 그림과 같다. $f(0)=g(0)$이고 $h(x)=f(x)-g(x)$라 할 때, 다음 중 옳은 것을 모두 고르면?

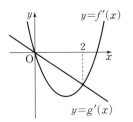

① 방정식 $f(x)=0$은 서로 다른 세 실근을 가진다.

② $g(x)$의 극댓값은 $f(2)$보다 크다.

③ 구간 $(-\infty, 2)$에서 $h(x)$의 최댓값은 0이다.

④ 방정식 $h(x)=0$은 서로 다른 세 실근을 가진다.

⑤ $x\geq2$에서 $h(x)\geq0$이다.

날선 Guide $y=f'(x)$의 그래프가 x축과 만나는 원점이 아닌 점의 x좌표를 p라 하면

① $f'(x)=0$의 실근은 $x=0$ 또는 $x=p\ (p>2)$이다.

따라서 $x=0$과 $x=p$의 좌우에서 $f'(x)$의 부호를 조사하고,

$y=f(x)$의 그래프를 그린다.

② $g'(x)=0$의 해는 $x=0$뿐이다.

따라서 $x=0$의 좌우에서 $g'(x)$의 부호를 조사하고,

$y=g(x)$의 그래프를 그린다.

③, ④, ⑤ $h'(x)=f'(x)-g'(x)$이므로 $h'(x)=0$의 실근은 $x=0$ 또는 $x=2$이다.

따라서 $x=0$과 $x=2$의 좌우에서 $h'(x)$의 부호를 조사하고,

$y=h(x)$의 그래프를 그린다.

이때 $h(0)=f(0)-g(0)=0$임에 주의한다.

답 ②, ③

> **날선 Point** $y=f'(x)$의 그래프가 주어진 경우
> • $f'(x)=0$의 해를 찾고, 부호 변화를 조사한다.
> • $f(x)$의 증감을 확인하고 $y=f(x)$의 그래프를 그린다.

4-1 $f(x)$와 $g(x)$가 삼차함수이고 $y=f'(x)$, $y=g'(x)$의 그래프가 그림과 같다. $f(3)=g(3)$이고 $h(x)=f(x)-g(x)$라 할 때, **보기**에서 옳은 것만을 있는 대로 고르시오.

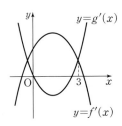

┌ **보기** ├──────────────────

ㄱ. 방정식 $h(x)=0$은 음의 실근을 가진다.

ㄴ. 방정식 $h(x)=0$은 허근을 가진다.

ㄷ. $x>0$에서 $h(x)<0$이다.

└─────────────────────────

$f(x)$는 최고차항의 계수가 1인 삼차함수이고, 다음 조건을 모두 만족시킨다.

㈎ 모든 실수 x에 대하여 $f(-x)=-f(x)$이다.

㈏ 방정식 $|f(x)|=2$의 서로 다른 실근이 4개이다.

이때 $f(x)$를 구하시오.

날선 **Guide** $f(-x)=-f(x)$이므로

$$f(x)=x^3+ax$$

꼴이고, $y=f(x)$의 그래프는 원점에 대칭이다. 따라서 $f(x)$의 극값이 있는 경우와 없는 경우로 나누어 생각하면 그래프는 [그림 1]과 [그림 2]와 같다.

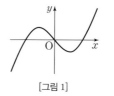

[그림 1]

[그림 2]

[그림 1]과 같은 경우 $y=|f(x)|$의 그래프가 직선 $y=2$와 서로 다른 네 점에서 만나면 그림과 같다.

따라서 $f(x)$의 극댓값이 2, 극솟값이 -2일 조건을 찾는다.

[그림 2]와 같은 경우 $y=|f(x)|$의 그래프가 직선 $y=2$와 서로 다른 네 점에서 만날 수 없다.

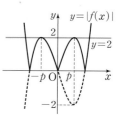

참고 1. $f(x)=-f(-x)$이므로 $f(x)$의 극댓값이 2이면 극솟값은 -2이다.

2. $|f(x)|=2$에서 $f(x)=\pm 2$

따라서 $y=f(x)$의 그래프와 두 직선 $y=2$, $y=-2$가 서로 다른 네 점에서 만날 조건을 찾으면 된다.

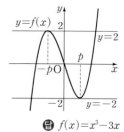

답 $f(x)=x^3-3x$

날선
Point 삼차함수의 그래프

➡ 극값이 있는 경우와 없는 경우로 나누어 생각한다.

5-1 $f(x)$는 최고차항의 계수가 1인 사차함수이고, 모든 실수 x에 대하여 $f(x)=f(-x)$이다. $y=f(x)$의 그래프가 직선 $y=4$와 서로 다른 세 점에서 만나고 직선 $y=-5$와 서로 다른 두 점에서 만날 때, $f(x)$를 구하시오.

6-3 속도와 가속도

점 P가 수직선 위를 움직일 때, 시각 t에서 P의 위치 x를 t에 대한 미분가능한 함수 $f(t)$로 나타낼 수 있으면 P의 속도 v와 가속도 a는

$$v=\frac{dx}{dt}=f'(t), \quad a=\frac{dv}{dt}=v'(t)$$

속도 ● 점 P가 수직선 위를 움직일 때, 시각 t에서 P의 위치가 $-t^2+4t$이면 $x(t)=-t^2+4t$로 쓸 수 있다.

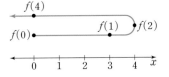

$f(t)=-t^2+4t$라 하면

$$f(0)=0, f(1)=3, f(2)=4, f(4)=0$$

이므로 x는 수직선 위를 오른쪽으로 움직이다가

$t>2$일 때 왼쪽으로 움직이고

$t=4$일 때 출발점을 지나고, 이후는 계속 왼쪽으로 움직인다.

점 P는 수직선 위를 움직이지만 시간(t)축에 따라서 변화를 나타내면 그림과 같다.

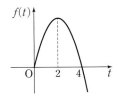

시각 t에서 $t+\varDelta t$까지 P의 위치 변화량을 $\varDelta x$라 하면

$$\frac{\varDelta x}{\varDelta t}=\frac{f(t+\varDelta t)-f(t)}{\varDelta t} \quad \cdots \text{㉠}$$

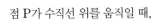

따라서 $f(t)$가 미분가능한 함수이면

$$\lim_{\varDelta t \to 0}\frac{\varDelta x}{\varDelta t}=f'(t)$$

이다. 이때 $f'(t)$를 시각 t에서 점 P의 속도라 하고 v 또는 $v(t)$로 나타낸다.

또 ㉠을 시각 t에서 $t+\varDelta t$까지 점 P의 **평균속도**라 한다.

예를 들어 수직선 위를 움직이는 P의 시각 t에서 위치가 $f(t)=-t^2+4t$일 때 속도 v는

$$v=f'(t)=-2t+4$$

그리고 속도의 절댓값 $|v|$를 점 P의 **속력**이라 한다.

점 P가 수직선 위를 움직일 때,

$v>0$이면 수직선의 오른쪽으로 움직이고,

$v<0$이면 수직선의 왼쪽으로 움직인다.

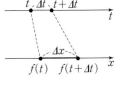

예를 들어 P의 위치가 $f(t)=-t^2+4t$일 때, $v=-2t+4$이므로

$0<t<2$일 때 P는 수직선의 오른쪽으로 움직이고,

$t>2$일 때 P는 수직선의 왼쪽으로 움직인다.

또 $t=2$에서 P가 움직이는 방향이 바뀌고 $f(t)$의 그래프는 극값을 가진다는 것도 알 수 있다.

앞에서와 같이 점 P의 위치가 $f(t)=-t^2+4t$이면 속도는

$$v=f'(t)=-2t+4$$

이다. 이때 v도 t의 함수이므로 t에 대한 변화율

$$v'(t)=-2$$

를 생각할 수 있다. 이 값을 시각 t에서 P의 가속도라 하고 a 또는 $a(t)$로 나타낸다.

곧, P가 수직선 위를 움직일 때, 시각 t에서 속도가 $v(t)$이면 가속도는

$$a=\lim_{\Delta t \to 0}\frac{\Delta v}{\Delta t}=\frac{dv}{dt}=v'(t)$$

$a>0$이면 속도는 증가하고 $a<0$이면 속도는 감소한다.

그러나 가속도만으로 P가 오른쪽으로 움직이는지 왼쪽으로 움직이는지는 알 수 없다.

시각 t에서 오른쪽 사각형의 넓이를

$$S=t^2+2t$$

라 하자. 시각 t에서 $t+\Delta t$까지 넓이의 변화율을 ΔS라 하면

$$\lim_{\Delta t \to 0}\frac{\Delta S}{\Delta t}=\frac{dS}{dt}=2t+2$$

따라서 시각 t에서 넓이의 변화율은 $S'(t)=2t+2$이다.

이와 같이 시각 t에서 길이가 l, 넓이가 S, 부피가 V일 때, l, S, V가 미분가능한 함수이면 t에 대한 변화율은 다음과 같이 미분하여 구할 수 있다.

길이의 변화율 ➡ $\lim_{\Delta t \to 0}\frac{\Delta l}{\Delta t}=\frac{dl}{dt}=l'(t)$

넓이의 변화율 ➡ $\lim_{\Delta t \to 0}\frac{\Delta S}{\Delta t}=\frac{dS}{dt}=S'(t)$

부피의 변화율 ➡ $\lim_{\Delta t \to 0}\frac{\Delta V}{\Delta t}=\frac{dV}{dt}=V'(t)$

개념 Check

◆ 정답 및 풀이 63쪽

5 점 P가 수직선 위를 움직이고 시각 t에서 P의 위치가 $x(t)=t^2-6t+20$이다. 다음 물음에 답하시오.

(1) 시각 t에서 P의 속도와 가속도를 구하시오.

(2) 시각 $t=2$에서 P의 속도와 가속도를 구하시오.

(3) P의 속도가 0이 되는 시각과 위치를 구하시오.

속도, 가속도

◆ 정답 및 풀이 63쪽

점 P는 수직선 위를 움직이고 시각 t에서 P의 위치가 $x(t)=t^3-6t^2+9t$이다. 다음 물음에 답하시오.

(1) $t=4$에서 P의 속도와 가속도를 구하시오.

(2) P가 움직이는 방향을 바꿀 때 P의 위치를 모두 구하시오.

(3) P가 음의 방향으로 움직이는 시간을 구하시오.

(4) $t=0$에서 $t=4$일 때까지 P가 움직인 거리를 구하시오.

날선 Guide $x'(t)=3t^2-12t+9=3(t-1)(t-3)$이고

$x(1)=4$, $x(3)=0$이므로 $x(t)$의 그래프는 그림과 같다.

따라서 수직선 위에서 P가 움직이는 방향은 다음과 같이

$$0<t<1,\ 1<t<3,\ t>3$$

일 때로 나누어 생각할 수 있다.

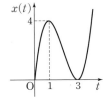

(1) 속도는 $v=\dfrac{dx}{dt}=x'(t)$, 가속도는 $a=\dfrac{dv}{dt}=v'(t)$이다. 여기에 $t=4$를 대입한다.

(2) 움직이는 방향이 바뀌면 $v(t)$의 부호가 바뀐다.

따라서 $x(t)$의 증감이 바뀌는 경우, 곧 $x(t)$가 극값을 가지는 경우이다.

(3) 음의 방향으로 움직이면 속도가 음이거나 $x(t)$가 감소한다.

(4) $t=0$에서 $t=4$까지 움직인 거리는 양의 방향으로 움직인 거리와 음의 방향으로 움직인 거리의 합이다.

답 (1) 속도 : 9, 가속도 : 12   (2) 0, 4   (3) $1<t<3$ (4) 12

날선 Point

$$v=\dfrac{dx}{dt}=x'(t),\ a=\dfrac{dv}{dt}=v'(t)$$

6-1 점 P는 수직선 위를 움직이고 시각 t에서 P의 위치가 $x(t)=3t^4-20t^3+36t^2$이다. 다음 물음에 답하시오.

(1) $t=1$에서 P의 속도와 가속도를 구하시오.

(2) P가 움직이는 방향을 바꿀 때 시각을 모두 구하시오.

(3) P가 음의 방향으로 움직이는 시간을 구하시오.

(4) P의 가속도가 최소가 되는 시각을 구하시오.

(5) $t=0$에서 $t=4$일 때까지 P가 움직인 거리를 구하시오.

점 P는 원점을 출발하여 수직선 위를 움직이고 시각 t에서 P의 속도 $v(t)$ $(0 \le t \le f)$의 그래프가 그림과 같다. 다음 중 옳은 것을 모두 고르면?

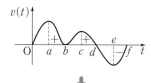

① $t=f$일 때 P는 원점에서 가장 멀리 있다.

② $d<t<f$에서 P는 음의 방향으로 움직인다.

③ $b<t<d$에서 P의 가속도는 양수이다.

④ 가속도가 음수인 구간에서 P는 음의 방향으로 움직인다.

⑤ $t>0$에서 P의 가속도가 0인 시각은 4번이다.

날선 Guide $v(t)=\dfrac{dx}{dt}=x'(t)$이므로 $v(t)$의 부호를 조사하면 $x(t)$의 증감을 알 수 있다.

또 $a(t)=\dfrac{dv}{dt}=v'(t)$이므로 $v(t)$의 증감을 조사하면 $a(t)$의 부호를 알 수 있다.

이를 이용하여 $x(t)$와 $a(t)$의 그래프를 그리면 그림과 같다.

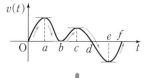

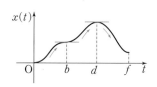

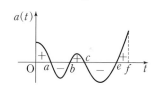

답 ②, ⑤

날선 Point $v(t)$의 부호 $\Longleftrightarrow x(t)$의 증감, $a(t)$의 부호 $\Longleftrightarrow v(t)$의 증감

7-1 점 P는 원점을 출발하여 수직선 위를 움직이고 시각 t에서 P의 속도 $v(t)$ $(0 \le t \le 5)$의 그래프가 그림과 같다. 다음 중 옳은 것을 모두 고르면?

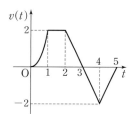

① P는 움직이는 방향을 2번 바꾼다.

② $t=3$일 때 P는 원점에 위치한다.

③ $2<t<4$에서 P의 가속도는 일정하다.

④ 가속도가 0인 구간에서 P는 원점에서 거리가 멀어진다.

⑤ $0<t<1$에서 P의 가속도가 2인 시각은 없다.

길이, 넓이, 부피의 변화율

◆ 정답 및 풀이 64쪽

그림과 같이 한 변의 길이가 20인 정사각형 ABCD에서 점 P는 점 A 에서 출발하여 변 AB 위를 매초 2씩 움직여 점 B까지 가고, 점 Q는 점 B에서 출발하여 변 BC 위를 매초 3씩 움직여 점 C까지 간다. P와 Q가 동시에 출발할 때, 다음을 구하시오.

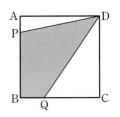

(1) P, Q가 출발하고 t초 후 사각형 DPBQ의 넓이의 변화율

(2) 사각형 DPBQ의 넓이가 정사각형 ABCD의 넓이의 $\frac{11}{20}$이 되는 순간 삼각형 PBQ의 넓이의 변화율

날선 **Guide** (1) t초 후에

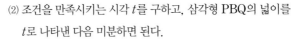

$$\overline{AP}=2t, \ \overline{BQ}=3t$$

임을 이용하여 사각형 DPBQ의 넓이 $S(t)$를 구한다. 그리고 $S(t)$를 t에 대하여 미분하면 넓이의 변화율을 구할 수 있다.

(2) 조건을 만족시키는 시각 t를 구하고, 삼각형 PBQ의 넓이를 t로 나타낸 다음 미분하면 된다.

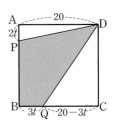

🔑 (1) 10 (2) 18

날선 **Point**

• 길이의 변화율 ➡ $\displaystyle\lim_{\Delta t \to 0}\frac{\Delta l}{\Delta t}=\frac{dl}{dt}=l'(t)$ • 넓이의 변화율 ➡ $\displaystyle\lim_{\Delta t \to 0}\frac{\Delta S}{\Delta t}=\frac{dS}{dt}=S'(t)$

• 부피의 변화율 ➡ $\displaystyle\lim_{\Delta t \to 0}\frac{\Delta V}{\Delta t}=\frac{dV}{dt}=V'(t)$

8-1 반지름의 길이가 1인 구가 있다. 이 구의 반지름의 길이가 매초 2씩 늘어나고 있다. 반지름의 길이가 5가 될 때, 다음을 구하시오.

(1) 구의 겉넓이의 변화율   (2) 구의 부피의 변화율

8-2 그림과 같이 키가 1.8 m인 영수가 높이 3 m인 가로등 바로 밑에서 출발하여 1.5 m/s의 일정한 속도로 똑바로 걸어갈 때, 다음 물음에 답하시오.

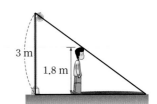

(1) 영수의 그림자 끝이 움직이는 속도를 구하시오.

(2) 그림자 길이의 변화율을 구하시오.

6 미분의 활용

01 곡선 $y=2x^3-9x^2+12x-5$를 y축 방향으로 n만큼 평행이동한 곡선이 x축과 세 점에서 만난다. 실수 n값의 범위를 구하시오.

02 곡선 $y=x^3-3x^2-4x-k$와 직선 $y=5x+2$가 서로 다른 두 점에서 만날 때, 자연수 k의 값은?

① 3   ② 15   ③ 20   ④ 24   ⑤ 29

03 $x>2$에서 부등식 $x^3-3x^2>k$가 성립할 때, 실수 k값의 범위를 구하시오.

04 함수 $f(x)=x^4-2x^2+x-a^2$, $g(x)=-2x^2+5x-4a$이다. 곡선 $y=f(x)$가 곡선 $y=g(x)$보다 항상 위쪽에 있을 때, 실수 a값의 범위를 구하시오.

05 사차함수 $f(x)$의 도함수 $f'(x)$의 그래프가 그림과 같다.

$$f(-1)=-3, f(1)=4, f(3)=2$$

일 때, 방정식 $f(x)=0$의 서로 다른 실근의 개수는?

① 0   ② 1   ③ 2

④ 3   ⑤ 4

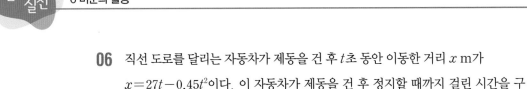

06 직선 도로를 달리는 자동차가 제동을 건 후 t초 동안 이동한 거리 x m가 $x=27t-0.45t^2$이다. 이 자동차가 제동을 건 후 정지할 때까지 걸린 시간을 구하시오.

07 지면으로부터 25 m의 높이에 있는 건물의 옥상에서 수직으로 위로 던져 올린 물체의 t초 후의 높이 h m가 $h=25+20t-5t^2$일 때, 다음 물음에 답하시오.

(1) 이 물체의 3초 후의 속도를 구하시오.

(2) 이 물체가 지면에 떨어지는 순간의 속도를 구하시오.

08 점 P는 수직선 위를 움직이고 시각 t에서 P의 속도 $v(t)$의 그래프가 그림과 같다. 다음 중 가속도가 양수인 시각은?

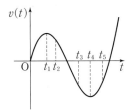

① t_1　　　② t_2　　　③ t_3

④ t_4　　　⑤ t_5

09 함수 $f(x)=x^4-2x^3-12x^2-ax+5$가 극댓값을 가질 때, 정수 a의 개수를 구하시오.

10 함수 $f(x)=x^4-2x^3+x$에 대하여 구간 $[-1,\ 3]$에서 평균값 정리를 만족시키는 실수의 개수를 구하시오.

11 두 함수 $f(x)=3x^3-x^2-3x$, $g(x)=x^3-4x^2+9x+a$에 대하여 방정식 $f(x)=g(x)$가 서로 다른 두 개의 양의 실근과 한 개의 음의 실근을 갖도록 하는 모든 정수 a의 개수는?

① 6   ② 7   ③ 8   ④ 9   ⑤ 10

12 곡선 $y=x^3-3x$ 밖의 한 점 $(1, k)$에서 곡선에 접선을 세 개 그을 수 있을 때, 실수 k값의 범위를 구하시오.

13 $f(x)$와 $g(x)$는 미분가능한 함수이고, 모든 실수 x에 대하여 $f'(x)<g'(x)$이다. $g(x)$가 감소하는 함수이고 $f(0)=g(0)$일 때, 다음 중 옳은 것을 모두 고르면?

① $f(-1)<f(1)$ ② $f(-1)<g(-1)$ ③ $f(-1)<g(1)$
④ $f(1)<g(-1)$ ⑤ $f(1)<g(1)$

14 수직선 위를 움직이는 점 P의 시각 t $(t\geq0)$에서의 위치 x가 $x=t^3-5t^2+at+5$이다. 점 P의 운동 방향이 바뀌지 않도록 하는 자연수 a의 최솟값은?

① 9   ② 10   ③ 11   ④ 12   ⑤ 13

15 수직선 위를 움직이는 점 P의 시각 t $(t\geq0)$에서의 위치 x가 $x=-\dfrac{1}{3}t^3+3t^2+k$ (k는 상수)이다. 점 P의 가속도가 0일 때, 점 P의 위치는 40이다. k의 값을 구하시오.

16 두 점 P, Q는 수직선 위를 움직이고, 시각 t에서 P, Q의 위치는 각각

$$f(t)=\frac{1}{3}t^3+4t-\frac{2}{3},\ g(t)=2t^2-10$$

이다. P, Q의 속도가 같아지는 순간 P, Q의 가속도의 합을 구하시오.

17 점 P는 수직선 위를 움직이고, 시각 t에서 점 P의 속도 $v(t)$ $(0\le t\le h)$의 그래프가 그림과 같다. 다음 중 옳지 <u>않은</u> 것은?

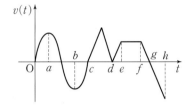

① P는 $t=a$, $t=b$일 때 서로 반대 방향으로 움직인다.

② P는 움직이는 방향을 세 번 바꾼다.

③ $t=g$일 때, P의 가속도는 음수이다.

④ 구간 (e, f)에서 P의 위치는 바뀌지 않는다.

⑤ 구간 (c, e)에서 P는 양의 방향으로 움직인다.

18 두 자동차 A, B가 같은 지점에서 동시에 출발하여 직선 도로를 한 방향으로 달리고 있다. t초 동안 A, B가 움직인 거리는 각각 미분가능한 함수 $f(t)$, $g(t)$이다. $f(20)=g(20)$이고 $10\le t\le 30$에서 $f'(t)<g'(t)$일 때, $10\le t\le 30$에서 A와 B의 위치에 대한 다음 설명 중 옳은 것은?

① B가 항상 A의 앞에 있다.　② A가 항상 B의 앞에 있다.

③ B가 A를 한 번 추월한다.　④ A가 B를 한 번 추월한다.

⑤ A가 B를 추월한 후 B가 다시 A를 추월한다.

19 그림과 같이 밑면의 반지름의 길이가 3이고 높이가 9인 원뿔 모양의 그릇이 있다. 비어 있던 이 그릇에 매초 1씩 높이가 올라가도록 물을 부을 때, 3초 후 그릇에 담긴 물의 부피의 변화율을 구하시오.

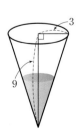

다항식의 전개와 인수분해가 서로 역의 관계에 있는 것처럼 미분과 적분도 서로 역의 관계에 있다. 곧, 함수 $f(x)$가 주어졌을 때 이것을 도함수로 갖는 함수를 구하는 것을 적분이라고 한다.

이러한 적분은 곡선이나 곡면으로 둘러싸인 도형의 넓이나 부피를 구하는 과정에서 시작되었다.

이 단원에서는 부정적분의 뜻을 알아보고, 부정적분의 계산 방법과 성질에 대해 살펴보자.

부정적분

부정적분

1 함수 $F(x)$의 도함수가 $f(x)$일 때, $F(x)$를 $f(x)$의 **부정적분**이라 한다. $\longrightarrow F'(x)=f(x)$

2 함수 $f(x)$의 한 부정적분을 $F(x)$라 하면 $f(x)$의 부정적분은

$$F(x)+C \ (C는 상수)$$

꼴로 나타낼 수 있다. 이것을 기호로

$$f(x) \xleftarrow[\text{미분}]{\text{적분}} F(x)+C$$

$$\int f(x)\,dx=F(x)+C$$

로 나타내고, C를 **적분상수**라 한다. 또 좌변은 integral $f(x)\,dx$로 읽는다.

3 함수 $f(x)$의 부정적분을 구하는 것을 함수 $f(x)$를 **적분**한다고 하고, 그 계산법을 **적분법**이라 한다.

부정적분 •

함수 x^2을 미분하면 $2x$이다. 따라서

"어떤 함수를 미분하면 $2x$인가?"

라고 물으면 x^2이라 답할 수 있다.

이때 '함수 $2x$를 적분하면 x^2이다.' 또는 '$2x$의 부정적분은 x^2이다.'라고 한다.

그런데 상수를 미분하면 0이므로

$$2x \xleftarrow[\text{미분}]{\text{적분}} x^2+C$$

$$x^2+1, \ x^2+2, \ x^2-1, \ x^2-\frac{1}{2}, \ \cdots$$

과 같이 x^2+C (C는 상수)를 미분하면 모두 $2x$이다.

따라서 $2x$의 부정적분은 x^2+C (C는 상수) 꼴이라 해야 정확하다. 이것을 기호로 나타내면

$$\int 2x\,dx=x^2+C$$

이때 C를 적분상수라 한다. 이 책에서는 C가 적분상수일 때, 적분상수라는 말은 생략한다.

$\int f(x)\,dx$ •

일반적으로 함수 $f(x)$의 한 부정적분이 $F(x)$, 곧 $F'(x)=f(x)$일 때

$f(x)$의 모든 부정적분은 $F(x)+C$ (C는 상수) 꼴로 나타낼 수 있다.

$$F'(x)=f(x)이면 \int f(x)\,dx=F(x)+C$$

참고 함수 $f(x)$가 미분가능하고, $f'(x)=0$이면 $f(x)=c$ (c는 상수)이다.

그리고 $F(x)$, $G(x)$가 함수 $f(x)$의 부정적분이면 $F'(x)=G'(x)=f(x)$이다. 곧,

$\{F(x)-G(x)\}'=0$이므로 $F(x)-G(x)=C$ (C는 상수)

따라서 $f(x)$의 모든 부정적분은 상수를 빼고 같다.

개념 Check

◆ 정답 및 풀이 **69**쪽

1 $\displaystyle\int f(x)\,dx=x^2+2x+C$를 만족시키는 함수 $f(x)$를 구하시오.

> **1** $\displaystyle\int x^n dx = \frac{1}{n+1}x^{n+1}+C$ (단, n은 0 또는 자연수)
>
> **2** $\displaystyle\int kf(x)\,dx = k\int f(x)\,dx$ (단, k는 0이 아닌 상수)
>
> $\displaystyle\int \{f(x)\pm g(x)\}\,dx = \int f(x)\,dx \pm \int g(x)\,dx$

$\int x^n\,dx$ • $f(x)$의 부정적분을 구할 때에는 미분하여 $f(x)$가 되는 함수 $F(x)$를 생각한다.

$(x)'=1$이므로 $\displaystyle\int 1\,dx = x+C$ → $\int 1\,dx$는 보통 $\int dx$로 나타낸다.

$\left(\dfrac{1}{2}x^2\right)'=x$이므로 $\displaystyle\int x\,dx = \frac{1}{2}x^2+C$

$\left(\dfrac{1}{3}x^3\right)'=x^2$이므로 $\displaystyle\int x^2\,dx = \frac{1}{3}x^3+C$

$\vdots$

$\left(\dfrac{1}{n+1}x^{n+1}\right)'=x^n$이므로 $\displaystyle\int x^n\,dx = \frac{1}{n+1}x^{n+1}+C$ (단, n은 0 또는 자연수)

부정적분의 • 함수 $f(x)$, $g(x)$의 부정적분을 각각 $F(x)$, $G(x)$라 하면
성질

$$F'(x)=f(x),\ G'(x)=g(x)$$

미분법의 성질에서

$$\{kF(x)\}'=kF'(x)=kf(x)$$
$$\{F(x)+G(x)\}'=F'(x)+G'(x)=f(x)+g(x)$$
$$\{F(x)-G(x)\}'=F'(x)-G'(x)=f(x)-g(x)$$

미분의 역이 적분이므로 다음이 성립함을 알 수 있다.

$$\int kf(x)\,dx = k\int f(x)\,dx \text{ (단, } k\text{는 0이 아닌 상수)}$$
$$\int \{f(x)+g(x)\}\,dx = \int f(x)\,dx + \int g(x)\,dx$$
$$\int \{f(x)-g(x)\}\,dx = \int f(x)\,dx - \int g(x)\,dx$$

적분에서 함수의 곱을 다음과 같이 계산하면 안 된다는 것에 주의한다.

$$\int f(x)g(x)\,dx \neq \int f(x)\,dx \times \int g(x)\,dx$$

위 식의 우변을 미분하면

$$\left\{\int f(x)\,dx \times \int g(x)\,dx\right\}' = f(x)\left\{\int g(x)\,dx\right\} + \left\{\int f(x)\,dx\right\}g(x)$$

이므로 좌변을 미분한 $f(x)g(x)$와 다르다. → 곱은 전개한 다음 적분한다.

예를 들어 $6x^2$의 부정적분은

$$\int 6x^2\,dx = 6\int x^2\,dx = 6 \times \frac{1}{3}x^3 + C = 2x^3 + C$$

x^2+x의 부정적분은

$$\int (x^2+x)\,dx = \int x^2\,dx + \int x\,dx = \frac{1}{3}x^3 + C_1 + \frac{1}{2}x^2 + C_2$$

이때 C_1, C_2는 적분상수이므로 구분하지 않고 다음과 같이 나타내면 충분하다.

$$\int (x^2+x)\,dx = \frac{1}{3}x^3 + \frac{1}{2}x^2 + C$$

$6x^2-2x$의 부정적분은

$$\int (6x^2-2x)\,dx = 6\int x^2\,dx - 2\int x\,dx = 6 \times \frac{1}{3}x^3 - 2 \times \frac{1}{2}x^2 + C$$
$$= 2x^3 - x^2 + C$$

$f(x)=2x$일 때,

$$\int 2x\,dx = x^2 + C \text{이므로} \quad \frac{d}{dx}\int 2x\,dx = \frac{d}{dx}(x^2+C) = 2x$$

$$\frac{d}{dx}(2x) = 2 \text{이므로} \quad \int \left\{ \frac{d}{dx}(2x) \right\} dx = \int 2\,dx = 2x + C$$

따라서 적분하고 미분한 것과 미분하고 적분한 것은 적분상수만큼의 차이가 있다. ⟶ 순서가 중요하다.

일반적으로 미분가능한 함수 $f(x)$에 대하여

$$\frac{d}{dx}\int f(x)\,dx = f(x), \quad \int \left\{ \frac{d}{dx}f(x) \right\} dx = f(x) + C$$

개념 Check   ◆ 정답 및 풀이 **69**쪽

2 다음 부정적분을 구하시오.

(1) $\displaystyle\int 5\,dx$ (2) $\displaystyle\int k\,dx$ (단, k는 상수)

(3) $\displaystyle\int 4x^3\,dx$ (4) $\displaystyle\int (2x+1)\,dx$ (5) $\displaystyle\int (3x-x^3)\,dx$

3 다음을 만족시키는 함수 $f(x)$를 구하시오.

(1) $f(x) = \dfrac{d}{dx}\displaystyle\int (x^2+6x-3)\,dx$

(2) $f(x) = \displaystyle\int \left\{ \dfrac{d}{dx}(x^2+6x-3) \right\} dx$, $f(1)=2$

다음 부정적분을 구하시오.

(1) $\displaystyle\int (2x^3-6x^2+3)\,dx$

(2) $\displaystyle\int (x-1)(2x+1)\,dx$

(3) $\displaystyle\int (2t-1)^2\,dt$

(4) $\displaystyle\int \frac{x^3}{x+1}\,dx + \int \frac{1}{x+1}\,dx$

날선 Guide (1) $\displaystyle\int (2x^3-6x^2+3)\,dx = 2\int x^3\,dx - 6\int x^2\,dx + 3\int 1\,dx$

와 같이 나눈 다음 각 항을 다음을 이용하여 적분한다.

$$\int x^n\,dx = \frac{1}{n+1}x^{n+1}+C$$

그리고 적분상수는 마지막에 한 번만 쓰면 된다.

(2) $(x-1)(2x+1)$을 전개한 다음 (1)과 같이 푼다.

적분에서 함수의 곱을 다음과 같이 계산하면 안 된다는 것에 주의한다.

$$\int f(x)g(x)\,dx \neq \int f(x)\,dx \times \int g(x)\,dx$$

(3) $(2t-1)^2$을 전개한 다음 (1)과 같이 푼다.

$\displaystyle\int f(t)\,dt$에서는 변수가 t이므로 t에 대한 함수를 구한다는 것에 주의한다.

(4) $\dfrac{x^3}{x+1}$과 $\dfrac{1}{x+1}$의 부정적분을 바로 구할 수 없다. 그러나

$$\int \frac{x^3}{x+1}\,dx + \int \frac{1}{x+1}\,dx = \int \left(\frac{x^3}{x+1}+\frac{1}{x+1}\right)dx = \int \frac{x^3+1}{x+1}\,dx$$

에서 $\dfrac{x^3+1}{x+1}$ 을 약분하면 다항식이므로 부정적분을 구할 수 있다.

답 (1) $\dfrac{1}{2}x^4-2x^3+3x+C$ (2) $\dfrac{2}{3}x^3-\dfrac{1}{2}x^2-x+C$ (3) $\dfrac{4}{3}t^3-2t^2+t+C$ (4) $\dfrac{1}{3}x^3-\dfrac{1}{2}x^2+x+C$

 날선 Point 부정적분의 계산

➡ 곱은 전개하고, 유리식은 약분하여 다항식으로 고친 다음 계산한다.

1-1 다음 부정적분을 구하시오.

(1) $\displaystyle\int (2-3x^3-x^4)\,dx$

(2) $\displaystyle\int (t-1)(t^2+1)\,dt$

(3) $\displaystyle\int (x+2)^3\,dx$

(4) $\displaystyle\int \frac{x^2}{x-1}\,dx - \int \frac{1}{x-1}\,dx$

다음 물음에 답하시오.

(1) $f'(x)=3x^2-2$이고 $f(0)=2$일 때, 함수 $f(x)$를 구하시오.

(2) $f(x)$가 연속함수이고

$$f'(x)=\begin{cases} x+2 \ (x>1) \\ 3x^2 \ (x<1) \end{cases}, f(2)=2$$

일 때, $f(0)$의 값을 구하시오.

날선 Guide (1) $f(x)$는 $f'(x)$의 부정적분이므로

$$f(x)=\int f'(x)\,dx=\int (3x^2-2)\,dx$$
$$=x^3-2x+C$$

또 $f(0)=2$에서 C를 구한다.

(2) $\int (x+2)\,dx=\dfrac{1}{2}x^2+2x+C_1=f_1(x)$, $\int 3x^2\,dx=x^3+C_2=f_2(x)$라 하면

$$f(x)=\begin{cases} f_1(x) \ (x>1) \\ f_2(x) \ (x<1) \end{cases}$$

이때 $f(x)$가 $x=1$에서 연속이므로 $f_1(1)=f_2(1)$이다.

이 조건과 $f_1(2)=2$임을 이용하여 C_1, C_2와 $f(0)$의 값을 구한다.

답 (1) $f(x)=x^3-2x+2$ (2) $-\dfrac{5}{2}$

• $f'(x)$가 주어지면 ➡ $f(x)=\displaystyle\int f'(x)\,dx$를 이용한다.

• $f(x)$가 연속함수이고 $f'(x)=\begin{cases} g(x) \ (x>a) \\ h(x) \ (x<a) \end{cases}$이면

➡ $f'(x)$의 부정적분을 구한 후 $f(x)$가 $x=a$에서 연속임을 이용한다.

2-1 함수 $f(x)$를 적분하라는 문제를 잘못 보고 미분한 결과 $4x^3+2x-3$을 얻었다. $f(1)=2$일 때, $f(x)$의 부정적분을 구하시오.

2-2 $f(x)$가 연속함수이고

$$f'(x)=\begin{cases} x^2-1 \ (x>0) \\ -1 \ (x<0) \end{cases}, f(-1)=3$$

일 때, $f(1)$의 값을 구하시오.

접선, 극값과 부정적분

◆ 정답 및 풀이 71쪽

다음 물음에 답하시오.

(1) 곡선 $y=f(x)$ 위의 점 (x, y)에서 접선의 기울기가 $3x^2-4x$이다. 곡선 $y=f(x)$가 점 $(1, 2)$를 지날 때, $f(x)$를 구하시오.

(2) $f'(x)=x^2-2x-3$이고 $f(x)$의 극댓값이 2일 때, 함수 $f(x)$의 극솟값을 구하시오.

낱선 Guide (1) $f(x)$는 $f'(x)$의 부정적분이므로

$$f(x)=\int f'(x)\,dx=\int (3x^2-4x)\,dx$$
$$=x^3-2x^2+C$$

또 $f(1)=2$에서 C를 구한다.

(2) $f(x)=\int f'(x)\,dx=\int (x^2-2x-3)\,dx$
$$=\frac{1}{3}x^3-x^2-3x+C$$

또 $f'(x)=x^2-2x-3=(x+1)(x-3)$이므로

$f'(x)=0$에서 $x=-1$ 또는 $x=3$

$f'(x)$의 부호 변화를 조사하면 $x=-1$에서 극대, $x=3$에서 극소이다.

이를 이용하여 C와 함수 $f(x)$의 극솟값을 구한다.

답 (1) $f(x)=x^3-2x^2+3$ (2) $-\dfrac{26}{3}$

낱선 Point $f'(x)$가 주어지면 ⇒ $f(x)=\int f'(x)\,dx$를 계산하고, 적분상수를 구한다.

3-1 곡선 $y=f(x)$ 위의 점 $(x, f(x))$에서 접선의 기울기가 $6x^2+4$이다. 곡선 $y=f(x)$가 점 $(0, 6)$을 지날 때, $f(x)$를 구하시오.

3-2 x^4의 계수가 1인 사차함수 $f(x)$는 $x=0$ 또는 $x=\pm1$에서 극값을 가진다. $f(x)$의 극댓값이 -1일 때, $f(x)$를 구하시오.

다음 물음에 답하시오.

(1) $F(x)$는 다항함수 $f(x)$의 한 부정적분이고, 모든 실수 x에 대하여

$$F(x)=xf(x)-3x^4+x^2$$

이다. $f(0)=1$일 때, $f(x)$를 구하시오.

(2) $f(x)$, $g(x)$는 이차함수이고 $g(x)$는 $x^2+f(x)$의 한 부정적분이다.

$f(x)+g(x)=x+1$일 때, $f(x)$를 구하시오.

날선 Guide (1) $F'(x)=f(x)$이므로 $F(x)=xf(x)-3x^4+x^2$의 양변을 미분하면

$$F'(x)=(x)'f(x)+xf'(x)-12x^3+2x$$

$$f(x)=f(x)+xf'(x)-12x^3+2x$$

이 식을 정리하면 $f'(x)$를 구할 수 있다.

$f(x)$는 $f'(x)$를 적분해서 구한다.

(2) $g(x)$가 $x^2+f(x)$의 한 부정적분이므로

$$g'(x)=x^2+f(x)$$

그런데 $g'(x)$는 일차함수이므로

$$g'(x)=ax+b\,(a\neq0),\ f(x)=-x^2+ax+b$$

라 할 수 있다.

답 (1) $f(x)=4x^3-2x+1$　(2) $f(x)=-x^2+2x-1$

날선 Point
- 부정적분 $F(x)$가 주어지면 ➡ $f(x)=F'(x)$를 이용한다
- 도함수 $f'(x)$가 주어지면 ➡ $f(x)=\int f'(x)\,dx$를 이용한다.

4-1 $F(x)$는 다항함수 $f(x)$의 한 부정적분이고, 모든 실수 x에 대하여

$$F(x)=xf(x)+4x^3-3x^2$$

이다. $f(1)=-3$일 때, $f(x)$를 구하시오.

4-2 $f(x)$는 일차함수이고 $g(x)=\displaystyle\int xf(x)\,dx$이다. $g(x)+g'(x)=x^3+px^2+2x+3$일 때,

상수 p의 값을 구하시오.

7 부정적분

Step 1 연습

01 다음 부정적분을 구하시오.

(1) $\int (x+1)(x-1)^2 \, dx$

(2) $\int (3x^2y^2+2xy+1) \, dy$

(3) $\int \left(\frac{1}{2}x^3+2x+1\right) dx - \int \left(\frac{1}{2}x^3+x\right) dx$

(4) $\int \frac{2x^2}{x+2} \, dx + \int \frac{2x}{x+2} \, dx - \int \frac{4}{x+2} \, dx$

02 $f(x)$는 다항함수이고 $f'(x)=4x^3+6x^2-4x+1$, $f(0)=-1$일 때, $f(1)$의 값은?

① 1   ② 2   ③ 3   ④ 4   ⑤ 5

03 함수 $f(x)=\int (4x^3+3x-5) \, dx$에 대하여 $\lim\limits_{x \to 1} \dfrac{f(x^2)-f(1)}{x-1}$의 값을 구하시오.

04 $f(x)$, $g(x)$는 모두 미분가능한 함수이다. $f(2)=1$, $f'(2)=2$이고 $\int g(x) \, dx = 3x^2 f(x) + C$일 때, $g(2)$의 값을 구하시오.

05 $f(x)$는 다항함수이고 $f'(x)=1+2x+3x^2+ \cdots +nx^{n-1}$이다. $f(0)=3$일 때, $f(2)$의 값은?

① 2^n+1 ② 2^n+3 ③ $2^{n+1}-1$

④ $2^{n+1}+1$ ⑤ $2^{n+1}+3$

06 $f(x)$는 미분가능한 함수이고 $f'(x) = \begin{cases} k & (x>1) \\ x+4 & (x<1) \end{cases}$, $f(2)=8$이다.

$f(-1)$의 값을 구하시오.

07 $f(x)$는 다항함수이고 $\displaystyle\int \{1-f(x)\}\, dx = \frac{1}{4}x^2(24-x^2)+C$일 때, $f(x)$의 극댓값을 구하시오.

교육청 기출

08 $f(x)$는 삼차함수이고 $y=f'(x)$의 그래프가 그림과 같다. $f(x)$의 극댓값이 4, 극솟값이 0일 때, $f(3)$의 값은?

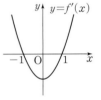

① 14　　　② 16　　　③ 18

④ 20　　　⑤ 22

09 $F(x)$는 다항함수 $f(x)$의 한 부정적분이고, 모든 실수 x에 대하여

$$F(x)-x^2 = xf(x)-2x^3-3$$

이다. $f(-1)=6$일 때, $f(x)$를 구하시오.

10 $f(x), g(x)$는 최고차항의 계수가 1인 다항함수이고

$$\int \{f(x)+g(x)\}\, dx = \frac{1}{3}x^3+x^2+x+C$$

$$\frac{d}{dx}\{f(x)g(x)\} = 3x^2+6x+1$$

이다. $f(1)=1$일 때, $f(x), g(x)$를 구하시오.

정답 개수 :　／10　오답 번호 **Check** :

함수 $f(x)$의 한 부정적분을 $F(x)$라 하면 $f(x)$의 부정적분은 모두 $F(x)+C$ 꼴이다. 적분상수에 관계없이 $F(b)-F(a)$의 값은 일정한데 $F(b)-F(a)$의 값을 $f(x)$의 a에서 b까지의 정적분이라 한다.

이 단원에서는 정적분의 정의를 배우고 정적분의 기하적 의미와 성질을 이용하여 다항함수의 정적분을 구해 보자.

정적분

8

8-1 정적분

실수 a, b를 포함하는 구간에서 연속인 함수 $f(x)$의 한 부정적분을 $F(x)$라 하면 $F(b)-F(a)$를 $f(x)$의 a에서 b까지의 **정적분**이라 하고, 다음과 같이 나타낸다.

$$\int_a^b f(x)\,dx = \left[F(x)\right]_a^b = F(b)-F(a)$$

또 a를 아래끝, b를 위끝이라 하고, 정적분의 값을 구하는 것을 $f(x)$를 a에서 b까지 적분한다고 한다.

정적분

$f(x)=2x$의 한 부정적분을 $F(x)$라 하면

$$\int_1^3 f(x)\,dx = F(3)-F(1)$$

로 약속하고, 함수 $f(x)$의 1에서 3까지의 정적분이라 한다.

$F(x)=x^2+C$이므로 위의 정적분을 계산하면

$$F(3)-F(1)=(3^2+C)-(1^2+C)=8$$

이와 같이 정적분의 값을 구하는 것을 $f(x)$를 1에서 3까지 적분한다고 한다.

이때 정적분은 적분상수 C의 값에 관계없이 일정하므로 정적분의 값을 구할 때에는 적분상수가 없는 부정적분을 이용한다.

정적분의 정의

실수 a, b를 포함하는 구간에서 연속인 함수 $f(x)$의 한 부정적분을 $F(x)$라 할 때, a와 b의 크기에 관계없이

$$\int_a^b f(x)\,dx = \left[F(x)\right]_a^b = F(b)-F(a)$$

로 정의하고 $f(x)$의 a에서 b까지의 정적분이라 한다. 이때 a를 아래끝, b를 위끝이라 한다.

정적분의 계산

정적분 $\displaystyle\int_a^b (3x^2+2x-2)\,dx = \left[x^3+x^2-2x\right]_a^b$를 계산하는 방법은 두 가지가 있다.

$$\left[x^3+x^2-2x\right]_a^b = (b^3+b^2-2b)-(a^3+a^2-2a)$$

$$\left[x^3+x^2-2x\right]_a^b = (b^3-a^3)+(b^2-a^2)-2(b-a)$$

둘 중 편한 방법으로 계산한다.

▶ 정답 및 풀이 **75**쪽

개념 Check

1 다음 정적분의 값을 구하시오.

(1) $\displaystyle\int_{-2}^{2} x\,dx$

(2) $\displaystyle\int_{-2}^{2} x^2\,dx$

(3) $\displaystyle\int_{-2}^{2} x^3\,dx$

$$1 \int_a^a f(x)\,dx=0, \quad \int_b^a f(x)\,dx=-\int_a^b f(x)\,dx$$

$$\int_a^c f(x)\,dx+\int_c^b f(x)\,dx=\int_a^b f(x)\,dx$$

$$2 \int_a^b kf(x)\,dx=k\int_a^b f(x)\,dx \ (\text{단, } k\text{는 상수})$$

$$\int_a^b \{f(x)\pm g(x)\}\,dx=\int_a^b f(x)\,dx\pm\int_a^b g(x)\,dx$$

정적분의 성질 •

연속인 함수 $f(x)$의 한 부정적분을 $F(x)$라 하면 정적분의 정의에서

$$\int_a^a f(x)\,dx=F(a)-F(a)=0$$

$$\int_b^a f(x)\,dx=F(a)-F(b)=-\{F(b)-F(a)\}=-\int_a^b f(x)\,dx$$

$$\int_a^c f(x)\,dx+\int_c^b f(x)\,dx=\{F(c)-F(a)\}+\{F(b)-F(c)\}$$

$$=F(b)-F(a)=\int_a^b f(x)\,dx$$

또 부정적분의 성질에서 다음도 성립한다.

$$\int_a^b kf(x)\,dx=k\int_a^b f(x)\,dx \ (\text{단, } k\text{는 상수})$$

$$\int_a^b \{f(x)\pm g(x)\}\,dx=\int_a^b f(x)\,dx\pm\int_a^b g(x)\,dx$$

개념 Check

◆ 정답 및 풀이 **75**쪽

2 정적분 $\int_1^1 x^2\,dx$의 값을 구하시오.

3 다음 물음에 답하시오.

(1) $\int_a^b f(x)\,dx=3$일 때, $\int_b^a f(x)\,dx$의 값을 구하시오.

(2) $\int_a^b f(x)\,dx=2$, $\int_b^c f(x)\,dx=5$일 때, $\int_a^c f(x)\,dx$의 값을 구하시오.

4 $\int_a^b f(x)\,dx=4$, $\int_a^b g(x)\,dx=3$일 때, 다음 정적분의 값을 구하시오.

(1) $\int_a^b \{f(x)-g(x)\}\,dx$

(2) $\int_a^b \{2f(x)+3g(x)\}\,dx$

8-3 정적분의 기하적 의미

> 구간 $[a, b]$에서 함수 $f(x)$가 연속이고 $f(x) \geq 0$일 때,
>
> $$\int_a^b f(x)\,dx$$
>
> 의 값은 $y=f(x)$의 그래프와 x축 및 두 직선 $x=a$, $x=b$로
> 둘러싸인 부분의 넓이이다.

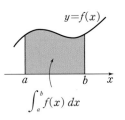

넓이와 적분 •

$f(x)=2x$일 때 그림에서 색칠한 부분의 넓이는

$$S(t)=\frac{1}{2} \times t \times 2t - \frac{1}{2} \times 1 \times 2 = t^2 - 1$$

따라서 넓이 $S(t)$의 순간변화율은 $S'(t)=2t$

이때 $S'(t)=f(t)$이고 $S(1)=0$임을 알 수 있다.

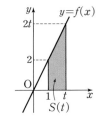

정적분의 •
기하적 의미

일반적으로 $f(x)$가 연속함수이고 $f(x) \geq 0$일 때,

곡선 $y=f(x)$와 x축 및 두 직선 $x=a$, $x=t$로 둘러싸인 부분의

넓이를 $S(t)$라 하면

$$S'(t)=f(t) \qquad \cdots \ ㉠$$

이므로 $S(t)$는 $f(t)$의 부정적분이다.

그리고 $S(a)=0$이므로 $f(t)$의 한 부정적분을 $F(x)$라 하면

$$S(t)=F(t)-F(a)$$

특히 $t=b$일 때 $S(b)=F(b)-F(a)$이므로 정적분의 정의에 의해

$$S(b)=\int_a^b f(x)\,dx$$

따라서 이 정적분의 값은 곡선 $y=f(x)$와 x축 및 두 직선 $x=a$, $x=b$ $(a<b)$로 둘러싸인

부분의 넓이이다.

정적분의 •
기하적 의미
$(f(x) \leq 0$일 때$)$

$f(x) \leq 0$일 때에는 $\int_a^b f(x)\,dx$는 넓이에 $-$를 붙인 값이다.

곧, 그림에서 색칠한 부분의 넓이를 S라 하면

$$\int_a^b f(x)\,dx = -S$$

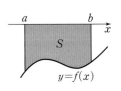

또 그림에서 색칠한 두 부분의 넓이를 각각 S_1, S_2라 하면

$$\int_a^b f(x)\,dx = \int_a^c f(x)\,dx + \int_c^b f(x)\,dx$$
$$= S_1 - S_2$$

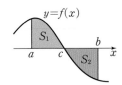

참고 ㉠을 증명하는 과정은 교과서 등을 참조한다.

기하적 의미의
활용

예를 들어 정적분의 성질

$$\int_a^c f(x)\,dx + \int_c^b f(x)\,dx = \int_a^b f(x)\,dx$$

는 그림과 같이 색칠한 두 부분의 넓이의 합으로 이해할 수도 있다.

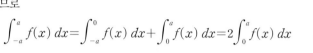

그래프가 대칭인
함수의 정적분

그래프가 y축 또는 원점에 대칭인 함수를 생각해 보자.

$y=f(x)$의 그래프가 y축에 대칭이면 그림에서 색칠한 두 부분의 넓이
가 같으므로

$$\int_{-a}^{a} f(x)\,dx = \int_{-a}^{0} f(x)\,dx + \int_{0}^{a} f(x)\,dx = 2\int_{0}^{a} f(x)\,dx$$

예를 들어 $y=c$ (상수), $y=x^2$, $y=x^4$, …은 모두 그래프가 y축에 대칭이므로

$$\int_{-a}^{a} c\,dx = 2\int_{0}^{a} c\,dx,\ \int_{-a}^{a} x^2\,dx = 2\int_{0}^{a} x^2\,dx,\ \int_{-a}^{a} x^4\,dx = 2\int_{0}^{a} x^4\,dx,\ \cdots$$

$y=f(x)$의 그래프가 원점에 대칭이면 그림에서 색칠한 두 부분의 넓이
가 같으므로 $-\int_{-a}^{0} f(x)\,dx = \int_{0}^{a} f(x)\,dx$이다. 따라서

$$\int_{-a}^{a} f(x)\,dx = \int_{-a}^{0} f(x)\,dx + \int_{0}^{a} f(x)\,dx = 0$$

예를 들어 $y=x$, $y=x^3$, $y=x^5$, …은 모두 그래프가 원점에 대칭이므로

$$\int_{-a}^{a} x\,dx = 0,\ \int_{-a}^{a} x^3\,dx = 0,\ \int_{-a}^{a} x^5\,dx = 0,\ \cdots$$

이 결과는 공식처럼 기억하고 이용하면 편하다.

$$\boldsymbol{y=f(x)}\text{의 그래프가 } \boldsymbol{y}\text{축에 대칭} \Rightarrow \int_{-a}^{a} f(x)\,dx = 2\int_{0}^{a} f(x)\,dx$$

$$\text{원점에 대칭} \Rightarrow \int_{-a}^{a} f(x)\,dx = 0$$

개념 Check

◆ 정답 및 풀이 **75**쪽

5 그림과 같이 색칠한 두 부분의 넓이를 각각 S_1, S_2라 하자.
$S_1 = 7$, $S_2 = 2$일 때, 다음 정적분의 값을 구하시오.

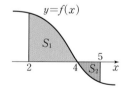

(1) $\displaystyle\int_2^4 f(x)\,dx$　　　　(2) $\displaystyle\int_4^5 f(x)\,dx$

(3) $\displaystyle\int_2^5 f(x)\,dx$

6 다음 정적분의 값을 구하시오.

(1) $\displaystyle\int_{-1}^{1} (x^2-3)\,dx$　　　　(2) $\displaystyle\int_{-2}^{2} (x^3+2x)\,dx$

다음 정적분의 값을 구하시오.

(1) $\displaystyle\int_{-2}^{1}(x-1)(x+2)\,dx$

(2) $\displaystyle\int_{0}^{3}(x+1)^2\,dx-\int_{3}^{0}(x-1)^2\,dx$

(3) $\displaystyle\int_{-2}^{1}(x^2-3x)\,dx+\int_{1}^{3}(x^2-3x)\,dx$

날선 Guide (1) $(x-1)(x+2)=x^2+x-2$의 부정적분 $F(x)$를 구한 다음

$$\Big[F(x)\Big]_{a}^{b}=F(b)-F(a)$$

를 계산한다. 정적분을 계산할 때에는 적분상수가 없는 부정적분을 이용한다.

(2) $-\displaystyle\int_{3}^{0}(x-1)^2\,dx=\int_{0}^{3}(x-1)^2\,dx$이므로 앞의 정적분과 적분구간이 같다. 따라서

$$(\text{주어진 식})=\int_{0}^{3}(x+1)^2\,dx+\int_{0}^{3}(x-1)^2\,dx$$

$$=\int_{0}^{3}\{(x+1)^2+(x-1)^2\}\,dx=\int_{0}^{3}(2x^2+2)\,dx$$

로 고쳐 계산하면 간단하다.

(3) 적분하는 함수가 x^2-3x로 같고 적분구간이 -2에서 1, 1에서 3이므로

$$\int_{-2}^{1}(x^2-3x)\,dx+\int_{1}^{3}(x^2-3x)\,dx=\int_{-2}^{3}(x^2-3x)\,dx$$

를 계산하면 간단하다.

답 (1) $-\dfrac{9}{2}$ (2) 24 (3) $\dfrac{25}{6}$

날선 Point • 적분구간이 같을 때 ➡ $\displaystyle\int_{a}^{b}f(x)\,dx\pm\int_{a}^{b}g(x)\,dx=\int_{a}^{b}\{f(x)\pm g(x)\}\,dx$

• 적분하는 함수가 같고, 적분구간의 한 끝이 같을 때

➡ $\displaystyle\int_{a}^{c}f(x)\,dx+\int_{c}^{b}f(x)\,dx=\int_{a}^{b}f(x)\,dx$

 1-1 다음 정적분의 값을 구하시오.

(1) $\displaystyle\int_{-3}^{2}(-3x^2+4x)\,dx$

(2) $\displaystyle\int_{1}^{3}(2x-3)(x+1)\,dx$

(3) $\displaystyle\int_{-1}^{2}(2x-1)^2\,dx-\int_{2}^{-1}(4x-1)\,dx$

(4) $\displaystyle\int_{0}^{1}(x^3+4)\,dx+\int_{1}^{3}(x^3+4)\,dx$

다음 정적분의 값을 구하시오.

(1) $\displaystyle\int_{-2}^{2}(x^3+2x^2-3x+4)\,dx$　　　　(2) $\displaystyle\int_{2}^{4}\dfrac{x^2}{x-1}\,dx-\int_{2}^{4}\dfrac{1}{t-1}\,dt$

 Guide (1) 아래끝과 위끝의 절댓값이 같은 경우이다.

$f(x)=2x^2$, $f(x)=4$의 그래프는 y축에 대칭이므로

$$\int_{-a}^{a}f(x)\,dx=2\int_{0}^{a}f(x)\,dx$$

또 $f(x)=x^3$, $f(x)=-3x$의 그래프는 원점에 대칭이므로

$$\int_{-a}^{a}f(x)\,dx=0$$

따라서 다음과 같이 나누어서 계산한다.

$$\int_{-2}^{2}(x^3+2x^2-3x+4)\,dx$$
$$=\int_{-2}^{2}(x^3-3x)\,dx+\int_{-2}^{2}(2x^2+4)\,dx$$

(2) $f(t)\geq0$일 때, $\displaystyle\int_{a}^{b}f(t)\,dt$는 그림에서 색칠한 부분의 넓이이므로

$$\int_{a}^{b}f(t)\,dt=\int_{a}^{b}f(x)\,dx$$

그리고 적분구간이 같으므로 다음과 같이 고쳐 계산한다.

$$\int_{2}^{4}\dfrac{x^2}{x-1}\,dx-\int_{2}^{4}\dfrac{1}{x-1}\,dx=\int_{2}^{4}\dfrac{x^2-1}{x-1}\,dx$$

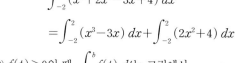

$y=f(t)$　$\displaystyle\int_{a}^{b}f(t)\,dt$　$y=f(x)$　$\displaystyle\int_{a}^{b}f(x)\,dx$
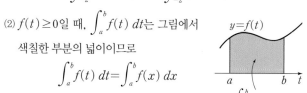
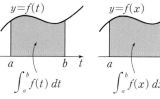

답 (1) $\dfrac{80}{3}$　(2) 8

날선 Point

• $y=f(x)$의 그래프가 y축에 대칭 ➡ $\displaystyle\int_{-a}^{a}f(x)\,dx=2\int_{0}^{a}f(x)\,dx$

　　원점에 대칭 ➡ $\displaystyle\int_{-a}^{a}f(x)\,dx=0$

• $\displaystyle\int_{a}^{b}f(x)\,dx=\int_{a}^{b}f(t)\,dt=\int_{a}^{b}f(y)\,dy=\cdots$

2-1 다음 정적분의 값을 구하시오.

(1) $\displaystyle\int_{-2}^{0}(x^5+4x^3-2x^2+1)\,dx+\int_{0}^{2}(x^5+4x^3-2x^2+1)\,dx$

(2) $\displaystyle\int_{1}^{4}\dfrac{4}{x+2}\,dx-\int_{1}^{4}\dfrac{y^2}{y+2}\,dy$

다음 물음에 답하시오.

(1) $\displaystyle\int_{-1}^{2} |x^2-1| \, dx$의 값을 구하시오.

(2) $0 \leq a \leq 4$이고 $\displaystyle\int_{0}^{4} |x-a| \, dx$가 최소일 때, 상수 a의 값과 최솟값을 구하시오.

날선 Guide (1) $-1 \leq x \leq 1$일 때 $|x^2-1| = -(x^2-1)$,

$1 \leq x \leq 2$일 때 $|x^2-1| = x^2-1$이므로

$$\int_{-1}^{2} |x^2-1| \, dx$$
$$= \int_{-1}^{1} \{-(x^2-1)\} \, dx + \int_{1}^{2} (x^2-1) \, dx$$

와 같이 나누어 적분한다.

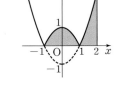

(2) $0 \leq x \leq a$일 때 $|x-a| = -(x-a)$,

$a \leq x \leq 4$일 때 $|x-a| = x-a$이므로

$$\int_{0}^{a} \{-(x-a)\} \, dx + \int_{a}^{4} (x-a) \, dx$$

를 계산하면 된다.

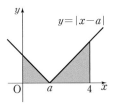

참고 $\displaystyle\int_{0}^{4} |x-a| \, dx$는 그림에서 색칠한 부분의 넓이이므로

두 삼각형의 넓이의 합을 생각할 수도 있다.

답 (1) $\dfrac{8}{3}$ (2) $a=2$, 최솟값 : 4

날선 Point
- 절댓값 기호를 포함한 정적분 ➡ 구간을 나누어 적분한다.
- 일차함수의 정적분 ➡ 삼각형, 사각형의 넓이를 생각한다.

3-1 다음 정적분의 값을 구하시오.

(1) $\displaystyle\int_{1}^{4} |x-3| \, dx$ (2) $\displaystyle\int_{0}^{3} |x^2-2x| \, dx$

 3-2 삼차함수 $y=f(x)$의 그래프가 그림과 같을 때, $\displaystyle\int_{0}^{3} |f'(x)| \, dx$의

값을 구하시오.

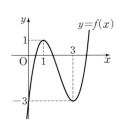

-1≤x<1에서 함수 $f(x)=x^2+1$이고 모든 실수 x에 대하여 $f(x+2)=f(x)$일 때, 다음 정적분의 값을 구하시오.

(1) $\displaystyle\int_{5}^{7} f(x)\,dx$ (2) $\displaystyle\int_{9}^{10} f(x)\,dx$ (3) $\displaystyle\int_{0}^{10} f(x)\,dx$

날선 Guide (1) $f(x)$는 주기가 2인 주기함수이므로 그림과 같이 -1≤x<1에서 $f(x)$의 그래프가 반복된다.

따라서 넓이를 생각하면 다음이 성립한다.

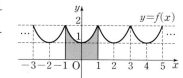

$$\int_{-1}^{1} f(x)\,dx=\int_{1}^{3} f(x)\,dx$$
$$=\int_{3}^{5} f(x)\,dx=\cdots$$

(2) $\displaystyle\int_{9}^{10} f(x)\,dx=\int_{7}^{8} f(x)\,dx=\int_{5}^{6} f(x)\,dx=\cdots$임을 이용한다.

(3) $\displaystyle\int_{0}^{10} f(x)\,dx=\int_{0}^{9} f(x)\,dx+\int_{9}^{10} f(x)\,dx$임을 이용한다.

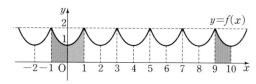

참고 $y=f(x)$의 그래프가 y축에 대칭이므로 $\displaystyle\int_{-1}^{0} f(x)\,dx=\int_{0}^{1} f(x)\,dx$임을 이용해도 된다.

답 (1) $\dfrac{8}{3}$ (2) $\dfrac{4}{3}$ (3) $\dfrac{40}{3}$

날선 Point $f(x)$의 주기가 p이면
$$\int_{a}^{a+p} f(x)\,dx=\int_{a+p}^{a+2p} f(x)\,dx=\int_{a+2p}^{a+3p} f(x)\,dx=\cdots$$

 4-1 0≤x<2에서 함수 $f(x)=\begin{cases} x^2 & (0\le x<1) \\ 2-x & (1\le x<2) \end{cases}$ 이고 모든 실수 x에 대하여 $f(x+2)=f(x)$

일 때, 다음 정적분의 값을 구하시오.

(1) $\displaystyle\int_{0}^{2} f(x)\,dx$ (2) $\displaystyle\int_{-1}^{3} f(x)\,dx$ (3) $\displaystyle\int_{-3}^{10} f(x)\,dx$

$f(x)$는 연속함수이고, 모든 실수 x에 대하여 $f(2+x)=f(2-x)$이다.

$\int_0^3 f(x)\,dx=3$, $\int_0^4 f(x)\,dx=5$일 때, 다음 정적분의 값을 구하시오.

(1) $\int_1^2 f(x)\,dx$　　　　　　　　　　(2) $\int_1^2 f(x+1)\,dx$

낱선 Guide　(1) $f(2+x)=f(2-x)$이므로 $y=f(x)$
의 그래프는 직선 $x=2$에 대칭이다.

또 $\int_0^3 f(x)\,dx=3$, $\int_0^4 f(x)\,dx=5$
이므로 색칠한 부분의 넓이가 각각 3,
5이다. 이를 이용하여

$\int_1^2 f(x)\,dx$ 또는 $\int_2^3 f(x)\,dx$의 값을 구한다.

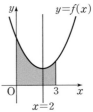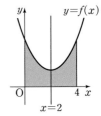

(2) 곡선 $y=f(x+1)$은 곡선 $y=f(x)$
를 x축 방향으로 -1만큼 평행이동
한 것이므로 그림에서 색칠한 두 부
분의 넓이가 같다. 따라서

$$\int_1^2 f(x+1)\,dx=\int_2^3 f(x)\,dx$$

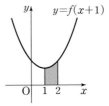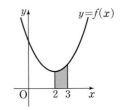

답 (1) $\dfrac{1}{2}$　(2) $\dfrac{1}{2}$

 낱선 Point 대칭이동, 평행이동에 대한 함수의 정적분 ➡ 그래프에서 넓이를 생각한다.

5-1　$f(x)$는 연속함수이고, 모든 실수 x에 대하여 $f(-x)=f(x)$이다.

$\int_0^4 f(x)\,dx=-6$, $\int_{-2}^4 f(x)\,dx=-2$일 때, 다음 정적분의 값을 구하시오.

(1) $\int_0^2 f(x)\,dx$　　　　　　　　　　(2) $\int_{-4}^2 f(x)\,dx$

5-2　$y=f(x)$의 그래프가 그림과 같을 때, $\int_0^4 f(x-2)\,dx$의 값을
구하시오.

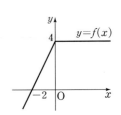

다음 물음에 답하시오.

(1) $f(x) = x^3 - 2x - 2\int_0^1 f(x)\, dx$일 때, 연속함수 $f(x)$를 구하시오.

(2) $f(0) = -1$이고 $\displaystyle\int_{-1}^1 f(x)\, dx = \int_0^1 f(x)\, dx = \int_{-1}^0 f(x)\, dx$일 때, 이차함수 $f(x)$를 구하시오.

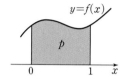

날선 Guide (1) 적분구간이 상수인 정적분 $\displaystyle\int_0^1 f(x)\, dx$의 값은 상수이므로

$$\int_0^1 f(x)\, dx = p \ (p\text{는 상수}) \quad \cdots \ \text{㉠}$$

로 놓으면 $f(x) = x^3 - 2x - 2p$이다.

이 식을 ㉠에 대입하면 p의 값을 구할 수 있다.

(2) $f(x)$가 이차함수이고 $f(0) = -1$이므로 $f(x) = ax^2 + bx - 1 (a \neq 0)$로 놓을 수 있다.

그리고 $\displaystyle\int_{-1}^1 f(x)\, dx,\ \int_0^1 f(x)\, dx,\ \int_{-1}^0 f(x)\, dx$를 직접 계산한 다음, 세 값이 같을 때를 찾는다.

참고 $\displaystyle\int_{-1}^1 f(x)\, dx = \int_{-1}^0 f(x)\, dx + \int_0^1 f(x)\, dx$

이므로 주어진 조건과 비교하면

$$\int_0^1 f(x)\, dx = \int_{-1}^0 f(x)\, dx = 0$$

이다. 또 그림에서 빨간색 부분과 초록색 부분의 넓이가 같다는 것도 알 수 있다.

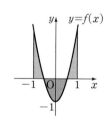

답 (1) $f(x) = x^3 - 2x + \dfrac{1}{2}$ (2) $f(x) = 3x^2 - 1$

날선 Point 적분구간이 상수인 정적분 $\displaystyle\int_a^b f(x)\, dx$의 값은 상수이다.

6-1 $f(x)$가 연속함수이고 $f(x) = x - 2 + \displaystyle\int_0^1 x f(x)\, dx$일 때, $f(x)$를 구하시오.

 6-2 이차 이하의 모든 다항식 $f(x)$에 대하여

$$\int_{-1}^1 f(x)\, dx = p f(\sqrt{2}) + q f(0) + p f(-\sqrt{2})$$

일 때, p, q의 값을 구하시오.

정적분 $\displaystyle\int_a^x f(t)\,dt$는 위끝 x에 대한 함수이다. 또 $f(x)$가 연속일 때,

$$\frac{d}{dx}\int_a^x f(t)\,dt=f(x)$$

정적분으로
정의된 함수

함수 $f(t)$의 한 부정적분이 $F(t)$일 때,

$$\int_a^x f(t)\,dt=F(x)-F(a) \qquad \cdots ㉠$$

이므로 $\displaystyle\int_a^x f(t)\,dt$는 위끝 x에 대한 함수이다.

그리고 $F'(x)=f(x)$이므로 ㉠의 양변을 x에 대하여 미분하면

$$\frac{d}{dx}\int_a^x f(t)\,dt=f(x)$$

예를 들어 $\displaystyle\int_1^x t^2\,dt$를 x에 대하여 미분하면

$$\frac{d}{dx}\int_1^x t^2\,dt=x^2$$

그런데 이 결과는 $\displaystyle\int_1^x t^2\,dt=\left[\frac{1}{3}t^3\right]_1^x=\frac{1}{3}x^3-\frac{1}{3}$을 x에 대하여 미분한 것과 같다.

$\displaystyle\int_a^x f(x)\,dx$와
$\displaystyle\int_a^x f(t)\,dt$

$\displaystyle\int_a^x f(x)\,dx=\left[F(x)\right]_a^x=F(x)-F(a)$이므로

$\displaystyle\int_a^x f(x)\,dx$와 $\displaystyle\int_a^x f(t)\,dt$는 같다. 보통은 $\displaystyle\int_a^x f(t)\,dt$로 쓴다.

$\displaystyle\int_a^x f(x)\,dx=F(x)-F(a)$에서 $F(x)$의 x는 위끝의 x를 뜻한다.

위끝, 아래끝이
모두 변수인 경우

$\displaystyle\int_x^{2x-1} f(t)\,dt$와 같이 위끝, 아래끝이 모두 변수인 경우도 생각할 수 있다.

$$\int_x^{2x-1} f(t)\,dt=\left[F(t)\right]_x^{2x-1}=F(2x-1)-F(x)$$

이 경우 $F(2x-1)$을 직접 계산한 다음 미분할 수도 있고,

$$\frac{d}{dx}F(2x-1)=f(2x-1)\times(2x-1)'=2f(2x-1)$$

과 같이 미분할 수도 있다.

▶ 개념 Check ◀

◆ 정답 및 풀이 **80**쪽

7 $\displaystyle f(x)=\int_{-1}^x (t^2-2t)\,dt$일 때, 다음을 구하시오.

(1) $f(-1)$ (2) $f'(x)$

모든 실수 x에 대하여 다음 등식이 성립할 때, 상수 p의 값과 다항함수 $f(x)$를 구하시오.

(1) $\displaystyle\int_{-1}^{x} f(t)\,dt = x^4 + x^3 + px - 2$

(2) $\displaystyle\int_{1}^{x} (x-t)f(t)\,dt = x^3 + px^2 + 7x - 3$

날선 Guide (1) $\displaystyle\int_{-1}^{-1} f(t)\,dt = 0$이므로 $x = -1$을 대입하면 p의 값을 구할 수 있다. 또

$$\frac{d}{dx}\int_{a}^{x} f(t)\,dt = f(x)$$

이므로 양변을 x에 대하여 미분하면 $f(x)$를 구할 수 있다.

(2) 양변을 다음과 같이 미분하면 안 된다는 것에 주의한다.

$$\frac{d}{dx}\int_{1}^{x} (x-t)f(t)\,dt = (x-x)f(x) = 0$$

$(x-t)f(t)$에서 x는 적분변수 t에 대한 상수이고, 미분에 대한 변수이기 때문에

$$\int_{1}^{x} (x-t)f(t)\,dt = \int_{1}^{x} \{xf(t) - tf(t)\}\,dt$$

$$= x\int_{1}^{x} f(t)\,dt - \int_{1}^{x} tf(t)\,dt$$

로 정리하고 다음과 같이 x에 대하여 미분한다.

$$\frac{d}{dx}\int_{1}^{x} (x-t)f(t)\,dt$$

$$= (x)'\int_{1}^{x} f(t)\,dt + x\left\{\int_{1}^{x} f(t)\,dt\right\}' - \left\{\int_{1}^{x} tf(t)\,dt\right\}'$$

$$= \int_{1}^{x} f(t)\,dt + xf(x) - xf(x)$$

답 (1) $p = -2$, $f(x) = 4x^3 + 3x^2 - 2$ (2) $p = -5$, $f(x) = 6x - 10$

날선 Point
- $\dfrac{d}{dx}\displaystyle\int_{a}^{x} f(t)\,dt = f(x)$
- 적분변수와 관계없는 문자는 적분 기호 밖으로!

7-1 다음 등식이 성립할 때, 다항함수 $f(x)$를 구하시오.

$$\int_{1}^{x} f(t)\,dt = xf(x) - 3x^4 + 2x^2$$

7-2 다음 등식이 성립할 때, 상수 p의 값과 다항함수 $f(x)$를 구하시오.

$$\int_{-1}^{x} (x-t)f(t)\,dt = x^4 + px^3 + x + 1$$

$f(x)=x^3+2x-3$일 때, 다음을 구하시오.

(1) $\displaystyle\lim_{x\to 1}\frac{1}{x^2-1}\int_1^x f(t)\,dt$ (2) $\displaystyle\lim_{h\to 0}\frac{1}{3h}\int_2^{2+2h} f(t)\,dt$

날선 Guide $f(x)$의 한 부정적분을 $F(x)$라 하면

(1) $\displaystyle\int_1^x f(t)\,dt=F(x)-F(1)$이므로

$$\lim_{x\to 1}\frac{1}{x^2-1}\int_1^x f(t)\,dt=\lim_{x\to 1}\frac{F(x)-F(1)}{x^2-1}$$

따라서 다음 미분계수의 정의를 이용할 수 있는 꼴로 고친다.

$$\lim_{x\to 1}\frac{F(x)-F(1)}{x-1}=F'(1)=f(1)$$

(2) $\displaystyle\int_2^{2+2h} f(t)\,dt=F(2+2h)-F(2)$이므로

$$\lim_{h\to 0}\frac{1}{3h}\int_2^{2+2h} f(t)\,dt=\lim_{h\to 0}\frac{F(2+2h)-F(2)}{3h}$$

따라서 다음 미분계수의 정의를 이용할 수 있는 꼴로 고친다.

$$\lim_{h\to 0}\frac{F(2+2h)-F(2)}{2h}=F'(2)=f(2)$$

탑 (1) 0   (2) 6

날선 Point $\dfrac{0}{0}$ 꼴의 극한은 미분계수의 정의를 이용할 수 있는 꼴로 정리한다.

$$\lim_{x\to a}\frac{F(x)-F(a)}{x-a}=F'(a),\quad \lim_{h\to 0}\frac{F(a+h)-F(a)}{h}=F'(a)$$

8-1 $f(x)=x^4-4x^2+1$일 때, 다음을 구하시오.

(1) $\displaystyle\lim_{x\to 1}\frac{1}{x-1}\int_2^{2x} f(t)\,dt$ (2) $\displaystyle\lim_{x\to 1}\frac{1}{x-1}\int_1^{x^2} f(t)\,dt$

8-2 $f(x)=x^3-5x+2$일 때, 다음을 구하시오.

(1) $\displaystyle\lim_{h\to 0}\frac{1}{2h}\int_1^{1-3h} f(t)\,dt$ (2) $\displaystyle\lim_{h\to 0}\frac{1}{h}\int_{1-h}^{1+h} f(t)\,dt$

함수 $f(x)=\int_{x}^{x+1}(t^3-t)\,dt$일 때, 다음 물음에 답하시오.

(1) $f(x)$의 극값을 구하시오.

(2) 구간 $[-2,\ 2]$에서 $f(x)$의 최댓값과 최솟값을 구하시오.

날선 Guide (1) $g(t)=t^3-t$라 하자. $g(t)$의 한 부정적분을 $G(t)$라 하면

$$f(x)=\Big[G(t)\Big]_{x}^{x+1}=G(x+1)-G(x)$$

이때 $G'(x)=g(x)$이고,

$$G'(x+1)=G'(x+1)\times(x+1)'=g(x+1)$$

이므로

$$f'(x)=g(x+1)-g(x)$$

이를 이용하면 $G(x)$를 구하지 않아도 $f'(x)$를 구할 수 있다.

(2) 구간 $[-2,\ 2]$에서 $y=f(x)$의 그래프를 그리고, 구간 양 끝에서의 함숫값, 극댓값, 극솟값을 비교한다.

답 (1) 극댓값 : $\dfrac{1}{4}$, 극솟값 : $-\dfrac{1}{4}$　(2) 최댓값 : $\dfrac{55}{4}$, 최솟값 : $-\dfrac{9}{4}$

날선 Point

· $\dfrac{d}{dx}\displaystyle\int_{a}^{x}f(t)\,dt=f(x)$

· $\dfrac{d}{dx}\displaystyle\int_{x}^{x+a}f(t)\,dt=f(x+a)-f(x)$

9-1 다음 함수의 극값을 구하시오.

(1) $f(x)=\displaystyle\int_{x}^{-2}t(t-1)(t+2)\,dt$　　　(2) $f(x)=\displaystyle\int_{x}^{x+1}(t^2-4t+3)\,dt$

9-2 함수 $f(x)=x^3-3x+a$에 대하여

$$F(x)=\int_{0}^{x}f(t)\,dt$$

의 극값이 한 개일 때, 실수 a값의 범위를 구하시오.

01 $\displaystyle\int_0^1 (2x+a)\,dx = 4$일 때, 상수 a의 값을 구하시오.

02 다음 정적분의 값을 구하시오.

(1) $\displaystyle\int_1^3 (2x^2-x+1)\,dx + \int_3^1 (2x^2-x+1)\,dx$

(2) $\displaystyle\int_0^4 (2x^3-6x+1)\,dx + \int_4^6 (2x^3-6x+1)\,dx + \int_6^2 (2x^3-6x+1)\,dx$

03 다음 정적분의 값을 구하시오.

(1) $\displaystyle\int_{-2}^2 x(x^3+x^2-1)\,dx + \int_{-2}^2 y^2(y^3-y^2+1)\,dy$

(2) $\displaystyle\int_0^3 (x^5+4x^2-2x)\,dx - \int_0^{-3} (x^5+4x^2-2x)\,dx$

04 다음 정적분의 값을 구하시오.

(1) $\displaystyle\int_1^4 (x+|x-3|)\,dx$ (2) $\displaystyle\int_{-2}^3 |x^2+2x-3|\,dx$

05 $\displaystyle\int_{-a}^a (3x^2+2x)\,dx = \frac{1}{4}$일 때, 실수 a의 값을 구하시오.

06 함수 $f(x) = \begin{cases} x^3+1 & (x \leq 1) \\ 3-x & (x > 1) \end{cases}$ 일 때, $\displaystyle\int_0^4 f(x)\, dx$의 값을 구하시오.

07 이차함수 $y=f(x)$의 그래프가 그림과 같을 때, 다음 중 정적분의 값이 가장 큰 것은?

① $\displaystyle\int_{-2}^0 f(x)\, dx$ ② $\displaystyle\int_{-1}^0 f(x)\, dx$

③ $\displaystyle\int_0^2 f(x)\, dx$ ④ $\displaystyle\int_1^3 f(x)\, dx$

⑤ $\displaystyle\int_4^2 f(x)\, dx$

08 $f(x)$가 연속함수이고

$$\int_1^4 f(x)\, dx = A,\ \int_3^4 f(x)\, dx = B,\ \int_3^5 f(x)\, dx = C$$

일 때, $\displaystyle\int_1^5 f(x)\, dx$를 A, B, C로 나타내면?

① $A+B+C$ ② $A-B+C$ ③ $A+B-C$

④ $-A+B+C$ ⑤ $A-B-C$

09 $f(x)$가 연속함수이고, 모든 실수 x에 대하여 $f(x+4)=f(x)$이다. $\displaystyle\int_{-3}^1 f(x)\, dx = 2$일 때, $\displaystyle\int_{-7}^5 f(x)\, dx$의 값을 구하시오.

10 $f(x)$가 연속함수이고 $\displaystyle\int_{-2}^6 f(x)\, dx = 10$일 때, $\displaystyle\int_{-7}^1 f(x+5)\, dx$의 값은?

① 5 ② 10 ③ 15 ④ 20 ⑤ 30

11 함수 $f(x)=x+1$에 대하여 $\displaystyle\int_{-1}^{1}\{f(x)\}^2\,dx=k\left\{\displaystyle\int_{-1}^{1}f(x)\,dx\right\}^2$일 때, 상수 k의 값을 구하시오.

12 모든 실수 x에 대하여 $\displaystyle\int_{x}^{1}f(t)\,dt=x^3-2px^2+3x+4$일 때, 상수 p의 값과 다항함수 $f(x)$를 구하시오.

13 $f(x)$가 다항함수이고 모든 실수 x에 대하여 $\displaystyle\int_{1}^{x}\left\{\dfrac{d}{dt}f(t)\right\}dt=x^3+ax^2-2$일 때, $f'(a)$의 값은?

① 1   ② 2   ③ 3   ④ 4   ⑤ 5

14 $\displaystyle\lim_{h\to 0}\dfrac{1}{h}\int_{2+h}^{2+3h}(x^2-2x+2)\,dx$의 값을 구하시오.

15 다음 정적분의 값을 구하시오.

(1) $\displaystyle\int_{-1}^{1}(1+2x+3x^2+\cdots+2022x^{2021})\,dx$

(2) $\displaystyle\sum_{n=1}^{10}\int_{0}^{1}x^n(x-1)\,dx$

16 정적분 $\displaystyle\int_0^3 [x](x+1)\,dx$의 값을 구하시오.

(단, $[x]$는 x보다 크지 않은 최대 정수이다.)

교육청 기출

17 함수 $f(x)=\begin{cases} 2x+2 & (x<0) \\ -x^2+2x+2 & (x\geq 0) \end{cases}$ 이다. a가 양수일 때, $\displaystyle\int_{-a}^{a} f(x)\,dx$의 최댓값은?

① 5   ② $\dfrac{16}{3}$ ③ $\dfrac{17}{3}$ ④ 6   ⑤ $\dfrac{19}{3}$

수능 기출

18 $f(x)$가 모든 실수 x에 대하여 $f(x+3)=f(x)$이고,
$$f(x)=\begin{cases} x & (0\leq x<1) \\ 1 & (1\leq x<2) \\ -x+3 & (2\leq x<3) \end{cases}$$
이다. $\displaystyle\int_{-a}^{a} f(x)\,dx=13$일 때, 상수 a의 값은?

① 10   ② 12   ③ 14   ④ 16   ⑤ 18

수능 기출

19 함수 $f(x)=x^3$에 대하여 $y=f(x)$의 그래프를 x축 방향으로 a만큼, y축 방향으로 b만큼 평행이동하면 함수 $y=g(x)$의 그래프와 일치한다.
$$g(0)=0,\ \int_{a}^{3a} g(x)\,dx - \int_{0}^{2a} f(x)\,dx = 32$$
일 때, a^4의 값을 구하시오.

20 $f(x)$가 다항함수이고 모든 실수 x에 대하여 $f(-x)=f(x)$이다.
$\int_0^5 f(x)\,dx=-3$일 때, $\int_{-5}^5 (x-1)f(x)\,dx$의 값을 구하시오.

21 $f(x)$가 다항함수이고 $\int_0^x f(t)\,dt=x^3-2x^2-2x\int_0^1 f(t)\,dt$일 때, $f(x)$를 구하시오.

22 $f(x)$가 다항함수이고 모든 실수 x에 대하여
$\int_2^x (x-t)f(t)\,dt=-x^3+3ax+b$일 때, 상수 a, b의 값을 구하시오.

23 $f(x)$가 다항함수이고 $\displaystyle\lim_{x\to 1}\frac{\displaystyle\int_1^x f(t)\,dt-f(x)}{x^2-1}=2$일 때, $f'(1)$의 값은?

① -4 ② -3 ③ -2 ④ -1 ⑤ 0

24 이차함수 $y=f(x)$의 그래프가 그림과 같을 때,
함수 $g(x)=\int_x^{x+1} f(t)\,dt$의 최댓값은?

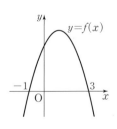

① $g\left(\dfrac{1}{3}\right)$ ② $g\left(\dfrac{1}{2}\right)$ ③ $g(1)$

④ $g\left(\dfrac{3}{2}\right)$ ⑤ $g(2)$

앞 단원에서 정적분이 넓이를 나타냄을 배웠다. 따라서 함수의 곡선으로 둘러싸인 부분의 넓이는 정적분으로 구할 수 있다.

또 운동하는 물체의 위치를 미분하면 속도를 구할 수 있으므로 속도를 적분하면 위치를 알 수 있다. 곧, 미분의 역과정이 적분이므로 속도를 알면 물체의 위치와 움직인 거리를 구할 수 있다.

이 단원에서는 정적분을 활용하여 곡선으로 둘러싸인 부분의 넓이를 구해 보고, 수직선 위를 움직이는 물체의 속도와 거리에 대해 알아보자.

정적분의 활용

개념

곡선 $y=f(x)$와 x축 및 두 직선 $x=a$, $x=b$로 둘러싸인 부분의 넓이는

$$\int_a^b |f(x)|\,dx$$

곡선과 x축
사이의 넓이

구간 $[a, b]$에서 $f(x)$가 연속일 때, 곡선 $y=f(x)$와 x축 및 두 직선 $x=a$, $x=b$로 둘러싸인 부분의 넓이는

(ⅰ) $f(x)\geq0$이면 곡선과 직선으로 둘러싸인 부분의 넓이는 정적분 $\int_a^b f(x)\,dx$의 값임을 앞서 공부하였다.

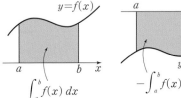

(ⅱ) $f(x)\leq0$이면 곡선과 직선으로 둘러싸인 부분의 넓이는 정적분에 $-$부호를 붙인 $-\int_a^b f(x)\,dx$의 값이다.

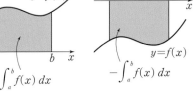

(ⅲ) 그림과 같이 구간 $[a, c]$에서 $f(x)\geq0$, 구간 $[c, b]$에서 $f(x)\leq0$이면 색칠한 부분의 넓이는

$$\int_a^c f(x)\,dx+\left\{-\int_c^b f(x)\,dx\right\}$$

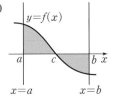

그런데 $-\int_c^b f(x)\,dx=\int_c^b \{-f(x)\}\,dx=\int_c^b |f(x)|\,dx$

이므로 곡선과 직선으로 둘러싸인 부분의 넓이는 다음과 같이 $|f(x)|$의 정적분을 생각한다.

$$\int_a^c f(x)\,dx+\int_c^b \{-f(x)\}\,dx=\int_a^b |f(x)|\,dx$$

예를 들어 곡선 $y=x^2-1$과 x축 및 두 직선 $x=-1$, $x=2$로 둘러싸인 부분의 넓이는

$$\int_{-1}^2 |x^2-1|\,dx$$

$$=\int_{-1}^1 \{-(x^2-1)\}\,dx+\int_1^2 (x^2-1)\,dx$$

$$=\left[-\frac{1}{3}x^3+x\right]_{-1}^1+\left[\frac{1}{3}x^3-x\right]_1^2=\frac{8}{3}$$

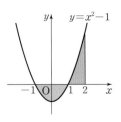

개념 Check

◆ 정답 및 풀이 **89**쪽

1 다음 곡선과 직선으로 둘러싸인 부분의 넓이를 구하시오.

(1) $y=x^3$, x축, $x=-1$, $x=2$ (2) $y=x^4$, x축, $x=-1$, $x=2$

9-2 두 곡선으로 둘러싸인 부분의 넓이

두 곡선 $y=f(x)$, $y=g(x)$와 두 직선 $x=a$, $x=b$로 둘러싸인 부분의 넓이는

$$\int_a^b |f(x)-g(x)|\,dx$$

두 곡선 •
사이의 넓이

두 곡선 $y=2-x^2$, $y=x^2$으로 둘러싸인 부분의 넓이는
초록색 부분의 넓이에서 빨간 빗금친 부분의 넓이를 뺀 값이다.
두 곡선의 교점의 x좌표는 $2-x^2=x^2$에서 $x=\pm1$이므로

$$\int_{-1}^{1}(2-x^2)\,dx-\int_{-1}^{1}x^2\,dx$$
$$=\int_{-1}^{1}(2-2x^2)\,dx=\left[2x-\frac{2}{3}x^3\right]_{-1}^{1}=\frac{8}{3}$$

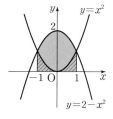

또 두 곡선 $y=1-x^2$, $y=x^2-1$로 둘러싸인 부분의 넓이는
초록색 부분의 넓이에 빨간색 부분의 넓이를 더한 값이다.
그런데 빨간색 부분의 넓이는 정적분에 $-$부호를 붙인 값이므로

$$\int_{-1}^{1}(1-x^2)\,dx-\int_{-1}^{1}(x^2-1)\,dx$$
$$=\int_{-1}^{1}\{(1-x^2)-(x^2-1)\}\,dx$$
$$=\int_{-1}^{1}(2-2x^2)\,dx=\frac{8}{3}$$

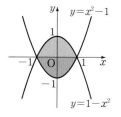

일반적으로 두 곡선 $y=f(x)$, $y=g(x)$와 두 직선 $x=a$, $x=b$
로 둘러싸인 부분의 넓이는

$f(x)\geq g(x)$일 때, $f(x)$와 $g(x)$의 부호에 상관없이

$$\int_a^b f(x)\,dx-\int_a^b g(x)\,dx=\int_a^b\{f(x)-g(x)\}\,dx$$

그리고 $f(x)$와 $g(x)$의 대소를 모르는 경우

$$\int_a^b |f(x)-g(x)|\,dx$$

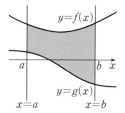

와 같이 절댓값 기호를 써서 구하면 된다.
절댓값 기호를 없애기 위해서는 두 곡선이 만나는 점의 x좌표를
구해야 한다.

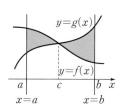

▶ 개념 Check

◈ 정답 및 풀이 **89**쪽

2 곡선 $y=x^2$과 직선 $y=-x+2$에 대하여 다음 물음에 답하시오.

(1) 곡선과 직선이 만나는 점의 x좌표를 모두 구하시오.

(2) 곡선과 직선으로 둘러싸인 부분의 넓이를 구하시오.

다음 곡선과 직선으로 둘러싸인 부분의 넓이를 구하시오.

(1) $y=x^2-3x-4$, x축 (2) $y=x^3-2x^2-x+2$, x축

(3) $y=x^2-2x$, x축, $x=0$, $x=3$

낱선 Guide (1), (2), (3)을 좌표평면 위에 나타내면 그림과 같으므로 색칠한 부분의 넓이를 구한다.

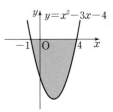

(1) $-1\le x\le4$에서 $y\le0$이므로 색칠한 부분의 넓이는

$$-\int_{-1}^{4}(x^2-3x-4)\,dx$$

(2) $-1\le x\le1$에서 $y\ge0$, $1\le x\le2$에서 $y\le0$이므로 색칠한 부분의 넓이는

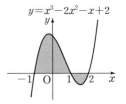

$$\int_{-1}^{1}(x^3-2x^2-x+2)\,dx-\int_{1}^{2}(x^3-2x^2-x+2)\,dx$$

y의 부호를 알고 있으므로 $\int_{-1}^{2}|x^3-2x^2-x+2|\,dx$와 같이 절댓값 기호를 써서 나타내지 않아도 된다.

(3) 그림에서 빨간색 부분과 초록색 부분의 넓이의 합이다.

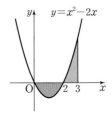

$0\le x\le2$에서 $y\le0$, $2\le x\le3$에서 $y\ge0$이므로 넓이는

$$-\int_{0}^{2}(x^2-2x)\,dx+\int_{2}^{3}(x^2-2x)\,dx$$

답 (1) $\dfrac{125}{6}$ (2) $\dfrac{37}{12}$ (3) $\dfrac{8}{3}$

낱선 Point 곡선 $y=f(x)$와 x축으로 둘러싸인 부분의 넓이

➡ 교점을 구하고, $f(x)$의 부호부터 생각한다.

1-1 다음 곡선과 x축으로 둘러싸인 부분의 넓이를 구하시오.

(1) $y=-2x^2+4$ (2) $y=x^4-3x^3+2x^2$

1-2 다음 곡선과 직선으로 둘러싸인 부분의 넓이를 구하시오.

(1) $y=x^2-2x-8$, x축, $x=-3$, $x=4$

(2) $y=-x^3+x^2+2x$, x축, $x=-1$, $x=-2$

두 곡선으로 둘러싸인 부분의 넓이

◆ 정답 및 풀이 **90**쪽

다음 곡선과 직선 또는 두 곡선으로 둘러싸인 부분의 넓이를 구하시오.

(1) $y=x^2-3x$, $y=4$

(2) $y=x^3-3x+1$, $y=x+1$

(3) $y=x^3-6x^2+9x$, $y=-2x^2+8x-6$

날선 **Guide** (1) 곡선 $y=x^2-3x$와 직선 $y=4$는 그림과 같다.

$-1 \le x \le 4$에서 직선 $y=4$가 곡선 $y=x^2-3x$보다 위쪽에

있으므로 색칠한 부분의 넓이는

$$\int_{-1}^{4} \{4-(x^2-3x)\} \, dx$$

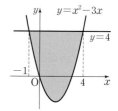

(2) 곡선 $y=x^3-3x+1$과 직선 $y=x+1$은 그림과 같다.

그림에서 초록색 부분과 빨간색 부분의 합을 구한다.

이때 곡선과 직선의 위치를 생각하면 넓이는

$$\int_{-2}^{0} \{(x^3-3x+1)-(x+1)\} \, dx$$
$$+\int_{0}^{2} \{(x+1)-(x^3-3x+1)\} \, dx$$

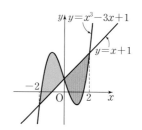

(3) $f(x)=x^3-6x^2+9x$, $g(x)=-2x^2+8x-6$이라 하면

두 곡선 $y=f(x)$, $y=g(x)$는 그림과 같다.

$f(x)=g(x)$를 풀어 교점의 x좌표 a, b, c를 구하고,

$$\int_{a}^{b} \{f(x)-g(x)\} \, dx+\int_{b}^{c} \{g(x)-f(x)\} \, dx$$

를 계산한다.

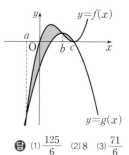

답 (1) $\dfrac{125}{6}$ (2) 8 (3) $\dfrac{71}{6}$

날선
Point **두 곡선으로 둘러싸인 부분의 넓이**

❶ 교점의 x좌표를 구하고 그래프를 그린다.

❷ 그래프에서 함수의 대소를 확인한 후 정적분을 계산한다.

2-1 다음 곡선과 직선 또는 두 곡선으로 둘러싸인 부분의 넓이를 구하시오.

(1) $y=x^2-2x$, $y=3$

(2) $y=x^3-x^2-3x$, $y=x-4$

(3) $y=x^3-2x^2-x+2$, $y=x^2-1$

Q3 곡선과 접선으로 둘러싸인 부분의 넓이

◆ 정답 및 풀이 92쪽

다음 물음에 답하시오.

(1) 곡선 $y=x^2-2x+3$과 이 곡선 위의 점 $(0, 3)$, $(2, 3)$에서의 접선으로 둘러싸인 부분의 넓이를 구하시오.

(2) 곡선 $y=x^3+1$과 $x=-1$인 점에서 이 곡선에 접하는 직선으로 둘러싸인 부분의 넓이를 구하시오.

날선 Guide (1) $f(x)=x^2-2x+3$이라 하고, 점 $(0, 3)$, $(2, 3)$에서 접선의 방정식을 각각 $y=g(x)$, $y=h(x)$라 하자.

두 접선이 만나는 점의 x좌표를 a라 하면 넓이는

$$\int_0^a \{f(x)-g(x)\}\,dx+\int_a^2 \{f(x)-h(x)\}\,dx$$

따라서 접선의 방정식 $y=g(x)$, $y=h(x)$와 두 접선이 만나는 점의 x좌표부터 구한다.

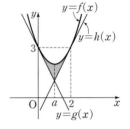

(2) $f(x)=x^3+1$이라 하고, $x=-1$인 점에서 접선의 방정식을 $y=g(x)$라 하자.

접선이 곡선과 다시 만나는 점의 x좌표를 a라 하면 넓이는

$$\int_{-1}^a \{g(x)-f(x)\}\,dx$$

따라서 접선의 방정식 $y=g(x)$와 접선과 곡선이 다시 만나는 점의 x좌표부터 구한다.

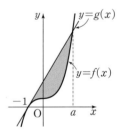

답 (1) $\dfrac{2}{3}$ (2) $\dfrac{27}{4}$

날선 Point 곡선과 접선으로 둘러싸인 부분의 넓이

❶ 접선의 방정식과 필요한 교점의 x좌표를 구한다.

❷ 그래프에서 함수의 대소를 확인한 후 정적분을 계산한다.

3-1 곡선 $y=x^2$과 $x=2$인 점에서 이 곡선에 접하는 직선 및 y축으로 둘러싸인 부분의 넓이를 구하시오.

3-2 곡선 $y=x^3-2x^2-x+2$와 $x=1$인 점에서 이 곡선에 접하는 직선으로 둘러싸인 부분의 넓이를 구하시오.

대표 Q4 두 부분의 넓이가 같을 때

다음 물음에 답하시오.

(1) 곡선 $y=x(x-1)(x-a)$ $(a>1)$와 x축으로 둘러싸인 두 부분의 넓이가 같을 때, 실수 a의 값을 구하시오.

(2) 곡선 $y=-x(x-2)$와 x축으로 둘러싸인 부분의 넓이를 직선 $y=mx$가 이등분할 때, 실수 m의 값을 구하시오.

날선 Guide (1) $f(x)=x(x-1)(x-a)$ $(a>1)$라 하면 그림에서 색

칠한 두 부분의 넓이는 각각

$$S_1=\int_0^1 f(x)\,dx, \quad S_2=-\int_1^a f(x)\,dx$$

이다. 이 두 값이 같을 조건을 찾는 것보다

$$\int_0^a f(x)\,dx=S_1-S_2=0$$

임을 이용하는 것이 편하다.

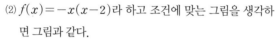

(2) $f(x)=-x(x-2)$라 하고 조건에 맞는 그림을 생각하면 그림과 같다.

곡선 $y=f(x)$와 직선 $y=mx$가 만나는 원점이 아닌 점의 x좌표를 a라 하면

$$\int_0^a \{f(x)-mx\}\,dx=\frac{1}{2}\int_0^2 f(x)\,dx$$

따라서 $\int_0^2 f(x)\,dx$와 a의 값을 구하면 m의 값을 구할 수 있다.

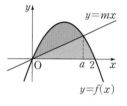

답 (1) 2 (2) $2-\sqrt[3]{4}$

 날선 Point 곡선 $y=f(x)$와 x축으로 둘러싸인 두 부분의 넓이가 같으면, 곧

$S_1=S_2$이면 $\int_a^c f(x)\,dx=0$

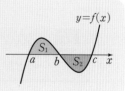

4-1 곡선 $y=x^2+2x$와 x축 및 직선 $x=a$ $(a>0)$로 둘러싸인 두 부분의 넓이가 같을 때, 실수 a의 값을 구하시오.

4-2 곡선 $y=x^2-3x$와 직선 $y=mx$로 둘러싸인 부분의 넓이를 x축이 이등분할 때, 실수 m의 값을 구하시오.

역함수의 그래프와 넓이

다음 물음에 답하시오.

(1) 함수 $f(x)=x^3+1$의 역함수를 $g(x)$라 할 때, $\int_0^2 f(x)\,dx+\int_{f(0)}^{f(2)} g(x)\,dx$의 값을 구하시오.

(2) 함수 $f(x)=\dfrac{1}{4}x^3\,(x\geq0)$의 역함수를 $g(x)$라 할 때, $y=f(x)$와 $y=g(x)$의 그래프로 둘러싸인 부분의 넓이를 구하시오.

날선 Guide (1) $f'(x)=3x^2\geq0$이므로 $f(x)$는 증가함수이고, 역함수 $g(x)$가 존재한다. 역함수의 그래프는 직선 $y=x$에 대칭이므로 $y=g(x)$의 그래프는 그림과 같다.

따라서 $\int_{f(0)}^{f(2)} g(x)\,dx$는 A 부분의 넓이이고, A와 B 부분이 직선 $y=x$에 대칭임을 이용한다.

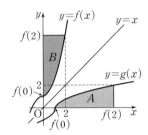

(2) $y=f(x)$, $y=g(x)$의 그래프는 직선 $y=x$에 대칭이므로 [그림 1]에서 초록색 부분의 넓이를 구하는 문제이다.

[그림 2]에서 빗금친 두 부분이 직선 $y=x$에 대칭이고, 하나

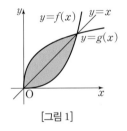

[그림 1]

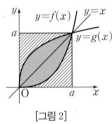

[그림 2]

의 넓이가 $\int_0^a f(x)\,dx$임을 이용하여 초록색 부분의 넓이를 구한다.

이때 두 곡선의 교점은 곡선 $y=f(x)$와 직선 $y=x$의 교점임을 이용한다.

답 (1) 18 (2) 2

> **날선 Point**
> 역함수 $y=f^{-1}(x)$의 그래프와 넓이
> ➡ 직선 $y=x$에 대칭임을 이용하여 $y=f(x)$의 그래프에 넓이를 나타낸다.

5-1 함수 $f(x)=x^3+x+1$의 역함수를 $g(x)$라 할 때, $\int_0^1 f(x)\,dx+\int_1^3 g(x)\,dx$의 값을 구하시오.

5-2 함수 $f(x)=\dfrac{1}{2}x^2\,(x\geq0)$의 역함수를 $g(x)$라 할 때, $y=f(x)$와 $y=g(x)$의 그래프로 둘러싸인 부분의 넓이를 구하시오.

9-3 속도와 위치

점 P가 수직선 위를 움직일 때, 시각 t에서 P의 속도를 $v(t)$라 하자.

(1) 시각 $t=t_0$에서 P의 위치가 x_0일 때, 시각 t에서 P의 위치 x는

$$x=x_0+\int_{t_0}^{t} v(t)\, dt$$

(2) $t=a$부터 $t=b$까지 위치 변화량 ➡ $\displaystyle\int_{a}^{b} v(t)\, dt$

움직인 거리 ➡ $\displaystyle\int_{a}^{b} |v(t)|\, dt$

시각 t에서
점 P의 위치

점 P가 수직선 위를 움직이고,

시각 t에서 위치 x가 $x=t^2+t+2$이면 속도 v는

$$v=\frac{dx}{dt}=2t+1$$

이다. 따라서 P의 속도가 $v=2t+1$이면 위치 x는

$$x=\int v\, dt=\int (2t+1)\, dt=t^2+t+C$$

와 같이 부정적분으로 나타낼 수 있다.

그리고 $t=0$일 때 P의 위치가 2이면 $x(0)=2$에서 $C=2$이고,

$$x=t^2+t+2$$

이다.

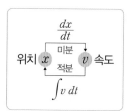

속도와 위치

시각 t에서 P의 속도를 $v(t)$, 위치를 x라 하자.

$v(t)$의 한 부정적분을 $f(t)$라 하면 $x'(t)=v(t)$이므로 $x=f(t)+C$

또 시각 $t=t_0$에서 P의 위치가 x_0이면 $x_0=f(t_0)+C$이므로

$$x=f(t)-f(t_0)+x_0$$

그런데 $f(t)-f(t_0)=\Big[f(t)\Big]_{t_0}^{t}$이므로 특정한 시각에서 P의 위치가 주어지면 위치는

$$x=x_0+\int_{t_0}^{t} v(t)\, dt \quad \rightarrow \quad \Big[f(t)\Big]_{t_0}^{t}=\int_{t_0}^{t} v(t)\, dt$$

와 같이 속도의 정적분으로 나타낼 수 있다.

위의 예에서 P의 속도가 $v(t)=2t+1$이고 $t=0$일 때 P의 위치가 2이면

시각 t에서 위치 x는

$$x=2+\int_{0}^{t} (2t+1)\, dt=t^2+t+2$$

와 같이 구할 수 있다.

위치 변화량과
움직인 거리

시각 t에서 P의 속도를 $v(t)$, 위치를 x라 하자. 시각 $t=t_0$에서 P의 위치가 x_0이면

$$x=x_0+\int_{t_0}^{t} v(t)\,dt$$

따라서 $t=a$부터 $t=b$까지 P의 위치 변화량은

$$x(b)-x(a)=\int_{t_0}^{b} v(t)\,dt-\int_{t_0}^{a} v(t)\,dt=\int_{t_0}^{b} v(t)\,dt+\int_{a}^{t_0} v(t)\,dt=\int_{a}^{b} v(t)\,dt$$

(i) [그림 1]과 같이 $v(t)\geq0$이면 P는 양의 방향으로 움직인다.
또 색칠한 부분의 넓이를 S_1이라 하면 위치 변화량과 움직인 거리는 모두 S_1이다.

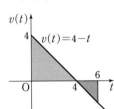

[그림 1]

(ii) [그림 2]와 같이 $v(t)\leq0$이면 P는 음의 방향으로 움직인다.
또 색칠한 부분의 넓이를 S_2라 하면 위치 변화량은 $-S_2$이고 움직인 거리는 S_2이다.

(iii) 따라서 $t=a$부터 $t=b$까지 위치 변화량과 움직인 거리는

위치 변화량 ➡ $\int_{a}^{b} v(t)\,dt$

움직인 거리 ➡ $\int_{a}^{b} |v(t)|\,dt$

[그림 2]

예를 들어 수직선 위를 움직이는 점 P의 시각 t에서 속도가 $v(t)=4-t$라 하자.

(i) $t=0$부터 $t=4$까지 위치 변화량은

$$\int_{0}^{4}(4-t)\,dt=\left[4t-\frac{1}{2}t^2\right]_{0}^{4}=8$$

이때 $v\geq0$이므로 양의 방향으로 8만큼 움직였다.

(ii) $t=4$부터 $t=6$까지 위치 변화량은

$$\int_{4}^{6}(4-t)\,dt=\left[4t-\frac{1}{2}t^2\right]_{4}^{6}=-2$$

이때 $v\leq0$이므로 음의 방향으로 2만큼 움직였다.

(iii) 따라서 $t=0$부터 $t=6$까지 위치 변화량은 $8-2=6$, 움직인 거리는 $8+2=10$이다.

이 값은 각각 정적분 $\int_{0}^{6}(4-t)\,dt$, $\int_{0}^{6}|4-t|\,dt$를 계산한 결과와 같다.

 개념 Check

◆ 정답 및 풀이 95쪽

3 점 P는 수직선 위를 움직이고 시각 t에서 P의 속도는 $v(t)=6-2t$이다. $t=0$에서 P의 위치가 1일 때, 다음 물음에 답하시오.

(1) 시각 t에서 P의 위치 $x(t)$를 구하시오.

(2) $t=0$부터 $t=4$까지 P의 위치 변화량을 구하시오.

(3) $t=0$부터 $t=4$까지 P가 움직인 거리를 구하시오.

Q6 수직선 위를 움직이는 점

정답 및 풀이 **95**쪽

점 P는 좌표가 2인 점을 출발하여 수직선 위를 움직이고, 시각 t에서 P의 속도는 $v(t)=t^2-4t+3$이다. 다음 물음에 답하시오.

(1) P가 움직이는 방향이 바뀔 때, P의 위치를 모두 구하시오.

(2) $t=1$부터 $t=4$까지 P의 위치 변화량을 구하시오.

(3) $t=1$부터 $t=4$까지 P가 움직인 거리를 구하시오.

(4) P가 출발한 후 출발 지점에 다시 돌아올 때까지 P가 움직인 거리를 구하시오.

날선 Guide (1) $t=0$에서 위치가 2이므로 시각 t에서 위치는

$$2+\int_0^t (t^2-4t+3)\,dt$$

이다. 따라서 v의 부호가 바뀔 때의 시각 t를 구하면 P의 위치를 찾을 수 있다.

(2) 위치 변화량은 정적분 $\int_1^4 v(t)\,dt$이다.

(3) 움직인 거리는 $|v(t)|$의 정적분 $\int_1^4 |v(t)|\,dt$이다.

먼저 $v\geq0$인 구간과 $v\leq0$인 구간을 찾는다.

(4) 출발 지점에 다시 돌아오면 $x(t)=2$이다.

이 방정식을 풀어 t의 값부터 구한다.

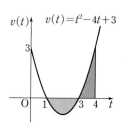

답 (1) $\dfrac{10}{3}$, 2 (2) 0 (3) $\dfrac{8}{3}$ (4) $\dfrac{8}{3}$

날선 Point 수직선 위를 움직이는 점의 시각 t에서 속도가 $v(t)$일 때

• 시각 t에서 위치 ➡ $x=x_0+\int_{t_0}^t v(t)\,dt$

• 위치 변화량 ➡ $\int_a^b v(t)\,dt$,   움직인 거리 ➡ $\int_a^b |v(t)|\,dt$

6-1 점 P는 원점을 출발하여 수직선 위를 움직이고, 시각 t에서 P의 속도는 $v(t)=-t^2+2t$이다. 다음 물음에 답하시오.

(1) P가 움직이는 방향이 바뀔 때, P의 위치를 구하시오.

(2) $t=0$부터 $t=4$까지 P가 움직인 거리를 구하시오.

(3) P가 출발하고 다시 원점을 지날 때 시각 t와 이때까지 P가 움직인 거리를 구하시오.

157
월 일

수직으로 움직이는 물체

◆ 정답 및 풀이 96쪽

지상에서 높이가 35 m인 건물의 옥상 난간에서 똑바로 위를 향하여
30 m/s의 속도로 쏘아 올린 물체의 t초 후의 속도를
$v(t)=30-10t$ (m/s)라 하자. 다음 물음에 답하시오.
(단, 던지는 사람의 키는 무시한다.)

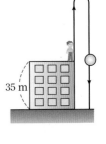

(1) 물체를 쏘아 올리고 2초가 지났을 때, 지면으로부터 물체의 높이
를 구하시오.

(2) 물체가 최고 지점에 있을 때, 지면으로부터 물체의 높이를 구하시오.

(3) 물체가 지면에 떨어질 때까지 걸리는 시간을 구하시오.

(4) 물체를 던지고 4초 동안 물체가 움직인 거리를 구하시오.

날선 Guide (1) $t=0$에서 높이가 35이므로 시각 t에서 물체의 높이는

$$35+\int_0^t (30-10t)\,dt$$

(2) $0<t<3$에서 $v>0$이므로 물체는 위로 올라가고,
  $t>3$에서 $v<0$이므로 물체는 아래로 떨어진다.
  따라서 $t=3$일 때 물체는 최고 지점에 있다.

(3) 물체가 지면에 떨어지면 물체의 높이는 0이므로
  이때 t의 값부터 구한다.

(4) 움직인 거리이므로 $\int_0^4 |v(t)|\,dt$를 구한다.
  $0\le t\le 3$일 때는 올라간 거리이고, $3\le t\le 4$일 때는 떨어진 거리이다.

답 (1) 75 m (2) 80 m (3) 7초 (4) 50 m

날선 Point

• 시각 t에서 위치 ➡ $x=x_0+\displaystyle\int_{t_0}^t v(t)\,dt$

• 위치 변화량 ➡ $\displaystyle\int_a^b v(t)\,dt$,   움직인 거리 ➡ $\displaystyle\int_a^b |v(t)|\,dt$

7-1 정지해 있던 열기구가 지면에 수직인 방향으로 출발한 지 t분 후의 속도 $v(t)$ (m/min)는
$v(t)=\begin{cases} t & (0\le t\le 20) \\ 60-2t & (t\ge 20) \end{cases}$ 이다. 다음 물음에 답하시오.

(단, 열기구는 지면에 수직인 방향으로만 움직이는 것으로 가정한다.)

(1) 출발한 지 40분 후 지면으로부터 열기구의 높이를 구하시오.

(2) 열기구가 최고 높이에 도달하였을 때, 지면으로부터 열기구의 높이를 구하시오.

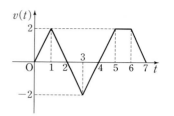

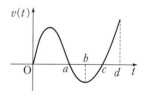

Q8 속도 그래프와 위치

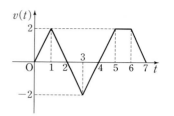

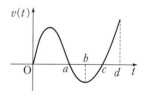

대표 Q8 속도 그래프와 위치

점 P는 원점을 출발하여 수직선 위를 7초 동안 움직인다. 시각 t에서 P의 속도 $v(t)$의 그래프가 그림과 같을 때, 다음 명제의 참, 거짓을 말하시오.

(1) P는 출발한 지 4초 후 출발점에 있다.

(2) $t=1$일 때와 $t=6$일 때 P의 위치가 같다.

(3) P가 7초 동안 움직인 거리는 8이다.

날선 Guide 시각 t에서 점 P의 위치를 $x(t)$라 하자.

(1) $x(4)=0$이면 출발점에 있다.

정적분의 정의와 넓이를 이용하면 위치 변화량 $\int_0^t v(t)\, dt$를 구할 수 있다.

(2) $x(1)=x(6)$, 곧 $\int_0^1 v(t)\, dt=\int_0^6 v(t)\, dt$인지 확인한다.

(3) 7초 동안 움직인 거리는 $\int_0^7 |v(t)|\, dt$이다.

답 (1) 참 (2) 거짓 (3) 참

날선 Point 속도 그래프가 주어질 때 위치 변화량과 움직인 거리

➡ 속도 그래프와 t축으로 둘러싸인 부분의 넓이를 이용한다.

8-1 점 P는 원점을 출발하여 수직선 위를 움직이고, 시각 t에서 P의 속도 $v(t)\,(0\le t\le d)$의 그래프가 그림과 같다.

$\int_0^a |v(t)|\, dt=\int_a^d |v(t)|\, dt$일 때, 다음 중 옳지 <u>않은</u> 것을 모두 고르면?

① P는 출발하고 다시 원점을 지난다.

② $\int_0^c v(t)\, dt=\int_c^d v(t)\, dt$

③ $\int_0^b v(t)\, dt=\int_b^d |v(t)|\, dt$

④ P는 $t=a$일 때 원점에서 가장 멀다.

⑤ P가 $t=0$부터 $t=d$까지 움직인 거리는 $t=0$부터 $t=a$까지 움직인 거리의 2배이다.

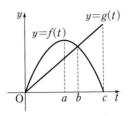

날선 Q9 두 물체의 속도와 위치

◆ 정답 및 풀이 **97**쪽

높이가 같은 지면에서 동시에 출발하여 지면과 수직인 방향으로 올라가는 A, B가 있다. 시각 $t\,(0 \le t \le c)$에서 A의 속도 $f(t)$와 B의 속도 $g(t)$의 그래프가 그림과 같고 $\int_0^c f(t)\,dt = \int_0^c g(t)\,dt$일 때, 다음 명제의 참, 거짓을 말하시오.

(1) $0 < t < c$에서 A, B의 높이가 같은 시각이 있다.

(2) $b < t < c$에서 B는 A보다 높은 위치에 있다.

(3) $t = b$일 때 A와 B의 높이의 차가 최대이다.

(날선 Guide) (1), (2) 시각 t에서 A, B의 높이는 각각 $\int_0^t f(t)\,dt$, $\int_0^t g(t)\,dt$이다.

그런데 $\int_0^c f(t)\,dt = \int_0^c g(t)\,dt$이므로 $t = c$에서 A, B의 높이는 같고

$0 < t < c$일 때 $\int_0^t f(t)\,dt > \int_0^t g(t)\,dt$임을 이용한다.

(3) $\int_0^t f(t)\,dt - \int_0^t g(t)\,dt$의 절댓값이 가장 큰 경우를 생각한다.

답 (1) 거짓 (2) 거짓 (3) 참

> **날선 Point** 시각 t에서 속도가 $f(t)$, $g(t)$인 두 물체의 위치에 대한 문제
> ➡ $\int_0^t f(t)\,dt$, $\int_0^t g(t)\,dt$를 비교한다.

9-1 P 지점에서 동시에 출발하여 직선 경로를 움직이는 자동차 A, B가 있다. 시각 $t\,(0 \le t \le d)$에서 A, B의 속도 $f(t)$, $g(t)$의 그래프가 그림과 같고 $\int_0^d f(t)\,dt = \int_0^d g(t)\,dt$일 때, 다음 중 옳은 것을 모두 고르면? (단, 두 그래프는 각각 직선 $t = b$에 대칭이다.)

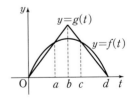

① $0 < t < d$에서 A, B는 두 번 만난다.

② $a < t < b$에서 B가 A보다 앞에 있다.

③ $t = b$일 때 A가 B에 가장 멀리 앞에 있다.

④ $t = c$일 때 B가 A에 가장 멀리 앞에 있다.

⑤ A, B의 평균 속도가 같다.

9 정적분의 활용

01 그림에서 색칠한 두 부분의 넓이를 각각 S_1, S_2라 하자. $S_1=2$, $S_2=5$일 때, 다음 정적분의 값을 구하시오.

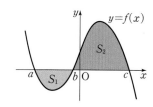

(1) $\displaystyle\int_c^b f(x)\,dx$

(2) $\displaystyle\int_a^b f(x)\,dx+\int_b^c f(x)\,dx$

(3) $\displaystyle\int_c^a |f(x)|\,dx$

02 함수 $f(x)=\begin{cases} -x(x-2) & (0\le x\le 1) \\ -x+2 & (1\le x\le 2) \end{cases}$ 일 때, $y=f(x)$의 그래프와 x축으로 둘러싸인 부분의 넓이를 구하시오.

03 곡선 $y=-x^2+6x$와 x축 및 직선 $y=2x$로 둘러싸인 부분의 넓이를 구하시오.

04 두 곡선 $y=-x^2+4$, $y=x^2(x^2-4)$로 둘러싸인 부분의 넓이는?

① $\dfrac{88}{5}$ ② 18 ③ $\dfrac{92}{5}$ ④ $\dfrac{94}{5}$ ⑤ $\dfrac{96}{5}$

05 곡선 $y=x^3-2$와 이 곡선 위의 점 $(1, -1)$에서의 접선으로 둘러싸인 부분의 넓이를 구하시오.

06 직선 도로를 30 m/s의 일정한 속도로 달리던 자동차가 제동을 건 후 t초가 지났을 때 속도는 $v(t)=30-at$ (m/s)이다. 제동을 건 지점으로부터 45 m를 미끄러져 간 후에야 완전히 정지하였다고 할 때, a의 값을 구하시오.

07 점 P는 원점을 출발하여 수직선 위를 움직이고, 시각 t에서 P의 속도는 $v(t)=t^2+at+1$이다. $t=1$에서 P의 위치가 $\dfrac{5}{6}$일 때, $t=3$에서 P의 위치를 구하시오.

08 점 P는 원점을 출발하여 수직선 위를 움직이고, 시각 t에서 P의 속도는 $v(t)=t^2-7t+10$이다. P가 처음 출발한 방향과 반대 방향으로 움직인 거리를 구하시오.

09 점 P는 수직선 위를 움직이고 시각 t에서 P의 속도 $v(t)$의 그래프가 그림과 같을 때, **보기**에서 옳은 것만을 있는 대로 고른 것은?

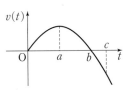

┌─ **보기** ─────────────────────────────

ㄱ. $t=a$부터 $t=b$까지 P가 움직인 거리는 $\displaystyle\int_a^b v(t)\,dt$이다.

ㄴ. P는 $t=b$에서 움직이는 방향을 바꾼다.

ㄷ. $t=a$에서 P는 순간적으로 정지한다.

└──────────────────────────────────────

① ㄱ   ② ㄴ   ③ ㄷ   ④ ㄱ, ㄴ   ⑤ ㄴ, ㄷ

10 그림과 같이 곡선 $y=x^2-4x+p$에서 A 부분의 넓이와 B 부분의 넓이의 비가 $1:2$일 때, p의 값은?

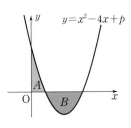

① $\dfrac{2}{3}$ ② $\dfrac{4}{3}$ ③ 2

④ $\dfrac{8}{3}$ ⑤ $\dfrac{10}{3}$

11 $f(x)$는 x^2의 계수가 1이고 $f(3)=0$인 이차함수이다.

$$\int_0^{10} f(x)\,dx = \int_3^{10} f(x)\,dx$$

일 때, 곡선 $y=f(x)$와 x축으로 둘러싸인 부분의 넓이를 구하시오.

12 곡선 $y=a(x-\alpha)(x-\beta)\ (\alpha<\beta)$와 x축으로 둘러싸인 부분의 넓이는 $\dfrac{|a|}{6}(\beta-\alpha)^3$임을 보이시오.

13 그림과 같이 곡선 $y=x^2\ (x\geq0)$과 y축 및 직선 $y=1$로 둘러싸인 부분의 넓이를 곡선 $y=ax^2\ (x\geq0)$이 이등분 할 때, 양수 a의 값은?

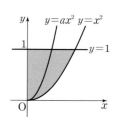

① 2 ② 4 ③ 6
④ 8 ⑤ 10

14 곡선 $y=x^2-9$ 위의 점 $\mathrm{P}(a,\ a^2-9)$에서의 접선을 l이라 하자. 곡선 $y=x^2-9$와 y축 및 두 직선 l, $x=3$으로 둘러싸인 부분의 넓이가 최소일 때, a의 값을 구하시오. (단, $0<a<3$)

15 곡선 $y=\sqrt{x+4}$와 y축 및 두 직선 $y=0$, $y=3$으로 둘러싸인 도형의 넓이는?

① 5 ② $\dfrac{19}{3}$ ③ 7 ④ $\dfrac{23}{3}$ ⑤ $\dfrac{25}{3}$

16 그림과 같이 직선 l이 y축과 만나는 점을 A라 하고 점 C(6, 0)을 지나고 y축에 평행한 직선과 l의 교점을 B라 하자. 사다리꼴 OABC의 넓이가 곡선 $y=x^3-6x^2$과 x축으로 둘러싸인 부분의 넓이와 같을 때, l은 항상 일정한 점을 지난다. 이 점의 좌표를 구하시오.
(단, O는 원점이고, 선분 AB는 선분 OC의 아래에 있다.)

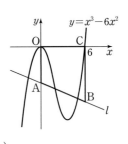

17 함수 $f(x)=ax^2+b$ $(x≥0)$의 역함수를 $g(x)$라 하자. 그림과 같이 곡선 $y=f(x)$와 $y=g(x)$가 만나는 두 점의 x좌표는 1과 2이다. $0≤x≤1$에서 곡선 $y=f(x)$, $y=g(x)$와 x축, y축으로 둘러싸인 부분의 넓이를 A, $1≤x≤2$에서 곡선 $y=f(x)$, $y=g(x)$로 둘러싸인 부분의 넓이를 B라 하자. $A-B$의 값을 구하시오.

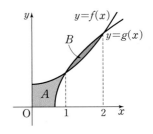

🔄 수능 기출

18 실수 전체의 집합에서 증가하는 연속함수 $f(x)$가 모든 실수 x에 대하여 $f(x)=f(x-3)+4$이고, $\int_0^6 f(x)\,dx=0$이다. 함수 $y=f(x)$의 그래프와 x축 및 두 직선 $x=6$, $x=9$로 둘러싸인 부분의 넓이는?

① 9 ② 12 ③ 15 ④ 18 ⑤ 21

19 점 P와 Q는 수직선 위에서 각각 좌표가 2인 점과 좌표가 6인 점에서 동시에 출발한다. 시각 t에서 P와 Q의 속도는 각각 $v_P(t)=-2t+1$, $v_Q(t)=4t-5$이다. P, Q 사이의 거리가 가장 가까울 때, t의 값을 구하시오.

날선개념
학습 Note

수학 Ⅱ

날선개념 학습 Note

날선개념 학습 Note는 다음 세 부분으로 구성되어 있습니다.

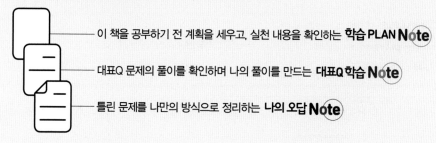

이 책을 공부하기 전 계획을 세우고, 실천 내용을 확인하는 **학습 PLAN Note**

대표Q 문제의 풀이를 확인하며 나의 풀이를 만드는 **대표Q 학습 Note**

틀린 문제를 나만의 방식으로 정리하는 **나의 오답 Note**

날선개념 학습 Note 한 권이면

학습 계획부터 대표Q 문제와 나의 풀이, 오답노트까지

수학 공부에 필요한 모든 내용을 담을 수 있습니다.

66

공부를 시작하는 순간부터 시험 직전까지
날선개념 학습 Note와 함께하세요.

99

+👤 이 책을 시작하는 나에게

+👤 공부 계획/목표

- ☑
- ☑
- ☑
- ☑

+👤 My Wish List

- ☑
- ☑
- ☑
- ☑

이 책을 공부하는 나의 꿈과 계획, 구체적인 실천 결과를 기록하고 시험 전에 살펴보세요.
부족한 점이 무엇인지, 기억할 것이 무엇인지 확인할 수 있을 거예요.

- 서울 및 전국 주요 대학의 위치를 살펴보세요.

- 장래 희망을 계획해 보세요.

- 목표 대학/학과를 정해 보세요.

- 본책 우측 하단에 공부한 날짜를 적고, 그날그날 기억할 점을 기록해 보세요.

- 이 책의 월별, 단원별 학습 계획을 세우고, 계획에 맞게 학습해 보세요.

- 본책 '연습과 실전'에서 정답 개수와 오답 번호를 Check하고, 틀린 문제는 나의 오답 Note를 활용해 정리해 보세요.

- 시험 D-21의 계획을 세우고 목표대로 학습하면 반드시 좋은 결과가 있을 거예요.

학습 PLAN Note 한글파일은 동아출판 홈페이지
(http://www.bookdonga.com)에서 다운로드 받을 수 있습니다.

학습자료

서울 주요 대학 목록 List of University

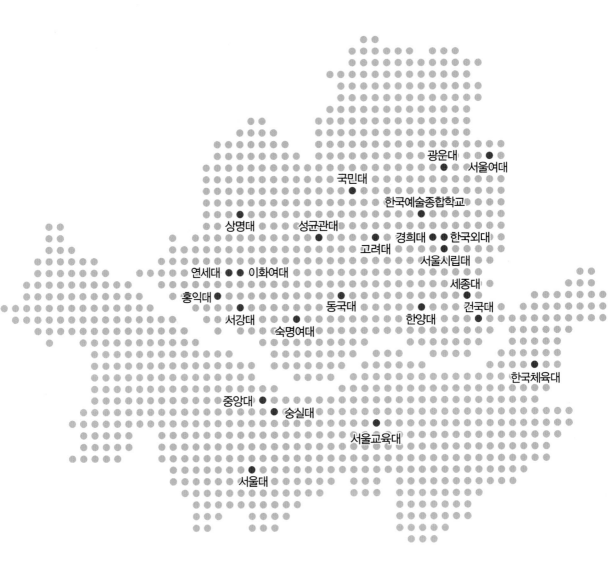

광운대
서울여대
국민대
한국예술종합학교
상명대
성균관대
경희대 한국외대
고려대
서울시립대
연세대 이화여대
세종대
홍익대
건국대
서강대
동국대
한양대
숙명여대
한국체육대
중앙대
숭실대
서울교육대
서울대

전국 주요 대학 목록

강원대
인하대 ● ● 경인교대
● 단국대
● 아주대
● 충북대
● 한국교원대
충남대 ●● KAIST
경북대
● 영남대
● 전북대
전남대 ● 부산대
● 제주대

나의 목표 대학

● 목표 대학

스티커를
붙이세요.

● 장래 희망

📍1지망

● 대학

● 학과

📍2지망

● 대학

● 학과

📍3지망

● 대학

● 학과

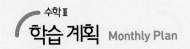

학습 계획 Monthly Plan

1단원에서 9단원까지 이 책을 공부할 기간을 스스로 계획해 보세요.
목표를 세우는 것은 꿈을 이루기 위한 첫 걸음입니다.

날짜	월	월	월
1			
2			
3			
4	1. 함수의 극한		
5			
6			
7			
8			
9			
10			
11			
12			
13			
14			
15			
16			
17			
18			
19			
20			
21			
22			
23			
24			
25			
26			
27			
28			
29			
30			
31			

단원별 학습 확인 Daily Checkup

하루하루 학습하면서 느낀 점과 기억할 점을 기록하고,
나중에 문제가 해결되었는지 확인해 보세요.

공부한 내용	공부한 날짜	느낀 점 / 기억할 점
1 함수의 극한		
8쪽 ~ 10쪽	3 / 10	우극한과 좌극한이 같아야 극한값이 존재!
~	/	
~	/	
~	/	
~	/	
~	/	
~	/	
~	/	
연습과 실전	/	정답 개수: /19 오답 번호:
2 함수의 연속		
~	/	
~	/	
~	/	
~	/	
~	/	
~	/	
~	/	
연습과 실전	/	정답 개수: /14 오답 번호:
3 미분계수와 도함수		
~	/	
~	/	
~	/	
~	/	
~	/	
~	/	
~	/	
연습과 실전	/	정답 개수: /21 오답 번호:

공부한 내용	공부한 날짜	느낀 점 / 기억할 점
4 접선과 평균값 정리		
~	/	
~	/	
~	/	
~	/	
~	/	
~	/	
~	/	
~	/	
연습과 실전	/	정답 개수: /14 오답 번호:
5 미분과 그래프		
~	/	
~	/	
~	/	
~	/	
~	/	
~	/	
~	/	
~	/	
~	/	
연습과 실전	/	정답 개수: /23 오답 번호:
6 미분의 활용		
~	/	
~	/	
~	/	
~	/	
~	/	
~	/	
~	/	
~	/	
연습과 실전	/	정답 개수: /19 오답 번호:

공부한 내용	공부한 날짜	느낀 점 / 기억할 점

7 부정적분

~	/	
~	/	
~	/	
~	/	
~	/	
~	/	
~	/	
~	/	
~	/	
연습과 실전	/	정답 개수: /10 오답 번호:

8 정적분

~	/	
~	/	
~	/	
~	/	
~	/	
~	/	
~	/	
~	/	
~	/	
연습과 실전	/	정답 개수: /24 오답 번호:

9 정적분의 활용

~	/	
~	/	
~	/	
~	/	
~	/	
~	/	
~	/	
~	/	
연습과 실전	/	정답 개수: /19 오답 번호:

시험명

D-21 월 일	D-20 월 일	D-19 월 일	D-18 월 일	D-17 월 일	D-16 월 일	D-15 월 일

D-14 월 일	D-13 월 일	D-12 월 일	D-11 월 일	D-10 월 일	D-9 월 일	D-8 월 일

D-7 월 일	D-6 월 일	D-5 월 일	D-4 월 일	D-3 월 일	D-2 월 일	D-1 월 일

D-day   월   일

📍시험 범위

📍목표 점수

대표Q학습 Note 사용 설명서 How to use the note

대표Q 문제의 날선 Guide 에는 문제의 출제 의도와 해결 원리, 떠올려야 할 핵심 개념과 Keyword가 수록되어 있습니다. 날선 Guide 를 모티브로 하여 대표Q 문제를 해결할 수 있도록 노력해 보세요.

❝ 배운 개념이 어떻게 활용되는지 스스로 생각하고 학습할 수 있는 힘이 길러집니다. ❞

단순히 유형별로 분류된 문제의 풀이 방법을 외우는 것으로는 개념을 온전히 내 것으로 만들 수 없어요.
만약 날선 Guide 만으로 대표Q 문제가 해결되지 않으면 **대표Q 학습 Note**를 활용해 보세요.
대표Q 학습 Note에는 본책의 대표Q 문제의 날선 Guide 에 따른 자세한 해설이 수록되어 있습니다.
아래 방법을 참고하여 **대표Q 학습 Note**를 활용해 보세요.

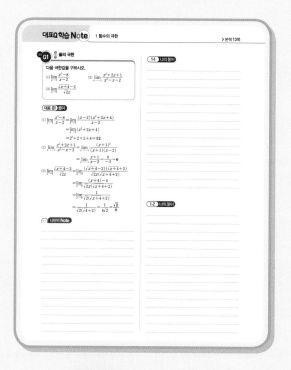

Step1

대표Q 문제를 해결하고 유제를 풀 때 **대표Q 학습 Note**의 자세한 풀이를 참고해 보세요. 대표Q 문제를 해결한 개념과 원리를 이용하면 유제를 어렵지 않게 해결 할 수 있을 거예요.

Step2

대표Q 문제를 해결할 때의 핵심 공식과 기억할 것, 주의할 점, 선생님 강의 내용, 나의 풀이 등을 **나만의 Note**에 필기해 두세요. 따로 노트를 준비할 필요 없이 **대표Q 학습 Note** 한 권으로 충분합니다.

Step3

대표Q 학습 Note에는 대표Q 문제 & 풀이, 나만의 Note, 나의 풀이 까지 알아야 할 모든 내용이 담겨 있습니다. **대표Q 학습 Note**가 나만의 수학 노하우가 담긴 훌륭한 친구가 될 거예요. 평소 수학을 공부할 때, 시험 기간에 빠르게 내용을 훑어보고 싶을 때, 모의고사 보기 직전 등 다양하게 활용해 보세요.

Q1 $\dfrac{0}{0}$ 꼴의 극한

다음 극한값을 구하시오.

(1) $\displaystyle\lim_{x\to 2}\dfrac{x^3-8}{x-2}$ (2) $\displaystyle\lim_{x\to -1}\dfrac{x^2+2x+1}{x^2-x-2}$

(3) $\displaystyle\lim_{x\to 0}\dfrac{\sqrt{x+4}-2}{\sqrt{2x}}$

대표 Q1 풀이

(1) $\displaystyle\lim_{x\to 2}\dfrac{x^3-8}{x-2}=\lim_{x\to 2}\dfrac{(x-2)(x^2+2x+4)}{x-2}$

$\qquad\qquad\quad =\displaystyle\lim_{x\to 2}(x^2+2x+4)$

$\qquad\qquad\quad =2^2+2\times 2+4=\mathbf{12}$

(2) $\displaystyle\lim_{x\to -1}\dfrac{x^2+2x+1}{x^2-x-2}=\lim_{x\to -1}\dfrac{(x+1)^2}{(x+1)(x-2)}$

$\qquad\qquad\qquad =\displaystyle\lim_{x\to -1}\dfrac{x+1}{x-2}=\dfrac{0}{-3}=\mathbf{0}$

(3) $\displaystyle\lim_{x\to 0}\dfrac{\sqrt{x+4}-2}{\sqrt{2x}}=\lim_{x\to 0}\dfrac{(\sqrt{x+4}-2)(\sqrt{x+4}+2)}{\sqrt{2x}(\sqrt{x+4}+2)}$

$\qquad\qquad\qquad =\displaystyle\lim_{x\to 0}\dfrac{(x+4)-4}{\sqrt{2x}(\sqrt{x+4}+2)}$

$\qquad\qquad\qquad =\displaystyle\lim_{x\to 0}\dfrac{1}{\sqrt{2}(\sqrt{x+4}+2)}$

$\qquad\qquad\qquad =\dfrac{1}{\sqrt{2}(\sqrt{4}+2)}=\dfrac{1}{4\sqrt{2}}=\dfrac{\sqrt{2}}{8}$

😀 나만의 Note

1-1 나의 풀이

1-2 나의 풀이

Q2 $\dfrac{\infty}{\infty}$ 꼴의 극한

다음 극한을 조사하시오.

(1) $\displaystyle\lim_{x\to\infty}\dfrac{2x^2+4x}{3x^2+1}$

(2) $\displaystyle\lim_{x\to\infty}\dfrac{3x^2-x}{x^3+1}$

(3) $\displaystyle\lim_{x\to\infty}\dfrac{x^4+1}{x^2+x-1}$

(4) $\displaystyle\lim_{x\to\infty}\dfrac{x}{\sqrt{x^2+1}+2x}$

(5) $\displaystyle\lim_{x\to-\infty}\dfrac{\sqrt{x^2+1}-2x}{x}$

대표 Q2 풀이

(1) 분모의 최고차항 x^2으로 분모, 분자를 나누면

$$\lim_{x\to\infty}\frac{2x^2+4x}{3x^2+1}=\lim_{x\to\infty}\frac{2+\dfrac{4}{x}}{3+\dfrac{1}{x^2}}=\boldsymbol{\frac{2}{3}}$$

(2) 분모의 최고차항 x^3으로 분모, 분자를 나누면

$$\lim_{x\to\infty}\frac{3x^2-x}{x^3+1}=\lim_{x\to\infty}\frac{\dfrac{3}{x}-\dfrac{1}{x^2}}{1+\dfrac{1}{x^3}}=\frac{0}{1}=\boldsymbol{0}$$

(3) 분모의 최고차항 x^2으로 분모, 분자를 나누면

$$\lim_{x\to\infty}\frac{x^4+1}{x^2+x-1}=\lim_{x\to\infty}\frac{x^2+\dfrac{1}{x^2}}{1+\dfrac{1}{x}-\dfrac{1}{x^2}}=\frac{\infty}{1}=\boldsymbol{\infty}$$

(4) 분모의 최고차항 x로 분모, 분자를 나누면
$x>0$이므로

$$\lim_{x\to\infty}\frac{x}{\sqrt{x^2+1}+2x}=\lim_{x\to\infty}\frac{1}{\sqrt{1+\dfrac{1}{x^2}}+2}$$

$$=\frac{1}{\sqrt{1}+2}=\boldsymbol{\frac{1}{3}}$$

(5) $x=-t$로 놓으면 $x\to-\infty$일 때 $t\to\infty$이고
$t>0$이므로

$$\lim_{x\to-\infty}\frac{\sqrt{x^2+1}-2x}{x}=\lim_{t\to\infty}\frac{\sqrt{t^2+1}+2t}{-t}$$

$$=\lim_{t\to\infty}\frac{\sqrt{1+\dfrac{1}{t^2}}+2}{-1}$$

$$=\frac{\sqrt{1}+2}{-1}=\boldsymbol{-3}$$

2-1 나의 풀이

Q3 $0 \times \infty$, $\infty - \infty$ 꼴의 극한

다음 극한을 조사하시오.

(1) $\lim\limits_{x \to 0} \dfrac{1}{x}\left(\dfrac{1}{x-1}+1\right)$ (2) $\lim\limits_{x \to \infty} (x^3-4x^2+1)$

(3) $\lim\limits_{x \to \infty} (\sqrt{x^2+2x}-x)$

대표 Q3 풀이

(1) $\dfrac{1}{x}\left(\dfrac{1}{x-1}+1\right)=\dfrac{1}{x}\times\dfrac{1+x-1}{x-1}=\dfrac{1}{x-1}$이므로

$\lim\limits_{x \to 0} \dfrac{1}{x}\left(\dfrac{1}{x-1}+1\right)=\lim\limits_{x \to 0} \dfrac{1}{x-1}=\boldsymbol{-1}$

(2) x^3으로 묶어내면

$\lim\limits_{x \to \infty} (x^3-4x^2+1)=\lim\limits_{x \to \infty} x^3\left(1-\dfrac{4}{x}+\dfrac{1}{x^3}\right)$

$=\infty$

(3) $\lim\limits_{x \to \infty} (\sqrt{x^2+2x}-x)$

$=\lim\limits_{x \to \infty} \dfrac{(\sqrt{x^2+2x}-x)(\sqrt{x^2+2x}+x)}{\sqrt{x^2+2x}+x}$

$=\lim\limits_{x \to \infty} \dfrac{(x^2+2x)-x^2}{\sqrt{x^2+2x}+x}$

$=\lim\limits_{x \to \infty} \dfrac{2x}{\sqrt{x^2+2x}+x}$

$=\lim\limits_{x \to \infty} \dfrac{2}{\sqrt{1+\dfrac{2}{x}}+1}=\dfrac{2}{1+1}=\boldsymbol{1}$

나만의 Note

3-1 나의 풀이

3-2 나의 풀이

Q4 우극한, 좌극한을 생각하는 꼴

다음 물음에 답하시오.

(1) $\lim\limits_{x \to 1} \dfrac{x^2-1}{|x-1|}$의 극한을 조사하시오.

(2) $\lim\limits_{x \to 1} [x]$의 극한을 조사하시오.

　　(단, $[x]$는 x보다 크지 않은 최대 정수이다.)

대표 Q4 풀이

(1) $\lim\limits_{x \to 1+} \dfrac{x^2-1}{|x-1|} = \lim\limits_{x \to 1+} \dfrac{x^2-1}{x-1} = \lim\limits_{x \to 1+} (x+1) = 2$

$\lim\limits_{x \to 1-} \dfrac{x^2-1}{|x-1|} = \lim\limits_{x \to 1-} \dfrac{x^2-1}{-(x-1)}$

$\qquad\qquad = \lim\limits_{x \to 1-} \{-(x+1)\} = -2$

우극한과 좌극한이 다르므로 극한이 존재하지 않는다.

(2) $1 < x < 2$일 때, $[x] = 1$이므로

$\lim\limits_{x \to 1+} [x] = \lim\limits_{x \to 1+} 1 = 1$

$0 < x < 1$일 때, $[x] = 0$이므로

$\lim\limits_{x \to 1-} [x] = \lim\limits_{x \to 1-} 0 = 0$

우극한과 좌극한이 다르므로 극한이 존재하지 않는다.

😊 **나만의 Note**

4-1 나의 풀이

4-2 나의 풀이

4-3 나의 풀이

대표 Q5 함수의 곱의 극한

함수 $y=f(x)$, $y=g(x)$의 그래프가 그림과 같을 때, 다음 극한을 조사하시오.

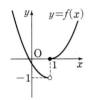

(1) $\lim\limits_{x\to 1}(x-1)f(x)$ (2) $\lim\limits_{x\to 1}x^2f(x)$

(3) $\lim\limits_{x\to 1}f(x)g(x)$

대표 Q5 풀이

(1) $\lim\limits_{x\to 1+}(x-1)f(x)=\lim\limits_{x\to 1+}(x-1)\times\lim\limits_{x\to 1+}f(x)$
$$=0\times 0=0$$
$\lim\limits_{x\to 1-}(x-1)f(x)=\lim\limits_{x\to 1-}(x-1)\times\lim\limits_{x\to 1-}f(x)$
$$=0\times(-1)=0$$
$\therefore \lim\limits_{x\to 1}(x-1)f(x)=\mathbf{0}$

(2) $\lim\limits_{x\to 1+}x^2f(x)=\lim\limits_{x\to 1+}x^2\times\lim\limits_{x\to 1+}f(x)$
$$=1\times 0=0$$
$\lim\limits_{x\to 1-}x^2f(x)=\lim\limits_{x\to 1-}x^2\times\lim\limits_{x\to 1-}f(x)$
$$=1\times(-1)=-1$$
우극한과 좌극한이 다르므로 극한이 존재하지 않는다.

(3) $\lim\limits_{x\to 1+}f(x)g(x)=\lim\limits_{x\to 1+}f(x)\times\lim\limits_{x\to 1+}g(x)$
$$=0\times(-1)=0$$
$\lim\limits_{x\to 1-}f(x)g(x)=\lim\limits_{x\to 1-}f(x)\times\lim\limits_{x\to 1-}g(x)$
$$=(-1)\times 0=0$$
$\therefore \lim\limits_{x\to 1}f(x)g(x)=\mathbf{0}$

나만의 **Note**

5-1 나의 풀이

5-2 나의 풀이

Q6 $\dfrac{ax+b}{cx+d}$ 꼴의 극한

함수 $y=f(x)$의 그래프가 그림과 같을 때, 다음 극한을 조사하시오.

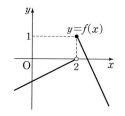

(1) $\displaystyle\lim_{x \to -1+} \dfrac{2x+1}{x+1}$

(2) $\displaystyle\lim_{x \to \infty} f\left(\dfrac{2x+1}{x+1}\right)$

(3) $\displaystyle\lim_{x \to -\infty} f\left(\dfrac{2x+1}{x+1}\right)$

날선 Q6 풀이

$y=\dfrac{2x+1}{x+1}=2-\dfrac{1}{x+1}$ 이므로

그래프는 그림과 같다.

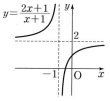

(1) $\displaystyle\lim_{x \to -1+} \dfrac{2x+1}{x+1}=-\infty$

(2) $\dfrac{2x+1}{x+1}=t$ 로 놓으면

$x \to \infty$ 일 때, $t \to 2-$ 이므로

$\displaystyle\lim_{x \to \infty} f\left(\dfrac{2x+1}{x+1}\right)=\lim_{t \to 2-} f(t)=\mathbf{0}$

(3) $\dfrac{2x+1}{x+1}=t$ 로 놓으면 $x \to -\infty$ 일 때, $t \to 2+$ 이므로

$\displaystyle\lim_{x \to -\infty} f\left(\dfrac{2x+1}{x+1}\right)=\lim_{t \to 2+} f(t)=\mathbf{1}$

나만의 Note

6-1 나의 풀이

6-2 나의 풀이

Q7 함수의 극한과 미정계수

다음 물음에 답하시오.

(1) $\lim\limits_{x \to 1} \dfrac{x^2+ax+b}{x^2-1}=3$일 때, 상수 a, b의 값을 구하시오.

(2) $\lim\limits_{x \to -1} \dfrac{x+1}{\sqrt{x+2}+a}=b$이고 $b \neq 0$일 때, 상수 a, b의 값을 구하시오.

대표 Q7 풀이

(1) $x \to 1$일 때, 극한값이 존재하고 (분모) $\to 0$이므로 (분자) $\to 0$이다. 곧,

$$1+a+b=0 \qquad \therefore b=-a-1$$

이때

$$x^2+ax+b=x^2+ax-a-1=(x-1)(x+a+1)$$

이므로

$$\lim_{x \to 1} \frac{x^2+ax+b}{x^2-1}=\lim_{x \to 1}\frac{(x-1)(x+a+1)}{(x-1)(x+1)}$$
$$=\lim_{x \to 1}\frac{x+a+1}{x+1}=\frac{a+2}{2}$$

곧, $\dfrac{a+2}{2}=3 \qquad \therefore \boldsymbol{a=4}, \boldsymbol{b=-5}$

(2) $x \to -1$일 때, 0이 아닌 극한값이 존재하고 (분자) $\to 0$이므로 (분모) $\to 0$이다. 곧,

$$\sqrt{-1+2}+a=0 \qquad \therefore \boldsymbol{a=-1}$$

이때

$$\lim_{x \to -1} \frac{x+1}{\sqrt{x+2}+a}=\lim_{x \to -1}\frac{x+1}{\sqrt{x+2}-1}$$
$$=\lim_{x \to -1}\frac{(x+1)(\sqrt{x+2}+1)}{(x+2)-1}$$
$$=\lim_{x \to -1}(\sqrt{x+2}+1)=2$$

$$\therefore \boldsymbol{b=2}$$

😊 **나만의 Note**

7-1 나의 풀이

7-2 나의 풀이

Q8 함수의 극한과 다항함수

다음 물음에 답하시오.

(1) $\lim\limits_{x\to\infty}\dfrac{f(x)}{x^2-1}=3$, $\lim\limits_{x\to-1}\dfrac{f(x)}{x^2-1}=3$인 다항함수 $f(x)$를 구하시오.

(2) $\lim\limits_{x\to1}\dfrac{f(x)}{x-1}=-2$, $\lim\limits_{x\to3}\dfrac{f(x)}{x-3}=6$인 차수가 가장 낮은 다항함수 $f(x)$를 구하시오.

대표 Q8 풀이

(1) $\lim\limits_{x\to\infty}\dfrac{f(x)}{x^2-1}=3$이므로 $f(x)$는 이차함수이다.

$f(x)=ax^2+bx+c\ (a\neq0)$로 놓으면

$\lim\limits_{x\to\infty}\dfrac{f(x)}{x^2-1}=\lim\limits_{x\to\infty}\dfrac{ax^2+bx+c}{x^2-1}$

$\qquad\qquad=\lim\limits_{x\to\infty}\dfrac{a+\dfrac{b}{x}+\dfrac{c}{x^2}}{1-\dfrac{1}{x^2}}=a$

$\therefore a=3$

이때 $f(x)=3x^2+bx+c$이고

$\lim\limits_{x\to-1}\dfrac{f(x)}{x^2-1}=3$에서 $x\to-1$일 때, 극한값이 존재하고 (분모) $\to0$이므로 (분자) $\to0$이다. 곧, $f(-1)=0$이므로

$3-b+c=0$ $\qquad\therefore c=b-3$

이때 $f(x)=3x^2+bx+b-3=(x+1)(3x+b-3)$이므로

$\lim\limits_{x\to-1}\dfrac{f(x)}{x^2-1}=\lim\limits_{x\to-1}\dfrac{(x+1)(3x+b-3)}{(x+1)(x-1)}$

$\qquad\qquad=\lim\limits_{x\to-1}\dfrac{3x+b-3}{x-1}=\dfrac{b-6}{-2}$

곧, $\dfrac{b-6}{-2}=3$이므로 $b=0$, $c=-3$

$\therefore f(x)=3x^2-3$

(2) $\lim\limits_{x\to1}\dfrac{f(x)}{x-1}=-2$ $\cdots\ \bigcirc$, $\lim\limits_{x\to3}\dfrac{f(x)}{x-3}=6$ $\cdots\ \bigcirc$

$\bigcirc$에서 $x\to1$일 때, 극한값이 존재하고 (분모) $\to0$이므로 (분자) $\to0$이다. $\quad\therefore f(1)=0$

$\bigcirc$에서 $x\to3$일 때, 극한값이 존재하고 (분모) $\to0$이므로 (분자) $\to0$이다. $\quad\therefore f(3)=0$

곧, $f(x)=(x-1)(x-3)Q(x)$ ($Q(x)$는 다항식)

로 놓을 수 있다.

$\bigcirc$에 대입하면 $\lim\limits_{x\to1}(x-3)Q(x)=-2$이므로

$-2Q(1)=-2$ $\qquad\therefore Q(1)=1$

$\bigcirc$에 대입하면 $\lim\limits_{x\to3}(x-1)Q(x)=6$이므로

$2Q(3)=6$ $\qquad\therefore Q(3)=3$

$Q(1)=1$, $Q(3)=3$이고 차수가 가장 낮은 다항식

$Q(x)$는 일차식이므로 $Q(x)=ax+b$라 하자.

$Q(1)=1$이므로 $a+b=1$

$Q(3)=3$이므로 $3a+b=3$

두 식을 연립하여 풀면 $a=1$, $b=0$

따라서 $Q(x)=x$이므로 $f(x)=x(x-1)(x-3)$

8-1 나의 풀이

8-2 나의 풀이

대표Q 학습 **N**ote

대표 Q9 함수의 극한의 대소 관계, 식의 변형

$f(x)$, $g(x)$가 함수일 때, 다음 물음에 답하시오.

(1) $x>0$에서 $x^2-2x<f(x)<x^2+3x$일 때,

$\lim\limits_{x\to\infty}\dfrac{f(x)}{2x^2+1}$의 값을 구하시오.

(2) $\lim\limits_{x\to\infty}f(x)=\infty$, $\lim\limits_{x\to\infty}\{f(x)-g(x)\}=2$일 때,

$\lim\limits_{x\to\infty}\dfrac{f(x)-2g(x)}{f(x)+g(x)}$의 값을 구하시오.

대표 Q9 풀이

(1) $x^2-2x<f(x)<x^2+3x$에서 각 변을 $2x^2+1$로 나누

면 $\dfrac{x^2-2x}{2x^2+1}<\dfrac{f(x)}{2x^2+1}<\dfrac{x^2+3x}{2x^2+1}$

이때 $\lim\limits_{x\to\infty}\dfrac{x^2-2x}{2x^2+1}=\dfrac{1}{2}$, $\lim\limits_{x\to\infty}\dfrac{x^2+3x}{2x^2+1}=\dfrac{1}{2}$이므로

$\lim\limits_{x\to\infty}\dfrac{f(x)}{2x^2+1}=\dfrac{\mathbf{1}}{\mathbf{2}}$

(2) $f(x)-g(x)=h(x)$라 하면 $g(x)=f(x)-h(x)$이

므로

$\lim\limits_{x\to\infty}\dfrac{f(x)-2g(x)}{f(x)+g(x)}$

$=\lim\limits_{x\to\infty}\dfrac{f(x)-2\{f(x)-h(x)\}}{f(x)+\{f(x)-h(x)\}}$

$=\lim\limits_{x\to\infty}\dfrac{-f(x)+2h(x)}{2f(x)-h(x)}$

$=\lim\limits_{x\to\infty}\dfrac{-1+\dfrac{2h(x)}{f(x)}}{2-\dfrac{h(x)}{f(x)}}$

이때 $\lim\limits_{x\to\infty}f(x)=\infty$, $\lim\limits_{x\to\infty}h(x)=2$이므로

$\lim\limits_{x\to\infty}\dfrac{h(x)}{f(x)}=0$

$\therefore \lim\limits_{x\to\infty}\dfrac{f(x)-2g(x)}{f(x)+g(x)}=-\dfrac{\mathbf{1}}{\mathbf{2}}$

😊 **나만의 N**ote

9-1 나의 풀이

9-2 나의 풀이

극한의 활용

> 중심의 좌표가 $\left(a,\ a+\dfrac{1}{a}\right)$이고 직선 $y=x$에 접하는 원이 있다. 원점 O와 원 위의 점 사이 거리의 최솟값을 $f(a)$라 할 때, $\displaystyle\lim_{a\to\infty}\dfrac{f(a)}{a}$의 값을 구하시오.
>
> (단, $a>0$)

대표 Q10 풀이

원의 중심을 C, 반지름의 길이를 r라 하자.

r는 점 $\mathrm{C}\left(a,\ a+\dfrac{1}{a}\right)$과 직선 $y=x$, 곧 $x-y=0$ 사이의

거리이므로

$$r=\frac{\left|a-\left(a+\dfrac{1}{a}\right)\right|}{\sqrt{1^2+(-1)^2}}=\frac{\left|-\dfrac{1}{a}\right|}{\sqrt{2}}=\frac{\sqrt{2}}{2a}\ (\because a>0)$$

그림에서 원점 O와 원 위의 점 사이 거리의 최솟값 $f(a)$ 는 $\overline{\mathrm{OD}}=\overline{\mathrm{OC}}-r$이므로

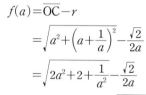

$$f(a)=\overline{\mathrm{OC}}-r$$

$$=\sqrt{a^2+\left(a+\frac{1}{a}\right)^2}-\frac{\sqrt{2}}{2a}$$

$$=\sqrt{2a^2+2+\frac{1}{a^2}}-\frac{\sqrt{2}}{2a}$$

$$\therefore \lim_{a\to\infty}\frac{f(a)}{a}=\lim_{a\to\infty}\frac{\sqrt{2a^2+2+\dfrac{1}{a^2}}-\dfrac{\sqrt{2}}{2a}}{a}$$

$$=\lim_{a\to\infty}\left(\sqrt{2+\frac{2}{a^2}+\frac{1}{a^4}}-\frac{\sqrt{2}}{2a^2}\right)$$

$$=\sqrt{2}$$

 나만의 Note

10-1 나의 풀이

10-2 나의 풀이

Q1 함수의 연속과 불연속

다음 물음에 답하시오.

(1) $x=1$에서 함수 $f(x)=\begin{cases}\dfrac{|x-1|}{x-1} & (x\neq1) \\ 1 & (x=1)\end{cases}$

의 연속성을 조사하시오.

(2) $-1\leq x\leq4$에서 함수 $g(x)=x-[x]$가 불연속
인 x의 값을 모두 구하시오.
(단, $[x]$는 x보다 크지 않은 최대 정수이다.)

대표 **Q1** 풀이

(1) $x>1$일 때, $f(x)=\dfrac{x-1}{x-1}=1$

$x<1$일 때, $f(x)=\dfrac{-(x-1)}{x-1}=-1$

$x=1$일 때, $f(1)=1$

따라서 $y=f(x)$의 그래
프가 그림과 같으므로
$f(x)$는 $x=1$에서 불연
속이다.

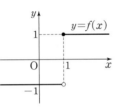

(2) $-1\leq x<0$일 때, $[x]=-1$이므로 $g(x)=x+1$

$0\leq x<1$일 때, $[x]=0$이므로 $g(x)=x$

$1\leq x<2$일 때, $[x]=1$이므로 $g(x)=x-1$

$2\leq x<3$일 때, $[x]=2$이므로 $g(x)=x-2$

$3\leq x<4$일 때, $[x]=3$이므로 $g(x)=x-3$

$x=4$일 때, $[x]=4$이므로 $g(4)=0$

따라서 $y=g(x)$의 그래프가 그림과 같으므로
$-1\leq x\leq4$에서 $g(x)$
가 불연속인 x의 값은
0, 1, 2, 3, 4이다.

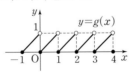

😊 **나만의 Note**

1-1 나의 풀이

1-2 나의 풀이

대표 **Q2** 연속함수와 미정계수

다음 물음에 답하시오.

(1) 함수 $f(x)=\begin{cases}\dfrac{x^2+ax+b}{x-2} & (x\ne2)\\ 3 & (x=2)\end{cases}$ 이 구간 $(-\infty,\ \infty)$에서 연속일 때, 상수 a, b의 값을 구하시오.

(2) 함수 $f(x)$가 구간 $(-\infty,\ \infty)$에서 연속이고 $(x+1)f(x)=x^2+5x+a$일 때, 상수 a의 값과 $f(-1)$의 값을 구하시오.

대표 **Q2** 풀이

(1) $f(x)$는 $x\ne2$에서 연속이다.

그런데 $f(x)$는 모든 실수에서 연속이므로 $x=2$에서도 연속이다.

$\therefore \lim\limits_{x\to2}\dfrac{x^2+ax+b}{x-2}=f(2)=3 \quad\cdots\ \bigcirc$

$x\to2$일 때, (분모) $\to 0$이므로 (분자) $\to 0$이다. 곧,

$4+2a+b=0 \quad \therefore b=-2(a+2)$

$\bigcirc$에 대입하면

$\lim\limits_{x\to2}\dfrac{x^2+ax-2(a+2)}{x-2}=\lim\limits_{x\to2}\dfrac{(x-2)(x+a+2)}{x-2}$
$=\lim\limits_{x\to2}(x+a+2)=a+4=3$

$\therefore a=-1,\ b=-2$

(2) $x\ne-1$일 때, $f(x)=\dfrac{x^2+5x+a}{x+1}$

곧, $f(x)$는 $x\ne-1$에서 연속이다.

그런데 $f(x)$는 모든 실수에서 연속이므로 $x=-1$에서도 연속이다.

$\therefore \lim\limits_{x\to-1}\dfrac{x^2+5x+a}{x+1}=f(-1) \quad\cdots\ \bigcirc$

$x\to-1$일 때, (분모) $\to 0$이므로 (분자) $\to 0$이다. 곧,

$1-5+a=0 \quad \therefore a=4$

$\bigcirc$에 대입하면

$f(-1)=\lim\limits_{x\to-1}\dfrac{x^2+5x+4}{x+1}$
$=\lim\limits_{x\to-1}\dfrac{(x+1)(x+4)}{x+1}$
$=\lim\limits_{x\to-1}(x+4)=3$

2-1 나의 풀이

2-2 나의 풀이

Q3 함수 곱의 연속

함수 $y=f(x)$와 $y=g(x)$의 그래프가 그림과 같을 때, 구간 $(-\infty, \infty)$에서 다음 함수가 불연속인 x의 값을 모두 구하시오.

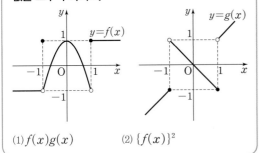

(1) $f(x)g(x)$　　　　(2) $\{f(x)\}^2$

대표 03 풀이

(1) $f(x)$와 $g(x)$는 $x\neq-1$, $x\neq1$에서 연속이므로 $f(x)g(x)$도 $x\neq-1$, $x\neq1$에서 연속이다.

(i) $\lim\limits_{x\to-1+}f(x)g(x)=(-1)\times1=-1$

$\lim\limits_{x\to-1-}f(x)g(x)=(-1)\times(-1)=1$

이므로 $\lim\limits_{x\to-1}f(x)g(x)$가 존재하지 않는다.

따라서 $f(x)g(x)$는 $x=-1$에서 불연속이다.

(ii) $\lim\limits_{x\to1+}f(x)g(x)=1\times1=1$

$\lim\limits_{x\to1-}f(x)g(x)=(-1)\times(-1)=1$

이므로 $\lim\limits_{x\to1}f(x)g(x)=1$

한편 $f(1)g(1)=1\times(-1)=-1$이므로 $f(x)g(x)$는 $x=1$에서 불연속이다.

(i), (ii)에서 $f(x)g(x)$가 불연속인 x의 값은 **-1, 1**이다.

(2) $f(x)$는 $x\neq-1$, $x\neq1$에서 연속이므로 $\{f(x)\}^2$도 $x\neq-1$, $x\neq1$에서 연속이다.

(i) $\lim\limits_{x\to-1+}\{f(x)\}^2=(-1)^2=1$

$\lim\limits_{x\to-1-}\{f(x)\}^2=(-1)^2=1$

이므로 $\lim\limits_{x\to-1}\{f(x)\}^2=1$

한편 $\{f(-1)\}^2=1^2=1$이므로 $\{f(x)\}^2$은 $x=-1$에서 연속이다.

(ii) $\lim\limits_{x\to1+}\{f(x)\}^2=1^2=1$

$\lim\limits_{x\to1-}\{f(x)\}^2=(-1)^2=1$

이므로 $\lim\limits_{x\to1}\{f(x)\}^2=1$

한편 $\{f(1)\}^2=1^2=1$이므로 $\{f(x)\}^2$은 $x=1$에서 연속이다.

(i), (ii)에서 $\{f(x)\}^2$이 불연속인 x의 값은 없다.

3-1 나의 풀이

Q4 연속함수 구하기

함수 $y=g(x)$의 그래프는 그림과 같다.

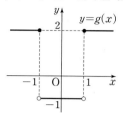

$f(x)$는 x^2의 계수가 1인 이차함수이고

함수 $f(x)g(x)$가 구간 $(-\infty, \infty)$에서 연속일 때,

$f(x)$를 구하시오.

필선 Q4 풀이

$f(x)$는 구간 $(-\infty, \infty)$에서 연속이고, $g(x)$는 $x=-1$
과 $x=1$에서 불연속이다. 따라서 $f(x)g(x)$가 구간
$(-\infty, \infty)$에서 연속이면 $f(-1)=0$, $f(1)=0$이다.
이때 $f(x)$는 x^2의 계수가 1인 이차함수이므로
$$f(x)=(x+1)(x-1)$$

나만의 Note

4-1 나의 풀이

4-2 나의 풀이

Q5 사잇값 정리

5-1 나의 풀이

보기에서 옳은 것만을 있는 대로 고른 것은?

┤ 보기 ├

ㄱ. 방정식 $2x^3+x^2-5=0$은 구간 $(1, 2)$에서 실근을 갖는다.

ㄴ. 함수 $f(x)$에 대하여 $f(-2)>0$, $f(3)<0$ 이면 방정식 $f(x)=0$은 구간 $(-2, 3)$에서 실근을 갖는다.

ㄷ. 함수 $f(x)$가 구간 $[1, 5]$에서 연속이고 $f(1)f(2)<0$, $f(3)f(5)<0$이면 방정식 $f(x)=0$은 구간 $(1, 5)$에서 적어도 2개의 실근을 갖는다.

① ㄱ   ② ㄷ   ③ ㄱ, ㄴ

④ ㄱ, ㄷ   ⑤ ㄱ, ㄴ, ㄷ

대표 Q5 풀이

ㄱ. $f(x)=2x^3+x^2-5$라 하면 $f(x)$는 구간 $[1, 2]$에서 연속이고 $f(1)=-2<0$, $f(2)=15>0$이다.

곧, 방정식 $f(x)=0$은 구간 $(1, 2)$에서 적어도 하나의 실근을 갖는다. (참)

ㄴ. $f(x)$가 구간 $[-2, 3]$에서 연속이라는 조건이 없으므로 방정식 $f(x)=0$이 구간 $(-2, 3)$에서 실근을 갖는지 알 수 없다. (거짓)

ㄷ. $f(x)$는 구간 $[1, 5]$에서 연속이므로 방정식 $f(x)=0$은 구간 $(1, 2)$와 구간 $(3, 5)$에서 각각 적어도 하나의 실근을 갖는다. 곧, 구간 $(1, 5)$에서 적어도 2개의 실근을 갖는다. (참)

따라서 옳은 것은 ④ ㄱ, ㄷ이다.

나만의 Note

5-2 나의 풀이

대표 Q1 평균변화율, 순간변화율(미분계수)

다음 물음에 답하시오.

(1) x가 -1에서 2까지 변할 때, 함수 $f(x)=x^2-1$의 평균변화율과 $x=a$에서 $f(x)$의 순간변화율이 같다. a의 값을 구하시오.

(2) 함수 $y=\sqrt{x}$의 $x=2$에서 미분계수를 구하시오.

대표 Q1 풀이

(1) x가 -1에서 2까지 변할 때, 함수 $f(x)=x^2-1$의 평균변화율은

$$\frac{f(2)-f(-1)}{2-(-1)}=\frac{3-0}{3}=1$$

$x=a$에서 함수 $f(x)$의 순간변화율은

$$f'(a)=\lim_{h\to 0}\frac{f(a+h)-f(a)}{h}$$
$$=\lim_{h\to 0}\frac{\{(a+h)^2-1\}-(a^2-1)}{h}$$
$$=\lim_{h\to 0}(2a+h)=2a$$

평균변화율과 순간변화율이 같으므로

$$2a=1 \qquad \therefore a=\frac{1}{2}$$

(2) $f(x)=\sqrt{x}$라 하면 $x=2$에서 미분계수는 $f'(2)$이므로

$$f'(2)=\lim_{h\to 0}\frac{f(2+h)-f(2)}{h}$$
$$=\lim_{h\to 0}\frac{\sqrt{2+h}-\sqrt{2}}{h}$$
$$=\lim_{h\to 0}\frac{(2+h)-2}{h(\sqrt{2+h}+\sqrt{2})}$$
$$=\lim_{h\to 0}\frac{1}{\sqrt{2+h}+\sqrt{2}}$$
$$=\frac{1}{2\sqrt{2}}=\frac{\sqrt{2}}{4}$$

나만의 Note

1-1 나의 풀이

1-2 나의 풀이

대표 Q2 $f'(a)=\lim\limits_{h\to 0}\dfrac{f(a+h)-f(a)}{h}$ 를 이용하는 극한

$f(x)$가 미분가능한 함수이고 $f'(1)=2$일 때, 다음 극한값을 구하시오.

(1) $\lim\limits_{h\to 0}\dfrac{f(1+2h)-f(1)}{h}$

(2) $\lim\limits_{h\to 0}\dfrac{f(1+h^2)-f(1)}{h}$

(3) $\lim\limits_{h\to 0}\dfrac{f(1+h)-f(1-3h)}{h}$

대표 Q2 풀이

(1) $\lim\limits_{h\to 0}\dfrac{f(1+2h)-f(1)}{h}$

$=\lim\limits_{h\to 0}\left\{\dfrac{f(1+2h)-f(1)}{2h}\times 2\right\}$

$=2f'(1)$

$=2\times 2=\mathbf{4}$

(2) $\lim\limits_{h\to 0}\dfrac{f(1+h^2)-f(1)}{h}$

$=\lim\limits_{h\to 0}\left\{\dfrac{f(1+h^2)-f(1)}{h^2}\times h\right\}$

$=f'(1)\times 0$

$=2\times 0=\mathbf{0}$

(3) $\lim\limits_{h\to 0}\dfrac{f(1+h)-f(1-3h)}{h}$

$=\lim\limits_{h\to 0}\left\{\dfrac{f(1+h)-f(1)}{h}-\dfrac{f(1-3h)-f(1)}{h}\right\}$

$=\lim\limits_{h\to 0}\left\{\dfrac{f(1+h)-f(1)}{h}\right.$

$\left.-\dfrac{f(1-3h)-f(1)}{-3h}\times(-3)\right\}$

$=f'(1)-\{-3f'(1)\}=4f'(1)$

$=4\times 2=8$

나만의 Note

2-1 나의 풀이

대표 Q3 $f'(a)=\lim\limits_{x\to a}\dfrac{f(x)-f(a)}{x-a}$ 를 이용하는 극한

$f(x)$가 미분가능한 함수이고 $f(1)=3$, $f'(1)=2$ 일 때, 다음 극한값을 구하시오.

(1) $\lim\limits_{x\to 1}\dfrac{f(x)-f(1)}{x^2-1}$　　(2) $\lim\limits_{x\to 1}\dfrac{f(x^2)-f(1)}{x-1}$

(3) $\lim\limits_{x\to 1}\dfrac{x^3-1}{f(x)-f(1)}$　　(4) $\lim\limits_{x\to 1}\dfrac{f(x^2)-x^2f(1)}{x-1}$

대표 03 풀이

(1) $\lim\limits_{x\to 1}\dfrac{f(x)-f(1)}{x^2-1}$

$=\lim\limits_{x\to 1}\left\{\dfrac{f(x)-f(1)}{x-1}\times\dfrac{1}{x+1}\right\}$

$=f'(1)\times\dfrac{1}{2}$

$=2\times\dfrac{1}{2}=\mathbf{1}$

(2) $\lim\limits_{x\to 1}\dfrac{f(x^2)-f(1)}{x-1}$

$=\lim\limits_{x\to 1}\left\{\dfrac{f(x^2)-f(1)}{x^2-1}\times(x+1)\right\}$

$=f'(1)\times 2$

$=2\times 2=\mathbf{4}$

(3) $\lim\limits_{x\to 1}\dfrac{x^3-1}{f(x)-f(1)}$

$=\lim\limits_{x\to 1}\left\{\dfrac{x-1}{f(x)-f(1)}\times(x^2+x+1)\right\}$

$=\dfrac{1}{f'(1)}\times 3$

$=\dfrac{1}{2}\times 3=\dfrac{\mathbf{3}}{\mathbf{2}}$

(4) $f(x^2)-x^2f(1)=f(x^2)-f(1)-\{x^2f(1)-f(1)\}$

$\qquad\qquad\quad=f(x^2)-f(1)-(x^2-1)f(1)$

이므로

$\lim\limits_{x\to 1}\dfrac{f(x^2)-x^2f(1)}{x-1}$

$=\lim\limits_{x\to 1}\left\{\dfrac{f(x^2)-f(1)}{x-1}-\dfrac{(x^2-1)f(1)}{x-1}\right\}$

$=\lim\limits_{x\to 1}\left\{\dfrac{f(x^2)-f(1)}{x^2-1}\times(x+1)-(x+1)f(1)\right\}$

$=f'(1)\times 2-2\times f(1)=2\times 2-2\times 3=\mathbf{-2}$

3-1 나의 풀이

Q4 미분가능

다음 물음에 답하시오.

(1) 함수 $y=(x-1)|x-1|$이 $x=1$에서 미분가능
   한지 조사하시오.

(2) 함수 $y=[x]$가 $x=1$에서 미분가능한지 조사하시
   오. (단, $[x]$는 x보다 크지 않은 최대 정수이다.)

대표 Q4 풀이

(1) $f(x)=(x-1)|x-1|$이라 하자.

$$\lim_{h\to 0}\frac{f(1+h)-f(1)}{h}=\lim_{h\to 0}\frac{h|h|}{h}=\lim_{h\to 0}|h|$$

에서 $\displaystyle\lim_{h\to 0+}|h|=\lim_{h\to 0-}|h|=0$

따라서 $f'(1)$이 존재하므로 $x=1$에서 **미분가능하다.**

(2) $f(x)=[x]$라 하자.

$1<x<2$일 때 $[x]=1$,

$0<x<1$일 때 $[x]=0$이므로

$$\lim_{x\to 1+}f(x)=\lim_{x\to 1+}[x]=1$$

$$\lim_{x\to 1-}f(x)=\lim_{x\to 1-}[x]=0$$

따라서 $f(x)$는 $x=1$에서 불연속이므로 **미분가능하지 않다.**

나만의 Note

4-1 나의 풀이

4-2 나의 풀이

Q5 도함수

다음 함수를 미분하시오.

(1) $y=5+5x-4x^2+2x^3$

(2) $y=(x^2+x+1)(2x-1)$

(3) $y=(x+1)(x-2)(x^2-x)$

(4) $y=(x^2-2x+3)^2$

대표 Q5 풀이

(1) $y'=5-4\times2x+2\times3x^2=\boldsymbol{6x^2-8x+5}$

(2) $y'=(x^2+x+1)'(2x-1)+(x^2+x+1)(2x-1)'$
$=(2x+1)(2x-1)+(x^2+x+1)\times2$
$=4x^2-1+2x^2+2x+2=\boldsymbol{6x^2+2x+1}$

(3) $y'=(x+1)'(x-2)(x^2-x)$
$\quad+(x+1)(x-2)'(x^2-x)$
$\quad+(x+1)(x-2)(x^2-x)'$
$=(x-2)(x^2-x)+(x+1)(x^2-x)$
$\quad+(x+1)(x-2)(2x-1)$
$=x^3-3x^2+2x+x^3-x+2x^3-3x^2-3x+2$
$=\boldsymbol{4x^3-6x^2-2x+2}$

(4) $y'=2(x^2-2x+3)(x^2-2x+3)'$
$=2(x^2-2x+3)(2x-2)$
$=\boldsymbol{4(x-1)(x^2-2x+3)}$

나만의 Note

5-1 나의 풀이

5-2 나의 풀이

대표 Q6 다항함수 구하기

다음 물음에 답하시오.

(1) $f(2)=3$, $f'(1)=1$, $f'(0)=-3$인 이차함수 $f(x)$를 구하시오.

(2) $f(x)$가 다항함수이고 모든 실수 x에 대하여 $f(x)+f'(x)=2x^3+6x^2+3x+4$일 때, $f(x)$를 구하시오.

대표 Q6 풀이

(1) $f(x)=ax^2+bx+c(a\neq0)$라 하면 $f'(x)=2ax+b$
$f(2)=3$, $f'(1)=1$, $f'(0)=-3$이므로
$4a+2b+c=3$, $2a+b=1$, $b=-3$
연립하여 풀면 $a=2$, $b=-3$, $c=1$
$\therefore \boldsymbol{f(x)=2x^2-3x+1}$

(2) $f(x)+f'(x)$가 삼차함수이므로 $f(x)$는 삼차함수이고 삼차항은 $2x^3$이다.
$f(x)=2x^3+ax^2+bx+c$라 하면
$f'(x)=6x^2+2ax+b$이고
$f(x)+f'(x)=2x^3+(a+6)x^2+(2a+b)x+b+c$
이므로
$a+6=6$, $2a+b=3$, $b+c=4$
연립하여 풀면 $a=0$, $b=3$, $c=1$
$\therefore \boldsymbol{f(x)=2x^3+3x+1}$

나만의 Note

6-1 나의 풀이

6-2 나의 풀이

6-3 나의 풀이

Q7 극한과 도함수

다음 물음에 답하시오.

(1) $f(x)=x^4+2x^2-1$일 때,

$\displaystyle\lim_{h\to0}\frac{f(1+2h)-f(1)}{h}$의 값을 구하시오.

(2) $\displaystyle\lim_{x\to1}\frac{x^n-4x^2+a}{x-1}=-3$일 때, 상수 a와 자연수 n의 값을 구하시오.

대표 Q7 풀이

(1) $\displaystyle\lim_{h\to0}\frac{f(1+2h)-f(1)}{h}$

$=\displaystyle\lim_{h\to0}\left\{\frac{f(1+2h)-f(1)}{2h}\times2\right\}$

$=2f'(1)$

$f(x)=x^4+2x^2-1$에서 $f'(x)=4x^3+4x$이므로

$2f'(1)=2\times(4+4)=$**16**

(2) 극한값이 존재하고 $x\to1$일 때 (분모)$\to0$이므로 (분자)$\to0$이다.

곧, $1-4+a=0$에서 $a=3$

$f(x)=x^n-4x^2+3$으로 놓으면 $f(1)=0$이므로

$\displaystyle\lim_{x\to1}\frac{x^n-4x^2+3}{x-1}=\lim_{x\to1}\frac{f(x)-f(1)}{x-1}=f'(1)$

$f'(x)=nx^{n-1}-8x$이고 조건에서 $f'(1)=-3$이므로

$n-8=-3$ $\quad\therefore n=5$

나만의 Note

7-1 나의 풀이

7-2 나의 풀이

7-3 나의 풀이

Q8 $(x-a)^2$으로 나눈 몫과 나머지

다항식 $f(x)=x^{10}+px+q$일 때, 다음 물음에 답하시오.

(1) $f(x)$가 $(x-1)^2$으로 나누어떨어질 때, 상수 p, q의 값을 구하시오.

(2) $f(x)$를 $(x+1)^2$으로 나누었을 때의 나머지가 $5x-2$일 때, 상수 p, q의 값을 구하시오.

대표 Q8 풀이

(1) $x^{10}+px+q$를 $(x-1)^2$으로 나누었을 때의 몫을 $Q(x)$라 하면

$x^{10}+px+q=(x-1)^2Q(x)$ ⋯ ㉠

양변에 $x=1$을 대입하면 $1+p+q=0$ ⋯ ㉡

㉠은 x에 대한 항등식이고 $Q(x)$는 다항식이므로 양변을 x에 대하여 미분하면

$10x^9+p=2(x-1)Q(x)+(x-1)^2Q'(x)$

양변에 $x=1$을 대입하면 $10+p=0$ ∴ $p=-10$

㉡에 대입하면 $q=9$

(2) $x^{10}+px+q$를 $(x+1)^2$으로 나누었을 때의 몫을 $Q(x)$라 하면

$x^{10}+px+q=(x+1)^2Q(x)+5x-2$ ⋯ ㉠

㉠의 양변에 $x=-1$을 대입하면

$1-p+q=-7$ ⋯ ㉡

㉠은 x에 대한 항등식이고 $Q(x)$는 다항식이므로 양변을 x에 대하여 미분하면

$10x^9+p=2(x+1)Q(x)+(x+1)^2Q'(x)+5$

양변에 $x=-1$을 대입하면

$-10+p=5$ ∴ $p=15$

㉡에 대입하면 $q=7$

나만의 Note

8-1 나의 풀이

8-2 나의 풀이

Q9 도함수와 미분가능성

함수 $f(x)=\begin{cases} x^3+ax+b & (x\geq1) \\ -x^2+1 & (x<1) \end{cases}$이 $x=1$에서

미분가능할 때, 상수 a, b의 값을 구하시오.

대표 Q9 풀이

함수 $f(x)$가 $x=1$에서 미분가능하면 $x=1$에서 연속이고 미분계수 $f'(1)$이 존재한다.

$f_1(x)=x^3+ax+b\ (x\geq1)$, $f_2(x)=-x^2+1\ (x<1)$이라 하자.

(i) $f(x)$는 $x=1$에서 연속이므로

$$f(1)=\lim_{x\to1+}f_1(x)=\lim_{x\to1-}f_2(x),\ 곧$$

$f_1(1)=f_2(1)$에서

$1+a+b=-1+1$　　∴ $a+b+1=0$　　… ㉠

(ii) $f(x)$는 $x=1$에서 미분계수가 존재하므로

$$f_1'(1)=\lim_{x\to1+}\frac{f_1(x)-f_1(1)}{x-1}$$

$$f_2'(1)=\lim_{x\to1-}\frac{f_2(x)-f_2(1)}{x-1}$$

에서 $f_1'(1)=f_2'(1)$

$f_1'(x)=3x^2+a$, $f_2'(x)=-2x$이므로

$3+a=-2$　　∴ $\boldsymbol{a=-5}$

㉠에 대입하면 $\boldsymbol{b=4}$

😊 **나만의 Note**

9-1 나의 풀이

9-2 나의 풀이

조건식이 주어진 도함수

$f(x)$가 미분가능한 함수이고 모든 실수 x, y에 대하여 $f(x+y)=f(x)+f(y)+2xy$가 성립할 때, 다음 물음에 답하시오.

(1) $f(0)$의 값을 구하시오.

(2) $f'(0)=5$일 때, 도함수 $f'(x)$를 구하시오.

날선 Q10 풀이

(1) $f(x+y)=f(x)+f(y)+2xy$에 $x=0$, $y=0$을 대입하면

$$f(0)=f(0)+f(0)+0 \qquad \therefore\ f(0)=\mathbf{0}$$

(2) $f'(0)=5$이므로 $\lim\limits_{h\to 0}\dfrac{f(0+h)-f(0)}{h}=5$

$f(0)=0$을 대입하면 $\lim\limits_{h\to 0}\dfrac{f(h)}{h}=5$

$$\begin{aligned}\therefore\ \boldsymbol{f'(x)}&=\lim_{h\to 0}\frac{f(x+h)-f(x)}{h}\\&=\lim_{h\to 0}\frac{f(x)+f(h)+2xh-f(x)}{h}\\&=\lim_{h\to 0}\left\{\frac{f(h)}{h}+2x\right\}\\&=\boldsymbol{2x+5}\end{aligned}$$

나만의 Note

10-1 나의 풀이

10-2 나의 풀이

대표 **Q1** 접점이 주어진 경우

곡선 $y = x^3 - x$에 대하여 다음 물음에 답하시오.

(1) 곡선 위의 $x = -2$인 점에서 접선의 방정식을 구하시오.

(2) 곡선 위의 $x = 2$인 점을 지나고 이 점에서의 접선에 수직인 직선의 방정식을 구하시오.

대표 **Q1** 풀이

$f(x) = x^3 - x$라 하면 $f'(x) = 3x^2 - 1$

(1) $f(-2) = -8 + 2 = -6$, $f'(-2) = 12 - 1 = 11$
이므로

$y + 6 = 11(x + 2)$ $\therefore \boldsymbol{y = 11x + 16}$

(2) $f(2) = 8 - 2 = 6$, $f'(2) = 12 - 1 = 11$이므로

$y - 6 = -\dfrac{1}{11}(x - 2)$ $\therefore \boldsymbol{y = -\dfrac{1}{11}x + \dfrac{68}{11}}$

😊 나만의 **Note**

1-1 나의 풀이

대표 Q2 접점이 주어지지 않은 경우

곡선 $y=x^3-x$에 대하여 다음 물음에 답하시오.
(1) 곡선에 접하고 직선 $y=2x+1$에 평행한 직선의 방정식을 모두 구하시오.
(2) 곡선에 접하고 점 $(-1, 1)$을 지나는 직선의 방정식을 모두 구하시오.

대표 Q2 풀이

$f(x)=x^3-x$라 하면 $f'(x)=3x^2-1$

(1) 곡선 위의 $x=a$인 점에서 접한다고 하면 $f'(a)=2$

$3a^2-1=2$, $a^2=1$ ∴ $a=\pm1$

$a=1$일 때, $f(1)=1-1=0$이므로

$y-0=2(x-1)$ ∴ $\boldsymbol{y=2x-2}$

$a=-1$일 때, $f(-1)=-1+1=0$이므로

$y-0=2(x+1)$ ∴ $\boldsymbol{y=2x+2}$

(2) 접점을 $(a, f(a))$라 하면 접선의 방정식은

$y-f(a)=f'(a)(x-a)$

$y-(a^3-a)=(3a^2-1)(x-a)$ ⋯ ㉠

이 직선이 점 $(-1, 1)$을 지나므로

$1-(a^3-a)=(3a^2-1)(-1-a)$

$a^2(2a+3)=0$ ∴ $a=0$ 또는 $a=-\dfrac{3}{2}$

㉠에 대입하면

$a=0$일 때, $\boldsymbol{y=-x}$

$a=-\dfrac{3}{2}$일 때,

$y-\left(-\dfrac{27}{8}+\dfrac{3}{2}\right)=\left(\dfrac{27}{4}-1\right)\left(x+\dfrac{3}{2}\right)$

∴ $\boldsymbol{y=\dfrac{23}{4}x+\dfrac{27}{4}}$

☺ **나만의 Note**

2-1 나의 풀이

2-2 나의 풀이

대표 Q3 여러 가지 접선

다음 물음에 답하시오.

(1) 곡선 $y=x^3+ax^2-2x+b$는 두 점 $(-1, 2)$와 $(3, c)$를 지난다. 이 두 점에서의 접선이 평행할 때, 상수 a, b, c의 값을 구하시오.

(2) 곡선 $y=x^3-x^2+1$ 위의 $x=-1$인 점에서 접선이 이 곡선과 만나는 다른 점의 좌표를 구하시오.

대표 Q3 풀이

(1) $f(x)=x^3+ax^2-2x+b$라 하자.

이 곡선이 두 점 $(-1, 2)$와 $(3, c)$를 지나므로

$-1+a+2+b=2$ ⋯ ㉠

$27+9a-6+b=c$ ⋯ ㉡

또 두 점에서의 접선의 기울기가 같으므로

$f'(-1)=f'(3)$

$f'(x)=3x^2+2ax-2$이므로

$3-2a-2=27+6a-2$ $\therefore \boldsymbol{a=-3}$

㉠에 대입하면

$-1-3+2+b=2$ $\therefore \boldsymbol{b=4}$

㉡에 대입하면

$27-27-6+4=c$ $\therefore \boldsymbol{c=-2}$

(2) $f(x)=x^3-x^2+1$이라 하면 $f'(x)=3x^2-2x$

$f(-1)=-1-1+1=-1$

$f'(-1)=3+2=5$

이므로 접선의 방정식은

$y+1=5(x+1)$ $\therefore y=5x+4$

$y=f(x)$와 $y=5x+4$에서 y를 소거하면

$x^3-x^2+1=5x+4$

$x^3-x^2-5x-3=0$ ⋯ ㉠

이때 $x=-1$인 점에서 곡선과 직선이 접하므로 ㉠은 $x=-1$을 중근으로 가진다.

곧, ㉠의 좌변이 $(x+1)^2$으로 나누어떨어지므로 조립제법을 이용하면

$(x+1)^2(x-3)=0$

$f(3)=27-9+1=19$이므로 만나는 다른 점의 좌표는 $\boldsymbol{(3, 19)}$

3-1 나의 풀이

3-2 나의 풀이

대표 Q4 접하는 곡선과 직선

다음 물음에 답하시오.

(1) 두 곡선 $y=-x^2+5$, $y=x^2-6x+10$에 동시에 접하는 직선의 방정식을 모두 구하시오.

(2) 곡선 $y=x^3+ax^2+5$와 곡선 $y=x^2+1$이 접할 때, 상수 a의 값을 구하시오.

대표 Q4 풀이

(1) $f(x)=-x^2+5$, $g(x)=x^2-6x+10$이라 하면

$f'(x)=-2x$, $g'(x)=2x-6$

곡선 $y=f(x)$ 위의 점 $A(\alpha, f(\alpha))$에서 접선의 방정식은 $y-(-\alpha^2+5)=-2\alpha(x-\alpha)$

$\therefore y=-2\alpha x+\alpha^2+5$ ... ㉠

곡선 $y=g(x)$ 위의 점 $B(\beta, g(\beta))$에서 접선의 방정식은 $y-(\beta^2-6\beta+10)=(2\beta-6)(x-\beta)$

$\therefore y=(2\beta-6)x-\beta^2+10$ ... ㉡

㉠, ㉡이 일치하므로

$-2\alpha=2\beta-6$, $\alpha^2+5=-\beta^2+10$

첫 번째 식에서 $\beta=3-\alpha$를 두 번째 식에 대입하면

$\alpha^2+5=-(3-\alpha)^2+10$, $\alpha^2-3\alpha+2=0$

$\therefore \alpha=1$ 또는 $\alpha=2$

㉠에 대입하고 정리하면

$$y=-2x+6, \quad y=-4x+9$$

(2) $f(x)=x^3+ax^2+5$, $g(x)=x^2+1$이라 하면

$f'(x)=3x^2+2ax$, $g'(x)=2x$

$x=p$인 점에서 두 곡선이 접하면

$f(p)=g(p)$이므로 $p^3+ap^2+5=p^2+1$ ... ㉠

$f'(p)=g'(p)$이므로 $3p^2+2ap=2p$ ... ㉡

$p=0$은 ㉠을 만족시키지 않으므로 $p \neq 0$

따라서 ㉡을 p로 나누면 $3p+2a=2$

$\therefore a=1-\dfrac{3}{2}p$

㉠에 대입하면 $p^3+\left(1-\dfrac{3}{2}p\right)p^2+5=p^2+1$

$p^3-8=0$, $(p-2)(p^2+2p+4)=0$

p는 실수이므로 $p=2$

$\therefore a=1-\dfrac{3}{2}p=-2$

4-1 나의 풀이

4-2 나의 풀이

 **Q5** 평균값 정리

다음 물음에 답하시오.

(1) $f(x)=x(x^2-3)$일 때, 구간 $[-3, 3]$에서 평균값 정리를 만족시키는 실수 c의 값을 모두 구하시오.

(2) $y=f(x)$의 그래프가 그림과 같을 때, $f(x)$에 대하여 구간 $[0, 5]$에서 평균값 정리를 만족시키는 실수 c의 개수를 구하시오.

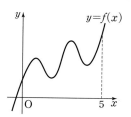

대표 Q5 풀이

(1) $f(x)=x^3-3x$이므로 $f'(x)=3x^2-3$

또 $f(-3)=-18$, $f(3)=18$이므로 평균값 정리에 의하여

$\dfrac{18-(-18)}{3-(-3)}=3c^2-3$, $c^2=3$

$-3<c<3$이므로 $c=\pm\sqrt{3}$

(2) 그림과 같이 점 $(0, f(0))$, $(5, f(5))$를 지나는 직선에 평행한 접선을 4개 그을 수 있으므로 실수 c의 개수는 **4**이다.

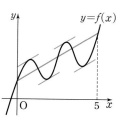

😀 **나만의 Note**

5-1 나의 풀이

Q1 삼차함수의 그래프

다음 함수 $f(x)$의 극값을 구하고, $y=f(x)$의 그래프를 그리시오.

(1) $f(x)=x^3+3x^2-9x+1$

(2) $f(x)=-x^3+12x+2$

(3) $f(x)=\dfrac{1}{3}x^3-x^2+x-2$

(4) $f(x)=\dfrac{1}{3}x^3+\dfrac{1}{2}x^2+x$

대표 Q1 풀이

(1) $f(x)=x^3+3x^2-9x+1$에서

$f'(x)=3x^2+6x-9=3(x+3)(x-1)$

$f'(x)=0$에서 $x=-3$ 또는 $x=1$

$f(x)$의 증감표는 다음과 같다.

x	$\cdots$	-3	$\cdots$	1	$\cdots$
$f'(x)$	$+$	0	$-$	0	$+$
$f(x)$	↗	극대	↘	극소	↗

따라서 함수 $f(x)$의
극댓값은 $f(-3)=28$,
극솟값은 $f(1)=-4$
또 $y=f(x)$의 그래프는 그림과 같다.

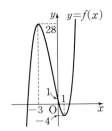

(2) $f(x)=-x^3+12x+2$에서

$f'(x)=-3x^2+12=-3(x+2)(x-2)$

$f'(x)=0$에서 $x=-2$ 또는 $x=2$

$f(x)$의 증감표는 다음과 같다.

x	$\cdots$	-2	$\cdots$	2	$\cdots$
$f'(x)$	$-$	0	$+$	0	$-$
$f(x)$	↘	극소	↗	극대	↘

따라서 함수 $f(x)$의
극댓값은 $f(2)=18$,
극솟값은 $f(-2)=-14$
또 $y=f(x)$의 그래프는 그림과 같다.

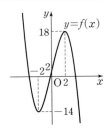

(3) $f(x)=\dfrac{1}{3}x^3-x^2+x-2$에서

$f'(x)=x^2-2x+1=(x-1)^2$

$f'(x)=0$에서 $x=1$ (중근)

$f(x)$의 증감표는 다음과 같다.

x	$\cdots$	1	$\cdots$
$f'(x)$	$+$	0	$+$
$f(x)$	↗	$-\dfrac{5}{3}$	↗

따라서 함수 $f(x)$의 **극댓값**과 극솟값은 없다.
또 $y=f(x)$의 그래프는 그림과 같다.

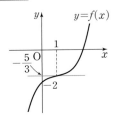

(4) $f(x)=\dfrac{1}{3}x^3+\dfrac{1}{2}x^2+x$에서

$f'(x)=x^2+x+1=\left(x+\dfrac{1}{2}\right)^2+\dfrac{3}{4}>0$

이므로 $f'(x)=0$의 실근은 없다.
따라서 함수 $f(x)$의 **극댓값**과 극솟값은 없다.
또 $f(x)$는 항상 증가하므로 $y=f(x)$의 그래프는 그림과 같다.

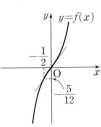

1-1 나의 풀이

사차함수의 그래프

다음 함수 $f(x)$의 극값을 구하고, $y=f(x)$의 그래프를 그리시오.

(1) $f(x)=3x^4+4x^3-12x^2+10$

(2) $f(x)=3x^4-4x^3+4$

(3) $f(x)=-x^4-4x+1$

대표 Q2 풀이

(1) $f(x)=3x^4+4x^3-12x^2+10$에서

$f'(x)=12x^3+12x^2-24x=12x(x+2)(x-1)$

$f'(x)=0$에서 $x=-2$ 또는 $x=0$ 또는 $x=1$

$f(x)$의 증감표는 다음과 같다.

x	$\cdots$	-2	$\cdots$	0	$\cdots$	1	$\cdots$
$f'(x)$	$-$	0	$+$	0	$-$	0	$+$
$f(x)$	↘	극소	↗	극대	↘	극소	↗

따라서 함수 $f(x)$의

극댓값은 $f(0)=\mathbf{10}$,

극솟값은 $f(-2)=\mathbf{-22}$,

$f(1)=\mathbf{5}$

또 $y=f(x)$의 그래프는 그림과 같다.

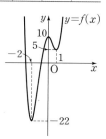

(2) $f(x)=3x^4-4x^3+4$에서

$f'(x)=12x^3-12x^2=12x^2(x-1)$

$f'(x)=0$에서 $x=0$ (중근) 또는 $x=1$

$f(x)$의 증감표는 다음과 같다.

x	$\cdots$	0	$\cdots$	1	$\cdots$
$f'(x)$	$-$	0	$-$	0	$+$
$f(x)$	↘	4	↘	극소	↗

따라서 함수 $f(x)$의

극댓값은 없고,

극솟값은 $f(1)=\mathbf{3}$

또 $y=f(x)$의 그래프는 그림과 같다.

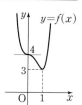

(3) $f(x)=-x^4-4x+1$에서

$f'(x)=-4x^3-4=-4(x+1)(x^2-x+1)$

$f'(x)=0$에서 $x=-1$

$f(x)$의 증감표는 다음과 같다.

x	$\cdots$	-1	$\cdots$
$f'(x)$	$+$	0	$-$
$f(x)$	↗	극대	↘

따라서 함수 $f(x)$의

극댓값은 $f(-1)=\mathbf{4}$,

극솟값은 없다.

또 $y=f(x)$의 그래프는 그림과 같다.

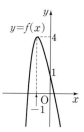

2-1 나의 풀이

Q3 삼차함수의 증가와 감소

다음 물음에 답하시오.

(1) 함수 $f(x)=x^3-2x^2+ax+2$가 구간 $(-\infty, \infty)$에서 증가할 때, 실수 a값의 범위를 구하시오.

(2) 함수 $f(x)=x^3+ax^2-(a+2)x-1$이 구간 $(1, 3)$에서 감소할 때, 실수 a값의 범위를 구하시오.

대표 Q3 풀이

(1) $f(x)$가 구간 $(-\infty, \infty)$에서 증가하므로

$f'(x)\geq 0$

$f'(x)=3x^2-4x+a$이고, x^2의 계수가 양수이므로

이차방정식 $f'(x)=0$에서

$\dfrac{D}{4}=4-3a\leq 0$ ∴ $a\geq\dfrac{4}{3}$

(2) $f(x)$가 구간 $(1, 3)$에서 감소하므로 이 구간에서

$f'(x)\leq 0$

따라서 그림에서

$f'(1)\leq 0$, $f'(3)\leq 0$

$f'(x)=3x^2+2ax-a-2$이므로

$f'(1)=3+2a-a-2\leq 0$

∴ $a\leq -1$ ⋯ ㉠

$f'(3)=27+6a-a-2\leq 0$

∴ $a\leq -5$ ⋯ ㉡

㉠, ㉡의 공통부분은 $a\leq -5$

😀 **나만의 N**ote

3-1 나의 풀이

3-2 나의 풀이

Q4 삼차함수의 극대와 극소

다음 물음에 답하시오.

(1) 함수 $f(x)=x^3-3x^2-9x+a$의 그래프가 x축에 접할 때, 양수 a의 값을 구하시오.

(2) 함수 $f(x)=x^3+ax^2+bx+c$가 $x=1$과 $x=3$에서 극값을 가진다. $f(x)$의 극댓값이 5일 때, 극솟값을 구하시오.

(3) 함수 $f(x)=-x^3+6x^2+ax+b$는 $x=-1$에서 극솟값 2를 가진다. $f(x)$가 극대인 x의 값과 극댓값을 구하시오.

대표 Q4 풀이

(1) 삼차함수의 그래프가 x축에 접하면 극댓값 또는 극솟값이 0이다.

$f'(x)=3x^2-6x-9=3(x+1)(x-3)$

$f'(x)=0$에서 $x=-1$ 또는 $x=3$

(i) $y=f(x)$의 그래프가 $x=-1$인 점에서 x축에 접하면 $f(-1)=0$이므로

$-1-3+9+a=0$ ∴ $a=-5$

(ii) $y=f(x)$의 그래프가 $x=3$인 점에서 x축에 접하면 $f(3)=0$이므로

$27-27-27+a=0$ ∴ $a=27$

(i), (ii)에서 $a>0$이므로 $a=\mathbf{27}$

(2) $f'(x)=3x^2+2ax+b$

$f(x)$가 $x=1$과 $x=3$에서 극값을 가지면

방정식 $f'(x)=0$의 해가 $x=1$ 또는 $x=3$

곧, $f'(1)=0$, $f'(3)=0$이므로

$3+2a+b=0$, $27+6a+b=0$

두 식을 연립하여 풀면 $a=-6$, $b=9$

$f(x)=x^3-6x^2+9x+c$

이고 x^3의 계수가 양수이

므로 그림과 같이 $f(x)$는

$x=1$에서 극대, $x=3$에

서 극소이다.

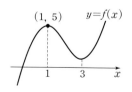

$f(1)=5$이므로

$f(1)=1-6+9+c=5$ ∴ $c=1$

따라서 $f(x)=x^3-6x^2+9x+1$이므로 극솟값은

$f(3)=\mathbf{1}$

(3) $f(x)$가 $x=-1$에서 극솟값 2를 가지므로

$f'(-1)=0$, $f(-1)=2$

$f'(x)=-3x^2+12x+a$이므로

$f'(-1)=-3-12+a=0$ ∴ $a=15$

$f'(x)=-3x^2+12x+15=-3(x+1)(x-5)$이고,

$f(x)$의 x^3의 계수가 음수

이므로 그림과 같이 $f(x)$

는 $x=5$에서 극대이다.

$f(x)=-x^3+6x^2+15x+b$

이고 $f(-1)=2$이므로

$1+6-15+b=2$ ∴ $b=10$

따라서 $f(x)=-x^3+6x^2+15x+10$이므로 극댓값은

$f(5)=\mathbf{110}$

4-1 나의 풀이

4-2 나의 풀이

4-2 나의 풀이

대표 Q5 사차함수의 극대와 극소

다음 물음에 답하시오.

(1) 함수 $f(x)=x^4-4x^2+a$의 그래프가 x축에 접할 때, 양수 a의 값을 구하시오.

(2) 함수 $f(x)=x^4+ax^2+bx-10$이 $x=-1$과 $x=3$에서 극값을 가진다. $f(x)$의 극댓값을 구하시오.

(3) 함수 $f(x)=x^4+x^3+ax^2+2a-3$이 극댓값을 갖지 않을 때, 상수 a의 값 또는 범위를 구하시오.

대표 Q5 풀이

(1) 사차함수의 그래프가 x축에 접하면 극댓값 또는 극솟값이 0이다.

$f'(x)=4x^3-8x=4x(x^2-2)$

$f'(x)=0$에서 $x=0$ 또는 $x=\pm\sqrt{2}$

(i) $y=f(x)$의 그래프가 $x=0$인 점에서 x축에 접하면 $f(0)=0$이므로 $a=0$

(ii) $y=f(x)$의 그래프가 $x=\sqrt{2}$인 점에서 x축에 접하면 $f(\sqrt{2})=0$이므로

$4-8+a=0$ ∴ $a=4$

(iii) $y=f(x)$의 그래프가 $x=-\sqrt{2}$인 점에서 x축에 접하면 $f(-\sqrt{2})=0$이므로

$4-8+a=0$ ∴ $a=4$

(i), (ii), (iii)에서 양수 a의 값은 **4**이다.

(2) $f'(x)=4x^3+2ax+b$

$f(x)$가 $x=-1$과 $x=3$에서 극값을 가지면 방정식 $f'(x)=0$의 해가 $x=-1$ 또는 $x=3$

곧, $f'(-1)=0$, $f'(3)=0$이므로

$-4-2a+b=0$, $108+6a+b=0$

두 식을 연립하여 풀면 $a=-14$, $b=-24$

$f(x)=x^4-14x^2-24x-10$

$f'(x)=4x^3-28x-24=4(x+2)(x+1)(x-3)$

$f'(x)=0$에서 $x=-2$ 또는 $x=-1$ 또는 $x=3$

$f(x)$의 x^4의 계수가 양수이므로 그림과 같이 함수 $f(x)$는 $x=-1$에서 극대이다.

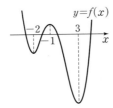

따라서 극댓값은

$f(-1)=1$

(3) $f'(x)=4x^3+3x^2+2ax=x(4x^2+3x+2a)$

$f(x)$가 극댓값을 갖지 않으면 방정식 $f'(x)=0$이 중근을 갖거나 허근을 가져야 한다.

(i) $x(4x^2+3x+2a)=0$이 중근을 가질 때

① 이차방정식 $4x^2+3x+2a=0$의 한 근이 $x=0$일 때 $2a=0$ ∴ $a=0$

② 이차방정식 $4x^2+3x+2a=0$이 중근을 가질 때 $D=9-32a=0$ ∴ $a=\frac{9}{32}$

(ii) $x(4x^2+3x+2a)=0$이 허근을 가질 때 이차방정식 $4x^2+3x+2a=0$이 허근을 가져야 하므로

$D=9-32a<0$ ∴ $a>\frac{9}{32}$

(i), (ii)에서 **$a=0$ 또는 $a\geq\frac{9}{32}$**

5-1 나의 풀이

5-2 나의 풀이

대표 Q6 $f'(x)$와 $f(x)$의 그래프

$y=f'(x)$의 그래프가 그림과 같을 때, 다음 중 옳은 것을 모두 고르면?

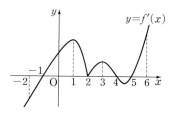

① $f(x)$는 구간 $(-2, 1)$에서 증가한다.
② $f(x)$는 구간 $(4, 5)$에서 감소한다.
③ $f(x)$는 $x=1$에서 극대이다.
④ $f(x)$는 $x=2$에서 극소이다.
⑤ 구간 $[-2, 6]$에서 $f(x)$의 극값은 3개이다.

대표 Q6 풀이

① $x=-1$의 좌우에서 $f'(x)$의 부호가 음에서 양으로 바뀌므로 $f(x)$는 구간 $(-2, 1)$에서 감소하다가 증가한다. (거짓)
② 구간 $(4, 5)$에서 $f'(x)<0$이므로 $f(x)$는 구간 $(4, 5)$에서 감소한다. (참)
③ $f'(1)\neq0$이므로 $f(x)$는 $x=1$에서 극대도 극소도 아니다. (거짓)
④ $f'(2)=0$이지만 $x=2$의 좌우에서 $f'(x)>0$이므로 $f(x)$는 증가한다.
　곧, $f(x)$는 $x=2$에서 극대도 극소도 아니다. (거짓)
⑤ 방정식 $f'(x)=0$의 해는
　$x=-1$ 또는 $x=2$ 또는 $x=4$ 또는 $x=5$
　이 중에서 $x=-1$, 4, 5일 때만 $f'(x)$의 부호가 좌우에서 바뀐다.
　곧, 구간 $[-2, 6]$에서 $f(x)$의 극값은 3개이다. (참)
따라서 옳은 것은 ②, ⑤이다.

😊 나만의 Note

6-1 나의 풀이

6-2 나의 풀이

Q7 함수 구하기

함수 $f(x)$는 x^4의 계수가 양수인 사차함수이고, 다음 조건을 모두 만족시킨다.

  ㈎ 모든 실수 x에 대하여 $f(x)=f(-x)$이다.

  ㈏ $f(x)$는 $x=1$에서 극소이고, 극솟값은 1이다.

  ㈐ $f(x)$의 극댓값은 3이다.

이때 $f(x)$를 구하시오.

날선 Q7 풀이

㈎에서 $y=f(x)$의 그래프가 y축에 대칭이므로 $f(x)$는 $x=-1$에서도 극소이고, 극솟값은 1이다.

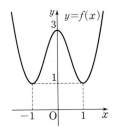

또 $f(x)$는 사차함수이고, 극소인 x의 값이 2개이므로 극대인 x의 값이 1개 있다.

그런데 그래프가 y축에 대칭이므로 그림과 같이 $f(x)$는 $x=0$에서 극대이고 극댓값은 3이다.

$y=f(x)$의 그래프는 직선 $y=1$과 $x=-1$, $x=1$인 점에서 접하므로 방정식 $f(x)=1$은 $x=-1$과 $x=1$을 중근으로 가진다.

$f(x)-1=a(x+1)^2(x-1)^2\ (a>0)$으로 놓으면

$f(0)=3$에서

$f(0)-1=a,\ f(0)=a+1=3$ $\therefore a=2$

$\therefore f(x)=2(x+1)^2(x-1)^2+1=2(x^2-1)^2+1$

       $=2x^4-4x^2+3$

나만의 Note

7-1 나의 풀이

Q8 최대와 최소

주어진 구간에서 다음 함수의 최댓값과 최솟값을 구하시오.

(1) $f(x)=x^3-4x^2+4x+1$ $[0, 3]$

(2) $f(x)=-2x^3-3x^2+12x+5$ $[-4, 2]$

(3) $f(x)=x^4-2x^2-2$ $[-1, 2]$

대표 Q8 풀이

(1) $f(x)=x^3-4x^2+4x+1$에서

$f'(x)=3x^2-8x+4=(3x-2)(x-2)$

$f'(x)=0$에서 $x=\dfrac{2}{3}$ 또는 $x=2$

x	0	$\cdots$	$\dfrac{2}{3}$	$\cdots$	2	$\cdots$	3
$f'(x)$		$+$	0	$-$	0	$+$	
$f(x)$	1	↗	극대	↘	극소	↗	4

함수 $f(x)$의

극댓값은 $f\left(\dfrac{2}{3}\right)=\dfrac{59}{27}$

극솟값은 $f(2)=1$

이므로 $y=f(x)$의 그래프는 그림과 같다.

따라서 **최댓값**은 $f(3)=\mathbf{4}$,

최솟값은 $f(0)=f(2)=\mathbf{1}$

(2) $f(x)=-2x^3-3x^2+12x+5$에서

$f'(x)=-6x^2-6x+12=-6(x+2)(x-1)$

$f'(x)=0$에서 $x=-2$ 또는 $x=1$

x	-4	$\cdots$	-2	$\cdots$	1	$\cdots$	2
$f'(x)$		$-$	0	$+$	0	$-$	
$f(x)$	37	↘	극소	↗	극대	↘	1

함수 $f(x)$의

극댓값은 $f(1)=12$,

극솟값은 $f(-2)=-15$

이므로 $y=f(x)$의 그래프는 그림과 같다.

따라서

최댓값은 $f(-4)=\mathbf{37}$,

최솟값은 $f(-2)=\mathbf{-15}$

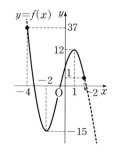

(3) $f(x)=x^4-2x^2-2$에서

$f'(x)=4x^3-4x=4x(x+1)(x-1)$

$f'(x)=0$에서 $x=-1$ 또는 $x=0$ 또는 $x=1$

x	-1	$\cdots$	0	$\cdots$	1	$\cdots$	2
$f'(x)$		$+$	0	$-$	0	$+$	
$f(x)$	-3	↗	극대	↘	극소	↗	6

함수 $f(x)$의

극댓값은 $f(0)=-2$

극솟값은 $f(1)=-3$

이므로 $y=f(x)$의 그래프는

그림과 같다.

따라서 **최댓값**은 $f(2)=\mathbf{6}$,

최솟값은 $f(-1)=f(1)=\mathbf{-3}$

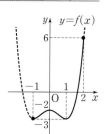

8-1 나의 풀이

8-2 나의 풀이

8-3 나의 풀이

Q9 최대, 최소와 미정계수

다음 물음에 답하시오.

(1) 구간 $[-4, 1]$에서 함수 $f(x)=x^3-12x+a$의 최댓값이 10일 때, 상수 a의 값과 $f(x)$의 최솟값을 구하시오.

(2) 구간 $[0, 3]$에서 삼차함수 $f(x)=ax^3-3ax^2+2$의 최댓값이 6일 때, 상수 a의 값과 $f(x)$의 최솟값을 구하시오.

대표 Q9 풀이

(1) $f(x)=x^3-12x+a$에서
$f'(x)=3x^2-12=3(x+2)(x-2)$
$f'(x)=0$에서 $x=\pm 2$
구간 $[-4, 1]$에서 $f(x)$
의 증가와 감소를 조사하
면 그림과 같이
$x=-2$에서 최대이고
$x=-4$ 또는 $x=1$에서
최소이다.
최댓값이 10이므로 $f(-2)=10$에서
$-8+24+a=10$ ∴ $\boldsymbol{a=-6}$
이때 $f(x)=x^3-12x-6$이고
$f(-4)=-22$, $f(1)=-17$
따라서 구간 $[-4, 1]$에서 **최솟값**은 $f(-4)=\boldsymbol{-22}$

(2) $f(x)=ax^3-3ax^2+2$가 삼차함수이므로 $a\neq 0$이다.
$f'(x)=3ax^2-6ax=3ax(x-2)$
$f'(x)=0$에서 $x=0$ 또는 $x=2$

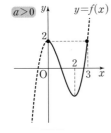

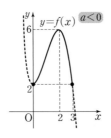

(i) $a>0$일 때
$x=0$ 또는 $x=3$에서 최대이고 $x=2$에서 최소이다.
그런데 $f(0)=f(3)=2$이고 최댓값이 6이므로
$a>0$일 수 없다.

(ii) $a<0$일 때
$x=2$에서 최대이고 $x=0$ 또는 $x=3$에서 최소이다.
최댓값이 6이므로 $f(2)=6$에서
$8a-12a+2=6$ ∴ $\boldsymbol{a=-1}$
이때 $f(x)=-x^3+3x^2+2$이고 $f(0)=f(3)=2$이므로 **최솟값**은 **2**이다.

9-1 나의 풀이

9-2 나의 풀이

9-3 나의 풀이

Q10 최대, 최소의 활용

그림과 같이 곡선 $y=-x^2+2x$와 x축으로 둘러싸인 부분에 내접하고 한 변이 x축 위에 있는 직사각형 ABCD가 있다. 직사각형 ABCD의 넓이가 최대일 때, 점 A의 좌표를 구하시오.

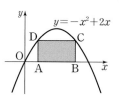

대표 Q10 풀이

$y=-x^2+2x=-(x-1)^2+1$이므로 이 곡선의 축은 직선 $x=1$이다.

그림과 같이 점 A의 x좌표를 a라 하면 $0<a<1$이고 B$(2-a, 0)$, $\overline{AB}=2(1-a)$, $\overline{AD}=-a^2+2a$이므로 직사각형 ABCD의 넓이를 $f(a)$라 하면

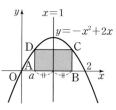

$f(a)=2(1-a)(-a^2+2a)=2a^3-6a^2+4a$

$f'(a)=6a^2-12a+4$

$f'(a)=0$에서 $3a^2-6a+2=0$ $\qquad \therefore a=\dfrac{3\pm\sqrt{3}}{3}$

$0<a<1$에서 $f(a)$의 증가와 감소를 조사하면 그림과 같이 $a=\dfrac{3-\sqrt{3}}{3}$에서 최대이다.

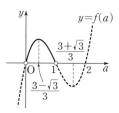

따라서 점 A의 좌표는

$\left(\dfrac{3-\sqrt{3}}{3}, 0\right)$

😊 **나만의 Note**

10-1 나의 풀이

10-1 나의 풀이

대표 Q1 방정식의 실근의 개수

방정식 $x^3+3x^2-9x+k=0$에 대하여 다음 물음에 답하시오.

(1) 서로 다른 세 실근을 가질 때, 실수 k값의 범위를 구하시오.

(2) 음의 실근 한 개와 서로 다른 두 양의 실근을 가질 때, 실수 k값의 범위를 구하시오.

(3) 양의 실근 한 개와 두 허근을 가질 때, 실수 k값의 범위를 구하시오.

대표 Q1 풀이

$f(x)=x^3+3x^2-9x+k$라 하면

$f'(x)=3x^2+6x-9=3(x+3)(x-1)$

$f'(x)=0$에서 $x=-3$ 또는 $x=1$

$f(x)$의 증감표는 다음과 같다.

x	$\cdots$	-3	$\cdots$	1	$\cdots$
$f'(x)$	$+$	0	$-$	0	$+$
$f(x)$	$\nearrow$	$27+k$	$\searrow$	$-5+k$	$\nearrow$

(1) $y=f(x)$의 그래프가 그림과 같으므로

$f(-3)>0$, $f(1)<0$에서

$27+k>0$, $-5+k<0$

$\therefore \boldsymbol{-27<k<5}$

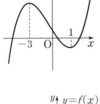

(2) $y=f(x)$의 그래프가 그림과 같으므로

$f(-3)>0$, $f(0)>0$,

$f(1)<0$에서

$27+k>0$, $k>0$,

$-5+k<0$ $\therefore \boldsymbol{0<k<5}$

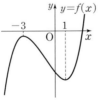

(3) $y=f(x)$의 그래프가 그림과 같으므로

$f(-3)<0$에서 $27+k<0$

$\therefore \boldsymbol{k<-27}$

1-1 나의 풀이

Q2 곡선과 직선의 교점의 개수

> 곡선 $y=x^3-2x+1$과 직선 $y=x+k$에 대하여 다음 물음에 답하시오.
>
> (1) 서로 다른 세 점에서 만날 때, 실수 k값의 범위를 구하시오.
> (2) 서로 다른 두 점에서 만날 때, 실수 k의 값을 모두 구하시오.

대표 Q2 풀이

$x^3-2x+1=x+k$에서 $x^3-3x+1=k$

$f(x)=x^3-3x+1$이라 하면

$f'(x)=3x^2-3=3(x+1)(x-1)$

$f'(x)=0$에서 $x=-1$ 또는 $x=1$

$f(x)$의 증감표는 다음과 같다.

x	$\cdots$	-1	$\cdots$	1	$\cdots$
$f'(x)$	$+$	0	$-$	0	$+$
$f(x)$	↗	3	↘	-1	↗

(1) $y=f(x)$의 그래프와 직선 $y=k$가 서로 다른 세 점에서 만나면

$\mathbf{-1<k<3}$

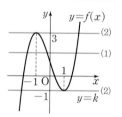

(2) $y=f(x)$의 그래프와 직선 $y=k$가 서로 다른 두 점에서 만나면

$\mathbf{k=-1}$ 또는 $\mathbf{k=3}$

😊 **나만의 Note**

2-1 나의 풀이

2-2 나의 풀이

Q3 대표 부등식이 성립할 조건

다음 물음에 답하시오.

(1) 모든 실수 x에 대하여 부등식

$x^4+4a^3x+48>0$이 성립할 때, 실수 a값의 범위를 구하시오.

(2) $f(x)=5x^3-10x^2+k$, $g(x)=5x^2+2$라 할 때, 구간 $(0, 3)$에서 부등식 $f(x)\geq g(x)$가 성립하는 실수 k의 최솟값을 구하시오.

대표 Q3 풀이

(1) $f(x)=x^4+4a^3x+48$이라 하면

$f'(x)=4x^3+4a^3=4(x+a)(x^2-ax+a^2)$

$f'(x)=0$의 실근은 $x=-a$

x	$\cdots$	$-a$	$\cdots$
$f'(x)$	$-$	0	$+$
$f(x)$	$\searrow$	극소	$\nearrow$

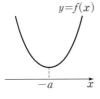

$f(x)$는 $x=-a$에서 극소이고 최소이다.

따라서 $f(x)>0$이면 $f(-a)>0$이다.

$f(-a)=a^4-4a^4+48>0$

$a^4<16$, $(a^2-4)(a^2+4)<0$

$a^2\geq0$이므로 $a^2<4$ $\therefore$ $-2<a<2$

(2) $h(x)=f(x)-g(x)$라 하면

$h(x)=5x^3-10x^2+k-(5x^2+2)$

     $=5x^3-15x^2+k-2$

$h'(x)=15x^2-30x=15x(x-2)$

$h'(x)=0$에서 $x=0$ 또는 $x=2$

x	(0)	$\cdots$	2	$\cdots$	(3)
$h'(x)$		$-$	0	$+$	
$h(x)$		$\searrow$	극소	$\nearrow$	

$h(x)$는 $x=2$에서 극소이고 최소이다.

곧, $0<x<3$에서 $h(x)\geq0$이면 $h(2)\geq0$이다.

$40-60+k-2\geq0$

$\therefore$ $k\geq22$

따라서 k의 최솟값은 **22**이다.

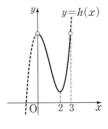

3-1 나의 풀이

3-2 나의 풀이

3-3 나의 풀이

대표 Q4 두 도함수의 그래프가 주어진 문제

$f(x)$는 삼차함수, $g(x)$
는 이차함수이고
$y=f'(x)$, $y=g'(x)$의
그래프는 그림과 같다.
$f(0)=g(0)$이고
$h(x)=f(x)-g(x)$라

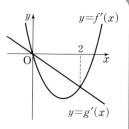

할 때, 다음 중 옳은 것을 모두 고르면?

① 방정식 $f(x)=0$은 서로 다른 세 실근을 가진다.
② $g(x)$의 극댓값은 $f(2)$보다 크다.
③ 구간 $(-\infty, 2)$에서 $h(x)$의 최댓값은 0이다.
④ 방정식 $h(x)=0$은 서로 다른 세 실근을 가진다.
⑤ $x \geq 2$에서 $h(x) \geq 0$이다.

대표 Q4 풀이

① $y=f'(x)$의 그래프가 x축과 만나는 원점이 아닌 점의
x좌표를 p라 하자.
$f'(x)=0$의 실근은 $x=0$ 또는 $x=p$ $(p>2)$
$f(x)$의 증감표는 다음과 같다.

x	$\cdots$	0	$\cdots$	p	$\cdots$
$f'(x)$	$+$	0	$-$	0	$+$
$f(x)$	$\nearrow$	극대	$\searrow$	극소	$\nearrow$

$f(x)$는 $x=0$에서 극대이
고, $x=p$에서 극소이다.
이때 $y=f(x)$의 그래프가
그림과 같으면 방정식
$f(x)=0$은 서로 다른 세
실근을 갖지 않는다. (거짓)

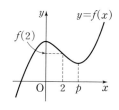

② $g'(x)=0$에서 $x=0$
$g(x)$의 증감표와 그래프는 다음과 같다.

x	$\cdots$	0	$\cdots$
$g'(x)$	$+$	0	$-$
$g(x)$	$\nearrow$	극대	$\searrow$

$g(x)$는 $x=0$에서 극대이고 극댓
값은 $g(0)=f(0)$이다.
그런데 $y=f(x)$의 그래프에서 $f(0)>f(2)$이므로
$g(0)>f(2)$

곧, $g(x)$의 극댓값은 $f(2)$보다 크다. (참)

③, ④, ⑤ $h'(x)=f'(x)-g'(x)$이므로
$h'(x)=0$에서 $x=0$ 또는 $x=2$
$h(x)$의 증감표는 다음과 같다.

x	$\cdots$	0	$\cdots$	2	$\cdots$
$h'(x)$	$+$	0	$-$	0	$+$
$h(x)$	$\nearrow$	극대	$\searrow$	극소	$\nearrow$

$h(x)$는 $x=0$에서 극대이
고, $x=2$에서 극소이다.
또 $h(0)=f(0)-g(0)=0$
이므로 $y=h(x)$의 그래프
는 그림과 같다.

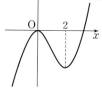

③ 구간 $(-\infty, 2)$에서 $h(x)$
의 최댓값은 $h(0)=0$이다. (참)
④ 방정식 $h(x)=0$은 한 실근과 중근을 가진다. (거짓)
⑤ $x \geq 2$에서 $h(x)<0$인 부분이 있다. (거짓)
따라서 옳은 것은 ②, ③이다.

4-1 나의 풀이

대표Q 학습 **Note**

Q5 절댓값 기호가 있는 방정식

$f(x)$는 최고차항의 계수가 1인 삼차함수이고, 다음 조건을 모두 만족시킨다.

㈎ 모든 실수 x에 대하여 $f(-x)=-f(x)$이다.

㈏ 방정식 $|f(x)|=2$의 서로 다른 실근이 4개이다.

이때 $f(x)$를 구하시오.

날선 Q5 풀이

방정식 $|f(x)|=2$의 서로 다른 실근이 4개이면 $y=|f(x)|$의 그래프와 직선 $y=2$가 서로 다른 네 점에서 만난다.

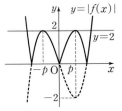

$p>0$일 때 $y=f(x)$가 $x=-p$에서 극댓값 2, $x=p$에서 극솟값 -2를 가진다.

모든 실수 x에 대하여 $f(-x)=-f(x)$이므로 $f(x)=x^3+ax$라 하면

$f'(x)=0$의 근이 $x=\pm p$이므로

$3x^2+a=3(x+p)(x-p)$

우변을 전개하여 양변의 계수를 비교하면 $a=-3p^2$

이때 $f(x)=x^3-3p^2x$이고 $f(p)=-2$이므로

$p^3-3p^3=-2$, $p^3=1$

p는 실수이므로 $p=1$

$\therefore f(x)=x^3-3x$

나만의 Note

5-1 나의 풀이

Q6 속도, 가속도

점 P는 수직선 위를 움직이고 시각 t에서 P의 위치가 $x(t)=t^3-6t^2+9t$이다. 다음 물음에 답하시오.

(1) $t=4$에서 P의 속도와 가속도를 구하시오.

(2) P가 움직이는 방향을 바꿀 때 P의 위치를 모두 구하시오.

(3) P가 음의 방향으로 움직이는 시간을 구하시오.

(4) $t=0$에서 $t=4$일 때까지 P가 움직인 거리를 구하시오.

대표 Q6 풀이

$x(t)=t^3-6t^2+9t$에서

$x'(t)=3t^2-12t+9=3(t-1)(t-3)$

$x'(t)=0$에서 $t=1$ 또는 $t=3$

$t \geq 0$에서 $x(t)$의 증감표는 다음과 같다.

t	0	$\cdots$	1	$\cdots$	3	$\cdots$
$x'(t)$		$+$	0	$-$	0	$+$
$x(t)$	0	$\nearrow$	4	$\searrow$	0	$\nearrow$

또 시각 t에서 P의 속도와 가속도를 각각 $v(t)$, $a(t)$라 하면

$v(t)=x'(t)=3t^2-12t+9$

$a(t)=v'(t)=6t-12$

(1) $t=4$에서 P의 **속도**는

$v(4)=48-48+9=\mathbf{9}$

가속도는 $a(4)=24-12=\mathbf{12}$

(2) $x(t)$가 극값을 가질 때 P가 움직이는 방향이 바뀌므로 P의 위치는 $x(1)=\mathbf{4}$, $x(3)=\mathbf{0}$

(3) $v(t)<0$일 때 P가 음의 방향으로 움직이므로

$v(t)=3t^2-12t+9=3(t-1)(t-3)<0$

$\therefore \mathbf{1<t<3}$

(4) $t=1$, $t=3$에서 P가 움직이는 방향이 바뀌고

$x(1)=4$, $x(3)=0$, $x(4)=4$이다. 따라서 P가

$t=0$에서 $t=1$까지 움직인 거리는 $x(1)-x(0)=4$

$t=1$에서 $t=3$까지 움직인 거리는 $x(1)-x(3)=4$

$t=3$에서 $t=4$까지 움직인 거리는 $x(4)-x(3)=4$

따라서 $t=0$에서 $t=4$까지 P가 움직인 거리는

$4+4+4=\mathbf{12}$

6-1 나의 풀이

대표 Q7 속도, 가속도와 그래프

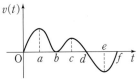

점 P는 원점을 출발하여 수직선 위를 움직이고 시각 t에서 P의 속도 $v(t)\,(0 \le t \le f)$의 그래프가 그림과 같다. 다음 중 옳은 것을 모두 고르면?

① $t=f$일 때 P는 원점에서 가장 멀리 있다.

② $d<t<f$에서 P는 음의 방향으로 움직인다.

③ $b<t<d$에서 P의 가속도는 양수이다.

④ 가속도가 음수인 구간에서 P는 음의 방향으로 움직인다.

⑤ $t>0$에서 P의 가속도가 0인 시각은 4번이다.

대표 07 풀이

$v(t)$의 그래프를 이용하여 $x(t)$, $a(t)$의 그래프를 그리면 그림과 같다.

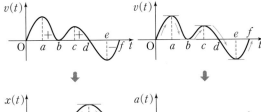

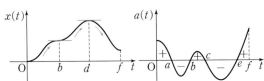

① $t=d$일 때 P는 원점에서 가장 멀리 있다. (거짓)

② $d<t<f$에서 $v(t)$가 음수이므로 P는 음의 방향으로 움직인다. (참)

③ $b<t<c$에서 P의 가속도는 양수이지만 $c<t<d$에서 P의 가속도는 음수이다. (거짓)

④ $a<t<b$에서 가속도가 음수이지만 이 구간에서 $v(t)$는 양수이므로 P는 양의 방향으로 움직인다. (거짓)

⑤ $t>0$에서 P의 가속도가 0인 시각은 $t=a$, $t=b$, $t=c$, $t=e$의 4번이다. (참)

따라서 옳은 것은 ②, ⑤이다.

7-1 나의 풀이

대표 Q8 길이, 넓이, 부피의 변화율

그림과 같이 한 변의 길이가 20인 정사각형 ABCD에서 점 P는 점 A에서 출발하여 변 AB 위를 매초 2씩 움직여 점 B까지 가

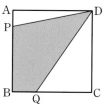

고, 점 Q는 점 B에서 출발하여 변 BC 위를 매초 3씩 움직여 점 C까지 간다. P와 Q가 동시에 출발할 때, 다음을 구하시오.

(1) P, Q가 출발하고 t초 후 사각형 DPBQ의 넓이의 변화율

(2) 사각형 DPBQ의 넓이가 정사각형 ABCD의 넓이의 $\dfrac{11}{20}$이 되는 순간 삼각형 PBQ의 넓이의 변화율

대표 Q8 풀이

(1) t초 후에 $\overline{\mathrm{AP}}=2t$, $\overline{\mathrm{BQ}}=3t$이므로

$$\triangle \mathrm{APD}=\frac{1}{2}\times 20\times 2t=20t$$

$$\triangle \mathrm{DQC}=\frac{1}{2}\times 20\times (20-3t)=200-30t$$

사각형 DPBQ의 넓이를 $S(t)$라 하면

$$S(t)=20^2-20t-(200-30t)=200+10t$$

따라서 사각형 DPBQ의 넓이의 변화율은 $S'(t)=\mathbf{10}$

(2) 사각형 DPBQ의 넓이가 정사각형 ABCD의 넓이의 $\dfrac{11}{20}$이 되는 시각 t는

$$200+10t=\frac{11}{20}\times 20^2,\ 20+t=22 \qquad \therefore t=2$$

삼각형 PBQ의 넓이를 $R(t)$라 하면

$$R(t)=\frac{1}{2}\times 3t\times (20-2t)=30t-3t^2$$

$$R'(t)=30-6t$$

따라서 $t=2$일 때, 삼각형 PBQ의 넓이의 변화율은 $R'(2)=\mathbf{18}$

나만의 Note

8-1 나의 풀이

8-2 나의 풀이

Q1 부정적분의 계산

다음 부정적분을 구하시오.

(1) $\displaystyle\int (2x^3-6x^2+3)\,dx$

(2) $\displaystyle\int (x-1)(2x+1)\,dx$

(3) $\displaystyle\int (2t-1)^2\,dt$

(4) $\displaystyle\int \frac{x^3}{x+1}\,dx+\int \frac{1}{x+1}\,dx$

대표 Q1 풀이

(1) $\displaystyle\int (2x^3-6x^2+3)\,dx=2\times\frac{1}{4}x^4-6\times\frac{1}{3}x^3+3x+C$

$$=\frac{1}{2}x^4-2x^3+3x+C$$

(2) $\displaystyle\int (x-1)(2x+1)\,dx=\int (2x^2-x-1)\,dx$

$$=\frac{2}{3}x^3-\frac{1}{2}x^2-x+C$$

(3) $\displaystyle\int (2t-1)^2\,dt=\int (4t^2-4t+1)\,dt$

$$=\frac{4}{3}t^3-2t^2+t+C$$

(4) $\displaystyle\int \frac{x^3}{x+1}\,dx+\int \frac{1}{x+1}\,dx$

$$=\int \frac{x^3+1}{x+1}\,dx$$

$$=\int \frac{(x+1)(x^2-x+1)}{x+1}\,dx$$

$$=\int (x^2-x+1)\,dx$$

$$=\frac{1}{3}x^3-\frac{1}{2}x^2+x+C$$

😊 나만의 **Note**

1-1 나의 풀이

대표 Q2 $f'(x)$와 $f(x)$

다음 물음에 답하시오.

(1) $f'(x)=3x^2-2$이고 $f(0)=2$일 때, 함수 $f(x)$를 구하시오.

(2) $f(x)$가 연속함수이고
$$f'(x)=\begin{cases} x+2 & (x>1) \\ 3x^2 & (x<1) \end{cases}, f(2)=2$$
일 때, $f(0)$의 값을 구하시오.

대표 02 풀이

(1) $f(x)=\displaystyle\int f'(x)\,dx=\int (3x^2-2)\,dx$

$\qquad =x^3-2x+C$

$f(0)=2$이므로 $C=2$

$\therefore \boldsymbol{f(x)=x^3-2x+2}$

(2) $\displaystyle\int (x+2)\,dx=\dfrac{1}{2}x^2+2x+C_1=f_1(x)$

$\displaystyle\int 3x^2\,dx=x^3+C_2=f_2(x)$

라 하면

$f(x)=\begin{cases} f_1(x) & (x>1) \\ f_2(x) & (x<1) \end{cases}$

$f(2)=f_1(2)=2$이므로

$6+C_1=2 \qquad \therefore C_1=-4$

또 $f(x)$가 연속함수이므로 $x=1$에서 연속이다.

곧, $f_1(1)=f_2(1)$이므로

$-\dfrac{3}{2}=1+C_2 \qquad \therefore C_2=-\dfrac{5}{2}$

$\therefore \boldsymbol{f(0)=f_2(0)=-\dfrac{5}{2}}$

나만의 Note

2-1 나의 풀이

2-2 나의 풀이

Q3 접선, 극값과 부정적분

다음 물음에 답하시오.

(1) 곡선 $y=f(x)$ 위의 점 (x, y)에서 접선의 기울기가 $3x^2-4x$이다. 곡선 $y=f(x)$가 점 $(1, 2)$를 지날 때, $f(x)$를 구하시오.

(2) $f'(x)=x^2-2x-3$이고 $f(x)$의 극댓값이 2일 때, 함수 $f(x)$의 극솟값을 구하시오.

대표 03 풀이

(1) $f'(x)=3x^2-4x$이므로

$$f(x)=\int f'(x)\,dx=\int (3x^2-4x)\,dx$$
$$=x^3-2x^2+C$$

곡선 $y=f(x)$가 점 $(1, 2)$를 지나므로 $f(1)=2$에서

$-1+C=2$ ∴ $C=3$

∴ $\boldsymbol{f(x)=x^3-2x^2+3}$

(2) $f(x)=\int f'(x)\,dx=\int (x^2-2x-3)\,dx$

$$=\frac{1}{3}x^3-x^2-3x+C$$

$f'(x)=x^2-2x-3=(x+1)(x-3)$이므로

$f'(x)=0$에서 $x=-1$ 또는 $x=3$

$f(x)$의 증감표는 다음과 같다.

x	$\cdots$	-1	$\cdots$	3	$\cdots$
$f'(x)$	$+$	0	$-$	0	$+$
$f(x)$	↗	극대	↘	극소	↗

극댓값이 2이므로 $f(-1)=2$에서

$\frac{5}{3}+C=2$ ∴ $C=\frac{1}{3}$

∴ $f(x)=\frac{1}{3}x^3-x^2-3x+\frac{1}{3}$

따라서 $f(x)$의 극솟값은

$f(3)=9-9-9+\frac{1}{3}=-\boldsymbol{\frac{26}{3}}$

나만의 Note

3-1 나의 풀이

3-2 나의 풀이

미분하는 문제

다음 물음에 답하시오.

(1) $F(x)$는 다항함수 $f(x)$의 한 부정적분이고, 모든 실수 x에 대하여
$$F(x) = xf(x) - 3x^4 + x^2$$
이다. $f(0) = 1$일 때, $f(x)$를 구하시오.

(2) $f(x)$, $g(x)$는 이차함수이고 $g(x)$는 $x^2 + f(x)$의 한 부정적분이다. $f(x) + g(x) = x + 1$일 때, $f(x)$를 구하시오.

대표 Q4 풀이

(1) $F(x) = xf(x) - 3x^4 + x^2$의 양변을 미분하면
$$f(x) = f(x) + xf'(x) - 12x^3 + 2x$$
$$xf'(x) = 12x^3 - 2x$$
$$f'(x) = 12x^2 - 2$$
$$\therefore f(x) = \int f'(x)\,dx = \int (12x^2 - 2)\,dx$$
$$= 4x^3 - 2x + C$$
$f(0) = 1$이므로 $C = 1$
$$\therefore \boldsymbol{f(x) = 4x^3 - 2x + 1}$$

(2) $g(x)$가 $x^2 + f(x)$의 한 부정적분이므로
$$g'(x) = x^2 + f(x)$$
그런데 $g'(x)$는 일차함수이므로
$g'(x) = ax + b\,(a \neq 0)$로 놓으면
$$f(x) = -x^2 + ax + b$$
라 할 수 있다.
$$g(x) = \int (ax + b)\,dx = \frac{a}{2}x^2 + bx + C$$
이므로 $f(x) + g(x) = x + 1$에서
$$\left(-1 + \frac{a}{2}\right)x^2 + (a + b)x + b + C = x + 1$$
양변의 계수를 비교하면
$$-1 + \frac{a}{2} = 0,\ a + b = 1,\ b + C = 1$$
$$\therefore a = 2,\ b = -1,\ C = 2$$
$$\therefore \boldsymbol{f(x) = -x^2 + 2x - 1}$$

나만의 Note

4-1 나의 풀이

4-2 나의 풀이

대표 Q1 정적분의 계산 (1)

다음 정적분의 값을 구하시오.

(1) $\int_{-2}^{1} (x-1)(x+2)\,dx$

(2) $\int_{0}^{3} (x+1)^2\,dx - \int_{3}^{0} (x-1)^2\,dx$

(3) $\int_{-2}^{1} (x^2-3x)\,dx + \int_{1}^{3} (x^2-3x)\,dx$

대표 Q1 풀이

(1) $\int_{-2}^{1} (x-1)(x+2)\,dx$

$= \int_{-2}^{1} (x^2+x-2)\,dx$

$= \left[\dfrac{1}{3}x^3 + \dfrac{1}{2}x^2 - 2x \right]_{-2}^{1}$

$= \left(\dfrac{1}{3} + \dfrac{1}{2} - 2 \right) - \left(-\dfrac{8}{3} + 2 + 4 \right) = -\dfrac{9}{2}$

(2) $\int_{0}^{3} (x+1)^2\,dx - \int_{3}^{0} (x-1)^2\,dx$

$= \int_{0}^{3} (x+1)^2\,dx + \int_{0}^{3} (x-1)^2\,dx$

$= \int_{0}^{3} \{ (x+1)^2 + (x-1)^2 \}\,dx$

$= \int_{0}^{3} (2x^2+2)\,dx$

$= \left[\dfrac{2}{3}x^3 + 2x \right]_{0}^{3}$

$= (18+6) - 0 = 24$

(3) $\int_{-2}^{1} (x^2-3x)\,dx + \int_{1}^{3} (x^2-3x)\,dx$

$= \int_{-2}^{3} (x^2-3x)\,dx$

$= \left[\dfrac{1}{3}x^3 - \dfrac{3}{2}x^2 \right]_{-2}^{3}$

$= \left(9 - \dfrac{27}{2} \right) - \left(-\dfrac{8}{3} - 6 \right) = \dfrac{25}{6}$

나만의 Note

1-1 나의 풀이

Q2 정적분의 계산 (2)

다음 정적분의 값을 구하시오.

(1) $\displaystyle\int_{-2}^{2} (x^3+2x^2-3x+4)\,dx$

(2) $\displaystyle\int_{2}^{4} \frac{x^2}{x-1}\,dx - \int_{2}^{4} \frac{1}{t-1}\,dt$

대표 02 풀이

(1) $\displaystyle\int_{-2}^{2} (x^3+2x^2-3x+4)\,dx$

$\displaystyle =\int_{-2}^{2} (x^3-3x)\,dx + \int_{-2}^{2} (2x^2+4)\,dx$

$\displaystyle =0+2\int_{0}^{2} (2x^2+4)\,dx$

$\displaystyle =2\left[\frac{2}{3}x^3+4x\right]_{0}^{2}=2\left(\frac{16}{3}+8\right)=\frac{80}{3}$

(2) $\displaystyle\int_{2}^{4} \frac{x^2}{x-1}\,dx - \int_{2}^{4} \frac{1}{t-1}\,dt$

$\displaystyle =\int_{2}^{4} \frac{x^2}{x-1}\,dx - \int_{2}^{4} \frac{1}{x-1}\,dx$

$\displaystyle =\int_{2}^{4} \frac{x^2-1}{x-1}\,dx = \int_{2}^{4} (x+1)\,dx$

$\displaystyle =\left[\frac{1}{2}x^2+x\right]_{2}^{4}=(8+4)-(2+2)=8$

😊 **나만의 Note**

2-1 나의 풀이

대표 Q3 절댓값 기호를 포함한 정적분

다음 물음에 답하시오.

(1) $\displaystyle\int_{-1}^{2} |x^2-1|\ dx$의 값을 구하시오.

(2) $0\le a\le 4$이고 $\displaystyle\int_{0}^{4} |x-a|\ dx$가 최소일 때, 상수 a의 값과 최솟값을 구하시오.

대표 Q3 풀이

(1) $-1\le x\le 1$일 때 $|x^2-1|=-(x^2-1)$,

$1\le x\le 2$일 때 $|x^2-1|=x^2-1$이므로

$$\int_{-1}^{2} |x^2-1|\ dx$$

$$=\int_{-1}^{1} \{-(x^2-1)\}\ dx+\int_{1}^{2} (x^2-1)\ dx$$

$$=\left[-\frac{1}{3}x^3+x\right]_{-1}^{1}+\left[\frac{1}{3}x^3-x\right]_{1}^{2}$$

$$=\frac{4}{3}+\frac{4}{3}=\frac{8}{3}$$

(2) $0\le x\le a$일 때 $|x-a|=-(x-a)$,

$a\le x\le 4$일 때 $|x-a|=x-a$이므로

$$\int_{0}^{4} |x-a|\ dx$$

$$=\int_{0}^{a} \{-(x-a)\}\ dx+\int_{a}^{4} (x-a)\ dx$$

$$=\left[-\frac{1}{2}x^2+ax\right]_{0}^{a}+\left[\frac{1}{2}x^2-ax\right]_{a}^{4}$$

$$=\left(-\frac{1}{2}a^2+a^2\right)+\left(\frac{1}{2}a^2-4a+8\right)$$

$$=a^2-4a+8=(a-2)^2+4$$

따라서 $a=2$일 때 최소이고, **최솟값**은 **4**이다.

나만의 Note

3-1 나의 풀이

3-2 나의 풀이

Q4 주기함수의 정적분

$-1 \leq x < 1$에서 함수 $f(x) = x^2 + 1$이고 모든 실수 x에 대하여 $f(x+2) = f(x)$일 때, 다음 정적분의 값을 구하시오.

(1) $\displaystyle\int_5^7 f(x)\,dx$ (2) $\displaystyle\int_9^{10} f(x)\,dx$

(3) $\displaystyle\int_0^{10} f(x)\,dx$

대표 Q4 풀이

(1) $f(x)$는 주기가 2인 주기함수이므로

$$\int_{-1}^1 f(x)\,dx = \int_1^3 f(x)\,dx = \int_3^5 f(x)\,dx = \cdots$$

$$\therefore \int_5^7 f(x)\,dx = \int_{-1}^1 f(x)\,dx$$

$$= \int_{-1}^1 (x^2+1)\,dx = 2\int_0^1 (x^2+1)\,dx$$

$$= 2\left[\frac{1}{3}x^3 + x\right]_0^1 = 2\left(\frac{1}{3}+1\right) = \frac{8}{3}$$

(2) $\displaystyle\int_9^{10} f(x)\,dx = \int_7^8 f(x)\,dx = \int_5^6 f(x)\,dx$

$$= \cdots = \int_{-1}^0 f(x)\,dx$$

$$\therefore \int_9^{10} f(x)\,dx$$

$$= \int_{-1}^0 f(x)\,dx$$

$$= \int_{-1}^0 (x^2+1)\,dx = \left[\frac{1}{3}x^3 + x\right]_{-1}^0$$

$$= -\left(-\frac{1}{3}-1\right) = \frac{4}{3}$$

(3) $\displaystyle\int_0^{10} f(x)\,dx = \int_0^9 f(x)\,dx + \int_9^{10} f(x)\,dx$이고,

$$\int_9^{10} f(x)\,dx = \int_{-1}^0 f(x)\,dx$$이므로

$$\int_0^{10} f(x)\,dx = \int_0^9 f(x)\,dx + \int_9^{10} f(x)\,dx$$

$$= \int_0^9 f(x)\,dx + \int_{-1}^0 f(x)\,dx$$

$$= \int_{-1}^9 f(x)\,dx = 5\int_{-1}^1 f(x)\,dx$$

$$= 5 \times \frac{8}{3} = \frac{40}{3}$$

4-1 나의 풀이

^{대표}**Q5** 대칭이동, 평행이동을 이용하는 정적분

$f(x)$는 연속함수이고, 모든 실수 x에 대하여
$f(2+x)=f(2-x)$이다.
$\int_0^3 f(x)\,dx=3$, $\int_0^4 f(x)\,dx=5$일 때, 다음 정적분의 값을 구하시오.

(1) $\displaystyle\int_1^2 f(x)\,dx$　　　　(2) $\displaystyle\int_1^2 f(x+1)\,dx$

대표 Q5 풀이

(1) $\int_0^3 f(x)\,dx=3$, $\int_0^4 f(x)\,dx=5$

이므로

$$\int_3^4 f(x)\,dx=\int_0^4 f(x)\,dx-\int_0^3 f(x)\,dx$$
$$=5-3=2$$

$y=f(x)$의 그래프는 직선 $x=2$에 대칭이므로

$$\int_0^1 f(x)\,dx=\int_3^4 f(x)\,dx=2$$

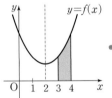 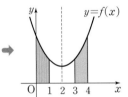

$$\therefore \int_1^2 f(x)\,dx=\frac{1}{2}\left\{\int_0^3 f(x)\,dx-\int_0^1 f(x)\,dx\right\}$$
$$=\frac{1}{2}\times(3-2)=\frac{1}{2}$$

(2) $y=f(x+1)$의 그래프는 $y=f(x)$의 그래프를 x축 방향으로 -1만큼 평행이동한 것이므로

$$\int_1^2 f(x+1)\,dx=\int_2^3 f(x)\,dx$$

$y=f(x)$의 그래프는 직선 $x=2$에 대칭이므로

$$\int_2^3 f(x)\,dx=\int_1^2 f(x)\,dx=\frac{1}{2}$$

나만의 Note

5-1 나의 풀이

5-2 나의 풀이

Q6 함수 구하기

다음 물음에 답하시오.

(1) $f(x)=x^3-2x-2\int_0^1 f(x)\,dx$일 때, 연속함수 $f(x)$를 구하시오.

(2) $f(0)=-1$이고

$$\int_{-1}^1 f(x)\,dx=\int_0^1 f(x)\,dx=\int_{-1}^0 f(x)\,dx$$

일 때, 이차함수 $f(x)$를 구하시오.

대표 Q6 풀이

(1) $\int_0^1 f(x)\,dx=p$ (p는 상수) $\cdots$ ㉠

로 놓으면 $f(x)=x^3-2x-2p$

$$\int_0^1 f(x)\,dx=\int_0^1 (x^3-2x-2p)\,dx$$

$$=\left[\frac{1}{4}x^4-x^2-2px\right]_0^1=-\frac{3}{4}-2p$$

㉠에 대입하면 $-\dfrac{3}{4}-2p=p$ $\therefore p=-\dfrac{1}{4}$

$$\therefore \boldsymbol{f(x)=x^3-2x+\frac{1}{2}}$$

(2) $f(0)=-1$이므로

$f(x)=ax^2+bx-1(a\neq0)$로 놓으면

$$\int_{-1}^1 f(x)\,dx=\int_{-1}^1 (ax^2+bx-1)\,dx$$

$$=2\int_0^1 (ax^2-1)\,dx$$

$$=2\left[\frac{a}{3}x^3-x\right]_0^1=\frac{2}{3}a-2$$

$$\int_0^1 f(x)\,dx=\int_0^1 (ax^2+bx-1)\,dx$$

$$=\left[\frac{a}{3}x^3+\frac{b}{2}x^2-x\right]_0^1=\frac{a}{3}+\frac{b}{2}-1$$

$$\int_{-1}^0 f(x)\,dx=\int_{-1}^0 (ax^2+bx-1)\,dx$$

$$=\left[\frac{a}{3}x^3+\frac{b}{2}x^2-x\right]_{-1}^0=\frac{a}{3}-\frac{b}{2}-1$$

조건에서 $\dfrac{2}{3}a-2=\dfrac{a}{3}+\dfrac{b}{2}-1=\dfrac{a}{3}-\dfrac{b}{2}-1$

연립하여 풀면 $a=3$, $b=0$

$$\therefore \boldsymbol{f(x)=3x^2-1}$$

6-1 나의 풀이

6-2 나의 풀이

Q7 정적분으로 정의된 함수 구하기

모든 실수 x에 대하여 다음 등식이 성립할 때, 상수 p의 값과 다항함수 $f(x)$를 구하시오.

(1) $\displaystyle\int_{-1}^{x} f(t)\,dt = x^4 + x^3 + px - 2$

(2) $\displaystyle\int_{1}^{x} (x-t)f(t)\,dt = x^3 + px^2 + 7x - 3$

대표 Q7 풀이

(1) $\displaystyle\int_{-1}^{x} f(t)\,dt = x^4 + x^3 + px - 2$ ··· ㉠

ㄱ의 양변에 $x=-1$을 대입하면

$0 = 1 - 1 - p - 2$ ∴ $\boldsymbol{p = -2}$

ㄱ의 양변을 x에 대하여 미분하면

$\boldsymbol{f(x) = 4x^3 + 3x^2 + p = 4x^3 + 3x^2 - 2}$

(2) $\displaystyle\int_{1}^{x} (x-t)f(t)\,dt = x^3 + px^2 + 7x - 3$ ··· ㉠

ㄱ의 양변에 $x=1$을 대입하면

$0 = 1 + p + 7 - 3$ ∴ $\boldsymbol{p = -5}$

ㄱ에서 (좌변) $= x\displaystyle\int_{1}^{x} f(t)\,dt - \int_{1}^{x} tf(t)\,dt$이므로

ㄱ의 양변을 x에 대하여 미분하면

$\displaystyle\int_{1}^{x} f(t)\,dt + xf(x) - xf(x) = 3x^2 + 2px + 7$

$\displaystyle\int_{1}^{x} f(t)\,dt = 3x^2 + 2px + 7$ ··· ㉡

ㄴ의 양변을 x에 대하여 미분하면

$f(x) = 6x + 2p$

∴ $\boldsymbol{f(x) = 6x - 10}$

나만의 Note

7-1 나의 풀이

7-2 나의 풀이

대표 Q8 정적분 함수와 극한

$f(x) = x^3 + 2x - 3$일 때, 다음을 구하시오.

(1) $\lim\limits_{x \to 1} \dfrac{1}{x^2 - 1} \displaystyle\int_1^x f(t)\,dt$

(2) $\lim\limits_{h \to 0} \dfrac{1}{3h} \displaystyle\int_2^{2+2h} f(t)\,dt$

대표 Q8 풀이

$f(x) = x^3 + 2x - 3$의 한 부정적분을 $F(x)$라 하자.

(1) $\displaystyle\int_1^x f(t)\,dt = F(x) - F(1)$이므로

$\lim\limits_{x \to 1} \dfrac{1}{x^2 - 1} \displaystyle\int_1^x f(t)\,dt$

$= \lim\limits_{x \to 1} \dfrac{F(x) - F(1)}{x^2 - 1}$

$= \lim\limits_{x \to 1} \left\{ \dfrac{F(x) - F(1)}{x - 1} \times \dfrac{1}{x + 1} \right\}$

$= F'(1) \times \dfrac{1}{2} = \dfrac{1}{2} f(1)$

$= \dfrac{1}{2} \times 0 = \mathbf{0}$

(2) $\displaystyle\int_2^{2+2h} f(t)\,dt = F(2+2h) - F(2)$이므로

$\lim\limits_{h \to 0} \dfrac{1}{3h} \displaystyle\int_2^{2+2h} f(t)\,dt$

$= \lim\limits_{h \to 0} \dfrac{F(2+2h) - F(2)}{3h}$

$= \lim\limits_{h \to 0} \left\{ \dfrac{F(2+2h) - F(2)}{2h} \times \dfrac{2}{3} \right\}$

$= F'(2) \times \dfrac{2}{3} = \dfrac{2}{3} f(2)$

$= \dfrac{2}{3} \times 9 = \mathbf{6}$

나만의 Note

8-1 나의 풀이

8-2 나의 풀이

함수 $f(x)=\displaystyle\int_{x}^{x+1}(t^3-t)\,dt$일 때, 다음 물음에 답하시오.

(1) $f(x)$의 극값을 구하시오.

(2) 구간 $[-2,\ 2]$에서 $f(x)$의 최댓값과 최솟값을 구하시오.

대표 Q9 풀이

(1) $f(x)=\displaystyle\int_{x}^{x+1}(t^3-t)\,dt$에서 $g(t)=t^3-t$라 하고,

$g(t)$의 한 부정적분을 $G(t)$라 하면

$f(x)=G(x+1)-G(x)$

위 식의 양변을 x에 대하여 미분하면

$f'(x)=g(x+1)-g(x)$

$\qquad=\{(x+1)^3-(x+1)\}-\{x^3-x\}$

$\qquad=3x^2+3x=3x(x+1)$

$f'(x)=0$에서 $x=-1$ 또는 $x=0$

$f(x)$의 증감표는 다음과 같다.

x	$\cdots$	-1	$\cdots$	0	$\cdots$
$f'(x)$	$+$	0	$-$	0	$+$
$f(x)$	↗	극대	↘	극소	↗

극댓값은

$f(-1)=\displaystyle\int_{-1}^{0}(t^3-t)\,dt=\left[\dfrac{1}{4}t^4-\dfrac{1}{2}t^2\right]_{-1}^{0}=\dfrac{1}{4}$

극솟값은

$f(0)=\displaystyle\int_{0}^{1}(t^3-t)\,dt=\left[\dfrac{1}{4}t^4-\dfrac{1}{2}t^2\right]_{0}^{1}=-\dfrac{1}{4}$

따라서 $f(x)$는 $x=-1$일 때 **극댓값 $\dfrac{1}{4}$**,

$\qquad\qquad x=0$일 때 **극솟값 $-\dfrac{1}{4}$**을 갖는다.

(2) (1)에서 $f'(x)=3x^2+3x$이므로

$f(x)=x^3+\dfrac{3}{2}x^2+C$

$f(0)=-\dfrac{1}{4}$이므로 $C=-\dfrac{1}{4}$

$\therefore f(x)=x^3+\dfrac{3}{2}x^2-\dfrac{1}{4}$

(1)의 증감표를 이용하면

$y=f(x)$의 그래프는 그림과 같다.

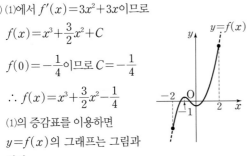

$f(-2)=-\dfrac{9}{4}$, $f(2)=\dfrac{55}{4}$,

$f(-1)=\dfrac{1}{4}$, $f(0)=-\dfrac{1}{4}$이므로

구간 $[-2,\ 2]$에서 **최댓값**은 $f(2)=\dfrac{55}{4}$,

$\qquad\qquad$ **최솟값**은 $f(-2)=-\dfrac{9}{4}$

9-1 나의 풀이

9-2 나의 풀이

Q1 곡선과 x축으로 둘러싸인 부분의 넓이

다음 곡선과 직선으로 둘러싸인 부분의 넓이를 구하시오.

(1) $y=x^2-3x-4$, x축
(2) $y=x^3-2x^2-x+2$, x축
(3) $y=x^2-2x$, x축, $x=0$, $x=3$

대표 Q1 풀이

(1) 곡선과 x축의 교점의 x좌표는 $x^2-3x-4=0$에서
$x=-1$ 또는 $x=4$
$-1 \le x \le 4$에서 $y \le 0$이므로 색칠한 부분의 넓이는
$-\int_{-1}^{4}(x^2-3x-4)\,dx$
$=-\left[\dfrac{1}{3}x^3-\dfrac{3}{2}x^2-4x\right]_{-1}^{4}=\dfrac{125}{6}$

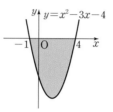

(2) 곡선과 x축의 교점의 x좌표는 $x^3-2x^2-x+2=0$에서
$x=\pm 1$ 또는 $x=2$
$-1 \le x \le 1$에서 $y \ge 0$,
$1 \le x \le 2$에서 $y \le 0$이므로 색칠한 부분의 넓이는

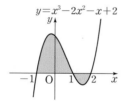

$\int_{-1}^{1}(x^3-2x^2-x+2)\,dx$
$-\int_{1}^{2}(x^3-2x^2-x+2)\,dx$
$=2\int_{0}^{1}(-2x^2+2)\,dx-\int_{1}^{2}(x^3-2x^2-x+2)\,dx$
$=2\left[-\dfrac{2}{3}x^3+2x\right]_{0}^{1}-\left[\dfrac{1}{4}x^4-\dfrac{2}{3}x^3-\dfrac{1}{2}x^2+2x\right]_{1}^{2}$
$=\dfrac{8}{3}-\left(-\dfrac{5}{12}\right)=\dfrac{37}{12}$

(3) 곡선과 x축의 교점의 x좌표는 $x^2-2x=0$에서
$x=0$ 또는 $x=2$
$0 \le x \le 2$에서 $y \le 0$,
$2 \le x \le 3$에서 $y \ge 0$이므로 색칠한 부분의 넓이는

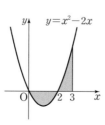

$-\int_{0}^{2}(x^2-2x)\,dx+\int_{2}^{3}(x^2-2x)\,dx$
$=-\left[\dfrac{1}{3}x^3-x^2\right]_{0}^{2}+\left[\dfrac{1}{3}x^3-x^2\right]_{2}^{3}=\dfrac{4}{3}+\dfrac{4}{3}=\dfrac{8}{3}$

1-1 나의 풀이

1-2 나의 풀이

^{대표} **Q2** 두 곡선으로 둘러싸인 부분의 넓이

다음 곡선과 직선 또는 두 곡선으로 둘러싸인 부분의
넓이를 구하시오.

(1) $y=x^2-3x$, $y=4$

(2) $y=x^3-3x+1$, $y=x+1$

(3) $y=x^3-6x^2+9x$, $y=-2x^2+8x-6$

대표 **Q2** 풀이

(1) 곡선과 직선의 교점의 x좌
표는 $x^2-3x=4$에서
$x=-1$ 또는 $x=4$
$-1\leq x\leq4$에서
$4\geq x^2-3x$이므로 색칠한
부분의 넓이는

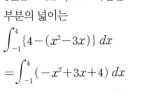

$$\int_{-1}^{4}\{4-(x^2-3x)\}\,dx$$

$$=\int_{-1}^{4}(-x^2+3x+4)\,dx$$

$$=\left[-\frac{1}{3}x^3+\frac{3}{2}x^2+4x\right]_{-1}^{4}=\frac{125}{6}$$

(2) 곡선과 직선의 교점의
x좌표는
$x^3-3x+1=x+1$에서
$x=0$ 또는 $x=\pm2$
$-2\leq x\leq0$에서
$x^3-3x+1\geq x+1$,
$0\leq x\leq2$에서
$x+1\geq x^3-3x+1$이므로 색칠한 부분의 넓이는

$$\int_{-2}^{0}\{(x^3-3x+1)-(x+1)\}\,dx$$

$$+\int_{0}^{2}\{(x+1)-(x^3-3x+1)\}\,dx$$

$$=\left[\frac{1}{4}x^4-2x^2\right]_{-2}^{0}+\left[-\frac{1}{4}x^4+2x^2\right]_{0}^{2}=4+4=8$$

(3) $f(x)=x^3-6x^2+9x$,
$g(x)=-2x^2+8x-6$
이라 하자.
두 곡선의 교점의 x좌표
는 $f(x)=g(x)$에서
$x=-1$ 또는 $x=2$
또는 $x=3$

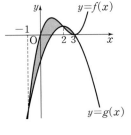

$-1\leq x\leq2$에서 $f(x)\geq g(x)$,
$2\leq x\leq3$에서 $g(x)\geq f(x)$이므로
색칠한 부분의 넓이는

$$\int_{-1}^{2}\{f(x)-g(x)\}\,dx+\int_{2}^{3}\{g(x)-f(x)\}\,dx$$

$$=\int_{-1}^{2}(x^3-4x^2+x+6)\,dx$$

$$+\int_{2}^{3}(-x^3+4x^2-x-6)\,dx$$

$$=\left[\frac{1}{4}x^4-\frac{4}{3}x^3+\frac{1}{2}x^2+6x\right]_{-1}^{2}$$

$$+\left[-\frac{1}{4}x^4+\frac{4}{3}x^3-\frac{1}{2}x^2-6x\right]_{2}^{3}$$

$$=\frac{45}{4}+\frac{7}{12}=\frac{71}{6}$$

2-1 나의 풀이

Q3 곡선과 접선으로 둘러싸인 부분의 넓이

다음 물음에 답하시오.

(1) 곡선 $y=x^2-2x+3$과 이 곡선 위의 점 $(0, 3)$, $(2, 3)$에서의 접선으로 둘러싸인 부분의 넓이를 구하시오.

(2) 곡선 $y=x^3+1$과 $x=-1$인 점에서 이 곡선에 접하는 직선으로 둘러싸인 부분의 넓이를 구하시오.

대표 Q3 풀이

(1) $f(x)=x^2-2x+3$이라 하면 $f'(x)=2x-2$

$f'(0)=-2$이므로 점 $(0, 3)$에서 접선의 방정식은

$y-3=-2(x-0)$

$\therefore y=-2x+3$

또 $f'(2)=2$이므로 점 $(2, 3)$에서 접선의 방정식은

$y-3=2(x-2)$ $\therefore y=2x-1$

또한 두 접선의 교점의 x좌표는

$-2x+3=2x-1$ $\therefore x=1$

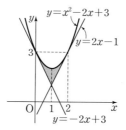

따라서 색칠한 부분의 넓이는

$\displaystyle\int_0^1\{(x^2-2x+3)-(-2x+3)\}\,dx$

$+\displaystyle\int_1^2\{(x^2-2x+3)-(2x-1)\}\,dx$

$=\displaystyle\int_0^1 x^2\,dx+\int_1^2(x^2-4x+4)\,dx$

$=\left[\dfrac{1}{3}x^3\right]_0^1+\left[\dfrac{1}{3}x^3-2x^2+4x\right]_1^2$

$=\dfrac{1}{3}+\dfrac{1}{3}=\dfrac{2}{3}$

(2) $f(x)=x^3+1$이라 하면

$f'(x)=3x^2$

$f'(-1)=3$, $f(-1)=0$

이므로 점 $(-1, 0)$에서

접선의 방정식은

$y=3(x+1)$

$\therefore y=3x+3$

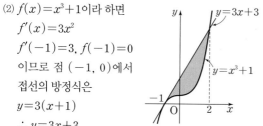

또 곡선과 접선의 교점의 x좌표는

$x^3+1=3x+3$에서

$x^3-3x-2=0$, $(x+1)^2(x-2)=0$

$\therefore x=-1$ 또는 $x=2$

$-1\leq x\leq 2$에서 $3x+3\geq x^3+1$이므로

색칠한 부분의 넓이는

$\displaystyle\int_{-1}^2\{3x+3-(x^3+1)\}\,dx$

$=\displaystyle\int_{-1}^2(-x^3+3x+2)\,dx$

$=\left[-\dfrac{1}{4}x^4+\dfrac{3}{2}x^2+2x\right]_{-1}^2=\dfrac{27}{4}$

3-1 나의 풀이

3-2 나의 풀이

Q4 두 부분의 넓이가 같을 때

다음 물음에 답하시오.

(1) 곡선 $y=x(x-1)(x-a)\,(a>1)$와 x축으로 둘러싸인 두 부분의 넓이가 같을 때, 실수 a의 값을 구하시오.

(2) 곡선 $y=-x(x-2)$와 x축으로 둘러싸인 부분의 넓이를 직선 $y=mx$가 이등분할 때, 실수 m의 값을 구하시오.

대표 04 풀이

(1) 그림에서 색칠한 두 부분의 넓이가 같으면

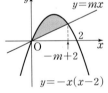

$$\int_0^a x(x-1)(x-a)\,dx=0$$

이다. 곧,

$$\int_0^a x(x-1)(x-a)\,dx$$

$$=\int_0^a \{x^3-(a+1)x^2+ax\}\,dx$$

$$=\left[\frac{1}{4}x^4-\frac{a+1}{3}x^3+\frac{a}{2}x^2\right]_0^a=-\frac{1}{12}a^4+\frac{1}{6}a^3=0$$

에서 $a^4-2a^3=0$, $a^3(a-2)=0$

$a>1$이므로 $a=\mathbf{2}$

(2) 곡선과 직선의 교점의 x좌표는 $-x^2+2x=mx$에서

$x(x+m-2)=0$

$\therefore x=0$ 또는 $x=-m+2$

$0\le x\le -m+2$에서

$-x^2+2x\ge mx$이므로

곡선과 직선으로 둘러싸인 부분의 넓이는

$$\int_0^{-m+2}(-x^2+2x-mx)\,dx$$

$$=\left[-\frac{1}{3}x^3-\frac{m-2}{2}x^2\right]_0^{-m+2}=\frac{1}{6}(-m+2)^3$$

또 곡선과 x축으로 둘러싸인 부분의 넓이는

$$\int_0^2(-x^2+2x)\,dx=\left[-\frac{1}{3}x^3+x^2\right]_0^2=\frac{4}{3}$$

조건에서 $\frac{1}{6}(-m+2)^3=\frac{1}{2}\times\frac{4}{3}$이므로

$(-m+2)^3=4$

m은 실수이므로 $-m+2=\sqrt[3]{4}$ $\quad\therefore m=\mathbf{2-\sqrt[3]{4}}$

4-1 나의 풀이

4-2 나의 풀이

Q5 역함수의 그래프와 넓이

다음 물음에 답하시오.

(1) 함수 $f(x)=x^3+1$의 역함수를 $g(x)$라 할 때,

$$\int_0^2 f(x)\,dx + \int_{f(0)}^{f(2)} g(x)\,dx$$의 값을 구하시오.

(2) 함수 $f(x)=\dfrac{1}{4}x^3\,(x\geq0)$의 역함수를 $g(x)$라 할 때, $y=f(x)$와 $y=g(x)$의 그래프로 둘러싸인 부분의 넓이를 구하시오.

날선 05 풀이

(1) $y=f(x)$, $y=g(x)$가 역함수 관계이므로 두 함수의 그래프는 직선 $y=x$에 대칭이다.

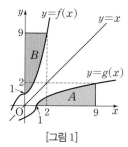

[그림 1]

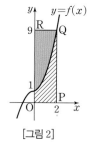

[그림 2]

$f(0)=1$, $f(2)=9$이므로 $\int_{f(0)}^{f(2)} g(x)\,dx$는 [그림 1]에서 A 부분의 넓이이고, A와 B 부분은 직선 $y=x$에 대칭이다. 또 $\int_0^2 f(x)\,dx$는 [그림 2]에서 빗금친 부분의 넓이이다.

따라서 $\int_0^2 f(x)\,dx + \int_{f(0)}^{f(2)} g(x)\,dx$의 값은 [그림 2]에서 직사각형 OPQR의 넓이이므로

$2\times9=\mathbf{18}$

(2) $y=f(x)$, $y=g(x)$가 역함수 관계이므로 두 함수의 그래프는 직선 $y=x$에 대칭이고, 두 그래프의 교점은 $y=f(x)$의 그래프와 직선 $y=x$의 교점과 같다.

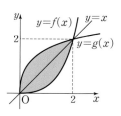

교점의 x좌표는 $\dfrac{1}{4}x^3=x$에서

$x(x^2-4)=0$, $x(x+2)(x-2)=0$

$x\geq0$이므로 $x=0$ 또는 $x=2$

따라서 구하는 넓이는 $y=f(x)$의 그래프와 직선 $y=x$로 둘러싸인 부분의 넓이의 2배이므로

$$2\int_0^2 \{x-f(x)\}\,dx = 2\int_0^2 \left(x-\frac{1}{4}x^3\right)dx$$
$$= 2\left[\frac{1}{2}x^2 - \frac{1}{16}x^4\right]_0^2 = \mathbf{2}$$

5-1 나의 풀이

5-2 나의 풀이

대표 Q6 수직선 위를 움직이는 점

점 P는 좌표가 2인 점을 출발하여 수직선 위를 움직이고, 시각 t에서 P의 속도는 $v(t)=t^2-4t+3$이다. 다음 물음에 답하시오.

(1) P가 움직이는 방향이 바뀔 때, P의 위치를 모두 구하시오.

(2) $t=1$부터 $t=4$까지 P의 위치 변화량을 구하시오.

(3) $t=1$부터 $t=4$까지 P가 움직인 거리를 구하시오.

(4) P가 출발한 후 출발 지점에 다시 돌아올 때까지 P가 움직인 거리를 구하시오.

대표 Q6 풀이

(1) $v(t)=t^2-4t+3$
$\qquad =(t-1)(t-3)$
이므로 $v(t)=0$의 해는
$t=1$ 또는 $t=3$
$t=1$의 좌우에서 $v(t)$의 부호가 양에서 음으로 바뀌고,
$t=3$의 좌우에서 $v(t)$의 부호가 음에서 양으로 바뀐다.

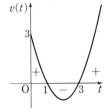

시각 t에서 P의 위치는
$x(t)=2+\displaystyle\int_0^t (t^2-4t+3)\,dt$
$\qquad =2+\left[\dfrac{1}{3}t^3-2t^2+3t\right]_0^t=\dfrac{1}{3}t^3-2t^2+3t+2$

이므로 움직이는 방향이 바뀔 때 P의 위치는
$x(1)=\dfrac{10}{3},\ x(3)=2$

(2) $\displaystyle\int_1^4 v(t)\,dt=\int_1^4 (t^2-4t+3)\,dt$
$\qquad =\left[\dfrac{1}{3}t^3-2t^2+3t\right]_1^4=0$

(3) $1\le t\le 3$에서 $v(t)\le 0$, $t\ge 3$에서 $v(t)\ge 0$이므로
$\displaystyle\int_1^4 |v(t)|\,dt$
$=-\displaystyle\int_1^3 (t^2-4t+3)\,dt+\int_3^4 (t^2-4t+3)\,dt$
$=-\left[\dfrac{1}{3}t^3-2t^2+3t\right]_1^3+\left[\dfrac{1}{3}t^3-2t^2+3t\right]_3^4$
$=\dfrac{4}{3}+\dfrac{4}{3}=\dfrac{8}{3}$

(4) 출발 지점에 다시 돌아오면 $x(t)=2$이므로
$\dfrac{1}{3}t^3-2t^2+3t+2=2$
$t^3-6t^2+9t=0,\ t(t-3)^2=0$
$t>0$이므로 $t=3$일 때 P가 출발 지점에 다시 돌아온다.
이때까지 P가 움직인 거리는
$\displaystyle\int_0^3 |v(t)|\,dt$
$=\displaystyle\int_0^1 (t^2-4t+3)\,dt-\int_1^3 (t^2-4t+3)\,dt$
$=\left[\dfrac{1}{3}t^3-2t^2+3t\right]_0^1-\left[\dfrac{1}{3}t^3-2t^2+3t\right]_1^3$
$=\dfrac{4}{3}+\dfrac{4}{3}=\dfrac{8}{3}$

6-1 나의 풀이

대표 Q7 수직으로 움직이는 물체

지상에서 높이가 $35\,\mathrm{m}$인 건
물의 옥상 난간에서 똑바로
위를 향하여 $30\,\mathrm{m/s}$의 속
도로 쏘아 올린 물체의 t초
후의 속도를
$v(t)=30-10t\,(\mathrm{m/s})$라
하자. 다음 물음에 답하시오.
(단, 던지는 사람의 키는 무시한다.)

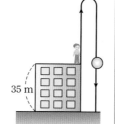
35 m

(1) 물체를 쏘아 올리고 2초가 지났을 때, 지면으로
부터 물체의 높이를 구하시오.

(2) 물체가 최고 지점에 있을 때, 지면으로부터 물체
의 높이를 구하시오.

(3) 물체가 지면에 떨어질 때까지 걸리는 시간을 구
하시오.

(4) 물체를 던지고 4초 동안 물체가 움직인 거리를
구하시오.

대표 Q7 풀이

시각 t에서 물체의 높이는
$$x(t)=35+\int_0^t (30-10t)\,dt=35+\Big[30t-5t^2\Big]_0^t$$
$$\qquad=-5t^2+30t+35$$

(1) $x(2)=-20+60+35=\mathbf{75(m)}$

(2) 물체가 최고 지점에 있을 때 $v(t)=0$이므로
$$30-10t=0 \qquad \therefore t=3$$
따라서 최고 높이는
$$x(3)=-45+90+35=\mathbf{80(m)}$$

(3) 물체가 지면에 떨어지면 $x(t)=0$이므로
$$-5t^2+30t+35=0,\ (t+1)(t-7)=0$$
$t>0$이므로 $t=\mathbf{7(초)}$

(4) $0\le t\le3$에서 $v(t)\ge0$, $3\le t\le4$에서 $v(t)\le0$이므로
$$\int_0^4 |v(t)|\,dt$$
$$=\int_0^3 (30-10t)\,dt-\int_3^4 (30-10t)\,dt$$
$$=\Big[30t-5t^2\Big]_0^3-\Big[30t-5t^2\Big]_3^4$$
$$=45+5=\mathbf{50(m)}$$

7-1 나의 풀이

대표 Q8 속도 그래프와 위치

점 P는 원점을 출발하여 수직선 위를 7초 동안 움직인다. 시각 t에서 P의 속도 $v(t)$의 그래프가 그림과 같을 때, 다음 명제의 참, 거짓을 말하시오.

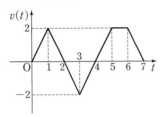

(1) P는 출발한 지 4초 후 출발점에 있다.

(2) $t=1$일 때와 $t=6$일 때 P의 위치가 같다.

(3) P가 7초 동안 움직인 거리는 8이다.

대표 Q8 풀이

(1) 그림에서 S_1, S_2, S_3의 넓이는 각각 2, 2, 4이다. 곧,

$$\int_0^4 v(t)\,dt = S_1 - S_2$$
$$= 0$$

이므로 $t=4$일 때 P는 출발점에 있다. **(참)**

(2) $\displaystyle\int_0^1 v(t)\,dt = 1$

$$\int_0^6 v(t)\,dt = \int_0^4 v(t)\,dt + \int_4^6 v(t)\,dt = 0 + 3 = 3$$

따라서 $t=1$일 때와 $t=6$일 때 P의 위치가 다르다.

(거짓)

(3) $\displaystyle\int_0^7 |v(t)|\,dt = S_1 + S_2 + S_3 = 8$이므로 P가 7초 동안 움직인 거리는 8이다. **(참)**

나만의 Note

8-1 나의 풀이

Q9 두 물체의 속도와 위치

높이가 같은 지면에서 동시에 출발하여 지면과 수직인 방향으로 올라가는 A, B가 있다. 시각 $t\,(0 \leq t \leq c)$에서 A의 속도 $f(t)$와 B의 속도 $g(t)$의 그래프가 그림과 같고 $\int_0^c f(t)\,dt = \int_0^c g(t)\,dt$일 때, 다음 명제의 참, 거짓을 말하시오.

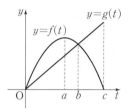

(1) $0 < t < c$에서 A, B의 높이가 같은 시각이 있다.

(2) $b < t < c$에서 B는 A보다 높은 위치에 있다.

(3) $t = b$일 때 A와 B의 높이의 차가 최대이다.

날선 09 풀이

출발 지점의 높이를 0이라 하고, t초 후 A, B의 높이를 각각 $F(t)$, $G(t)$라 하면

$$F(t) = \int_0^t f(t)\,dt,\ G(t) = \int_0^t g(t)\,dt$$

$$\therefore\ F(t) - G(t) = \int_0^t \{f(t) - g(t)\}\,dt$$

$F(0) - G(0) = 0$이고,

$$F(c) - G(c) = \int_0^c f(t)\,dt - \int_0^c g(t)\,dt = 0$$이므로

$y = f(t) - g(t)$의 그래프와 $y = F(t) - G(t)$의 그래프는 각각 그림과 같다.

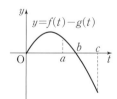 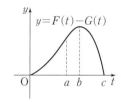

(1) $0 < t < c$에서 $F(t) - G(t) > 0$이므로 A, B의 높이가 같은 시각은 없다. **(거짓)**

(2) $b < t < c$에서 $F(t) - G(t) > 0$이므로 A는 B보다 높은 위치에 있다. **(거짓)**

(3) $t = b$일 때 $F(t) - G(t)$가 최대이므로 A와 B의 높이의 차가 최대이다. **(참)**

9-1 나의 풀이

문제를 푸는 건 내가 무엇을 알고 무엇을 모르는지 확인하는 단계입니다.

문제를 다 풀고 정답만 채점한 후에 책을 덮어버리면 성적이 절대 오르지 않아요.

확실히 맞은 문제, 잘 못 이해해서 틀린 문제, 풀이 과정을 몰라서 틀린 문제를 구분하여 표시해 두고,

틀린 문제는 나의 오답 Note 를 이용하여 틀린 이유와 내가 몰랐던 개념을 정리해 두세요.

" 나의 오답 Note 는 이렇게 작성하세요. "

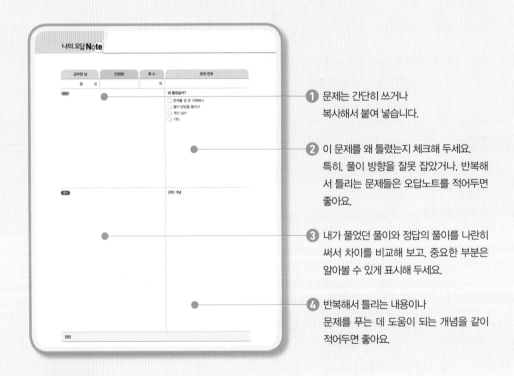

1 문제는 간단히 쓰거나
복사해서 붙여 넣습니다.

2 이 문제를 왜 틀렸는지 체크해 두세요.
특히, 풀이 방향을 잘못 잡았거나, 반복해
서 틀리는 문제들은 오답노트를 적어두면
좋아요.

3 내가 풀었던 풀이와 정답의 풀이를 나란히
써서 차이를 비교해 보고, 중요한 부분은
알아볼 수 있게 표시해 두세요.

4 반복해서 틀리는 내용이나
문제를 푸는 데 도움이 되는 개념을 같이
적어두면 좋아요.

마지막으로!

오답노트를 만들기만 하고 다시 보지 않으면 아무 의미가 없어요!

다시 문제를 정확히 맞을 때까지 반복해서 풀어 보세요.

나의 오답 Note 한글파일은 동아출판 홈페이지
(http://www.bookdonga.com)에서 다운로드 받을 수 있습니다.

학습자료

공부한 날	단원명	쪽 수	문제 번호
월 일		쪽	

문제

왜 틀렸을까?

☐ 문제를 잘 못 이해해서
☐ 풀이 방법을 몰라서
☐ 계산 실수
☐ 기타

풀이

관련 개념

정답

공부한 날	단원명	쪽 수	문제 번호
월 일		쪽	

문제

왜 틀렸을까?

☐ 문제를 잘 못 이해해서
☐ 풀이 방법을 몰라서
☐ 계산 실수
☐ 기타

풀이

관련 개념

정답

공부한 날	단원명	쪽 수	문제 번호
월 일		쪽	

문제

왜 틀렸을까?

☐ 문제를 잘 못 이해해서
☐ 풀이 방법을 몰라서
☐ 계산 실수
☐ 기타

풀이

관련 개념

정답

공부한 날	단원명	쪽 수	문제 번호
월 일		쪽	

문제

왜 틀렸을까?

- ☐ 문제를 잘 못 이해해서
- ☐ 풀이 방법을 몰라서
- ☐ 계산 실수
- ☐ 기타

풀이

관련 개념

정답

공부한 날	단원명	쪽 수	문제 번호
월 일		쪽	

문제

왜 틀렸을까?

☐ 문제를 잘 못 이해해서
☐ 풀이 방법을 몰라서
☐ 계산 실수
☐ 기타

풀이

관련 개념

정답

공부한 날	단원명	쪽 수	문제 번호
월 일		쪽	

문제

왜 틀렸을까?

☐ 문제를 잘 못 이해해서
☐ 풀이 방법을 몰라서
☐ 계산 실수
☐ 기타

풀이

관련 개념

정답

1 함수의 극한

개념 Check   9쪽~12쪽

1

답 (1) 1   (2) 1   (3) 1

2

(1) $\lim\limits_{x\to-1+} g(x)=0$ (2) $\lim\limits_{x\to-1-} g(x)=1$

(3) $x=-1$에서 $g(x)$의 우극한과 좌극한이 다르므로 극한이 존재하지 않는다.

답 (1) 0   (2) 1   (3) 극한이 존재하지 않는다.

3

답 (1) 0   (2) 0   (3) ∞로 발산   (4) ∞로 발산

4

(1) $\lim\limits_{x\to2}f(x)=f(2)=2^2+2\times2-1=7$

(2) $\lim\limits_{x\to2}g(x)=g(2)=2\times2-1=3$

(3) $\lim\limits_{x\to2}f(x)g(x)=f(2)g(2)=21$

(4) $g(2)\neq0$이므로 $\lim\limits_{x\to2}\dfrac{f(x)}{g(x)}=\dfrac{f(2)}{g(2)}=\dfrac{7}{3}$

답 (1) 7   (2) 3   (3) 21   (4) $\dfrac{7}{3}$

대표Q   13쪽~18쪽

대표 01

(1) $\lim\limits_{x\to2}\dfrac{x^3-8}{x-2}=\lim\limits_{x\to2}\dfrac{(x-2)(x^2+2x+4)}{x-2}$
$=\lim\limits_{x\to2}(x^2+2x+4)$
$=2^2+2\times2+4=12$

(2) $\lim\limits_{x\to-1}\dfrac{x^2+2x+1}{x^2-x-2}=\lim\limits_{x\to-1}\dfrac{(x+1)^2}{(x+1)(x-2)}$
$=\lim\limits_{x\to-1}\dfrac{x+1}{x-2}=\dfrac{0}{-3}=0$

(3) $\lim\limits_{x\to0}\dfrac{\sqrt{x+4}-2}{\sqrt{2}x}=\lim\limits_{x\to0}\dfrac{(\sqrt{x+4}-2)(\sqrt{x+4}+2)}{\sqrt{2}x(\sqrt{x+4}+2)}$
$=\lim\limits_{x\to0}\dfrac{(x+4)-4}{\sqrt{2}x(\sqrt{x+4}+2)}$

$=\lim\limits_{x\to0}\dfrac{1}{\sqrt{2}(\sqrt{x+4}+2)}$
$=\dfrac{1}{\sqrt{2}(\sqrt{4}+2)}=\dfrac{1}{4\sqrt{2}}=\dfrac{\sqrt{2}}{8}$

答 (1) 12   (2) 0   (3) $\dfrac{\sqrt{2}}{8}$

1-1

(1) $\lim\limits_{x\to0}\dfrac{(x-1)^3+1}{x}=\lim\limits_{x\to0}\dfrac{(x^3-3x^2+3x-1)+1}{x}$
$=\lim\limits_{x\to0}(x^2-3x+3)=3$

(2) $\lim\limits_{x\to-1}\dfrac{x^3-x^2-3x-1}{x^3+1}$
$=\lim\limits_{x\to-1}\dfrac{(x+1)(x^2-2x-1)}{(x+1)(x^2-x+1)}$
$=\lim\limits_{x\to-1}\dfrac{x^2-2x-1}{x^2-x+1}=\dfrac{2}{3}$

답 (1) 3   (2) $\dfrac{2}{3}$

1-2

(1) $\lim\limits_{x\to1}\dfrac{x^2-1}{\sqrt{x+3}-2}=\lim\limits_{x\to1}\dfrac{(x^2-1)(\sqrt{x+3}+2)}{(\sqrt{x+3}-2)(\sqrt{x+3}+2)}$
$=\lim\limits_{x\to1}\dfrac{(x-1)(x+1)(\sqrt{x+3}+2)}{x-1}$
$=\lim\limits_{x\to1}\{(x+1)(\sqrt{x+3}+2)\}$
$=2\times4=8$

(2) $\lim\limits_{x\to2}\dfrac{\sqrt{x^2-3}-1}{x-2}=\lim\limits_{x\to2}\dfrac{(\sqrt{x^2-3}-1)(\sqrt{x^2-3}+1)}{(x-2)(\sqrt{x^2-3}+1)}$
$=\lim\limits_{x\to2}\dfrac{(x^2-3)-1}{(x-2)(\sqrt{x^2-3}+1)}$
$=\lim\limits_{x\to2}\dfrac{(x+2)(x-2)}{(x-2)(\sqrt{x^2-3}+1)}$
$=\lim\limits_{x\to2}\dfrac{x+2}{\sqrt{x^2-3}+1}=\dfrac{4}{2}=2$

답 (1) 8   (2) 2

대표 02

(1) 분모의 최고차항 x^2으로 분모, 분자를 나누면
$$\lim\limits_{x\to\infty}\dfrac{2x^2+4x}{3x^2+1}=\lim\limits_{x\to\infty}\dfrac{2+\dfrac{4}{x}}{3+\dfrac{1}{x^2}}=\dfrac{2}{3}$$

(2) 분모의 최고차항 x^3으로 분모, 분자를 나누면

$$\lim_{x \to \infty} \frac{3x^2 - x}{x^3 + 1} = \lim_{x \to \infty} \frac{\dfrac{3}{x} - \dfrac{1}{x^2}}{1 + \dfrac{1}{x^3}} = \frac{0}{1} = 0$$

(3) 분모의 최고차항 x^2으로 분모, 분자를 나누면

$$\lim_{x \to \infty} \frac{x^4 + 1}{x^2 + x - 1} = \lim_{x \to \infty} \frac{x^2 + \dfrac{1}{x^2}}{1 + \dfrac{1}{x} - \dfrac{1}{x^2}} = \frac{\infty}{1} = \infty$$

(4) 분모의 최고차항 x로 분모, 분자를 나누면
$x > 0$이므로

$$\lim_{x \to \infty} \frac{x}{\sqrt{x^2 + 1} + 2x} = \lim_{x \to \infty} \frac{1}{\sqrt{1 + \dfrac{1}{x^2}} + 2}$$

$$= \frac{1}{\sqrt{1} + 2} = \frac{1}{3}$$

(5) $x = -t$로 놓으면 $x \to -\infty$일 때 $t \to \infty$이고
$t > 0$이므로

$$\lim_{x \to -\infty} \frac{\sqrt{x^2 + 1} - 2x}{x} = \lim_{t \to \infty} \frac{\sqrt{t^2 + 1} + 2t}{-t}$$

$$= \lim_{t \to \infty} \frac{\sqrt{1 + \dfrac{1}{t^2}} + 2}{-1}$$

$$= \frac{\sqrt{1} + 2}{-1} = -3$$

답 (1) $\dfrac{2}{3}$ (2) 0 (3) ∞로 발산   (4) $\dfrac{1}{3}$ (5) -3

2-1

(1) 분모의 최고차항 x^3으로 분모, 분자를 나누면

$$\lim_{x \to \infty} \frac{2x^3 - x + 3}{5x^3 + 2x^2} = \lim_{x \to \infty} \frac{2 - \dfrac{1}{x^2} + \dfrac{3}{x^3}}{5 + \dfrac{2}{x}} = \frac{2}{5}$$

(2) 분모의 최고차항 x^3으로 분모, 분자를 나누면

$$\lim_{x \to \infty} \frac{x^2 + x - 4}{2x^3 - 1} = \lim_{x \to \infty} \frac{\dfrac{1}{x} + \dfrac{1}{x^2} - \dfrac{4}{x^3}}{2 - \dfrac{1}{x^3}} = \frac{0}{2} = 0$$

(3) 분모의 최고차항 x^2으로 분모, 분자를 나누면

$$\lim_{x \to \infty} \frac{x^3 + 1}{2x^2 - 1} = \lim_{x \to \infty} \frac{x + \dfrac{1}{x^2}}{2 - \dfrac{1}{x^2}} = \frac{\infty}{2} = \infty$$

(4) 분모의 최고차항 x로 분모, 분자를 나누면
$x > 0$이므로

$$\lim_{x \to \infty} \frac{\sqrt{2x^2 - 5} + x}{x} = \lim_{x \to \infty} \frac{\sqrt{2 - \dfrac{5}{x^2}} + 1}{1} = \sqrt{2} + 1$$

(5) $x = -t$로 놓으면 $x \to -\infty$일 때 $t \to \infty$이고
$t > 0$이므로

$$\lim_{x \to -\infty} \frac{x}{\sqrt{2x^2 + 3x} + x} = \lim_{t \to \infty} \frac{-t}{\sqrt{2t^2 - 3t} - t}$$

$$= \lim_{t \to \infty} \frac{-1}{\sqrt{2 - \dfrac{3}{t}} - 1} = \frac{-1}{\sqrt{2} - 1}$$

$$= -\sqrt{2} - 1$$

답 (1) $\dfrac{2}{5}$ (2) 0 (3) ∞로 발산   (4) $\sqrt{2} + 1$ (5) $-\sqrt{2} - 1$

대표 03

(1) $\dfrac{1}{x} \left(\dfrac{1}{x-1} + 1 \right) = \dfrac{1}{x} \times \dfrac{1 + x - 1}{x - 1} = \dfrac{1}{x - 1}$이므로

$$\lim_{x \to 0} \frac{1}{x} \left(\frac{1}{x-1} + 1 \right) = \lim_{x \to 0} \frac{1}{x-1} = -1$$

(2) x^3으로 묶어내면

$$\lim_{x \to \infty} (x^3 - 4x^2 + 1) = \lim_{x \to \infty} x^3 \left(1 - \frac{4}{x} + \frac{1}{x^3} \right)$$

$$= \infty$$

(3) $\lim_{x \to \infty} (\sqrt{x^2 + 2x} - x)$

$$= \lim_{x \to \infty} \frac{(\sqrt{x^2 + 2x} - x)(\sqrt{x^2 + 2x} + x)}{\sqrt{x^2 + 2x} + x}$$

$$= \lim_{x \to \infty} \frac{(x^2 + 2x) - x^2}{\sqrt{x^2 + 2x} + x}$$

$$= \lim_{x \to \infty} \frac{2x}{\sqrt{x^2 + 2x} + x}$$

$$= \lim_{x \to \infty} \frac{2}{\sqrt{1 + \dfrac{2}{x}} + 1} = \frac{2}{1 + 1} = 1$$

답 (1) -1 (2) ∞로 발산   (3) 1

3-1

(1) $\dfrac{1}{x+2} \left(2 + \dfrac{4}{x} \right) = \dfrac{1}{x+2} \times \dfrac{2x + 4}{x} = \dfrac{2}{x}$이므로

$$\lim_{x \to -2} \frac{1}{x+2} \left(2 + \frac{4}{x} \right) = \lim_{x \to -2} \frac{2}{x} = -1$$

(2) $\dfrac{1}{x^2} \left(\dfrac{1}{x-1} + 1 \right) = \dfrac{1}{x^2} \times \dfrac{1 + x - 1}{x - 1} = \dfrac{1}{x(x-1)}$이고,
$x \to 0+$이면 $x(x-1)$의 값은 음수이고 절댓값이 한
없이 작아지므로

$$\lim_{x \to 0+} \frac{1}{x^2}\left(\frac{1}{x-1}+1\right) = \lim_{x \to 0+} \frac{1}{x(x-1)}$$
$$= -\infty$$

🔑 (1) -1 (2) $-\infty$로 발산

3-2

(1) x^3으로 묶어내면
$$\lim_{x \to -\infty}(x^3-4x^2+1) = \lim_{x \to -\infty} x^3\left(1-\frac{4}{x}+\frac{1}{x^3}\right)$$
$$= -\infty$$

(2) $\dfrac{\sqrt{x^2+4x+2}-\sqrt{x^2-2x-1}}{1}$로 생각하고

분모, 분자에 $\sqrt{x^2+4x+2}+\sqrt{x^2-2x-1}$을 곱하면
$$\lim_{x \to \infty}(\sqrt{x^2+4x+2}-\sqrt{x^2-2x-1})$$
$$= \lim_{x \to \infty}\frac{(x^2+4x+2)-(x^2-2x-1)}{\sqrt{x^2+4x+2}+\sqrt{x^2-2x-1}}$$
$$= \lim_{x \to \infty}\frac{6x+3}{\sqrt{x^2+4x+2}+\sqrt{x^2-2x-1}}$$
$$= \lim_{x \to \infty}\frac{6+\dfrac{3}{x}}{\sqrt{1+\dfrac{4}{x}+\dfrac{2}{x^2}}+\sqrt{1-\dfrac{2}{x}-\dfrac{1}{x^2}}}$$
$$= \frac{6}{1+1} = 3$$

🔑 (1) $-\infty$로 발산 (2) 3

대표 04

(1) $\displaystyle\lim_{x \to 1+}\frac{x^2-1}{|x-1|} = \lim_{x \to 1+}\frac{x^2-1}{x-1} = \lim_{x \to 1+}(x+1) = 2$
$$\lim_{x \to 1-}\frac{x^2-1}{|x-1|} = \lim_{x \to 1-}\frac{x^2-1}{-(x-1)}$$
$$= \lim_{x \to 1-}\{-(x+1)\} = -2$$
우극한과 좌극한이 다르므로 극한이 존재하지 않는다.

(2) $1 < x < 2$일 때, $[x]=1$이므로
$$\lim_{x \to 1+}[x] = \lim_{x \to 1+}1 = 1$$
$0 < x < 1$일 때, $[x]=0$이므로
$$\lim_{x \to 1-}[x] = \lim_{x \to 1-}0 = 0$$
우극한과 좌극한이 다르므로 극한이 존재하지 않는다.

🔑 (1) 극한이 존재하지 않는다.
(2) 극한이 존재하지 않는다.

4-1

(1) $x \to 0$일 때 $|x|$의 값은 양수이고 절댓값이 한없이 작아지므로

$$\lim_{x \to 0}\frac{1}{|x|} = \infty$$

(2) $\displaystyle\lim_{x \to 0+}\frac{x}{|x|} = \lim_{x \to 0+}\frac{x}{x} = \lim_{x \to 0+}1 = 1$
$$\lim_{x \to 0-}\frac{x}{|x|} = \lim_{x \to 0-}\frac{x}{-x} = \lim_{x \to 0-}(-1) = -1$$
우극한과 좌극한이 다르므로 극한이 존재하지 않는다.

(3) $\displaystyle\lim_{x \to 0+}\frac{x^2}{|x|} = \lim_{x \to 0+}\frac{x^2}{x} = \lim_{x \to 0+}x = 0$
$$\lim_{x \to 0-}\frac{x^2}{|x|} = \lim_{x \to 0-}\frac{x^2}{-x} = \lim_{x \to 0-}(-x) = 0$$
$$\therefore \lim_{x \to 0}\frac{x^2}{|x|} = 0$$

🔑 (1) ∞로 발산 (2) 극한이 존재하지 않는다. (3) 0

참고 그래프는 각각 다음과 같다.

(1) 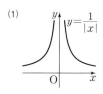 (2)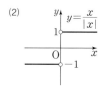

(3)

4-2

(1) $2 < x < 3$일 때, $[x-2]=0$이므로
$$\lim_{x \to 2+}[x-2] = 0$$
$1 < x < 2$일 때, $[x-2]=-1$이므로
$$\lim_{x \to 2-}[x-2] = -1$$
우극한과 좌극한이 다르므로 극한이 존재하지 않는다.

(2) $\displaystyle\lim_{x \to 2+}[x-2](x-2) = 0 \times 0 = 0$
$$\lim_{x \to 2-}[x-2](x-2) = (-1) \times 0 = 0$$
$$\therefore \lim_{x \to 2}[x-2](x-2) = 0$$

🔑 (1) 극한이 존재하지 않는다. (2) 0

4-3

(1) $x^2=t$로 놓으면
$$x \to 1+ 일 때 t \to 1+,$$
$$x \to 1- 일 때 t \to 1- 이므로$$

$\lim\limits_{x \to 1+} f(x^2) = \lim\limits_{t \to 1+} f(t) = -1$

$\lim\limits_{x \to 1-} f(x^2) = \lim\limits_{t \to 1-} f(t) = 1$

우극한과 좌극한이 다르므로 극한이 존재하지 않는다.

(2) $-x^2 = t$로 놓으면

$\quad x \to -1+$일 때 $t \to -1+$,

$\quad x \to -1-$일 때 $t \to -1-$이므로

$\quad \lim\limits_{x \to -1+} f(-x^2) = \lim\limits_{t \to -1+} f(t) = 1$

$\quad \lim\limits_{x \to -1-} f(-x^2) = \lim\limits_{t \to -1-} f(t) = -1$

우극한과 좌극한이 다르므로 극한이 존재하지 않는다.

답 (1) 극한이 존재하지 않는다.

(2) 극한이 존재하지 않는다.

대표 05

(1) $\lim\limits_{x \to 1+} (x-1)f(x) = \lim\limits_{x \to 1+} (x-1) \times \lim\limits_{x \to 1+} f(x)$

$\qquad = 0 \times 0 = 0$

$\quad \lim\limits_{x \to 1-} (x-1)f(x) = \lim\limits_{x \to 1-} (x-1) \times \lim\limits_{x \to 1-} f(x)$

$\qquad = 0 \times (-1) = 0$

$\quad \therefore \lim\limits_{x \to 1} (x-1)f(x) = 0$

(2) $\lim\limits_{x \to 1+} x^2 f(x) = \lim\limits_{x \to 1+} x^2 \times \lim\limits_{x \to 1+} f(x)$

$\qquad = 1 \times 0 = 0$

$\quad \lim\limits_{x \to 1-} x^2 f(x) = \lim\limits_{x \to 1-} x^2 \times \lim\limits_{x \to 1-} f(x)$

$\qquad = 1 \times (-1) = -1$

우극한과 좌극한이 다르므로 극한이 존재하지 않는다.

(3) $\lim\limits_{x \to 1+} f(x)g(x) = \lim\limits_{x \to 1+} f(x) \times \lim\limits_{x \to 1+} g(x)$

$\qquad = 0 \times (-1) = 0$

$\quad \lim\limits_{x \to 1-} f(x)g(x) = \lim\limits_{x \to 1-} f(x) \times \lim\limits_{x \to 1-} g(x)$

$\qquad = (-1) \times 0 = 0$

$\quad \therefore \lim\limits_{x \to 1} f(x)g(x) = 0$

답 (1) 0 (2) 극한이 존재하지 않는다. (3) 0

5-1

(1) $\lim\limits_{x \to -1+} (x+1)f(x) = \lim\limits_{x \to -1+} (x+1) \times \lim\limits_{x \to -1+} f(x)$

$\qquad = 0 \times 1 = 0$

$\quad \lim\limits_{x \to -1-} (x+1)f(x) = \lim\limits_{x \to -1-} (x+1) \times \lim\limits_{x \to -1-} f(x)$

$\qquad = 0 \times (-1) = 0$

$\quad \therefore \lim\limits_{x \to -1} (x+1)f(x) = 0$

(2) $x+1 = t$로 놓으면

$\quad x \to 0+$일 때 $t \to 1+$, $x \to 0-$일 때 $t \to 1-$

$\quad \lim\limits_{x \to 0+} x^2 f(x+1) = \lim\limits_{x \to 0+} x^2 \times \lim\limits_{x \to 0+} f(x+1)$

$\qquad = \lim\limits_{x \to 0+} x^2 \times \lim\limits_{t \to 1+} f(t)$

$\qquad = 0 \times (-1) = 0$

$\quad \lim\limits_{x \to 0-} x^2 f(x+1) = \lim\limits_{x \to 0-} x^2 \times \lim\limits_{x \to 0-} f(x+1)$

$\qquad = \lim\limits_{x \to 0-} x^2 \times \lim\limits_{t \to 1-} f(t)$

$\qquad = 0 \times 1 = 0$

$\quad \therefore \lim\limits_{x \to 0} x^2 f(x+1) = 0$

답 (1) 0 (2) 0

5-2

(1) $\lim\limits_{x \to 0+} f(x)g(x) = \lim\limits_{x \to 0+} f(x) \times \lim\limits_{x \to 0+} g(x)$

$\qquad = 0 \times 1 = 0$

$\quad \lim\limits_{x \to 0-} f(x)g(x) = \lim\limits_{x \to 0-} f(x) \times \lim\limits_{x \to 0-} g(x)$

$\qquad = 1 \times 0 = 0$

$\quad \therefore \lim\limits_{x \to 0} f(x)g(x) = 0$

(2) $\lim\limits_{x \to 1+} f(x)g(x) = \lim\limits_{x \to 1+} f(x) \times \lim\limits_{x \to 1+} g(x)$

$\qquad = (-1) \times 1 = -1$

$\quad \lim\limits_{x \to 1-} f(x)g(x) = \lim\limits_{x \to 1-} f(x) \times \lim\limits_{x \to 1-} g(x)$

$\qquad = 1 \times 1 = 1$

우극한과 좌극한이 다르므로 극한이 존재하지 않는다.

답 (1) 0 (2) 극한이 존재하지 않는다.

날선 06

$y = \dfrac{2x+1}{x+1} = 2 - \dfrac{1}{x+1}$이므로

그래프는 그림과 같다.

(1) $\lim\limits_{x \to -1+} \dfrac{2x+1}{x+1} = -\infty$

(2) $\dfrac{2x+1}{x+1} = t$로 놓으면

$\quad x \to \infty$일 때, $t \to 2-$이므로

$\quad \lim\limits_{x \to \infty} f\left(\dfrac{2x+1}{x+1}\right) = \lim\limits_{t \to 2-} f(t) = 0$

(3) $\dfrac{2x+1}{x+1} = t$로 놓으면 $x \to -\infty$일 때, $t \to 2+$이므로

$\quad \lim\limits_{x \to -\infty} f\left(\dfrac{2x+1}{x+1}\right) = \lim\limits_{t \to 2+} f(t) = 1$

답 (1) $-\infty$로 발산 (2) 0 (3) 1

6-1

$f(x) = \dfrac{3x-1}{1-x} = -3 + \dfrac{2}{1-x}$

이므로 $y = f(x)$의 그래프는 그림과 같다.

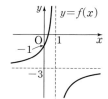

(1) $\displaystyle\lim_{x \to 0} f(x) = f(0) = -1$

(2) $\displaystyle\lim_{x \to 1+} f(x) = -\infty$

(3) $\displaystyle\lim_{x \to 1-} f(x) = \infty$

(4) $\displaystyle\lim_{x \to \infty} f(x) = -3$

답 (1) -1 (2) $-\infty$로 발산   (3) ∞로 발산   (4) -3

6-2

(1) $y = \dfrac{x}{x-1} = 1 + \dfrac{1}{x-1}$이므로

그래프는 그림과 같다.

$\dfrac{x}{x-1} = t$로 놓으면

$x \to \infty$일 때, $t \to 1+$이므로

$\displaystyle\lim_{x \to \infty} f\left(\dfrac{x}{x-1}\right) = \lim_{t \to 1+} f(t) = 0$

(2) $y = \dfrac{x-2}{x-1} = 1 - \dfrac{1}{x-1}$이므

로 그래프는 그림과 같다.

$\dfrac{x-2}{x-1} = t$로 놓으면

$x \to \infty$일 때, $t \to 1-$

이므로

$\displaystyle\lim_{x \to \infty} f\left(\dfrac{x-2}{x-1}\right) = \lim_{t \to 1-} f(t) = 1$

답 (1) 0 (2) 1

개념 Check

19쪽~20쪽

5

$x \to 2$일 때, 극한값이 존재하고 (분모) $\to 0$이므로

(분자) $\to 0$이다. 곧,

$\displaystyle\lim_{x \to 2}(x^3 + a) = 0$에서 $8 + a = 0$ $\therefore a = -8$

$\therefore \displaystyle\lim_{x \to 2} \dfrac{x^3 + a}{x-2} = \lim_{x \to 2} \dfrac{x^3 - 8}{x-2}$

$\qquad = \displaystyle\lim_{x \to 2} \dfrac{(x-2)(x^2 + 2x + 4)}{x-2}$

$\qquad = \displaystyle\lim_{x \to 2}(x^2 + 2x + 4) = 12$

$\therefore b = 12$

답 $a = -8$, $b = 12$

6

$x \to -1$일 때, 0이 아닌 극한값이 존재하고 (분자) $\to 0$

이므로 (분모) $\to 0$이다. 곧,

$\displaystyle\lim_{x \to -1}(x + a) = 0$에서 $-1 + a = 0$ $\therefore a = 1$

$\therefore \displaystyle\lim_{x \to -1} \dfrac{x^2 - 1}{x + a} = \lim_{x \to -1} \dfrac{x^2 - 1}{x + 1}$

$\qquad = \displaystyle\lim_{x \to -1} \dfrac{(x+1)(x-1)}{x+1}$

$\qquad = \displaystyle\lim_{x \to -1}(x-1) = -2$

$\therefore b = -2$

답 $a = 1$, $b = -2$

7

$\dfrac{1}{x-1} < f(x) < \dfrac{1}{x-2}$이고

$\displaystyle\lim_{x \to \infty} \dfrac{1}{x-1} = 0$, $\displaystyle\lim_{x \to \infty} \dfrac{1}{x-2} = 0$이므로

$\displaystyle\lim_{x \to \infty} f(x) = 0$

답 0

대표 Q

21쪽~24쪽

대표 07

(1) $x \to 1$일 때, 극한값이 존재하고 (분모) $\to 0$이므로

   (분자) $\to 0$이다. 곧,

   $1 + a + b = 0$ $\therefore b = -a - 1$

   이때

   $x^2 + ax + b = x^2 + ax - a - 1 = (x-1)(x+a+1)$

   이므로

   $\displaystyle\lim_{x \to 1} \dfrac{x^2 + ax + b}{x^2 - 1} = \lim_{x \to 1} \dfrac{(x-1)(x+a+1)}{(x-1)(x+1)}$

   $\qquad\qquad\qquad = \displaystyle\lim_{x \to 1} \dfrac{x + a + 1}{x + 1} = \dfrac{a+2}{2}$

   곧, $\dfrac{a+2}{2} = 3$ $\therefore a = 4$, $b = -5$

(2) $x \to -1$일 때, 0이 아닌 극한값이 존재하고

   (분자) $\to 0$이므로 (분모) $\to 0$이다. 곧,

   $\sqrt{-1 + 2} + a = 0$ $\therefore a = -1$

5

1 함수의 극한

이때
$$\lim_{x \to -1} \frac{x+1}{\sqrt{x+2}+a} = \lim_{x \to -1} \frac{x+1}{\sqrt{x+2}-1}$$
$$= \lim_{x \to -1} \frac{(x+1)(\sqrt{x+2}+1)}{(x+2)-1}$$
$$= \lim_{x \to -1} (\sqrt{x+2}+1) = 2$$

$$\therefore b = 2$$

🖳 (1) $a=4, b=-5$ (2) $a=-1, b=2$

7-1

(1) $x \to -2$일 때, 극한값이 존재하고 (분모) → 0이므로 (분자) → 0이다. 곧,
$$(-2)^2 + a = 0 \quad \therefore a = -4$$
이때
$$\lim_{x \to -2} \frac{x^2+a}{x^2+x-2} = \lim_{x \to -2} \frac{x^2-4}{x^2+x-2}$$
$$= \lim_{x \to -2} \frac{(x+2)(x-2)}{(x+2)(x-1)}$$
$$= \lim_{x \to -2} \frac{x-2}{x-1} = \frac{4}{3}$$

$$\therefore b = \frac{4}{3}$$

(2) $x \to 0$일 때, 극한값이 존재하고 (분모) → 0이므로 (분자) → 0이다. 곧,
$$\sqrt{a} + b = 0 \quad \therefore b = -\sqrt{a}$$
이때
$$\lim_{x \to 0} \frac{\sqrt{x+a}+b}{2x} = \lim_{x \to 0} \frac{\sqrt{x+a}-\sqrt{a}}{2x}$$
$$= \lim_{x \to 0} \frac{x+a-a}{2x(\sqrt{x+a}+\sqrt{a})}$$
$$= \lim_{x \to 0} \frac{1}{2(\sqrt{x+a}+\sqrt{a})} = \frac{1}{4\sqrt{a}}$$
곧, $\dfrac{1}{4\sqrt{a}} = \dfrac{3}{4}$, $\sqrt{a} = \dfrac{1}{3}$ $\quad \therefore a = \dfrac{1}{9}, b = -\dfrac{1}{3}$

🖳 (1) $a=-4, b=\dfrac{4}{3}$ (2) $a=\dfrac{1}{9}, b=-\dfrac{1}{3}$

7-2

$x \to 2$일 때, 0이 아닌 극한값이 존재하고 (분자) → 0이므로 (분모) → 0이다. 곧,
$$2^2 + 2a + b = 0 \quad \therefore b = -2a-4$$
이때
$$x^2+ax+b = x^2+ax-2a-4 = (x-2)(x+a+2)$$
이므로

$$\lim_{x \to 2} \frac{x^3-2x^2}{x^2+ax+b} = \lim_{x \to 2} \frac{x^2(x-2)}{(x-2)(x+a+2)}$$
$$= \lim_{x \to 2} \frac{x^2}{x+a+2} = \frac{4}{a+4}$$

곧, $\dfrac{4}{a+4} = 2$, $a+4=2$ $\quad \therefore a=-2, b=0$

🖳 $a=-2, b=0$

대표 08

(1) $\lim\limits_{x \to \infty} \dfrac{f(x)}{x^2-1} = 3$이므로 $f(x)$는 이차함수이다.

$f(x) = ax^2+bx+c \ (a \neq 0)$로 놓으면
$$\lim_{x \to \infty} \frac{f(x)}{x^2-1} = \lim_{x \to \infty} \frac{ax^2+bx+c}{x^2-1}$$
$$= \lim_{x \to \infty} \frac{a+\dfrac{b}{x}+\dfrac{c}{x^2}}{1-\dfrac{1}{x^2}} = a$$

$$\therefore a = 3$$

이때 $f(x) = 3x^2+bx+c$이고

$\lim\limits_{x \to -1} \dfrac{f(x)}{x^2-1} = 3$에서 $x \to -1$일 때, 극한값이 존재하고 (분모) → 0이므로 (분자) → 0이다. 곧, $f(-1)=0$이므로
$$3-b+c=0 \quad \therefore c=b-3$$

이때 $f(x) = 3x^2+bx+b-3 = (x+1)(3x+b-3)$이므로
$$\lim_{x \to -1} \frac{f(x)}{x^2-1} = \lim_{x \to -1} \frac{(x+1)(3x+b-3)}{(x+1)(x-1)}$$
$$= \lim_{x \to -1} \frac{3x+b-3}{x-1} = \frac{b-6}{-2}$$

곧, $\dfrac{b-6}{-2} = 3$이므로 $b=0, c=-3$

$$\therefore f(x) = 3x^2-3$$

(2) $\lim\limits_{x \to 1} \dfrac{f(x)}{x-1} = -2$ $\cdots$ ㉠, $\lim\limits_{x \to 3} \dfrac{f(x)}{x-3} = 6$ $\cdots$ ㉡

㉠에서 $x \to 1$일 때, 극한값이 존재하고 (분모) → 0이므로 (분자) → 0이다. $\quad \therefore f(1)=0$

㉡에서 $x \to 3$일 때, 극한값이 존재하고 (분모) → 0이므로 (분자) → 0이다. $\quad \therefore f(3)=0$

곧, $f(x) = (x-1)(x-3)Q(x)$ ($Q(x)$는 다항식)로 놓을 수 있다.

㉠에 대입하면 $\lim\limits_{x \to 1}(x-3)Q(x) = -2$이므로
$$-2Q(1) = -2 \quad \therefore Q(1) = 1$$

ⓒ에 대입하면 $\lim_{x\to 3}(x-1)Q(x)=6$이므로

$2Q(3)=6$ $\therefore Q(3)=3$

$Q(1)=1$, $Q(3)=3$이고 차수가 가장 낮은 다항식

$Q(x)$는 일차식이므로 $Q(x)=ax+b$라 하자.

$Q(1)=1$이므로 $a+b=1$

$Q(3)=3$이므로 $3a+b=3$

두 식을 연립하여 풀면 $a=1$, $b=0$

따라서 $Q(x)=x$이므로 $f(x)=x(x-1)(x-3)$

답 (1) $f(x)=3x^2-3$

(2) $f(x)=x(x-1)(x-3)$

8-1

$\lim_{x\to\infty}\dfrac{f(x)-3x^3}{x^2}=2$ ⋯ ㉠, $\lim_{x\to 0}\dfrac{f(x)}{x}=2$ ⋯ ㉡

㉠에서 $f(x)-3x^3$은 이차함수이므로

$f(x)=3x^3+ax^2+bx+c$ $(a\ne 0)$로 놓으면

$\lim_{x\to\infty}\dfrac{f(x)-3x^3}{x^2}=\lim_{x\to\infty}\dfrac{ax^2+bx+c}{x^2}$

$=\lim_{x\to\infty}\dfrac{a+\dfrac{b}{x}+\dfrac{c}{x^2}}{1}=a$

$\therefore a=2$

㉡에서 $x\to 0$일 때, 극한값이 존재하고 (분모) $\to 0$이므로 (분자) $\to 0$이다. 곧, $f(0)=0$이므로 $c=0$

이때

$\lim_{x\to 0}\dfrac{f(x)}{x}=\lim_{x\to 0}\dfrac{3x^3+2x^2+bx}{x}$

$=\lim_{x\to 0}(3x^2+2x+b)=b$

곧, $b=2$이므로 $f(x)=3x^3+2x^2+2x$

답 $f(x)=3x^3+2x^2+2x$

8-2

$\lim_{x\to 0}\dfrac{f(x)}{x}=2$ ⋯ ㉠, $\lim_{x\to -1}\dfrac{f(x)}{x+1}=1$ ⋯ ㉡

㉠에서 $x\to 0$일 때, 극한값이 존재하고 (분모) $\to 0$이므로 (분자) $\to 0$이다. $\therefore f(0)=0$

㉡에서 $x\to -1$일 때, 극한값이 존재하고 (분모) $\to 0$이므로 (분자) $\to 0$이다. $\therefore f(-1)=0$

곧, $f(x)=x(x+1)Q(x)$ $(Q(x)$는 다항식)

로 놓을 수 있다.

㉠에 대입하면 $\lim_{x\to 0}(x+1)Q(x)=2$ $\therefore Q(0)=2$

㉡에 대입하면 $\lim_{x\to -1}xQ(x)=1$ $\therefore Q(-1)=-1$

$Q(0)=2$, $Q(-1)=-1$이고 차수가 가장 낮은 다항식

$Q(x)$는 일차식이므로 $Q(x)=ax+b$라 하자.

$Q(0)=2$이므로 $b=2$ $\therefore Q(x)=ax+2$

$Q(-1)=-1$이므로 $-a+2=-1$ $\therefore a=3$

따라서 $Q(x)=3x+2$이므로 $f(x)=x(x+1)(3x+2)$

답 $f(x)=x(x+1)(3x+2)$

대표 09

(1) $x^2-2x<f(x)<x^2+3x$에서 각 변을 $2x^2+1$로 나누

면 $\dfrac{x^2-2x}{2x^2+1}<\dfrac{f(x)}{2x^2+1}<\dfrac{x^2+3x}{2x^2+1}$

이때 $\lim_{x\to\infty}\dfrac{x^2-2x}{2x^2+1}=\dfrac{1}{2}$, $\lim_{x\to\infty}\dfrac{x^2+3x}{2x^2+1}=\dfrac{1}{2}$이므로

$\lim_{x\to\infty}\dfrac{f(x)}{2x^2+1}=\dfrac{1}{2}$

(2) $f(x)-g(x)=h(x)$라 하면 $g(x)=f(x)-h(x)$이므로

$\lim_{x\to\infty}\dfrac{f(x)-2g(x)}{f(x)+g(x)}$

$=\lim_{x\to\infty}\dfrac{f(x)-2\{f(x)-h(x)\}}{f(x)+\{f(x)-h(x)\}}$

$=\lim_{x\to\infty}\dfrac{-f(x)+2h(x)}{2f(x)-h(x)}$

$=\lim_{x\to\infty}\dfrac{-1+\dfrac{2h(x)}{f(x)}}{2-\dfrac{h(x)}{f(x)}}$

이때 $\lim_{x\to\infty}f(x)=\infty$, $\lim_{x\to\infty}h(x)=2$이므로

$\lim_{x\to\infty}\dfrac{h(x)}{f(x)}=0$

$\therefore \lim_{x\to\infty}\dfrac{f(x)-2g(x)}{f(x)+g(x)}=-\dfrac{1}{2}$

답 (1) $\dfrac{1}{2}$ (2) $-\dfrac{1}{2}$

9-1

$2x^2-1<xf(x)<2x^2+1$에서 각 변을 x^2으로 나누면

$\dfrac{2x^2-1}{x^2}<\dfrac{f(x)}{x}<\dfrac{2x^2+1}{x^2}$

이때 $\lim_{x\to\infty}\dfrac{2x^2-1}{x^2}=2$, $\lim_{x\to\infty}\dfrac{2x^2+1}{x^2}=2$이므로

$\lim_{x\to\infty}\dfrac{f(x)}{x}=2$

답 2

9-2

$\dfrac{f(x)+g(x)}{1-g(x)}=h(x)$라 하면

$f(x)+g(x)=h(x)\{1-g(x)\}$

$\{1+h(x)\}g(x)=h(x)-f(x)$

$\therefore g(x)=\dfrac{h(x)-f(x)}{1+h(x)}$

$\lim\limits_{x\to 3}f(x)=3$, $\lim\limits_{x\to 3}h(x)=2$이므로

$\lim\limits_{x\to 3}g(x)=\lim\limits_{x\to 3}\dfrac{h(x)-f(x)}{1+h(x)}=\dfrac{2-3}{1+2}=-\dfrac{1}{3}$

답 $-\dfrac{1}{3}$

참고 $x=3$에서 $g(x)$의 극한이 존재함을 알 수 있으면

$\lim\limits_{x\to 3}g(x)=a$로 놓고 다음과 같이 풀 수 있다.

$\lim\limits_{x\to 3}\dfrac{f(x)+g(x)}{1-g(x)}=\dfrac{3+a}{1-a}=2$

$\therefore a=-\dfrac{1}{3}$

대표 Q10

원의 중심을 C, 반지름의 길이를 r라 하자.

r는 점 $C\left(a,\ a+\dfrac{1}{a}\right)$과 직선 $y=x$, 곧 $x-y=0$ 사이의

거리이므로

$r=\dfrac{\left|a-\left(a+\dfrac{1}{a}\right)\right|}{\sqrt{1^2+(-1)^2}}=\dfrac{\left|-\dfrac{1}{a}\right|}{\sqrt{2}}=\dfrac{\sqrt{2}}{2a}\ (\because a>0)$

그림에서 원점 O와 원 위의
점 사이 거리의 최솟값 $f(a)$는
$\overline{OD}=\overline{OC}-r$이므로

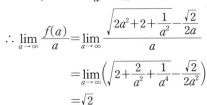

$f(a)=\overline{OC}-r$

$=\sqrt{a^2+\left(a+\dfrac{1}{a}\right)^2}-\dfrac{\sqrt{2}}{2a}$

$=\sqrt{2a^2+2+\dfrac{1}{a^2}}-\dfrac{\sqrt{2}}{2a}$

$\therefore \lim\limits_{a\to\infty}\dfrac{f(a)}{a}=\lim\limits_{a\to\infty}\dfrac{\sqrt{2a^2+2+\dfrac{1}{a^2}}-\dfrac{\sqrt{2}}{2a}}{a}$

$=\lim\limits_{a\to\infty}\left(\sqrt{2+\dfrac{2}{a^2}+\dfrac{1}{a^4}}-\dfrac{\sqrt{2}}{2a^2}\right)$

$=\sqrt{2}$

답 $\sqrt{2}$

10-1

$y=|x^2-1|$의 그래프가 그림
과 같으므로

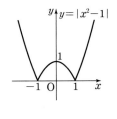

$f(t)=\begin{cases}0\ (t<0)\\2\ (t=0,\ t>1)\\3\ (t=1)\\4\ (0<t<1)\end{cases}$

곧, $y=f(t)$의 그래프는 그림과
같다.

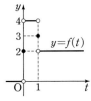

(1) $\lim\limits_{t\to 1^-}f(t)=4$

(2) $\lim\limits_{t\to 0^+}f(t)=4$

$\lim\limits_{t\to 0^-}f(t)=0$

우극한과 좌극한이 다르므로 극한이 존재하지 않는다.

답 (1) 4   (2) 극한이 존재하지 않는다.

10-2

삼각형 POQ가 이등변삼각
형이므로 점 P에서 선분
OQ에 내린 수선의 발을 H
라 하면 점 H는 선분 OQ를
수직이등분한다.

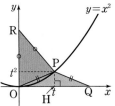

이때 점 H의 좌표는 $(t,\ 0)$
이므로 점 Q의 좌표는 $(2t,\ 0)$이다.

곧, 삼각형 POQ의 넓이 $S(t)$는

$S(t)=\dfrac{1}{2}\times 2t\times t^2=t^3$

점 R의 좌표를 $(0,\ a)\ (a>0)$라 하면

$P(t,\ t^2)$이고 $\overline{RO}=\overline{RP}$이므로

$a=\sqrt{t^2+(a-t^2)^2}$

양변을 제곱하면

$a^2=t^2+t^4-2at^2+a^2$

$2at^2=t^2(1+t^2)$

$\therefore a=\dfrac{t^2}{2}+\dfrac{1}{2}$

곧, 점 R의 좌표는 $\left(0,\ \dfrac{t^2}{2}+\dfrac{1}{2}\right)$이므로 삼각형 PRO의

넓이 $T(t)$는

$T(t)=\dfrac{1}{2}\times\left(\dfrac{t^2}{2}+\dfrac{1}{2}\right)\times t=\dfrac{t^3}{4}+\dfrac{t}{4}$

$$\therefore \lim_{t \to 0+} \frac{T(t)-S(t)}{t}$$

$$= \lim_{t \to 0+} \frac{\dfrac{t^3}{4}+\dfrac{t}{4}-t^3}{t}$$

$$= \lim_{t \to 0+} \left(-\frac{3}{4}t^2+\frac{1}{4}\right)$$

$$= \frac{1}{4}$$

답 $\dfrac{1}{4}$

연습과 실전 1 함수의 극한   25쪽~28쪽

01 ④　　**02** ㄱ, ㄹ

03 (1) 11　(2) 1　(3) $-\dfrac{1}{16}$　(4) -2　(5) 0　(6) 2

04 ⑤　　**05** $\dfrac{3}{2}$　　**06** (1) 1　(2) -6

07 (1) 극한이 존재하지 않는다.

　　(2) 극한이 존재하지 않는다.　(3) 0

08 ⑤　　**09** ③　　**10** ③　　**11** (1) $-\dfrac{3}{4}$　(2) $\dfrac{1}{30}$

12 ④　　**13** $f(x)=x^3-2x^2-11x+24$

14 ①, ④　　　　**15** ④　　**16** 4　　**17** -11 **18** 2

19 (1) 0　(2) 1　(3) 1　(4) 0

01

$\lim\limits_{x \to -1-} f(x)=2$, $\lim\limits_{x \to 1+} f(x)=1$이므로

$\lim\limits_{x \to -1-} f(x) - \lim\limits_{x \to 1+} f(x) = 2-1 = 1$

답 ④

02

ㄱ. $\lim\limits_{x \to -\infty} \dfrac{1}{x(x-1)} = 0$ (참)

ㄴ. $\lim\limits_{x \to 0-} \dfrac{1}{x(x-1)} = \infty$ (거짓)

ㄷ. $\lim\limits_{x \to 0+} \dfrac{1}{x(x-1)} = -\infty$ (거짓)

ㄹ. $\lim\limits_{x \to 1-} \dfrac{1}{x(x-1)} = -\infty$ (참)

따라서 옳은 것은 ㄱ, ㄹ이다.

답 ㄱ, ㄹ

03

(1) $\lim\limits_{x \to 2} \dfrac{x^2+7x-18}{x-2} = \lim\limits_{x \to 2} \dfrac{(x+9)(x-2)}{x-2}$

$$= \lim_{x \to 2} (x+9) = 11$$

(2) $\lim\limits_{x \to 0} \dfrac{\sqrt{1+x}-\sqrt{1-x}}{x} = \lim\limits_{x \to 0} \dfrac{(1+x)-(1-x)}{x(\sqrt{1+x}+\sqrt{1-x})}$

$$= \lim_{x \to 0} \frac{2}{\sqrt{1+x}+\sqrt{1-x}} = 1$$

(3) $\dfrac{1}{x-3}\left(\dfrac{1}{x+1}-\dfrac{1}{4}\right) = \dfrac{1}{x-3} \times \dfrac{4-x-1}{4(x+1)}$

$$= -\frac{1}{4(x+1)}$$

이므로

$$\lim_{x \to 3} \frac{1}{x-3}\left(\frac{1}{x+1}-\frac{1}{4}\right) = \lim_{x \to 3}\left\{-\frac{1}{4(x+1)}\right\}$$

$$= -\frac{1}{16}$$

(4) 분모의 최고차항 x^2으로 분모, 분자를 나누면

$$\lim_{x \to \infty} \frac{-4x^2+3x-1}{2x^2+5x-2} = \lim_{x \to \infty} \frac{-4+\dfrac{3}{x}-\dfrac{1}{x^2}}{2+\dfrac{5}{x}-\dfrac{2}{x^2}} = -2$$

(5) $\lim\limits_{x \to \infty} (\sqrt{2x+3}-\sqrt{2x-1})$

$$= \lim_{x \to \infty} \frac{(2x+3)-(2x-1)}{\sqrt{2x+3}+\sqrt{2x-1}}$$

$$= \lim_{x \to \infty} \frac{4}{\sqrt{2x+3}+\sqrt{2x-1}}$$

$$= 0$$

(6) $x=-t$로 놓으면

$x \to -\infty$일 때 $t \to \infty$이고 $t > 0$이므로

$$\lim_{x \to -\infty} \frac{x-\sqrt{x^2-1}}{x+1} = \lim_{t \to \infty} \frac{-t-\sqrt{t^2-1}}{-t+1}$$

$$= \lim_{t \to \infty} \frac{-1-\sqrt{1-\dfrac{1}{t^2}}}{-1+\dfrac{1}{t}} = 2$$

다른 풀이

$x \to -\infty$이면 $x < 0$이므로

$$\frac{1}{x}\sqrt{x^2-1} = -\sqrt{\frac{x^2-1}{x^2}} = -\sqrt{1-\frac{1}{x^2}}$$

곧, 분모의 최고차항 x로 분모, 분자를 나누면

$$\lim_{x \to -\infty} \frac{x-\sqrt{x^2-1}}{x+1} = \lim_{x \to -\infty} \frac{1+\sqrt{1-\dfrac{1}{x^2}}}{1+\dfrac{1}{x}} = 2$$

답 (1) 11　(2) 1　(3) $-\dfrac{1}{16}$　(4) -2　(5) 0　(6) 2

04

$\lim\limits_{x \to 1-} f(x) = -1$

$1 - x = t$로 놓으면 $x \to 1-$일 때 $t \to 0+$이므로

$\lim\limits_{x \to 1-} f(1-x) = \lim\limits_{t \to 0+} f(t) = -2$

$\therefore \lim\limits_{x \to 1-} f(x)f(1-x) = (-1) \times (-2) = 2$

🔵 ⑤

05

$\lim\limits_{x \to 1}(x+1) \times \lim\limits_{x \to 1} f(x) = 2f(1) = 1$

$\therefore f(1) = \dfrac{1}{2}$

$\therefore \lim\limits_{x \to 1}(2x^2+1) \times \lim\limits_{x \to 1} f(x) = 3f(1)$

$\qquad\qquad\qquad\qquad = 3 \times \dfrac{1}{2} = \dfrac{3}{2}$

🔵 $\dfrac{3}{2}$

06 전략 가우스 기호, 절댓값 기호가 있으면
우극한, 좌극한을 나누어 생각한다.

(1) $2 < x < 3$일 때, $[x] = 2$, $[x+2] = 4$이므로

$\lim\limits_{x \to 2+} \dfrac{[x]^2 + [x] - 2}{[x+2]} = \dfrac{4+2-2}{4} = 1$

(2) $\lim\limits_{x \to 2-} \dfrac{x^2+2x-8}{|x-2|} = \lim\limits_{x \to 2-} \dfrac{(x+4)(x-2)}{-(x-2)}$

$\qquad\qquad\qquad\qquad = \lim\limits_{x \to 2-}\{-(x+4)\} = -6$

🔵 (1) 1 (2) -6

참고 (1) $x \to 2-$이면 $[x]=1$, $[x+2]=3$이므로

$\lim\limits_{x \to 2-} \dfrac{[x]^2 + [x] - 2}{[x+2]} = \dfrac{1+1-2}{3} = 0$

07 전략 우극한, 좌극한을 나누어 생각한다.

(1) $\lim\limits_{x \to 1+} xf(x) = 1 \times 1 = 1$

$\lim\limits_{x \to 1-} xf(x) = 1 \times 2 = 2$

우극한과 좌극한이 다르므로 극한이 존재하지 않는다.

(2) $\lim\limits_{x \to -1+} xf(x) = (-1) \times (-2) = 2$

$\lim\limits_{x \to -1-} xf(x) = (-1) \times (-1) = 1$

우극한과 좌극한이 다르므로 극한이 존재하지 않는다.

(3) $\lim\limits_{x \to 0+} xf(x) = 0 \times 1 = 0$

$\lim\limits_{x \to 0-} xf(x) = 0 \times (-1) = 0$

$\therefore \lim\limits_{x \to 0} xf(x) = 0$

🔵 (1) 극한이 존재하지 않는다.
(2) 극한이 존재하지 않는다.
(3) 0

08 전략 $\dfrac{t-1}{t+1}$, $\dfrac{4t-1}{t+1}$을 각각 치환하여
$t \to \infty$일 때, 극한을 조사한다.

$m = \dfrac{t-1}{t+1}$로 놓으면 $m = 1 - \dfrac{2}{t+1}$

$t \to \infty$일 때 $m \to 1-$이므로

$\lim\limits_{t \to \infty} f\left(\dfrac{t-1}{t+1}\right) = \lim\limits_{m \to 1-} f(m) = 2$

또 $n = \dfrac{4t-1}{t+1}$로 놓으면 $n = 4 - \dfrac{5}{t+1}$

$t \to \infty$일 때 $n \to 4-$이므로

$\lim\limits_{t \to \infty} f\left(\dfrac{4t-1}{t+1}\right) = \lim\limits_{n \to 4-} f(n) = 5$

$\therefore \lim\limits_{t \to \infty} f\left(\dfrac{t-1}{t+1}\right) + \lim\limits_{t \to \infty} f\left(\dfrac{4t-1}{t+1}\right) = 2+5 = 7$

🔵 ⑤

09 전략 $x \to 1$일 때, 극한값이 존재하고 (분모) $\to 0$이므로
(분자) $\to 0$이다.

$x \to 1$일 때, 극한값이 존재하고 (분모) $\to 0$이므로
(분자) $\to 0$이다. 곧,

$a + b = 0$ $\qquad \therefore b = -a$

이때

$\lim\limits_{x \to 1} \dfrac{ax+b}{\sqrt{x+1}-\sqrt{2}} = \lim\limits_{x \to 1} \dfrac{a(x-1)}{\sqrt{x+1}-\sqrt{2}}$

$\qquad\qquad\qquad = \lim\limits_{x \to 1} \dfrac{a(x-1)(\sqrt{x+1}+\sqrt{2})}{x+1-2}$

$\qquad\qquad\qquad = \lim\limits_{x \to 1} a(\sqrt{x+1}+\sqrt{2})$

$\qquad\qquad\qquad = 2\sqrt{2}a$

곧, $2\sqrt{2}a = 2\sqrt{2}$ $\qquad \therefore a=1$, $b=-1$

$\therefore ab = -1$

🔵 ③

10 전략 무리식 $\sqrt{a} - \sqrt{b}$는 분모를 1로 생각하고
분모, 분자에 $\sqrt{a}+\sqrt{b}$를 곱한다.

$\lim\limits_{x \to \infty}(\sqrt{x^2+ax} - \sqrt{x^2-ax})$

$= \lim\limits_{x \to \infty} \dfrac{(\sqrt{x^2+ax}-\sqrt{x^2-ax})(\sqrt{x^2+ax}+\sqrt{x^2-ax})}{\sqrt{x^2+ax}+\sqrt{x^2-ax}}$

$= \lim\limits_{x \to \infty} \dfrac{(x^2+ax)-(x^2-ax)}{\sqrt{x^2+ax}+\sqrt{x^2-ax}}$

$$= \lim_{x \to \infty} \frac{2ax}{\sqrt{x^2+ax}+\sqrt{x^2-ax}}$$

$$= \lim_{x \to \infty} \frac{2a}{\sqrt{1+\dfrac{a}{x}}+\sqrt{1-\dfrac{a}{x}}}$$

$$= \frac{2a}{2}=a$$

$$\therefore a=4$$

답 ③

11 전략 (1) $\dfrac{0}{0}$ 꼴의 극한이 아니다.

(2) $\displaystyle\lim_{x \to 2} \dfrac{f(x)-3}{x-2}=5$를 이용할 수 있는 꼴로 변형한다.

$x \to 2$일 때, 극한값이 존재하고 (분모) $\to 0$이므로 (분자) $\to 0$이다.

$\therefore f(2)=3$

(1) $\displaystyle\lim_{x \to 0} f(x+2)=\lim_{x \to 2} f(x)=3$이므로

$$\lim_{x \to 0} \frac{f(x+2)}{x^2-4}=-\frac{3}{4}$$

(2) $\displaystyle\lim_{x \to 2} \frac{x-2}{\{f(x)\}^2-9}=\lim_{x \to 2} \frac{x-2}{\{f(x)-3\}\{f(x)+3\}}$

$$=\lim_{x \to 2} \left\{ \frac{x-2}{f(x)-3} \times \frac{1}{f(x)+3} \right\}$$

$$=\frac{1}{5} \times \frac{1}{3+3}=\frac{1}{30}$$

답 (1) $-\dfrac{3}{4}$ (2) $\dfrac{1}{30}$

12 전략 이차항의 계수가 1이고 두 근이 α, β이므로

$$f(x)=(x-\alpha)(x-\beta)$$이다.

$x=a$를 $f(x)-(x-a)$ 또는 $f(x)+(x-a)$에 대입하면 값이 0이므로 $f(a)=0$

따라서 이차항의 계수가 1인 이차함수 $f(x)$는 $x-a$를 인수로 갖는다.

$f(x)=(x-a)(x-b)$라 하면

$\displaystyle\lim_{x \to a} \frac{f(x)-(x-a)}{f(x)+(x-a)}=\lim_{x \to a} \frac{(x-a)(x-b)-(x-a)}{(x-a)(x-b)+(x-a)}$

$$=\lim_{x \to a} \frac{(x-a)\{(x-b)-1\}}{(x-a)\{(x-b)+1\}}$$

$$=\lim_{x \to a} \frac{(x-b)-1}{(x-b)+1}$$

$$=\frac{a-b-1}{a-b+1}$$

곧, $\dfrac{a-b-1}{a-b+1}=\dfrac{3}{5}$이므로 $5a-5b-5=3a-3b+3$

$$\therefore b=a-4$$

$(x-a)(x-b)=(x-a)(x-a+4)$이므로

$f(x)=0$의 두 근은 a와 $a-4$이다.

$$\therefore |\alpha-\beta|=4$$

답 ④

13 전략 $f(x)-x^3$의 차수와 최고차항의 계수부터 정한다.

$$\lim_{x \to \infty} \frac{f(x)-x^3}{x^2+2x}=-2 \qquad \cdots \text{㉠}$$

$$\lim_{x \to 3} \frac{f(x)}{x^2-2x-3}=1 \qquad \cdots \text{㉡}$$

㉠에서 $f(x)-x^3$은 이차함수이다.

$f(x)-x^3=-2x^2+ax+b$로 놓으면

$f(x)=x^3-2x^2+ax+b$

㉡에서 $x \to 3$일 때, 극한값이 존재하고 (분모) $\to 0$이므로 (분자) $\to 0$이다. 곧, $f(3)=0$이므로

$f(3)=27-18+3a+b=0$

$$\therefore b=-3a-9$$

$f(x)=x^3-2x^2+ax-3a-9$

$$=(x-3)(x^2+x+a+3)$$

이므로

$\displaystyle\lim_{x \to 3} \frac{f(x)}{x^2-2x-3}=\lim_{x \to 3} \frac{(x-3)(x^2+x+a+3)}{(x+1)(x-3)}$

$$=\lim_{x \to 3} \frac{x^2+x+a+3}{x+1}=\frac{a+15}{4}$$

곧, $\dfrac{a+15}{4}=1$이므로 $a=-11$, $b=24$

$$\therefore f(x)=x^3-2x^2-11x+24$$

답 $f(x)=x^3-2x^2-11x+24$

14 전략 함수의 극한의 성질을 이용한다.

① 극한의 성질에서

$\displaystyle\lim_{x \to a} \{f(x)+g(x)\}+\lim_{x \to a} \{f(x)-g(x)\}$

$$=\lim_{x \to a} \{f(x)+g(x)+f(x)-g(x)\}$$

$$=\lim_{x \to a} \{2f(x)\}=2\lim_{x \to a} f(x)$$

이므로 $\displaystyle\lim_{x \to a} f(x)$가 존재한다.

또

$\displaystyle\lim_{x \to a} \{f(x)+g(x)\}-\lim_{x \to a} \{f(x)-g(x)\}$

$$=2\lim_{x \to a} g(x)$$

ᄀᄀᄀᄀᄀᄀᄀ ᄀᄀᄀᄀ

이므로 $\lim_{x \to a} g(x)$가 존재한다. (참)

② [반례] $f(x)=x$, $g(x)=\dfrac{1}{x}$이라 하면

$$\lim_{x \to 0} f(x)g(x)=\lim_{x \to 0}\left(x \times \dfrac{1}{x}\right)=1$$이지만

$\lim_{x \to 0} g(x)$는 존재하지 않는다. (거짓)

③ [반례] $f(x)=x$, $g(x)=\dfrac{1}{x}$이라 하면

$$\lim_{x \to 0} f(x)=0,\ \lim_{x \to 0}\dfrac{f(x)}{g(x)}=\lim_{x \to 0} x^2=0$$이지만

$\lim_{x \to 0} g(x)$는 존재하지 않는다. (거짓)

④ 극한의 성질에서

$$\lim_{x \to a} g(x) \times \lim_{x \to a}\dfrac{f(x)}{g(x)}=\lim_{x \to a}\left\{g(x) \times \dfrac{f(x)}{g(x)}\right\}$$
$$=\lim_{x \to a} f(x)$$

이므로 $\lim_{x \to a} f(x)$가 존재한다. (참)

⑤ [반례] $f(x)=1$, $g(x)=\begin{cases} x^2+1 & (x \neq 0) \\ 2 & (x=0) \end{cases}$라 하면

$f(x)<g(x)$이지만

$\lim_{x \to 0} f(x)=\lim_{x \to 0} g(x)=1$이다. (거짓)

따라서 옳은 것은 ①, ④이다.

답 ①, ④

15 전략 최고차항의 계수가 1이므로 $f(x)=x^2+ax+b$로 놓는다.

$f(x)=x^2+ax+b$로 놓으면

$$f\left(\dfrac{1}{x}\right)=\dfrac{1}{x^2}+\dfrac{a}{x}+b,\ f\left(-\dfrac{1}{x}\right)=\dfrac{1}{x^2}-\dfrac{a}{x}+b$$

이므로

$$f\left(\dfrac{1}{x}\right)-f\left(-\dfrac{1}{x}\right)=\dfrac{2a}{x}$$

$$\lim_{x \to 0}|x|\left\{f\left(\dfrac{1}{x}\right)-f\left(-\dfrac{1}{x}\right)\right\}=\lim_{x \to 0}\dfrac{2a|x|}{x}$$

의 극한값이 존재하므로

$$\lim_{x \to 0+}\dfrac{2a|x|}{x}=\lim_{x \to 0+}\dfrac{2ax}{x}=\lim_{x \to 0+} 2a=2a$$

$$\lim_{x \to 0-}\dfrac{2a|x|}{x}=\lim_{x \to 0-}\dfrac{-2ax}{x}=\lim_{x \to 0-}(-2a)=-2a$$

에서 $2a=-2a$ ∴ $a=0$

$$\lim_{x \to \infty} f\left(\dfrac{1}{x}\right)=\lim_{x \to \infty}\left(\dfrac{1}{x^2}+b\right)=b$$

에서 $b=3$이므로 $f(x)=x^2+3$

∴ $f(2)=7$

답 ④

16 전략 $f(x) \leq g(x) \Rightarrow \lim_{x \to \triangle} f(x) \leq \lim_{x \to \triangle} g(x)$

$3x^2-8x+4=(3x-2)(x-2)$

$5x^2-16x+12=(5x-6)(x-2)$

(i) $x>2$일 때, 부등식의 각 변을 $x-2$로 나누면

$$3x-2 \leq \dfrac{f(x)}{x-2} \leq 5x-6$$

이때 $\lim_{x \to 2+}(3x-2)=4$, $\lim_{x \to 2+}(5x-6)=4$이므로

$$\lim_{x \to 2+}\dfrac{f(x)}{x-2}=4$$

(ii) $x<2$일 때, 부등식의 각 변을 $x-2$로 나누면

$$3x-2 \geq \dfrac{f(x)}{x-2} \geq 5x-6$$

이때

$$\lim_{x \to 2-}(3x-2)=4,\ \lim_{x \to 2-}(5x-6)=4$$이므로

$$\lim_{x \to 2-}\dfrac{f(x)}{x-2}=4$$

(i), (ii)에서 $\lim_{x \to 2}\dfrac{f(x)}{x-2}=4$

답 4

17 전략 $\lim_{x \to 2} f(x)=\infty$이므로 분모, 분자를 $f(x)$로 나눈다.

$\lim_{x \to 2}\dfrac{2f(x)-3g(x)}{f(x)}=0$에서 분모, 분자를 $f(x)$로 나누면

$$\lim_{x \to 2}\left\{2-3 \times \dfrac{g(x)}{f(x)}\right\}=0$$

$2-3 \times \dfrac{g(x)}{f(x)}=h(x)$로 놓으면

$\lim_{x \to 2} h(x)=0$이고 $\dfrac{g(x)}{f(x)}=\dfrac{2-h(x)}{3}$이므로

$$\lim_{x \to 2}\dfrac{g(x)}{f(x)}=\lim_{x \to 2}\dfrac{2-h(x)}{3}=\dfrac{2}{3}$$

∴ $\lim_{x \to 2}\dfrac{f(x)+4g(x)}{f(x)-2g(x)}=\lim_{x \to 2}\dfrac{1+4 \times \dfrac{g(x)}{f(x)}}{1-2 \times \dfrac{g(x)}{f(x)}}$

$$=\dfrac{1+4 \times \dfrac{2}{3}}{1-2 \times \dfrac{2}{3}}=\dfrac{\dfrac{11}{3}}{-\dfrac{1}{3}}$$

$$=-11$$

답 -11

18 전략 수직인 두 직선의 기울기의 곱은 -1이다.

직선 PQ는 직선 $y=x+1$과 수직이므로 기울기는 -1이

고 점 $P(t, t+1)$을 지난다.

따라서 직선 PQ의 방정식은

$y-(t+1)=-(x-t)$ ∴ $y=-x+2t+1$

곧, $Q(0, 2t+1)$이므로

$\overline{AP}^2=(t+1)^2+(t+1)^2=2t^2+4t+2$

$\overline{AQ}^2=1^2+(2t+1)^2=4t^2+4t+2$

∴ $\lim\limits_{t \to \infty} \dfrac{\overline{AQ}^2}{\overline{AP}^2}=\lim\limits_{t \to \infty}\dfrac{4t^2+4t+2}{2t^2+4t+2}$

$=\lim\limits_{t \to \infty}\dfrac{4+\dfrac{4}{t}+\dfrac{2}{t^2}}{2+\dfrac{4}{t}+\dfrac{2}{t^2}}=2$

답 2

19 **전략** $f(f(x))$의 극한

➡ $f(x)=t$로 놓고 우극한, 좌극한에 주의한다.

(1) $x \to 2+$일 때, $f(x) \to 1+$이므로

$f(x)=t$로 놓으면

$\lim\limits_{x \to 2+}f(f(x))=\lim\limits_{t \to 1+}f(t)=0$

(2) $x \to 2-$일 때, $f(x) \to 1-$이므로

$f(x)=t$로 놓으면

$\lim\limits_{x \to 2-}f(f(x))=\lim\limits_{t \to 1-}f(t)=1$

(3) $x \to 1+$일 때, $f(x) \to 0+$이므로

$f(x)=t$로 놓으면

$\lim\limits_{x \to 1+}f(f(x))=\lim\limits_{t \to 0+}f(t)=1$

(4) $x \to 1-$일 때, $f(x)=1$이므로

$\lim\limits_{x \to 1-}f(f(x))=\lim\limits_{x \to 1-}f(1)=f(1)=0$

답 (1) 0   (2) 1   (3) 1   (4) 0

---

2 함수의 연속

개념 Check 30쪽 ~ 32쪽

1

② $\lim\limits_{x \to b}f(x)$의 값이 존재하지 않는다.

③ $\lim\limits_{x \to c}f(x) \neq f(c)$

④ $f(x)$가 $x=d$에서 정의되지 않는다.

따라서 x의 값에서 연속인 것은 ①, ⑤이다.

답 ①, ⑤

2

답 (1) $(-3, 5)$ (2) $[4, 10]$ (3) $(-\infty, 3)$

3

(1) 다항함수는 모든 실수에서 연속이므로

$(-\infty, \infty)$

(2) 유리함수는 분모가 0이 아닌 모든 실수에서 연속이다.

곧, $x \neq -2$이므로

$(-\infty, -2), (-2, \infty)$

답 (1) $(-\infty, \infty)$ (2) $(-\infty, -2), (-2, \infty)$

대표Q 33쪽 ~ 36쪽

대표 01

(1) $x>1$일 때, $f(x)=\dfrac{x-1}{x-1}=1$

$x<1$일 때, $f(x)=\dfrac{-(x-1)}{x-1}=-1$

$x=1$일 때, $f(1)=1$

따라서 $y=f(x)$의 그래프가 그림과 같으므로 $f(x)$는 $x=1$에서 불연속이다.

다른 풀이

$\lim\limits_{x \to 1+}f(x)=\lim\limits_{x \to 1+}\dfrac{x-1}{x-1}=1$

$\lim\limits_{x \to 1-}f(x)=\lim\limits_{x \to 1-}\dfrac{-(x-1)}{x-1}=-1$

따라서 $\lim_{x \to 1} f(x)$가 존재하지 않으므로 $f(x)$는 $x=1$

에서 불연속이다.

(2) $-1 \le x < 0$일 때, $[x]=-1$이므로 $g(x)=x+1$

$0 \le x < 1$일 때, $[x]=0$이므로 $g(x)=x$

$1 \le x < 2$일 때, $[x]=1$이므로 $g(x)=x-1$

$2 \le x < 3$일 때, $[x]=2$이므로 $g(x)=x-2$

$3 \le x < 4$일 때, $[x]=3$이므로 $g(x)=x-3$

$x=4$일 때, $[x]=4$이므로 $g(4)=0$

따라서 $y=g(x)$의 그래프가 그림과 같으므로

$-1 \le x \le 4$에서 $g(x)$

가 불연속인 x의 값은

0, 1, 2, 3, 4이다.

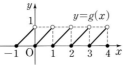

🅑 (1) 불연속 (2) 0, 1, 2, 3, 4

1-1

$$\lim_{x \to 1} f(x) = \lim_{x \to 1} \frac{x^2-1}{x-1}$$
$$= \lim_{x \to 1} (x+1) = 2$$

$f(1)=2$

따라서 $f(x)$는 $x=1$에서 연속

이다.

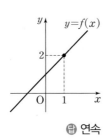

🅑 연속

1-2

(1) $-1 < x < 0$일 때, $y=-1$

$0 \le x < 1$일 때, $y=0$

$1 \le x < 2$일 때, $y=1$

$2 \le x < 3$일 때, $y=2$

따라서 구간 $(-1, 3)$에서

$y=[x]$가 불연속인 x의

값은 0, 1, 2이다.

(2) $-1 < x < 0$일 때, $y=-x$

$0 \le x < 1$일 때, $y=0$

$1 \le x < 2$일 때, $y=x$

$2 \le x < 3$일 때, $y=2x$

따라서 구간 $(-1, 3)$에서

$y=x[x]$가 불연속인 x의

값은 1, 2이다.

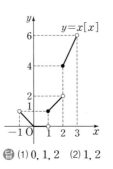

🅑 (1) 0, 1, 2 (2) 1, 2

대표 02

(1) $f(x)$는 $x \ne 2$에서 연속이다.

그런데 $f(x)$는 모든 실수에서 연속이므로 $x=2$에서

도 연속이다.

$$\therefore \lim_{x \to 2} \frac{x^2+ax+b}{x-2} = f(2) = 3 \qquad \cdots \text{㉠}$$

$x \to 2$일 때, (분모) $\to 0$이므로 (분자) $\to 0$이다. 곧,

$4+2a+b=0 \qquad \therefore b=-2(a+2)$

㉠에 대입하면

$$\lim_{x \to 2} \frac{x^2+ax-2(a+2)}{x-2} = \lim_{x \to 2} \frac{(x-2)(x+a+2)}{x-2}$$
$$= \lim_{x \to 2} (x+a+2) = a+4 = 3$$

$\therefore a=-1, b=-2$

(2) $x \ne -1$일 때, $f(x) = \dfrac{x^2+5x+a}{x+1}$

곧, $f(x)$는 $x \ne -1$에서 연속이다.

그런데 $f(x)$는 모든 실수에서 연속이므로 $x=-1$에

서도 연속이다.

$$\therefore \lim_{x \to -1} \frac{x^2+5x+a}{x+1} = f(-1) \qquad \cdots \text{㉠}$$

$x \to -1$일 때, (분모) $\to 0$이므로 (분자) $\to 0$이다. 곧,

$1-5+a=0 \qquad \therefore a=4$

㉠에 대입하면

$$f(-1) = \lim_{x \to -1} \frac{x^2+5x+4}{x+1}$$
$$= \lim_{x \to -1} \frac{(x+1)(x+4)}{x+1}$$
$$= \lim_{x \to -1} (x+4) = 3$$

🅑 (1) $a=-1, b=-2$ (2) $a=4, f(-1)=3$

2-1

$f(x)$는 $x \ne 1$에서 연속이다.

그런데 $f(x)$는 모든 실수에서 연속이므로 $x=1$에서도

연속이다.

$$\therefore \lim_{x \to 1} \frac{x^2+a}{x-1} = f(1) = b \qquad \cdots \text{㉠}$$

$x \to 1$일 때, (분모) $\to 0$이므로 (분자) $\to 0$이다. 곧,

$1+a=0 \qquad \therefore a=-1$

㉠에 대입하면

$$b = \lim_{x \to 1} \frac{x^2-1}{x-1} = \lim_{x \to 1} \frac{(x+1)(x-1)}{x-1}$$
$$= \lim_{x \to 1} (x+1) = 2$$

🅑 $a=-1, b=2$

2-2

$x \geq 0$에서 $x \neq 2$일 때,

$f(x) = \dfrac{\sqrt{x}+a}{x-2}$이고 $f(x)$는 연속이다.

그런데 $f(x)$는 $x \geq 0$인 모든 실수에서 연속이므로 $x=2$에서도 연속이다.

$\therefore \lim\limits_{x \to 2} \dfrac{\sqrt{x}+a}{x-2} = f(2)$ $\cdots$ ㉠

$x \to 2$일 때, (분모) $\to 0$이므로 (분자) $\to 0$이다. 곧,

$\sqrt{2}+a=0$ $\therefore a=-\sqrt{2}$

㉠에 대입하면

$f(2) = \lim\limits_{x \to 2} \dfrac{\sqrt{x}-\sqrt{2}}{x-2}$

$\quad\quad = \lim\limits_{x \to 2} \dfrac{x-2}{(x-2)(\sqrt{x}+\sqrt{2})}$

$\quad\quad = \lim\limits_{x \to 2} \dfrac{1}{\sqrt{x}+\sqrt{2}} = \dfrac{1}{2\sqrt{2}} = \dfrac{\sqrt{2}}{4}$

답 $a=-\sqrt{2},\ f(2)=\dfrac{\sqrt{2}}{4}$

대표 03

(1) $f(x)$와 $g(x)$는 $x \neq -1$, $x \neq 1$에서 연속이므로 $f(x)g(x)$도 $x \neq -1$, $x \neq 1$에서 연속이다.

(i) $\lim\limits_{x \to -1+} f(x)g(x) = (-1) \times 1 = -1$

$\lim\limits_{x \to -1-} f(x)g(x) = (-1) \times (-1) = 1$

이므로 $\lim\limits_{x \to -1} f(x)g(x)$가 존재하지 않는다.

따라서 $f(x)g(x)$는 $x=-1$에서 불연속이다.

(ii) $\lim\limits_{x \to 1+} f(x)g(x) = 1 \times 1 = 1$

$\lim\limits_{x \to 1-} f(x)g(x) = (-1) \times (-1) = 1$

이므로 $\lim\limits_{x \to 1} f(x)g(x) = 1$

한편 $f(1)g(1) = 1 \times (-1) = -1$이므로

$f(x)g(x)$는 $x=1$에서 불연속이다.

(i), (ii)에서 $f(x)g(x)$가 불연속인 x의 값은 -1, 1이다.

(2) $f(x)$는 $x \neq -1$, $x \neq 1$에서 연속이므로 $\{f(x)\}^2$도 $x \neq -1$, $x \neq 1$에서 연속이다.

(i) $\lim\limits_{x \to -1+} \{f(x)\}^2 = (-1)^2 = 1$

$\lim\limits_{x \to -1-} \{f(x)\}^2 = (-1)^2 = 1$

이므로 $\lim\limits_{x \to -1} \{f(x)\}^2 = 1$

한편 $\{f(-1)\}^2 = 1^2 = 1$이므로

$\{f(x)\}^2$은 $x=-1$에서 연속이다.

(ii) $\lim\limits_{x \to 1+} \{f(x)\}^2 = 1^2 = 1$

$\lim\limits_{x \to 1-} \{f(x)\}^2 = (-1)^2 = 1$

이므로 $\lim\limits_{x \to 1} \{f(x)\}^2 = 1$

한편 $\{f(1)\}^2 = 1^2 = 1$이므로

$\{f(x)\}^2$은 $x=1$에서 연속이다.

(i), (ii)에서 $\{f(x)\}^2$이 불연속인 x의 값은 없다.

답 (1) -1, 1 (2) 없다.

3-1

(1) $f(x)$와 $g(x)$는 $x \neq 0$, $x \neq 1$에서 연속이므로 $f(x)g(x)$도 $x \neq 0$, $x \neq 1$에서 연속이다.

(i) $\lim\limits_{x \to 0+} f(x)g(x) = 0 \times 1 = 0$

$\lim\limits_{x \to 0-} f(x)g(x) = 1 \times 0 = 0$

이므로 $\lim\limits_{x \to 0} f(x)g(x) = 0$

한편 $f(0)g(0) = 0 \times 1 = 0$이므로

$f(x)g(x)$는 $x=0$에서 연속이다.

(ii) $\lim\limits_{x \to 1+} f(x)g(x) = (-1) \times 1 = -1$

$\lim\limits_{x \to 1-} f(x)g(x) = 1 \times 1 = 1$

이므로 $\lim\limits_{x \to 1} f(x)g(x)$가 존재하지 않는다.

따라서 $f(x)g(x)$는 $x=1$에서 불연속이다.

(i), (ii)에서 $f(x)g(x)$가 불연속인 x의 값은 1이다.

(2) $f(x)$는 $x \neq 0$, $x \neq 1$에서 연속이므로 $\{f(x)\}^2$도 $x \neq 0$, $x \neq 1$에서 연속이다.

(i) $\lim\limits_{x \to 0+} \{f(x)\}^2 = 0^2 = 0$

$\lim\limits_{x \to 0-} \{f(x)\}^2 = 1^2 = 1$

이므로 $\lim\limits_{x \to 0} \{f(x)\}^2$이 존재하지 않는다.

따라서 $\{f(x)\}^2$은 $x=0$에서 불연속이다.

(ii) $\lim\limits_{x \to 1+} \{f(x)\}^2 = (-1)^2 = 1$

$\lim\limits_{x \to 1-} \{f(x)\}^2 = 1^2 = 1$

이므로 $\lim\limits_{x \to 1} \{f(x)\}^2 = 1$

한편 $\{f(1)\}^2 = 1^2 = 1$이므로

$\{f(x)\}^2$은 $x=1$에서 연속이다.

(i), (ii)에서 $\{f(x)\}^2$이 불연속인 x의 값은 0이다.

답 (1) 1 (2) 0

날선 Q4

$f(x)$는 구간 $(-\infty, \infty)$에서 연속이고, $g(x)$는 $x=-1$과 $x=1$에서 불연속이다. 따라서 $f(x)g(x)$가 구간 $(-\infty, \infty)$에서 연속이면 $f(-1)=0, f(1)=0$이다.

이때 $f(x)$는 x^2의 계수가 1인 이차함수이므로

$f(x)=(x+1)(x-1)$

                🖪 $f(x)=(x+1)(x-1)$

4-1

$f(x)$는 구간 $(-\infty, \infty)$에서 연속이고, $g(x)$는 $x=0$과 $x=2$에서 불연속이다. 따라서 $f(x)g(x)$가 구간 $(-\infty, \infty)$에서 연속이면 $f(0)=0, f(2)=0$이다.

이때 $f(x)$는 x^2의 계수가 1인 이차함수이므로

$f(x)=x(x-2)$

                   🖪 $f(x)=x(x-2)$

4-2

(i) $f(x)$가 $x=a$에서 연속일 때,

  $g(x)$는 구간 $(-\infty, \infty)$에서 연속이므로

  $f(x)$가 $x=a$에서 연속이면 $f(x)g(x)$도 연속이다.

  곧, $a+3=a^2-a$이므로

  $a^2-2a-3=0, (a+1)(a-3)=0$

  $\therefore a=-1$ 또는 $a=3$

(ii) $f(x)$가 $x=a$에서 불연속일 때,

  $f(x)$가 $x=a$에서 불연속이어도

  $g(a)=0$이면 $f(x)g(x)$는 연속이다.

  곧, $g(a)=-a-7=0$ $\therefore a=-7$

(i), (ii)에서 a의 값은 $-7, -1, 3$

                   🖪 $-7, -1, 3$

개념 Check   37쪽 - 38쪽

4

(1) $f(x)=-x^2-4x+1$

           $=-(x+2)^2+5$

라 하면 $y=f(x)$의 그래프가 그림과 같으므로 닫힌구간 $[-3, 1]$에서 $f(x)$의

최댓값은 $f(-2)=5$,

최솟값은 $f(1)=-4$

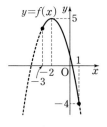

---

(2) $f(x)=\dfrac{x+1}{x-1}=1+\dfrac{2}{x-1}$

라 하면 $y=f(x)$의 그래프가 그림과 같으므로 닫힌구간 $[2, 4]$에서 $f(x)$의

최댓값은 $f(2)=3$,

최솟값은 $f(4)=\dfrac{5}{3}$

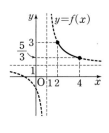

      🖪 (1) 최댓값 : 5, 최솟값 : -4

         (2) 최댓값 : 3, 최솟값 : $\dfrac{5}{3}$

5

$f(-1)=-1-2-3=-6, f(1)=1+2-3=0$

이므로 $f(-1)<-3<f(1)$

또 $f(x)$는 구간 $[-1, 1]$에서 연속이다.

따라서 사잇값 정리에 의해 $f(c)=-3$인 c가 구간 $(-1, 1)$에 적어도 하나 존재한다.

                   🖪 풀이 참조

대표Q   39쪽

대표 05

ㄱ. $f(x)=2x^3+x^2-5$라 하면 $f(x)$는 구간 $[1, 2]$에서 연속이고 $f(1)=-2<0, f(2)=15>0$이다.

  곧, 방정식 $f(x)=0$은 구간 $(1, 2)$에서 적어도 하나의 실근을 갖는다. (참)

ㄴ. $f(x)$가 구간 $[-2, 3]$에서 연속이라는 조건이 없으므로 방정식 $f(x)=0$이 구간 $(-2, 3)$에서 실근을 갖는지 알 수 없다. (거짓)

ㄷ. $f(x)$는 구간 $[1, 5]$에서 연속이므로 방정식 $f(x)=0$은 구간 $(1, 2)$와 구간 $(3, 5)$에서 각각 적어도 하나의 실근을 갖는다. 곧, 구간 $(1, 5)$에서 적어도 2개의 실근을 갖는다. (참)

따라서 옳은 것은 ㄱ, ㄷ이다.

                   🖪 ④

5-1

$h(x)=f(x)-g(x)$라 하면

$h(x)=(x^5+x^3+2x^2+k)-(x^3+5x^2+3)$

     $=x^5-3x^2+k-3$

$h(x)$는 구간 $[1, 2]$에서 연속이므로 사잇값 정리에 의해 $h(1)h(2)<0$이면 방정식 $h(x)=0$은 구간 $(1, 2)$에서 적어도 하나의 실근을 갖는다. 곧,

$h(1)h(2)=(k-5)(k+17)<0$

$\therefore -17<k<5$

따라서 정수 k는 $-16, -15, \cdots, 4$로 21개이다.

답 21

5-2

$\lim_{x \to -\infty} f(x)=\infty, f(-2)<0, f(-1)>0, f(1)>0,$ $f(2)<0, f(4)>0$

곧, 방정식 $f(x)=0$은 구간 $(-\infty, -2)$, $(-2, -1)$, $(1, 2)$, $(2, 4)$에서 각각 적어도 하나의 실근을 갖는다. 따라서 방정식 $f(x)=0$은 적어도 4개의 실근을 갖는다.

답 4개

연습과 실전 2 함수의 연속 40쪽 ~ 42쪽

01 ②, ⑤	02 $a=-2, b=\frac{1}{4}$	03 10
04 ⑤ 05 5 06 $\frac{3}{5}$ 07 ④ 08 0		09 3
10 -2 11 $g(x)=2x^2+8x+8$	12 ④	13 5개
14 ④		

01

① $\lim_{x \to 1} f(x)=2$ (거짓)

② $f(1)=1$이므로 $\lim_{x \to 1} f(x) \neq f(1)$

　따라서 $x=1$에서 불연속이다. (참)

③ $\lim_{x \to 1}(x-1)f(x)=0 \times 2=0$ (거짓)

④ $g(x)=(x-1)f(x)$라 하면

　$g(1)=0, \lim_{x \to 1}g(x)=0$

　이므로 $(x-1)f(x)$는 $x=1$에서 연속이다. (거짓)

⑤ $h(x)=x^2 f(x)$라 하면

　$h(1)=1, \lim_{x \to 1}h(x)=1 \times 2=2$

　이므로 $x^2 f(x)$는 $x=1$에서 불연속이다. (참)

따라서 옳은 것은 ②, ⑤이다.

답 ②, ⑤

02

$f(x)$가 $x=0$에서 연속이므로

$\lim_{x \to 0} \frac{\sqrt{x^2+4}+a}{x^2}=f(0)=b \quad \cdots \ ㉠$

$x \to 0$일 때, (분모) $\to 0$이므로 (분자) $\to 0$이다. 곧,

$\sqrt{0+4}+a=0 \quad \therefore a=-2$

㉠에 대입하면

$f(0)=\lim_{x \to 0} \frac{\sqrt{x^2+4}-2}{x^2}=\lim_{x \to 0} \frac{x^2+4-4}{x^2(\sqrt{x^2+4}+2)}$

$=\lim_{x \to 0} \frac{1}{\sqrt{x^2+4}+2}=\frac{1}{4}$

$\therefore b=\frac{1}{4}$

답 $a=-2, b=\frac{1}{4}$

03

$x \neq 1$일 때, $f(x)=\frac{x^3+4x^2-x-4}{x-1}$

곧, $f(x)$는 $x \neq 1$에서 연속이다. 그런데 $f(x)$는 모든 실수에서 연속이므로 $x=1$에서도 연속이다.

$\therefore \lim_{x \to 1} f(x)=f(1)$

$\lim_{x \to 1} \frac{x^3+4x^2-x-4}{x-1}=\lim_{x \to 1} \frac{(x+4)(x+1)(x-1)}{x-1}$

$=\lim_{x \to 1}(x+4)(x+1)=10$

이므로 $f(1)=10$

답 10

04

두 함수 $f(x)$, $g(x)$가 모든 실수에서 연속이므로 더하거나 곱해도 연속함수이다.

곧, ①, ②, ③은 연속함수이다.

④ $g(x)=x^2+1 \geq 1$이므로 $\frac{f(x)}{g(x)}$는 연속함수이다.

⑤ $x=-1$일 때 분모가 0이므로 $\frac{g(x)}{f(x)}$는 연속함수가 아니다.

따라서 모든 실수에서 연속함수가 아닌 것은 ⑤이다.

답 ⑤

05

$g(x)=f(x)-2$라 하면 $f(x)$가 연속함수이므로 $g(x)$도 연속함수이다.

방정식 $f(x)-2=0$, 곧 $g(x)=0$이 구간 $(1, 2)$에서 적어도 하나의 실근을 가지면 사잇값 정리에 의해
$g(1)g(2)<0$이므로
$g(1)=f(1)-2=k$, $g(2)=f(2)-2=k-6$에서
$g(1)g(2)=k(k-6)<0$
$\therefore 0<k<6$
따라서 정수 k는 1, 2, 3, 4, 5로 5개이다.

답 5

06 (전략) $x=3$에서 극한값을 구한다.
$x=3$에서 연속이면 $x=3$에서 극한값이 존재하므로
$$\lim_{x\to 3+}f(x)=\lim_{x\to 3-}f(x)$$
$\lim_{x\to 3+}[x]=3$, $\lim_{x\to 3-}[x]=2$이므로
$$\lim_{x\to 3+}f(x)=9a-7, \quad \lim_{x\to 3-}f(x)=4a-4$$
$9a-7=4a-4$이므로 $5a=3$ $\quad \therefore a=\dfrac{3}{5}$

답 $\dfrac{3}{5}$

07 (전략) $x=2$에서 극한값과 함숫값을 구한다.
$g(x)=(3x-a)f(x)$라 하면
$g(2)=(6-a)f(2)=(6-a)\times 1=6-a \quad \cdots$ ㉠
$$\lim_{x\to 2+}g(x)=\lim_{x\to 2+}(3x-a)f(x)$$
$$=(6-a)\times 1=6-a \quad \cdots ㉡$$
$$\lim_{x\to 2-}g(x)=\lim_{x\to 2-}(3x-a)f(x)$$
$$=(6-a)\times 3=18-3a \quad \cdots ㉢$$
㉠, ㉡, ㉢이 같아야 하므로
$6-a=18-3a$, $2a=12$ $\quad \therefore a=6$

답 ④

08 (전략) $x=1$에서 연속임을 확인하고, 구간 $[0, 4]$에서의 함수가 반복됨을 이용한다.
(i) 함수 $f(x)$는 $x=1$에서 연속이므로
$\quad f(1)=1+a+b$
$$\lim_{x\to 1+}f(x)=\lim_{x\to 1+}(x^2+ax+b)=1+a+b$$
$$\lim_{x\to 1-}f(x)=\lim_{x\to 1-}3x=3$$
곧, $3=1+a+b$ $\quad \therefore a+b=2 \quad \cdots ㉠$
(ii) 함수 $f(x)$는 모든 실수에서 연속이고,
$\quad f(x+4)=f(x)$이므로 $f(0)=f(4)$

곧, $0=16+4a+b$ $\quad \therefore 4a+b=-16 \quad \cdots ㉡$
㉠, ㉡을 연립하여 풀면 $a=-6$, $b=8$

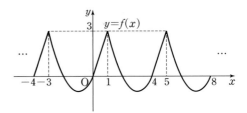

$$f(x)=\begin{cases} 3x & (0\le x<1) \\ x^2-6x+8 & (1\le x\le 4) \end{cases}$$
이므로
$f(10)=f(2)=2^2-6\times 2+8=0$

답 0

09 (전략) $x=0$에서 함수 $f(x)$가 연속임을 이용한다.
$x<0$일 때 $f(x)=x^2+4-g(x)$,
$x>0$일 때 $f(x)=x^2+2x+8+g(x)$이므로
$$\lim_{x\to 0-}f(x)=4-\lim_{x\to 0-}g(x) \quad \cdots ㉠$$
$$\lim_{x\to 0+}f(x)=8+\lim_{x\to 0+}g(x) \quad \cdots ㉡$$
함수 $f(x)$가 $x=0$에서 연속이므로
$$\lim_{x\to 0-}f(x)=\lim_{x\to 0+}f(x)=f(0)$$
㉠, ㉡을 변변 더하면
$$2f(0)=12-\lim_{x\to 0-}g(x)+\lim_{x\to 0+}g(x)$$
$$\lim_{x\to 0-}g(x)-\lim_{x\to 0+}g(x)=6$$이므로
$2f(0)=12-6=6$ $\quad \therefore f(0)=3$

답 3

10 (전략) $x=1$에서 함수 $g(x)$의 우극한과 좌극한을 이용한다.
함수 $g(x)=f(x)f(x-1)$이 실수 전체의 집합에서 연속이면 $x=1$에서도 연속이다.
$x-1=t$로 놓으면
$x\to 1+$일 때 $t\to 0+$, $x\to 1-$일 때 $t\to 0-$이므로
$$\lim_{x\to 1+}f(x-1)=\lim_{t\to 0+}f(t)=a$$
$$\lim_{x\to 1-}f(x-1)=\lim_{t\to 0-}f(t)=-1$$
곧,
$$\lim_{x\to 1+}f(x)f(x-1)=(2+a)\times a=2a+a^2$$
$$\lim_{x\to 1-}f(x)f(x-1)=(2+a)\times(-1)=-2-a$$
극한값이 존재하므로

$2a+a^2=-2-a$, $a^2+3a+2=0$

$(a+1)(a+2)=0$

$a\neq-1$이므로 $a=-2$

답 -2

11 전략 $x=-2$에서 함수 $f(x)g(x)$가 연속이다.

$g(x)$가 이차함수이므로

$g(x)=ax^2+bx+c$ $(a\neq0)$라 하면

$\displaystyle\lim_{x\to\infty}\frac{g(x)-x^2}{x^2}=\lim_{x\to\infty}\frac{(a-1)x^2+bx+c}{x^2}$

$\displaystyle\qquad\qquad=\lim_{x\to\infty}\left(a-1+\frac{b}{x}+\frac{c}{x^2}\right)=a-1$

$a-1=1$이므로 $a=2$

함수 $f(x)g(x)$는 모든 실수에서 연속이므로 $x=-2$에서도 연속이다.

$\displaystyle\therefore\lim_{x\to-2}f(x)g(x)=\lim_{x\to-2}\frac{2x^2+bx+c}{x+2}$

$\displaystyle\qquad\qquad\qquad=f(-2)g(-2)$ ⋯ ㉠

$x\to-2$일 때, (분모)$\to0$이므로 (분자)$\to0$이다. 곧,

$8-2b+c=0$ $\therefore c=2b-8$

㉠에 대입하면

$\displaystyle\lim_{x\to-2}f(x)g(x)=\lim_{x\to-2}\frac{2x^2+bx+2b-8}{x+2}$

$\displaystyle\qquad\qquad\qquad=\lim_{x\to-2}\frac{(x+2)(2x-4+b)}{x+2}$

$\displaystyle\qquad\qquad\qquad=\lim_{x\to-2}(2x-4+b)$

$\displaystyle\qquad\qquad\qquad=b-8$

$f(-2)g(-2)=1\times0=0$이므로 $b=8$, $c=8$

$\therefore g(x)=2x^2+8x+8$

답 $g(x)=2x^2+8x+8$

12 전략 $x=2$에서 함수 $\dfrac{g(x)}{f(x)}$가 연속이면 $x=2$에서 극한값이 존재하고 $x=2$에서 함숫값과 같다.

함수 $\dfrac{g(x)}{f(x)}$가 실수 전체의 집합에서 연속이므로 $x=2$에서도 연속이다.

$\dfrac{g(2)}{f(2)}=\dfrac{2a+1}{1}=2a+1$

$\displaystyle\lim_{x\to2+}\frac{g(x)}{f(x)}=\frac{2a+1}{1}=2a+1$

$\displaystyle\lim_{x\to2-}\frac{g(x)}{f(x)}=\frac{2a+1}{2}=a+\frac{1}{2}$

극한값이 존재하므로

$2a+1=a+\dfrac{1}{2}$ $\therefore a=-\dfrac{1}{2}$

답 ④

13 전략 함수가 연속일 때, 방정식의 실근의 개수의 최솟값
➡ 사잇값 정리를 이용한다.

$f(-x)=-f(x)$이므로

$y=f(x)$의 그래프는 원점에 대칭이고 원점을 지난다.

또 $f(1)f(2)<0$이므로 $f(-1)f(-2)<0$이고

$f(3)f(4)<0$이므로 $f(-3)f(-4)<0$이다.

곧, 사잇값 정리에 의해 방정식 $f(x)=0$은 구간 $(1, 2)$, $(-2, -1)$, $(3, 4)$, $(-4, -3)$에서 각각 적어도 하나의 실근을 갖는다.

따라서 방정식 $f(x)=0$의 실근은 $x=0$을 포함하여 적어도 5개이다.

답 5개

14 전략 최대 · 최소 정리나 사잇값 정리는 연속함수에서 성립한다.

ㄱ. $\displaystyle\lim_{x\to-2+}f(x)g(x)=2\times2=4$

$\displaystyle\lim_{x\to-2-}f(x)g(x)=(-2)\times(-2)=4$

$f(-2)g(-2)=2\times2=4$

따라서 $f(x)g(x)$는 $x=-2$에서 연속이다. (거짓)

ㄴ. ㄱ에 의하여 $f(x)g(x)$는 구간 $[-4, 1]$에서 연속이므로 최댓값과 최솟값을 가진다. (참)

ㄷ. $f(x)g(x)$는 구간 $[-4, 1]$에서 연속이고

$f(-4)g(-4)>0$, $f(1)g(1)<0$이다.

곧, 방정식 $f(x)g(x)=0$은 구간 $(-4, 1)$에서 적어도 하나의 실근을 갖는다. (참)

따라서 옳은 것은 ㄴ, ㄷ이다.

답 ④

3 미분계수와 도함수

44쪽 ~ 47쪽

개념 Check

1

(1) $\dfrac{\Delta y}{\Delta x} = \dfrac{f(2)-f(0)}{2-0}$

$\quad = \dfrac{7-(-1)}{2} = 4$

(2) $\dfrac{\Delta y}{\Delta x} = \dfrac{f(3)-f(-1)}{3-(-1)}$

$\quad = \dfrac{30-(-2)}{4} = 8$

🔑 (1) 4 (2) 8

2

(1) $f'(1) = \lim\limits_{\Delta x \to 0} \dfrac{f(1+\Delta x)-f(1)}{\Delta x}$

$\quad = \lim\limits_{\Delta x \to 0} \dfrac{2(1+\Delta x)+3-5}{\Delta x}$

$\quad = \lim\limits_{\Delta x \to 0} 2 = 2$

다른 풀이

$f'(1) = \lim\limits_{x \to 1} \dfrac{f(x)-f(1)}{x-1}$

$\quad = \lim\limits_{x \to 1} \dfrac{(2x+3)-5}{x-1}$

$\quad = \lim\limits_{x \to 1} \dfrac{2(x-1)}{x-1}$

$\quad = \lim\limits_{x \to 1} 2 = 2$

(2) $f'(1) = \lim\limits_{\Delta x \to 0} \dfrac{f(1+\Delta x)-f(1)}{\Delta x}$

$\quad = \lim\limits_{\Delta x \to 0} \dfrac{-(1+\Delta x)^2-(-1)}{\Delta x}$

$\quad = \lim\limits_{\Delta x \to 0} (-2-\Delta x) = -2$

다른 풀이

$f'(1) = \lim\limits_{x \to 1} \dfrac{f(x)-f(1)}{x-1}$

$\quad = \lim\limits_{x \to 1} \dfrac{-x^2-(-1)}{x-1}$

$\quad = \lim\limits_{x \to 1} \dfrac{-(x+1)(x-1)}{x-1}$

$\quad = \lim\limits_{x \to 1} (-x-1) = -2$

🔑 (1) 2 (2) -2

3

$\lim\limits_{\Delta x \to 0} \dfrac{f(1+\Delta x)-f(1)}{\Delta x} = \lim\limits_{\Delta x \to 0} \dfrac{|\Delta x|}{\Delta x}$

그런데

$\lim\limits_{\Delta x \to 0+} \dfrac{|\Delta x|}{\Delta x} = \lim\limits_{\Delta x \to 0+} \dfrac{\Delta x}{\Delta x} = \lim\limits_{\Delta x \to 0+} 1 = 1$

$\lim\limits_{\Delta x \to 0-} \dfrac{|\Delta x|}{\Delta x} = \lim\limits_{\Delta x \to 0-} \dfrac{-\Delta x}{\Delta x} = \lim\limits_{\Delta x \to 0-} (-1) = -1$

곧, 극한값이 존재하지 않으므로 $x=1$에서 미분가능하지 않다.

다른 풀이

그래프가 $x=1$에서 뾰족하므로 미분가능하지 않다.

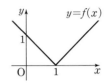

🔑 미분가능하지 않다.

4

$f(x)=2x^2$이라 하면 점 $(2, 8)$에서 접선의 기울기는 $f'(2)$이므로

$f'(2) = \lim\limits_{\Delta x \to 0} \dfrac{f(2+\Delta x)-f(2)}{\Delta x}$

$\quad = \lim\limits_{\Delta x \to 0} \dfrac{2(2+\Delta x)^2-8}{\Delta x}$

$\quad = \lim\limits_{\Delta x \to 0} (8+2\Delta x) = 8$

🔑 8

5

(1) $x=2$

(2) $x=2$에서 불연속이므로 미분가능하지 않다.

$x=4$에서 연속이지만 그래프가 뾰족하므로 미분가능하지 않다.

🔑 (1) 2 (2) 2, 4

참고 함수의 연속

다음 세 조건을 모두 만족시키면 함수 $f(x)$는 $x=a$에서 연속이다.

(1) 함숫값 $f(a)$가 존재한다.

(2) 극한값 $\lim\limits_{x \to a} f(x)$가 존재한다.

(3) $\lim\limits_{x \to a} f(x) = f(a)$

대표Q

대표 01

(1) x가 -1에서 2까지 변할 때, 함수 $f(x)=x^2-1$의 평균변화율은

$$\frac{f(2)-f(-1)}{2-(-1)}=\frac{3-0}{3}=1$$

$x=a$에서 함수 $f(x)$의 순간변화율은

$$f'(a)=\lim_{h\to 0}\frac{f(a+h)-f(a)}{h}$$
$$=\lim_{h\to 0}\frac{\{(a+h)^2-1\}-(a^2-1)}{h}$$
$$=\lim_{h\to 0}(2a+h)=2a$$

평균변화율과 순간변화율이 같으므로

$$2a=1 \qquad \therefore a=\frac{1}{2}$$

(2) $f(x)=\sqrt{x}$라 하면 $x=2$에서 미분계수는 $f'(2)$이므로

$$f'(2)=\lim_{h\to 0}\frac{f(2+h)-f(2)}{h}$$
$$=\lim_{h\to 0}\frac{\sqrt{2+h}-\sqrt{2}}{h}$$
$$=\lim_{h\to 0}\frac{(2+h)-2}{h(\sqrt{2+h}+\sqrt{2})}$$
$$=\lim_{h\to 0}\frac{1}{\sqrt{2+h}+\sqrt{2}}$$
$$=\frac{1}{2\sqrt{2}}=\frac{\sqrt{2}}{4}$$

답 (1) $\frac{1}{2}$ (2) $\frac{\sqrt{2}}{4}$

1-1

x가 0에서 3까지 변할 때, 함수 $f(x)=x^3$의 평균변화율은
$$\frac{f(3)-f(0)}{3-0}=\frac{3^3-0}{3}=9$$

$x=a$에서 함수 $f(x)$의 순간변화율은

$$f'(a)=\lim_{h\to 0}\frac{f(a+h)-f(a)}{h}$$
$$=\lim_{h\to 0}\frac{(a+h)^3-a^3}{h}$$
$$=\lim_{h\to 0}(3a^2+3ah+h^2)=3a^2$$

평균변화율과 순간변화율이 같으므로
$$3a^2=9 \qquad \therefore a=\sqrt{3}\ (\because 0<a<3)$$

답 $\sqrt{3}$

1-2

$f(x)=\dfrac{1}{x}$이라 하면 점 $(1,1)$에서 접선의 기울기는

$$f'(1)=\lim_{h\to 0}\frac{f(1+h)-f(1)}{h}$$
$$=\lim_{h\to 0}\frac{\frac{1}{1+h}-1}{h}=\lim_{h\to 0}\frac{-\frac{h}{1+h}}{h}$$
$$=\lim_{h\to 0}\left(-\frac{1}{1+h}\right)=-1$$

답 -1

대표 02

(1) $\displaystyle\lim_{h\to 0}\frac{f(1+2h)-f(1)}{h}$
$$=\lim_{h\to 0}\left\{\frac{f(1+2h)-f(1)}{2h}\times 2\right\}$$
$$=2f'(1)$$
$$=2\times 2=4$$

(2) $\displaystyle\lim_{h\to 0}\frac{f(1+h^2)-f(1)}{h}$
$$=\lim_{h\to 0}\left\{\frac{f(1+h^2)-f(1)}{h^2}\times h\right\}$$
$$=f'(1)\times 0$$
$$=2\times 0=0$$

(3) $\displaystyle\lim_{h\to 0}\frac{f(1+h)-f(1-3h)}{h}$
$$=\lim_{h\to 0}\left\{\frac{f(1+h)-f(1)}{h}-\frac{f(1-3h)-f(1)}{h}\right\}$$
$$=\lim_{h\to 0}\left\{\frac{f(1+h)-f(1)}{h}\right.$$
$$\left.-\frac{f(1-3h)-f(1)}{-3h}\times(-3)\right\}$$
$$=f'(1)-\{-3f'(1)\}=4f'(1)$$
$$=4\times 2=8$$

답 (1) 4 (2) 0 (3) 8

2-1

(1) $\displaystyle\lim_{h\to 0}\frac{f(a-2h)-f(a)}{h}$
$$=\lim_{h\to 0}\left\{\frac{f(a-2h)-f(a)}{-2h}\times(-2)\right\}$$
$$=-2f'(a)$$
$$=-2\times 3=-6$$

(2) $\displaystyle\lim_{h\to 0}\frac{f(a+2h)-f(a)}{3h}$

$\displaystyle=\lim_{h\to 0}\left\{\frac{f(a+2h)-f(a)}{2h}\times\frac{2}{3}\right\}$

$\displaystyle=\frac{2}{3}f'(a)=\frac{2}{3}\times 3=2$

(3) $\displaystyle\lim_{h\to 0}\frac{f(a+2h^3)-f(a)}{h^2}$

$\displaystyle=\lim_{h\to 0}\left\{\frac{f(a+2h^3)-f(a)}{2h^3}\times 2h\right\}$

$=f'(a)\times 0$

$=3\times 0=0$

(4) $\displaystyle\lim_{h\to 0}\frac{f(a+2h)-f(a-h)}{h}$

$\displaystyle=\lim_{h\to 0}\left\{\frac{f(a+2h)-f(a)}{h}-\frac{f(a-h)-f(a)}{h}\right\}$

$\displaystyle=\lim_{h\to 0}\left\{\frac{f(a+2h)-f(a)}{2h}\times 2\right.$

$\displaystyle\left.-\frac{f(a-h)-f(a)}{-h}\times(-1)\right\}$

$=2f'(a)+f'(a)=3f'(a)$

$=3\times 3=9$

📋 (1) -6　(2) 2　(3) 0　(4) 9

대표 03

(1) $\displaystyle\lim_{x\to 1}\frac{f(x)-f(1)}{x^2-1}$

$\displaystyle=\lim_{x\to 1}\left\{\frac{f(x)-f(1)}{x-1}\times\frac{1}{x+1}\right\}$

$\displaystyle=f'(1)\times\frac{1}{2}$

$\displaystyle=2\times\frac{1}{2}=1$

(2) $\displaystyle\lim_{x\to 1}\frac{f(x^2)-f(1)}{x-1}$

$\displaystyle=\lim_{x\to 1}\left\{\frac{f(x^2)-f(1)}{x^2-1}\times(x+1)\right\}$

$=f'(1)\times 2$

$=2\times 2=4$

(3) $\displaystyle\lim_{x\to 1}\frac{x^3-1}{f(x)-f(1)}$

$\displaystyle=\lim_{x\to 1}\left\{\frac{x-1}{f(x)-f(1)}\times(x^2+x+1)\right\}$

$\displaystyle=\frac{1}{f'(1)}\times 3$

$\displaystyle=\frac{1}{2}\times 3=\frac{3}{2}$

---

(4) $f(x^2)-x^2f(1)=f(x^2)-f(1)-\{x^2f(1)-f(1)\}$

$\qquad\qquad\qquad\quad=f(x^2)-f(1)-(x^2-1)f(1)$

이므로

$\displaystyle\lim_{x\to 1}\frac{f(x^2)-x^2f(1)}{x-1}$

$\displaystyle=\lim_{x\to 1}\left\{\frac{f(x^2)-f(1)}{x-1}-\frac{(x^2-1)f(1)}{x-1}\right\}$

$\displaystyle=\lim_{x\to 1}\left\{\frac{f(x^2)-f(1)}{x^2-1}\times(x+1)-(x+1)f(1)\right\}$

$=f'(1)\times 2-2\times f(1)=2\times 2-2\times 3=-2$

📋 (1) 1　(2) 4　(3) $\dfrac{3}{2}$　(4) -2

3-1

(1) $\displaystyle\lim_{x\to a}\frac{f(x)-f(a)}{x^3-a^3}$

$\displaystyle=\lim_{x\to a}\left\{\frac{f(x)-f(a)}{x-a}\times\frac{1}{x^2+ax+a^2}\right\}$

$\displaystyle=f'(a)\times\frac{1}{3a^2}=-\frac{1}{3a^2}$

(2) $\displaystyle\lim_{x\to a}\frac{f(x^2)-f(a^2)}{x^3-a^3}$

$\displaystyle=\lim_{x\to a}\left\{\frac{f(x^2)-f(a^2)}{x^2-a^2}\times\frac{x^2-a^2}{x^3-a^3}\right\}$

$\displaystyle=\lim_{x\to a}\left\{\frac{f(x^2)-f(a^2)}{x^2-a^2}\times\frac{x+a}{x^2+ax+a^2}\right\}$

$\displaystyle=f'(a^2)\times\frac{2a}{3a^2}=3\times\frac{2}{3a}=\frac{2}{a}$

(3) $\displaystyle\lim_{x\to a}\frac{x^2-a^2}{f(x)-f(a)}$

$\displaystyle=\lim_{x\to a}\left\{\frac{x-a}{f(x)-f(a)}\times(x+a)\right\}$

$\displaystyle=\frac{1}{f'(a)}\times 2a=-2a$

(4) $af(x)-xf(a)$

$=af(x)-af(a)-\{xf(a)-af(a)\}$

$=af(x)-af(a)-(x-a)f(a)$

이므로

$\displaystyle\lim_{x\to a}\frac{af(x)-xf(a)}{x-a}$

$\displaystyle=\lim_{x\to a}\left\{\frac{af(x)-af(a)}{x-a}-\frac{(x-a)f(a)}{x-a}\right\}$

$\displaystyle=\lim_{x\to a}\left\{\frac{f(x)-f(a)}{x-a}\times a-f(a)\right\}$

$=af'(a)-f(a)=-a-2$

📋 (1) $-\dfrac{1}{3a^2}$　(2) $\dfrac{2}{a}$　(3) $-2a$　(4) $-a-2$

대표 04

(1) $f(x)=(x-1)|x-1|$이라 하자.

$$\lim_{h\to 0}\frac{f(1+h)-f(1)}{h}=\lim_{h\to 0}\frac{h|h|}{h}=\lim_{h\to 0}|h|$$

에서 $\lim_{h\to 0+}|h|=\lim_{h\to 0-}|h|=0$

따라서 $f'(1)$이 존재하므로 $x=1$에서 미분가능하다.

다른 풀이

$f(x)=(x-1)|x-1|$이라 하면

$$\lim_{x\to 1}\frac{f(x)-f(1)}{x-1}=\lim_{x\to 1}\frac{(x-1)|x-1|-0}{x-1}$$
$$=\lim_{x\to 1}|x-1|$$

에서 $\lim_{x\to 1+}|x-1|=\lim_{x\to 1-}|x-1|=0$

따라서 $f'(1)$이 존재하므로 $x=1$에서 미분가능하다.

(2) $f(x)=[x]$라 하자.

$1<x<2$일 때 $[x]=1$,

$0<x<1$일 때 $[x]=0$이므로

$$\lim_{x\to 1+}f(x)=\lim_{x\to 1+}[x]=1$$
$$\lim_{x\to 1-}f(x)=\lim_{x\to 1-}[x]=0$$

따라서 $f(x)$는 $x=1$에서 불연속이므로 미분가능하지 않다.

다른 풀이

$$\lim_{h\to 0+}\frac{f(1+h)-f(1)}{h}=\lim_{h\to 0+}\frac{1-1}{h}=0$$
$$\lim_{h\to 0-}\frac{f(1+h)-f(1)}{h}=\lim_{h\to 0-}\frac{0-1}{h}=\infty$$

따라서 $x=1$에서 미분가능하지 않다.

🔁 (1) 미분가능하다.　(2) 미분가능하지 않다.

4-1

(1) $f(x)=|x^2-1|$이라 하자.

$x>1$일 때, $f(x)=x^2-1$이므로

$$\lim_{x\to 1+}\frac{f(x)-f(1)}{x-1}=\lim_{x\to 1+}\frac{(x^2-1)-0}{x-1}$$
$$=\lim_{x\to 1+}(x+1)=2$$

$-1<x<1$일 때, $f(x)=-(x^2-1)$이므로

$$\lim_{x\to 1-}\frac{f(x)-f(1)}{x-1}=\lim_{x\to 1-}\frac{-(x^2-1)-0}{x-1}$$
$$=\lim_{x\to 1-}\{-(x+1)\}=-2$$

따라서 $f'(1)$이 존재하지 않으므로 $x=1$에서 미분가능하지 않다.

(2) $f(x)=|x-1|^3$이라 하자.

$x>1$일 때, $f(x)=(x-1)^3$이므로

$$\lim_{x\to 1+}\frac{f(x)-f(1)}{x-1}=\lim_{x\to 1+}\frac{(x-1)^3-0}{x-1}$$
$$=\lim_{x\to 1+}(x-1)^2=0$$

$x<1$일 때, $f(x)=-(x-1)^3$이므로

$$\lim_{x\to 1-}\frac{f(x)-f(1)}{x-1}=\lim_{x\to 1-}\frac{-(x-1)^3-0}{x-1}$$
$$=\lim_{x\to 1-}\{-(x-1)^2\}=0$$

따라서 $f'(1)$이 존재하므로 $x=1$에서 미분가능하다.

🔁 (1) 미분가능하지 않다.　(2) 미분가능하다.

4-2

$f(x)=[x]$라 하자.

(1) $f(1.5)=1$

또 h의 절댓값이 충분히 작을 때 $f(1.5+h)=1$

$$\therefore \lim_{h\to 0}\frac{f(1.5+h)-f(1.5)}{h}=\lim_{h\to 0}\frac{1-1}{h}=0$$

따라서 $f'(1.5)$가 존재하므로 $x=1.5$에서 미분가능하다.

(2) $$\lim_{x\to -2+}f(x)=\lim_{x\to -2+}[x]=-2$$
$$\lim_{x\to -2-}f(x)=\lim_{x\to -2-}[x]=-3$$

따라서 $f(x)$는 $x=-2$에서 불연속이므로 미분가능하지 않다.

🔁 (1) 미분가능하다.　(2) 미분가능하지 않다.

개념 Check
52쪽~54쪽

6

(1) $$f'(x)=\lim_{h\to 0}\frac{f(x+h)-f(x)}{h}$$
$$=\lim_{h\to 0}\frac{4(x+h)-4x}{h}$$
$$=\lim_{h\to 0}4=4$$

(2) $$f'(x)=\lim_{h\to 0}\frac{f(x+h)-f(x)}{h}$$
$$=\lim_{h\to 0}\frac{(x+h)^3-x^3}{h}$$
$$=\lim_{h\to 0}(3x^2+3xh+h^2)=3x^2$$

🔁 (1) $f'(x)=4$　(2) $f'(x)=3x^2$

7

(1) $y'=0$

(2) $y'=2\times 5x^4=10x^4$

答 (1) $y'=0$ (2) $y'=10x^4$

8

(1) $y'=3(x^2)'+2(x)'-(1)'$

$\quad=3\times 2x+2=6x+2$

또 $x=1$일 때 $y'=6+2=8$

따라서 $x=1$에서 미분계수는 8이다.

(2) $y'=(x^4)'-2(x^3)'-5(x)'+(2)'$

$\quad=4x^3-2\times 3x^2-5=4x^3-6x^2-5$

또 $x=1$일 때 $y'=4-6-5=-7$

따라서 $x=1$에서 미분계수는 -7이다.

答 (1) $y'=6x+2$, 8   (2) $y'=4x^3-6x^2-5$, -7

대표Q   55쪽~60쪽

대표 05

(1) $y'=5-4\times 2x+2\times 3x^2=6x^2-8x+5$

(2) $y'=(x^2+x+1)'(2x-1)+(x^2+x+1)(2x-1)'$

$\quad=(2x+1)(2x-1)+(x^2+x+1)\times 2$

$\quad=4x^2-1+2x^2+2x+2=6x^2+2x+1$

(3) $y'=(x+1)'(x-2)(x^2-x)$

$\quad\quad+(x+1)(x-2)'(x^2-x)$

$\quad\quad+(x+1)(x-2)(x^2-x)'$

$\quad=(x-2)(x^2-x)+(x+1)(x^2-x)$

$\quad\quad+(x+1)(x-2)(2x-1)$

$\quad=x^3-3x^2+2x+x^3-x+2x^3-3x^2-3x+2$

$\quad=4x^3-6x^2-2x+2$

(4) $y'=2(x^2-2x+3)(x^2-2x+3)'$

$\quad=2(x^2-2x+3)(2x-2)$

$\quad=4(x-1)(x^2-2x+3)$

答 (1) $y'=6x^2-8x+5$ (2) $y'=6x^2+2x+1$
(3) $y'=4x^3-6x^2-2x+2$
(4) $y'=4(x-1)(x^2-2x+3)$

5-1

(1) $y'=\dfrac{1}{5}\times 5x^4-\dfrac{3}{4}\times 4x^3-2$

$\quad=x^4-3x^3-2$

(2) $y'=(x^3+2)'(1-2x)+(x^3+2)(1-2x)'$

$\quad=3x^2(1-2x)+(x^3+2)\times(-2)$

$\quad=3x^2-6x^3-2x^3-4$

$\quad=-8x^3+3x^2-4$

(3) $y'=(x^2-3x+1)'(x^3-2x)$

$\quad\quad+(x^2-3x+1)(x^3-2x)'$

$\quad=(2x-3)(x^3-2x)+(x^2-3x+1)(3x^2-2)$

$\quad=2x^4-4x^2-3x^3+6x+3x^4-2x^2-9x^3+6x$

$\quad\quad+3x^2-2$

$\quad=5x^4-12x^3-3x^2+12x-2$

(4) $y'=(x-1)'(2x+1)(5x-2)$

$\quad\quad+(x-1)(2x+1)'(5x-2)$

$\quad\quad+(x-1)(2x+1)(5x-2)'$

$\quad=(2x+1)(5x-2)+(x-1)\times 2\times(5x-2)$

$\quad\quad+(x-1)(2x+1)\times 5$

$\quad=10x^2+x-2+10x^2-14x+4+10x^2-5x-5$

$\quad=30x^2-18x-3$

答 (1) $y'=x^4-3x^3-2$
(2) $y'=-8x^3+3x^2-4$
(3) $y'=5x^4-12x^3-3x^2+12x-2$
(4) $y'=30x^2-18x-3$

5-2

(1) $y'=3(2x+3)^2(2x+3)'$

$\quad=3(2x+3)^2\times 2$

$\quad=6(2x+3)^2$

(2) $y'=\{(x+1)^3\}'(1-3x)^2+(x+1)^3\{(1-3x)^2\}'$

$\quad=\{3(x+1)^2(x+1)'\}(1-3x)^2$

$\quad\quad+(x+1)^3\{2(1-3x)(1-3x)'\}$

$\quad=3(x+1)^2(1-3x)^2$

$\quad\quad+(x+1)^3\{2(1-3x)\times(-3)\}$

$\quad=3(x+1)^2(1-3x)^2-6(x+1)^3(1-3x)$

$\quad=3(x+1)^2(1-3x)(1-3x-2x-2)$

$\quad=3(x+1)^2(3x-1)(5x+1)$

答 (1) $y'=6(2x+3)^2$
(2) $y'=3(x+1)^2(3x-1)(5x+1)$

대표 06

(1) $f(x)=ax^2+bx+c\,(a\neq0)$라 하면

$f'(x)=2ax+b$

$f(2)=3,\ f'(1)=1,\ f'(0)=-3$이므로

$4a+2b+c=3,\ 2a+b=1,\ b=-3$

연립하여 풀면 $a=2,\ b=-3,\ c=1$

$\therefore f(x)=2x^2-3x+1$

(2) $f(x)+f'(x)$가 삼차함수이므로 $f(x)$는 삼차함수이고 삼차항은 $2x^3$이다.

$f(x)=2x^3+ax^2+bx+c$라 하면

$f'(x)=6x^2+2ax+b$이고

$f(x)+f'(x)=2x^3+(a+6)x^2+(2a+b)x+b+c$

이므로

$a+6=6,\ 2a+b=3,\ b+c=4$

연립하여 풀면 $a=0,\ b=3,\ c=1$

$\therefore f(x)=2x^3+3x+1$

    ㉲ (1) $f(x)=2x^2-3x+1$

    (2) $f(x)=2x^3+3x+1$

6-1

$f(x)=x^3+a^2x^2+ax+b$에서 $f(-1)=-1$이므로

$-1+a^2-a+b=-1$ $\cdots$ ㉠

$f'(x)=3x^2+2a^2x+a$이고, $f'(-1)=3$이므로

$3-2a^2+a=3,\ 2a^2-a=0,\ a(2a-1)=0$

$a\neq0$이므로 $a=\dfrac{1}{2}$

㉠에 대입하면 $b=\dfrac{1}{4}$

    ㉲ $a=\dfrac{1}{2},\ b=\dfrac{1}{4}$

6-2

$(x+1)f'(x)-2f(x)-1=0,\ f(0)=0$이므로

$x=0$을 대입하면

$f'(0)-2f(0)-1=0$ $\therefore f'(0)=1$

$x=-1$을 대입하면

$-2f(-1)-1=0$ $\therefore f(-1)=-\dfrac{1}{2}$

또 $f(0)=0$이므로 $f(x)=ax^2+bx\,(a\neq0)$라 하면

$f'(x)=2ax+b$이고

$f'(0)=1$이므로 $b=1$

$f(-1)=-\dfrac{1}{2}$이므로 $a-b=-\dfrac{1}{2}$ $\therefore a=\dfrac{1}{2}$

$\therefore f(x)=\dfrac{1}{2}x^2+x$

    ㉲ $f(x)=\dfrac{1}{2}x^2+x$

6-3

$f(x)$가 n차함수라 하면 $f'(x)$는 $(n-1)$차함수이므로 $f(x)f'(x)$는 $(n+n-1)$차함수이다.

$f(x)f'(x)$는 삼차함수이므로

$2n-1=3$ $\therefore n=2$

$f(x)$는 최고차항의 계수가 1인 이차함수이므로

$f(x)=x^2+ax+b$라 하면 $f'(x)=2x+a$이고

$f(x)f'(x)=(x^2+ax+b)(2x+a)$

$\qquad\qquad =2x^3+3ax^2+(a^2+2b)x+ab$

이므로

$3a=-9,\ a^2+2b=5,\ ab=c$

연립하여 풀면 $a=-3,\ b=-2,\ c=6$

$\therefore f(x)=x^2-3x-2$

    ㉲ $c=6,\ f(x)=x^2-3x-2$

대표 07

(1) $\displaystyle\lim_{h\to0}\dfrac{f(1+2h)-f(1)}{h}$

$=\displaystyle\lim_{h\to0}\left\{\dfrac{f(1+2h)-f(1)}{2h}\times2\right\}$

$=2f'(1)$

$f(x)=x^4+2x^2-1$에서 $f'(x)=4x^3+4x$이므로

$2f'(1)=2\times(4+4)=16$

(2) 극한값이 존재하고 $x\to1$일 때 (분모) $\to0$이므로 (분자) $\to0$이다.

곧, $1-4+a=0$에서 $a=3$

$f(x)=x^n-4x^2+3$으로 놓으면 $f(1)=0$이므로

$\displaystyle\lim_{x\to1}\dfrac{x^n-4x^2+3}{x-1}=\lim_{x\to1}\dfrac{f(x)-f(1)}{x-1}=f'(1)$

$f'(x)=nx^{n-1}-8x$이고 조건에서 $f'(1)=-3$이므로

$n-8=-3$ $\therefore n=5$

    ㉲ (1) 16 (2) $a=3,\ n=5$

7-1

$f'(x)=5x^4-4x$이고 미분계수의 정의를 이용할 수 있도록 식을 변형해 보자.

(1) $\displaystyle\lim_{h\to 0}\frac{f(1+2h)-f(1-h)}{h}$

$\displaystyle=\lim_{h\to 0}\left\{\frac{f(1+2h)-f(1)}{h}-\frac{f(1-h)-f(1)}{h}\right\}$

$\displaystyle=\lim_{h\to 0}\left\{\frac{f(1+2h)-f(1)}{2h}\times 2\right.$

$\displaystyle\left.\quad -\frac{f(1-h)-f(1)}{-h}\times(-1)\right\}$

$=2f'(1)+f'(1)=3f'(1)$

$=3\times 1=3$

(2) $\displaystyle\lim_{x\to -1}\frac{f(x^2)-f(1)}{x+1}$

$\displaystyle=\lim_{x\to -1}\left\{\frac{f(x^2)-f(1)}{x^2-1}\times(x-1)\right\}$

$\displaystyle=\lim_{x\to -1}\frac{f(x^2)-f(1)}{x^2-1}\times\lim_{x\to -1}(x-1)$

$\displaystyle=\lim_{t\to 1}\frac{f(t)-f(1)}{t-1}\times(-2)=-2f'(1)$

$=-2\times 1=-2$

답 (1) 3 (2) -2

7-2

$f(x)=x^6+3x+2$로 놓으면 $f(-1)=0$이므로

$\displaystyle\lim_{x\to -1}\frac{x^6+3x+2}{x+1}=\lim_{x\to -1}\frac{f(x)-f(-1)}{x-(-1)}=f'(-1)$

$f'(x)=6x^5+3$이므로 $f'(-1)=-3$

답 -3

7-3

$f(x)=x^3+ax^2+bx+c$이므로

$f'(x)=3x^2+2ax+b$

(i) $\displaystyle\lim_{x\to 2}\frac{f(x)}{x-2}=5$에서 극한값이 존재하고 $x\to 2$일 때

(분모) $\to 0$이므로 (분자) $\to 0$이다. 곧, $f(2)=0$

$f(2)=8+4a+2b+c=0$ … ㉠

이때 $\displaystyle\lim_{x\to 2}\frac{f(x)-f(2)}{x-2}=5$이므로 $f'(2)=5$

$f'(2)=12+4a+b=5$ … ㉡

(ii) $\displaystyle\lim_{x\to 1}\frac{f(x)-f(1)}{x^2-1}=\lim_{x\to 1}\left\{\frac{f(x)-f(1)}{x-1}\times\frac{1}{x+1}\right\}$

$\displaystyle\qquad=f'(1)\times\frac{1}{2}$

$\dfrac{1}{2}f'(1)=-1$이므로 $f'(1)=-2$

$f'(1)=3+2a+b=-2$ … ㉢

㉡, ㉢을 연립하여 풀면 $a=-1$, $b=-3$

㉠에 대입하면 $c=2$

$\therefore f(x)=x^3-x^2-3x+2$

답 $f(x)=x^3-x^2-3x+2$

대표 08

(1) $x^{10}+px+q$를 $(x-1)^2$으로 나누었을 때의 몫을 $Q(x)$라 하면

$x^{10}+px+q=(x-1)^2Q(x)$ … ㉠

양변에 $x=1$을 대입하면 $1+p+q=0$ … ㉡

㉠은 x에 대한 항등식이고 $Q(x)$는 다항식이므로 양변을 x에 대하여 미분하면

$10x^9+p=2(x-1)Q(x)+(x-1)^2Q'(x)$

양변에 $x=1$을 대입하면 $10+p=0$ $\therefore p=-10$

㉡에 대입하면 $q=9$

(2) $x^{10}+px+q$를 $(x+1)^2$으로 나누었을 때의 몫을 $Q(x)$라 하면

$x^{10}+px+q=(x+1)^2Q(x)+5x-2$ … ㉠

㉠의 양변에 $x=-1$을 대입하면

$1-p+q=-7$ … ㉡

㉠은 x에 대한 항등식이고 $Q(x)$는 다항식이므로 양변을 x에 대하여 미분하면

$10x^9+p=2(x+1)Q(x)+(x+1)^2Q'(x)+5$

양변에 $x=-1$을 대입하면

$-10+p=5$ $\therefore p=15$

㉡에 대입하면 $q=7$

답 (1) $p=-10$, $q=9$ (2) $p=15$, $q=7$

8-1

x^5+ax^2+b를 $(x+1)^2$으로 나누었을 때의 몫을 $Q(x)$라 하면

$x^5+ax^2+b=(x+1)^2Q(x)$ … ㉠

㉠의 양변에 $x=-1$을 대입하면

$-1+a+b=0$ … ㉡

㉠은 x에 대한 항등식이고 $Q(x)$는 다항식이므로 양변을 x에 대하여 미분하면

$5x^4+2ax=2(x+1)Q(x)+(x+1)^2Q'(x)$

양변에 $x=-1$을 대입하면

$5-2a=0 \qquad \therefore a=\dfrac{5}{2}$

㉤에 대입하면 $b=-\dfrac{3}{2}$

$\qquad\qquad\qquad\qquad$ 답 $a=\dfrac{5}{2}, b=-\dfrac{3}{2}$

8-2

$f(x)$를 $(x-2)^2$으로 나누었을 때의 몫을 $Q(x)$, 나머지를 $ax+b$라 하면

$f(x)=(x-2)^2Q(x)+ax+b \qquad \cdots ㉠$

$f(2)=5$이므로 ㉠의 양변에 $x=2$를 대입하면

$2a+b=5 \qquad \cdots ㉤$

㉠은 x에 대한 항등식이고 $Q(x)$는 다항식이므로 양변을 x에 대하여 미분하면

$f'(x)=2(x-2)Q(x)+(x-2)^2Q'(x)+a \qquad \cdots ㉢$

$f'(2)=-2$이므로 ㉢의 양변에 $x=2$를 대입하면

$a=-2$

㉤에 대입하면 $b=9$이므로 구하는 나머지는 $-2x+9$

$\qquad\qquad\qquad\qquad\qquad$ 답 $-2x+9$

대표 09

함수 $f(x)$가 $x=1$에서 미분가능하면 $x=1$에서 연속이고 미분계수 $f'(1)$이 존재한다.

$f_1(x)=x^3+ax+b \ (x\geq1)$, $f_2(x)=-x^2+1 \ (x<1)$이라 하자.

(i) $f(x)$는 $x=1$에서 연속이므로

$\quad f(1)=\lim\limits_{x\to1+}f_1(x)=\lim\limits_{x\to1-}f_2(x)$, 곧

$\quad f_1(1)=f_2(1)$에서

$\quad 1+a+b=-1+1 \qquad \therefore a+b+1=0 \qquad \cdots ㉠$

(ii) $f(x)$는 $x=1$에서 미분계수가 존재하므로

$\quad f_1'(1)=\lim\limits_{x\to1+}\dfrac{f_1(x)-f_1(1)}{x-1}$

$\quad f_2'(1)=\lim\limits_{x\to1-}\dfrac{f_2(x)-f_2(1)}{x-1}$

$\quad$ 에서 $f_1'(1)=f_2'(1)$

$\quad f_1'(x)=3x^2+a$, $f_2'(x)=-2x$이므로

$\quad 3+a=-2 \qquad \therefore a=-5$

㉠에 대입하면 $b=4$

다른 풀이

$x=1$에서 연속이므로 $\lim\limits_{x\to1}f(x)=f(1)$에서

$\lim\limits_{x\to1+}(x^3+ax+b)=\lim\limits_{x\to1-}(-x^2+1)=f(1)$

$1+a+b=0 \qquad \cdots ㉠$

$x=1$에서 미분계수가 존재하므로

$\lim\limits_{x\to1+}\dfrac{f(x)-f(1)}{x-1}=\lim\limits_{x\to1+}\dfrac{x^3+ax+b-(1+a+b)}{x-1}$

$\qquad\qquad\qquad = \lim\limits_{x\to1+}(x^2+x+1+a)=a+3$

$\lim\limits_{x\to1-}\dfrac{f(x)-f(1)}{x-1}=\lim\limits_{x\to1-}\dfrac{-x^2+1}{x-1}$

$\qquad\qquad\qquad = \lim\limits_{x\to1-}(-x-1)=-2$

$a+3=-2$에서 $a=-5$

㉠에 대입하면 $b=4$

$\qquad\qquad\qquad\qquad$ 답 $a=-5, b=4$

9-1

$f_1(x)=x^4+ax+1 \ (x\geq-1)$,

$f_2(x)=bx^2+x \ (x<-1)$라 하자.

(i) $f(x)$는 $x=-1$에서 연속이므로

$\quad f_1(-1)=f_2(-1)$에서

$\quad 1-a+1=b-1 \qquad \therefore a+b=3 \qquad \cdots ㉠$

(ii) $f(x)$는 $x=-1$에서 미분계수가 존재하므로

$\quad f_1'(-1)=f_2'(-1)$

$\quad f_1'(x)=4x^3+a$, $f_2'(x)=2bx+1$이므로

$\quad -4+a=-2b+1 \qquad \therefore a+2b=5 \qquad \cdots ㉤$

㉠, ㉤을 연립하여 풀면 $a=1, b=2$

$\qquad\qquad\qquad\qquad\qquad$ 답 $a=1, b=2$

9-2

$f_1(x)=1$, $f_2(x)=x^2+ax+b$라 하면

$f(x)=\begin{cases}f_1(x) & (x\geq1) \\ f_2(x) & (x<1)\end{cases}$가 $x=1$에서 미분가능하다.

(i) $f(x)$는 $x=1$에서 연속이므로

$\quad f_1(1)=f_2(1)$에서

$\quad 1=1+a+b \qquad \therefore a+b=0 \qquad \cdots ㉠$

(ii) $f(x)$는 $x=1$에서 미분계수가 존재하므로

$\quad f_1'(1)=f_2'(1)$

$\quad f_1'(x)=0$, $f_2'(x)=2x+a$이므로

$\quad 0=2+a \qquad \therefore a=-2$

㉠에 대입하면 $b=2$

$\qquad\qquad\qquad\qquad\qquad$ 답 $a=-2, b=2$

낱선 10

(1) $f(x+y)=f(x)+f(y)+2xy$에 $x=0, y=0$을 대입하면

$\quad f(0)=f(0)+f(0)+0 \qquad \therefore f(0)=0$

(2) $f'(0)=5$이므로 $\displaystyle\lim_{h\to0}\frac{f(0+h)-f(0)}{h}=5$

$f(0)=0$을 대입하면 $\displaystyle\lim_{h\to0}\frac{f(h)}{h}=5$

$\begin{aligned}\therefore f'(x)&=\lim_{h\to0}\frac{f(x+h)-f(x)}{h}\\&=\lim_{h\to0}\frac{f(x)+f(h)+2xh-f(x)}{h}\\&=\lim_{h\to0}\left\{\frac{f(h)}{h}+2x\right\}\\&=2x+5\end{aligned}$

🖪 (1) 0 (2) $f'(x)=2x+5$

10-1

$f(x+y)=f(x)f(y)$에 $x=0,\ y=0$을 대입하면

$f(0)=f(0)f(0)$

$f(x)>0$이므로 $f(0)=1$

또 $f'(0)=3$이므로 $\displaystyle\lim_{h\to0}\frac{f(0+h)-f(0)}{h}=3$

$f(0)=1$을 대입하면 $\displaystyle\lim_{h\to0}\frac{f(h)-1}{h}=3$

$\begin{aligned}\therefore f'(x)&=\lim_{h\to0}\frac{f(x+h)-f(x)}{h}\\&=\lim_{h\to0}\frac{f(x)f(h)-f(x)}{h}\\&=\lim_{h\to0}\left\{f(x)\times\frac{f(h)-1}{h}\right\}=3f(x)\end{aligned}$

$\therefore \dfrac{f'(x)}{f(x)}=\dfrac{3f(x)}{f(x)}=3$

🖪 3

10-2

$f(x+y)=f(x)+f(y)-5xy+2$에 $x=0,\ y=0$을 대입하면

$f(0)=f(0)+f(0)+2$ $\therefore f(0)=-2$

$f'(0)=5$이므로 $\displaystyle\lim_{h\to0}\frac{f(0+h)-f(0)}{h}=5$

$f(0)=-2$를 대입하면 $\displaystyle\lim_{h\to0}\frac{f(h)+2}{h}=5$

$\begin{aligned}\therefore f'(x)&=\lim_{h\to0}\frac{f(x+h)-f(x)}{h}\\&=\lim_{h\to0}\frac{f(x)+f(h)-5xh+2-f(x)}{h}\\&=\lim_{h\to0}\left\{-5x+\frac{f(h)+2}{h}\right\}=-5x+5\end{aligned}$

🖪 $f'(x)=-5x+5$

연습과 실전 3 미분계수와 도함수
61쪽~64쪽

01 1	**02** $\dfrac{4}{3}$	**03** (1) -2 (2) -6	**04** 13
05 -1	**06** 3	**07** 5	**08** -201	**09** ④
10 ④	**11** 2	**12** -1	**13** 3	**14** -6	**15** ⑤
16 ⑤	**17** ②	**18** ④		

19 $f(x)=2x^3+\dfrac{1}{2}x^2-2x$ **20** 13

21 $f'(1)=2,\ f'(2)=3$

01

$x=2$에서 $f(x)$의 미분계수는

$\begin{aligned}f'(2)&=\lim_{h\to0}\frac{f(2+h)-f(2)}{h}=\lim_{h\to0}\frac{(2+h)^2-4}{h}\\&=\lim_{h\to0}(h+4)=4\end{aligned}$

x의 값이 a에서 $a+2$까지 변할 때 $f(x)$의 평균변화율은

$\dfrac{f(a+2)-f(a)}{a+2-a}=\dfrac{(a+2)^2-a^2}{2}=2a+2$

조건에서 $4=2a+2$이므로 $a=1$

다른 풀이

$x=2$에서 $f(x)$의 미분계수는 $f'(2)$이다.

$f(x)=x^2$에서 $f'(x)=2x$이므로 $f'(2)=4$

🖪 1

02

$\displaystyle\lim_{h\to0}\frac{f(1+3h)-f(1)}{2h}$

$=\displaystyle\lim_{h\to0}\left\{\frac{f(1+3h)-f(1)}{3h}\times\frac{3}{2}\right\}$

$=\dfrac{3}{2}f'(1)=2$

$\therefore f'(1)=\dfrac{4}{3}$

🖪 $\dfrac{4}{3}$

03

(1) $\displaystyle\lim_{x\to-2}\frac{f(x)-f(-2)}{x^2-4}$

$=\displaystyle\lim_{x\to-2}\left\{\frac{f(x)-f(-2)}{x-(-2)}\times\frac{1}{x-2}\right\}$

$=f'(-2)\times\left(-\dfrac{1}{4}\right)=8\times\left(-\dfrac{1}{4}\right)=-2$

(2) $\lim\limits_{x\to 2}\dfrac{xf(2)-2f(x)}{x-2}$

$=\lim\limits_{x\to 2}\dfrac{xf(2)-2f(2)-2f(x)+2f(2)}{x-2}$

$=\lim\limits_{x\to 2}\left\{\dfrac{(x-2)f(2)}{x-2}-2\times\dfrac{f(x)-f(2)}{x-2}\right\}$

$=\lim\limits_{x\to 2}\left\{f(2)-2\times\dfrac{f(x)-f(2)}{x-2}\right\}$

$=f(2)-2f'(2)=2-2\times 4=-6$

⑧ (1) -2 (2) -6

04

$\lim\limits_{x\to 2}\dfrac{f(x+1)-8}{x-2}=5$에서 극한값이 존재하고 $x\to 2$일 때 (분모)$\to 0$이므로 (분자)$\to 0$이다. 곧, $f(3)=8$

$x+1=t$로 놓으면 $x\to 2$일 때 $t\to 3$이므로

$\lim\limits_{x\to 2}\dfrac{f(x+1)-8}{x-2}=\lim\limits_{t\to 3}\dfrac{f(t)-f(3)}{t-3}=f'(3)$

곧, $f'(3)=5$

$\therefore f(3)+f'(3)=8+5=13$

⑧ 13

05

$f'(x)=(2x+1)(ax^4+3x-2)+(x^2+x)(4ax^3+3)$

$f'(1)=-2$이므로 $3(a+1)+2(4a+3)=-2$

$11a+9=-2$ $\therefore a=-1$

⑧ -1

06

$f'(x)=2ax$이므로 $4(ax^2+b)=(2ax)^2+x^2+4$

$4ax^2+4b=(4a^2+1)x^2+4$

항등식이므로 $4a=4a^2+1,\ 4b=4$ $\therefore b=1$

$4a^2-4a+1=0,\ (2a-1)^2=0$ $\therefore a=\dfrac{1}{2}$

$f(x)=\dfrac{1}{2}x^2+1$에서 $f(2)=3$

⑧ 3

07

$\lim\limits_{x\to 3}\dfrac{f(x)-2}{x-3}=1$ … ㉠

$\lim\limits_{x\to 3}\dfrac{g(x)-1}{x-3}=2$ … ㉡

㉠에서 극한값이 존재하고 $x\to 3$일 때 (분모)$\to 0$이므로 (분자)$\to 0$, 곧 $f(3)=2$이다.

이때 ㉠은 $\lim\limits_{x\to 3}\dfrac{f(x)-f(3)}{x-3}=1$ $\therefore f'(3)=1$

㉡에서 극한값이 존재하고 $x\to 3$일 때 (분모)$\to 0$이므로 (분자)$\to 0$, 곧 $g(3)=1$이다.

이때 ㉡은 $\lim\limits_{x\to 3}\dfrac{g(x)-g(3)}{x-3}=2$ $\therefore g'(3)=2$

$y=f(x)g(x)$에서 $y'=f'(x)g(x)+f(x)g'(x)$

따라서 $x=3$에서 미분계수는

$f'(3)g(3)+f(3)g'(3)=1\times 1+2\times 2=5$

⑧ 5

08

$x^{100}+x-1$을 $(x-1)^2$으로 나눈 몫을 $Q(x)$, 나머지를 $R(x)=ax+b$라 하면

$x^{100}+x-1=(x-1)^2Q(x)+ax+b$ … ㉠

㉠의 양변에 $x=1$을 대입하면

$1+1-1=a+b$ $\therefore a+b=1$ … ㉡

㉠은 x에 대한 항등식이고 $Q(x)$는 다항식이므로 양변을 x에 대하여 미분하면

$100x^{99}+1=2(x-1)Q(x)+(x-1)^2Q'(x)+a$

양변에 $x=1$을 대입하면

$100+1=a$ $\therefore a=101$

㉡에 대입하면 $b=-100$

$R(x)=101x-100$이므로 $R(-1)=-201$

⑧ -201

09

$f_1(x)=x^3+ax\ (x<1),\ f_2(x)=bx^2+x+1\ (x\ge 1)$이라 하면 $f_1,\ f_2$는 미분가능한 함수이다.

(i) $f(x)$가 $x=1$에서 연속이므로

  $f_1(1)=f_2(1)$에서

  $1+a=b+2$ $\therefore a-b=1$ … ㉠

(ii) $f(x)$는 $x=1$에서 미분계수가 존재하므로

  $f_1'(1)=f_2'(1)$

  $f_1'(x)=3x^2+a,\ f_2'(x)=2bx+1$이므로

  $3+a=2b+1$ $\therefore a-2b=-2$ … ㉡

㉠, ㉡을 연립하여 풀면 $a=4,\ b=3$ $\therefore a+b=7$

⑧ ④

10 전략 미분계수의 기하적 의미를 이용한다.

① $f'(1)$은 곡선 $y=f(x)$ 위의 $x=1$인 점에서 접선의 기울기이므로 $f'(1)>0$ (거짓)

② $\lim\limits_{x \to 2} \dfrac{f(x)-f(2)}{x-2}=f'(2)$이고, $f'(2)$는 곡선

$y=f(x)$ 위의 $x=2$인 점에서 접선의 기울기이므로

$f'(2)>0$ (거짓)

③ $\lim\limits_{x \to -2+} f(x)>0$이므로 $\lim\limits_{x \to -2+} \dfrac{f(x)-f(-2)}{x+2}$에서

$x \to -2+$일 때 (분모) $\to 0$이지만 (분자) $\to 0$이 아

니다.

곧, 수렴하지 않는다. (거짓)

④ $f(x)$는 $x=-2$, $x=3$에서 미분가능하지 않다. (참)

⑤ 미분가능하고 접선의 기울기가 0인 점은 2개이므로

$f'(x)=0$인 x의 값은 2개이다. (거짓)

따라서 옳은 것은 ④이다.

답 ④

---

11 **전략** 평균변화율과 미분계수의 정의를 이용한다.

x가 1에서 3까지 변할 때의 평균변화율은

$\dfrac{f(3)-f(1)}{3-1}$이므로

$\dfrac{f(3)-f(1)}{3-1}=\dfrac{9a+3b-a-b}{2}=4a+b$

$4a+b=0$이므로 $b=-4a$

따라서 $f(x)=ax^2-4ax$, $f'(x)=2ax-4a$이다.

$\therefore \lim\limits_{h \to 0} \dfrac{f(3-2h)-f(3)}{f(1+h)-f(1)}$

$=\lim\limits_{h \to 0} \dfrac{\dfrac{f(3-2h)-f(3)}{h}}{\dfrac{f(1+h)-f(1)}{h}}$

$=\lim\limits_{h \to 0} \dfrac{\dfrac{f(3-2h)-f(3)}{-2h} \times (-2)}{\dfrac{f(1+h)-f(1)}{h}}$

$=\dfrac{-2f'(3)}{f'(1)}=\dfrac{-4a}{-2a}=2$

답 2

---

12 **전략** $\dfrac{0}{0}$ 꼴의 극한이므로 $\lim\limits_{x \to 1} \dfrac{f(x)-f(1)}{x-1}=f'(1)$을

이용할 수 있도록 정리한다.

$\dfrac{\{f(x)\}^2-2f(x)}{x-1}=\dfrac{\{f(x)\}^2}{x-1}-2 \times \dfrac{f(x)}{x-1}$이고,

$f(1)=0$이므로

$\dfrac{\{f(x)\}^2}{x-1}=\dfrac{\{f(x)\}^2-\{f(1)\}^2}{x-1}$

$\qquad =\dfrac{f(x)-f(1)}{x-1} \times \{f(x)+f(1)\}$

$\dfrac{f(x)}{x-1}=\dfrac{f(x)-f(1)}{x-1}$

$\therefore \lim\limits_{x \to 1} \dfrac{\{f(x)\}^2-2f(x)}{x-1}$

$=\lim\limits_{x \to 1} \left[\dfrac{f(x)-f(1)}{x-1} \times \{f(x)+f(1)\} \right.$

$\qquad \left. -2 \times \dfrac{f(x)-f(1)}{x-1} \right]$

$=f'(1) \times 2f(1)-2f'(1)=-2f'(1)$

조건에서 $-2f'(1)=2$ $\qquad \therefore f'(1)=-1$

답 -1

---

13 **전략** $\dfrac{1}{n}=h$로 치환하여 정리한다.

$\dfrac{1}{n}=h$라 하면 $n=\dfrac{1}{h}$이고 $n \to \infty$일 때 $h \to 0+$이므로

$\lim\limits_{n \to \infty} n\left\{f\left(x+\dfrac{1}{n}\right)-f\left(x-\dfrac{1}{n}\right)\right\}$

$=\lim\limits_{h \to 0+} \dfrac{f(x+h)-f(x-h)}{h}$

$=\lim\limits_{h \to 0+} \dfrac{f(x+h)-f(x)-\{f(x-h)-f(x)\}}{h}$

$=\lim\limits_{h \to 0+} \left\{ \dfrac{f(x+h)-f(x)}{h}+\dfrac{f(x-h)-f(x)}{-h} \right\}$

$=2f'(x)$

조건에서 $2f'(x)=2x+4$, $f'(x)=x+2$

$\therefore f'(1)=3$

답 3

---

14 **전략** $\dfrac{0}{0}$ 꼴의 극한이므로 $(fg)'$을 생각한다.

$\lim\limits_{x \to 1} \dfrac{f(x)g(x)-6}{x-1}=5$ $\qquad \cdots \ \boxdot$

에서 극한값이 존재하고 $x \to 1$일 때 (분모) $\to 0$이므로

(분자) $\to 0$, 곧 $f(1)g(1)=6$이다.

$f(1)=2$이므로 $g(1)=3$

이때 $h(x)=f(x)g(x)$라 하면 $\boxdot$은

$\lim\limits_{x \to 1} \dfrac{h(x)-h(1)}{x-1}=5$ $\qquad \therefore h'(1)=5$

$h'(x)=f'(x)g(x)+f(x)g'(x)$이므로

$h'(1)=f'(1)g(1)+f(1)g'(1)=5$

조건에서 $3 \times 3+2g'(1)=5$ $\qquad \therefore g'(1)=-2$

$\therefore g(1)g'(1)=3 \times (-2)=-6$

답 -6

15 **[전략]** $\lim_{x \to 0} f(x) = f(0)$을 만족시키지만

$f'(0)$이 존재하지 않는 함수를 찾는다.

ㄱ. $\lim_{x \to 0} f(x) = f(0) = 0$이므로 $f(x)$는 $x=0$에서 연속

이다.

$\lim_{x \to 0+} \dfrac{f(x)-f(0)}{x} = \lim_{x \to 0+} \dfrac{|x|}{x} = 1$

$\lim_{x \to 0-} \dfrac{f(x)-f(0)}{x} = \lim_{x \to 0-} \dfrac{|x|}{x} = -1$

이므로 $f'(0)$이 존재하지 않는다.

따라서 $f(x)$는 $x=0$에서 미분가능하지 않다.

ㄴ. $\lim_{x \to 0} f(x) = f(0) = 0$이므로 $f(x)$는 $x=0$에서 연속

이고 $\lim_{x \to 0} \dfrac{f(x)-f(0)}{x} = \lim_{x \to 0} |x| = 0$

이므로 $f(x)$는 $x=0$에서 미분가능하다.

ㄷ. $\lim_{x \to 0+} \dfrac{|x|}{x} = 1$, $\lim_{x \to 0-} \dfrac{|x|}{x} = -1$이므로 $f(x)$는

$x=0$에서 불연속이다.

ㄹ. $\lim_{x \to 0} f(x) = f(0) = 0$이므로 $f(x)$는 $x=0$에서 연속

이다.

$\lim_{x \to 0+} \dfrac{f(x)-f(0)}{x} = \lim_{x \to 0+} 0 = 0$

$\lim_{x \to 0-} \dfrac{f(x)-f(0)}{x} = \lim_{x \to 0-} 2 = 2$

이므로 $f'(0)$이 존재하지 않는다.

따라서 $f(x)$는 $x=0$에서 미분가능하지 않다.

ㅁ. $\lim_{x \to 0} f(x) = f(0) = 0$이므로 $f(x)$는 $x=0$에서 연속

이다.

$\lim_{x \to 0+} \dfrac{f(x)-f(0)}{x} = \lim_{x \to 0+} (x-3) = -3$

$\lim_{x \to 0-} \dfrac{f(x)-f(0)}{x} = \lim_{x \to 0-} (x+3) = 3$

이므로 $f'(0)$이 존재하지 않는다.

따라서 $f(x)$는 $x=0$에서 미분가능하지 않다.

따라서 $x=0$에서 연속이지만 미분가능하지 않은 함수는

ㄱ, ㄹ, ㅁ이다.

답 ⑤

[참고] 다음 함수의 연속과 미분가능성을 조사해도 된다.

ㄱ. $y = \begin{cases} x & (x \ge 0) \\ -x & (x < 0) \end{cases}$ ㄴ. $y = \begin{cases} x^2 & (x \ge 0) \\ -x^2 & (x < 0) \end{cases}$

ㄷ. $y = \begin{cases} 1 & (x > 0) \\ -1 & (x < 0) \end{cases}$ ㄹ. $y = \begin{cases} 0 & (x \ge 0) \\ 2x & (x < 0) \end{cases}$

ㅁ. $y = \begin{cases} x^2 - 3x & (x \ge 0) \\ x^2 + 3x & (x < 0) \end{cases}$

16 **[전략]** 주어진 함수를 $g(x)$라 하고

$\lim_{x \to 0} \dfrac{g(x)-g(0)}{x-0}$이 존재하는지 조사한다.

$f(x)$가 $x=0$에서 연속이므로 $\lim_{x \to 0} f(x) = f(0)$이다.

ㄱ. $g(x) = xf(x)$라 하면

$\lim_{x \to 0} \dfrac{g(x)-g(0)}{x-0} = \lim_{x \to 0} \dfrac{xf(x)-0}{x}$

$= \lim_{x \to 0} f(x) = f(0)$

따라서 $x=0$에서 미분가능하다.

ㄴ. $g(x) = x^2 f(x)$라 하면

$\lim_{x \to 0} \dfrac{g(x)-g(0)}{x-0} = \lim_{x \to 0} \dfrac{x^2 f(x)-0}{x}$

$= \lim_{x \to 0} xf(x) = 0$

따라서 $x=0$에서 미분가능하다.

ㄷ. $g(x) = \dfrac{1}{1+xf(x)}$이라 하면

$\lim_{x \to 0} \dfrac{g(x)-g(0)}{x-0} = \lim_{x \to 0} \dfrac{\dfrac{1}{1+xf(x)}-1}{x}$

$= \lim_{x \to 0} \dfrac{1-\{1+xf(x)\}}{x\{1+xf(x)\}}$

$= \lim_{x \to 0} \dfrac{-f(x)}{1+xf(x)} = -f(0)$

따라서 $x=0$에서 미분가능하다.

따라서 $x=0$에서 미분가능한 함수는 ㄱ, ㄴ, ㄷ이다.

답 ⑤

17 **[전략]** $f'(x)$에 $x=1$, $x=4$를 대입한 꼴만 생각한다.

$f'(x) = (x-2)(x-3) \times \cdots \times (x-10)$

$+ (x-1)(x-3) \times \cdots \times (x-10)$

$+ (x-1)(x-2)(x-4) \times \cdots \times (x-10)$

$\vdots$

$+ (x-1)(x-2)(x-3) \times \cdots \times (x-9)$

이 식에 $x=1$을 대입하면 $x-1$을 포함한 9개의 항은 0

이므로

$f'(1) = (1-2)(1-3)(1-4) \times \cdots \times (1-10)$

$= (-1)^9 \times 1 \times 2 \times 3 \times \cdots \times 9$

또 $x=4$를 대입하면 $x-4$를 포함한 9개의 항은 0이므로

$f'(4) = (4-1)(4-2)(4-3)(4-5) \times \cdots \times (4-10)$

$= 3 \times 2 \times 1 \times (-1)^6 \times 1 \times 2 \times \cdots \times 6$

$\therefore \dfrac{f'(1)}{f'(4)} = (-1)^3 \times \dfrac{7 \times 8 \times 9}{3 \times 2 \times 1} = -84$

답 ②

31

18 **전략** $f(1)=0$, $f(2)=0$이면 $(x-1)(x-2)$를 인수로 가지므로 $f(x)=(x-1)(x-2)(x-a)$로 놓는다.

$$\lim_{x \to 2} \frac{f(x)}{(x-2)\{f'(x)\}^2}=\frac{1}{4}$$

에서 극한값이 존재하고 $x \to 2$일 때 (분모) $\to 0$이므로 (분자) $\to 0$이다. 곧, $f(2)=0$이다.

최고차항의 계수가 1이고 $f(1)=0$, $f(2)=0$이므로 $f(x)=(x-1)(x-2)(x-a)$라 하자.

$$f'(x)=(x-2)(x-a)+(x-1)(x-a)$$
$$+(x-2)(x-a)$$

이므로

$$\lim_{x \to 2} \frac{f(x)}{(x-2)\{f'(x)\}^2}$$
$$=\lim_{x \to 2} \frac{(x-1)(x-2)(x-a)}{(x-2)\{f'(x)\}^2}$$
$$=\lim_{x \to 2} \frac{(x-1)(x-a)}{\{f'(x)\}^2}$$
$$=\frac{2-a}{\{f'(2)\}^2}=\frac{2-a}{(2-a)^2}$$
$$=\frac{1}{2-a}$$

$\dfrac{1}{2-a}=\dfrac{1}{4}$이므로 $a=-2$

$\therefore f(x)=(x-1)(x-2)(x+2)$

$\therefore f(3)=2\times 1\times 5=10$

답 ④

19 **전략** $\dfrac{\infty}{\infty}$ 꼴의 식이 0이 아닌 극한값이 존재하므로 분모와 분자의 차수가 같음을 이용하여 $f(x)$의 차수를 구한다.

(가)에서 $\lim\limits_{x \to \infty} \dfrac{f(x)}{x^3}=2$이므로 $f(x)$는 최고차항이 $2x^3$이다.

$f(x)=2x^3+ax^2+bx+c \qquad \cdots \ \bigcirc$

라 하면 $f'(x)=6x^2+2ax+b \qquad \cdots \ \bigcirc$

(나)의 $\lim\limits_{x \to 0} \dfrac{f(x)}{x}=-2$에서 극한값이 존재하고 $x \to 0$일 때 (분모) $\to 0$이므로 (분자) $\to 0$이다. 곧, $f(0)=0$

$\bigcirc$에서 $c=0$

또 $\lim\limits_{x \to 0} \dfrac{f(x)-f(0)}{x-0}=-2$이므로 $f'(0)=-2$

$\bigcirc$에서 $b=-2$

(다)에서 곡선 $y=f(x)$ 위의 $x=-1$인 점에서 접선의 기울기가 3이므로 $f'(-1)=3$

$f'(x)=6x^2+2ax-2$이고 $f'(-1)=3$이므로

$6-2a-2=3 \qquad \therefore a=\dfrac{1}{2}$

$\therefore f(x)=2x^3+\dfrac{1}{2}x^2-2x$

답 $f(x)=2x^3+\dfrac{1}{2}x^2-2x$

20 **전략** 전체 함수를 $f(x)$라 하고, $x=1$, $x=0$에서 미분 가능할 조건을 이용한다.

전체 함수를 $f(x)=\begin{cases} 0 & (x \geq 1) \\ ax^3+bx^2+cx+1 & (0<x<1) \\ 1 & (x \leq 0) \end{cases}$

이라 하면 $f(x)$는 $x=1$에서 연속이므로

$\lim\limits_{x \to 1+} f(x)=0$, $\lim\limits_{x \to 1-} f(x)=a+b+c+1$

에서 $a+b+c+1=0 \qquad \cdots \ \bigcirc$

또 $f(x)$가 $x=0$에서 미분가능하므로

$$\lim_{x \to 0-} \frac{f(x)-f(0)}{x}=0$$
$$\lim_{x \to 0+} \frac{f(x)-f(0)}{x}=\lim_{x \to 0+} \frac{ax^3+bx^2+cx}{x}$$
$$=\lim_{x \to 0+} (ax^2+bx+c)=c$$

에서 $c=0 \qquad \cdots \ \bigcirc$

$\bigcirc$, $\bigcirc$에서 $b=-a-1$

$f(x)$가 $x=1$에서 미분가능하므로

$$\lim_{x \to 1-} \frac{f(x)-f(1)}{x-1}=\lim_{x \to 1-} \frac{ax^3-(a+1)x^2+1}{x-1}$$
$$=\lim_{x \to 1-} \frac{(x-1)(ax^2-x-1)}{x-1}$$
$$=a-2$$
$$\lim_{x \to 1+} \frac{f(x)-f(1)}{x-1}=0$$

에서 $a-2=0 \qquad \therefore a=2$, $b=-3$

$\therefore a^2+b^2+c^2=4+9+0=13$

답 13

참고 함수 $f(x)=ax^3+bx^2+cx+1$은 구간 $(0, 1)$에서 미분가능하므로 $f'(x)=3ax^2+2bx+c$를 이용해도 된다.

$$\lim_{x \to 0+} \frac{f(x)-f(0)}{x}=f'(0)=c$$
$$\lim_{x \to 1-} \frac{f(x)-f(1)}{x-1}=f'(1)=3a+2b+c$$

21 전략 $f'(1)$의 값은 그래프 위의 $x=1$인 점에서 접선의

기울기를 구하거나 $\lim_{x\to1}\dfrac{f(x)-f(1)}{x-1}$ 을 계산한다.

$2x\le f(x)\le 3x$이므로 $y=f(x)$의 그래프는 두 직선

$y=2x$와 $y=3x$ 사이에 있다.

직선 $y=2x$ 위의 점 P$(1, 2)$와 직선 $y=3x$ 위의 점

Q$(2, 6)$을 지나고 $f(x)$는 미분가능하다.

그림과 같이 $y=f(x)$의 그래 프는 점 P, Q에서 각각 직선 $y=2x$, $y=3x$에 접한다.

미분계수는 접선의 기울기이 므로 $f'(1)=2$, $f'(2)=3$

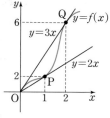

다른 풀이

$f(1)=2$이므로

$2x-2\le f(x)-f(1)$

$0<x<1$일 때, $\dfrac{f(x)-f(1)}{x-1}\le 2$이므로

$\lim_{x\to1-}\dfrac{f(x)-f(1)}{x-1}\le 2$ ··· ㉠

$x>1$일 때, $\dfrac{f(x)-f(1)}{x-1}\ge 2$이므로

$\lim_{x\to1+}\dfrac{f(x)-f(1)}{x-1}\ge 2$ ··· ㉡

$f(x)$가 미분가능하면 ㉠, ㉡의 극한이 같으므로

$f'(1)=2$이고, 같은 이유로 $f'(2)=3$

답 $f'(1)=2$, $f'(2)=3$

---

4 접선과 평균값 정리

개념 Check 66쪽

1

(1) 접점은 $(-1, 3)$

$f'(x)=2x-2$이므로 접선의 기울기는

$f'(-1)=-4$

따라서 접선의 방정식은 $y-3=-4(x+1)$

∴ $y=-4x-1$

(2) 접점은 $(-1, 1)$

$f'(x)=3x^2+2x$이므로 접선의 기울기는

$f'(-1)=1$

따라서 접선의 방정식은 $y-1=1\times(x+1)$

∴ $y=x+2$

답 (1) $y=-4x-1$ (2) $y=x+2$

2

(1) 곡선 위의 $x=a$인 점에서 접한다고 하자.

$f'(x)=-4x+1$이고 접선의 기울기가 3이므로

$f'(a)=3$, $-4a+1=3$ ∴ $a=-\dfrac{1}{2}$

$f\left(-\dfrac{1}{2}\right)=-1$이므로 접점의 좌표는 $\left(-\dfrac{1}{2}, -1\right)$

(2) (1)에서 접선의 기울기가 3인 접점의 좌표는

$\left(-\dfrac{1}{2}, -1\right)$이므로 접선의 방정식은

$y+1=3\left(x+\dfrac{1}{2}\right)$ ∴ $y=3x+\dfrac{1}{2}$

답 (1) $\left(-\dfrac{1}{2}, -1\right)$ (2) $y=3x+\dfrac{1}{2}$

대표Q 67쪽~70쪽

대표 Q1

$f(x)=x^3-x$라 하면 $f'(x)=3x^2-1$

(1) $f(-2)=-8+2=-6$, $f'(-2)=12-1=11$ 이므로

$y+6=11(x+2)$ ∴ $y=11x+16$

(2) $f(2)=8-2=6$, $f'(2)=12-1=11$이므로

$$y-6=-\frac{1}{11}(x-2) \qquad \therefore y=-\frac{1}{11}x+\frac{68}{11}$$

답 (1) $y=11x+16$ (2) $y=-\frac{1}{11}x+\frac{68}{11}$

1-1

$f(x)=x^3$이라 하면 $f'(x)=3x^2$

(1) $f(0)=0$, $f'(0)=0$이므로

$$y-0=0\times(x-0)$$

$$\therefore y=0$$

(2) $f(1)=1$, $f'(1)=3$이므로

$$y-1=-\frac{1}{3}(x-1)$$

$$\therefore y=-\frac{1}{3}x+\frac{4}{3}$$

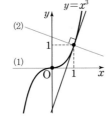

답 (1) $y=0$ (2) $y=-\frac{1}{3}x+\frac{4}{3}$

대표 02

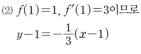

$f(x)=x^3-x$라 하면 $f'(x)=3x^2-1$

(1) 곡선 위의 $x=a$인 점에서 접한다고 하면 $f'(a)=2$

$3a^2-1=2$, $a^2=1$ $\therefore a=\pm1$

$a=1$일 때, $f(1)=1-1=0$이므로

$$y-0=2(x-1) \qquad \therefore y=2x-2$$

$a=-1$일 때, $f(-1)=-1+1=0$이므로

$$y-0=2(x+1) \qquad \therefore y=2x+2$$

(2) 접점을 $(a, f(a))$라 하면 접선의 방정식은

$$y-f(a)=f'(a)(x-a)$$

$$y-(a^3-a)=(3a^2-1)(x-a) \qquad \cdots \ \bigcirc$$

이 직선이 점 $(-1, 1)$을 지나므로

$$1-(a^3-a)=(3a^2-1)(-1-a)$$

$$a^2(2a+3)=0 \qquad \therefore a=0 \ \text{또는} \ a=-\frac{3}{2}$$

$\bigcirc$에 대입하면

$a=0$일 때, $y=-x$

$a=-\frac{3}{2}$일 때,

$$y-\left(-\frac{27}{8}+\frac{3}{2}\right)=\left(\frac{27}{4}-1\right)\left(x+\frac{3}{2}\right)$$

$$\therefore y=\frac{23}{4}x+\frac{27}{4}$$

답 (1) $y=2x-2$, $y=2x+2$

(2) $y=-x$, $y=\frac{23}{4}x+\frac{27}{4}$

2-1

$f(x)=x^4+x-1$이라 하면 $f'(x)=4x^3+1$

(1) 곡선 위의 $x=a$인 점에서 접한다고 하자.

직선 $y=-3x+4$에 평행하므로 $f'(a)=-3$

$4a^3+1=-3$, $a^3+1=0$, $(a+1)(a^2-a+1)=0$

a는 실수이므로 $a=-1$

$f(-1)=1-1-1=-1$이므로

$$y+1=-3(x+1) \qquad \therefore y=-3x-4$$

(2) 곡선 위의 $x=a$인 점에서 접한다고 하자.

직선 $y=-\frac{1}{5}x-1$과 수직이므로 $f'(a)=5$

$4a^3+1=5$, $a^3-1=0$, $(a-1)(a^2+a+1)=0$

a는 실수이므로 $a=1$

$f(1)=1+1-1=1$이므로

$$y-1=5(x-1) \qquad \therefore y=5x-4$$

답 (1) $y=-3x-4$ (2) $y=5x-4$

2-2

(1) $f(x)=x^2+3$이라 하면 $f'(x)=2x$

접점을 $(a, f(a))$라 하면 접선의 방정식은

$$y-f(a)=f'(a)(x-a)$$

$$y-(a^2+3)=2a(x-a) \qquad \cdots \ \bigcirc$$

이 직선이 점 $(1, 0)$을 지나므로 $-a^2-3=2a(1-a)$

$a^2-2a-3=0$ $\therefore a=-1$ 또는 $a=3$

$\bigcirc$에 대입하면

$a=-1$일 때, $y-4=-2(x+1)$ $\therefore y=-2x+2$

$a=3$일 때, $y-12=6(x-3)$ $\therefore y=6x-6$

(2) $f(x)=x^3-2x^2+8$이라 하면 $f'(x)=3x^2-4x$

접점을 $(a, f(a))$라 하면 접선의 방정식은

$$y-f(a)=f'(a)(x-a)$$

$$y-(a^3-2a^2+8)=(3a^2-4a)(x-a) \qquad \cdots \ \bigcirc$$

이 직선이 점 $(0, 0)$을 지나므로

$$-(a^3-2a^2+8)=(3a^2-4a)(-a)$$

$$2a^3-2a^2-8=0, \ a^3-a^2-4=0$$

$$(a-2)(a^2+a+2)=0$$

a는 실수이므로 $a=2$

$\bigcirc$에 대입하면

$$y-(8-8+8)=(12-8)(x-2)$$

$$\therefore y=4x$$

답 (1) $y=-2x+2$, $y=6x-6$ (2) $y=4x$

대표 03

(1) $f(x)=x^3+ax^2-2x+b$라 하자.

이 곡선이 두 점 $(-1, 2)$, $(3, c)$를 지나므로

$-1+a+2+b=2$ $\cdots$ ㉠

$27+9a-6+b=c$ $\cdots$ ㉡

또 두 점에서의 접선의 기울기가 같으므로

$f'(-1)=f'(3)$

$f'(x)=3x^2+2ax-2$이므로

$3-2a-2=27+6a-2$ $\therefore a=-3$

㉠에 대입하면

$-1-3+2+b=2$ $\therefore b=4$

㉡에 대입하면

$27-27-6+4=c$ $\therefore c=-2$

(2) $f(x)=x^3-x^2+1$이라 하면 $f'(x)=3x^2-2x$

$f(-1)=-1-1+1=-1$

$f'(-1)=3+2=5$

이므로 접선의 방정식은

$y+1=5(x+1)$ $\therefore y=5x+4$

$y=f(x)$와 $y=5x+4$에서 y를 소거하면

$x^3-x^2+1=5x+4$

$x^3-x^2-5x-3=0$ $\cdots$ ㉠

이때 $x=-1$인 점에서 곡선과 직선이 접하므로 ㉠은

$x=-1$을 중근으로 가진다.

곧, ㉠의 좌변이 $(x+1)^2$으로 나누어떨어지므로

$(x+1)^2(x-3)=0$

$f(3)=27-9+1=19$이므로 만나는 다른 점의 좌표는 $(3, 19)$

답 (1) $a=-3$, $b=4$, $c=-2$ (2) $(3, 19)$

3-1

$f(x)=x^4+ax^3+bx^2+c$라 하자.

이 곡선이 두 점 $(0, 1)$, $(1, 0)$을 지나므로

$c=1$, $1+a+b+c=0$에서 $a+b=-2$ $\cdots$ ㉠

또 두 점에서의 접선의 기울기가 같으므로

$f'(0)=f'(1)$

$f'(x)=4x^3+3ax^2+2bx$이므로

$0=4+3a+2b$ $\cdots$ ㉡

㉠, ㉡을 연립하여 풀면

$a=0$, $b=-2$

답 $a=0$, $b=-2$, $c=1$

3-2

$f(x)=x^4-6x^3+8$이라 하면 $f'(x)=4x^3-18x^2$

$f(1)=1-6+8=3$

$f'(1)=4-18=-14$

이므로 접선의 방정식은

$y-3=-14(x-1)$ $\therefore y=-14x+17$

$y=f(x)$와 $y=-14x+17$에서 y를 소거하면

$x^4-6x^3+8=-14x+17$

$x^4-6x^3+14x-9=0$ $\cdots$ ㉠

이때 $x=1$인 점에서 곡선과 직선이 접하므로 ㉠은 $x=1$을 중근으로 가진다.

곧, ㉠의 좌변이 $(x-1)^2$으로 나누어떨어지므로

$(x-1)^2(x^2-4x-9)=0$

$x^2-4x-9=0$에서 $x=2\pm\sqrt{13}$

따라서 만나는 다른 점의 x좌표는 $2+\sqrt{13}$, $2-\sqrt{13}$이다.

답 $2+\sqrt{13}$, $2-\sqrt{13}$

대표 04

(1) $f(x)=-x^2+5$, $g(x)=x^2-6x+10$이라 하면

$f'(x)=-2x$, $g'(x)=2x-6$

곡선 $y=f(x)$ 위의 점 $A(\alpha, f(\alpha))$에서 접선의 방정식은 $y-(-\alpha^2+5)=-2\alpha(x-\alpha)$

$\therefore y=-2\alpha x+\alpha^2+5$ $\cdots$ ㉠

곡선 $y=g(x)$ 위의 점 $B(\beta, g(\beta))$에서 접선의 방정식은 $y-(\beta^2-6\beta+10)=(2\beta-6)(x-\beta)$

$\therefore y=(2\beta-6)x-\beta^2+10$ $\cdots$ ㉡

㉠, ㉡이 일치하므로

$-2\alpha=2\beta-6$, $\alpha^2+5=-\beta^2+10$

첫 번째 식에서 $\beta=3-\alpha$를 두 번째 식에 대입하면

$\alpha^2+5=-(3-\alpha)^2+10$, $\alpha^2-3\alpha+2=0$

$\therefore \alpha=1$ 또는 $\alpha=2$

㉠에 대입하고 정리하면

$y=-2x+6$, $y=-4x+9$

(2) $f(x)=x^3+ax^2+5$, $g(x)=x^2+1$이라 하면

$f'(x)=3x^2+2ax$, $g'(x)=2x$

$x=p$인 점에서 두 곡선이 접하면

$f(p)=g(p)$이므로 $p^3+ap^2+5=p^2+1$ $\cdots$ ㉠

$f'(p)=g'(p)$이므로 $3p^2+2ap=2p$ $\cdots$ ㉡

$p=0$은 ㉠을 만족시키지 않으므로 $p\neq0$

따라서 ㉡을 p로 나누면 $3p+2a=2$

$$\therefore a=1-\frac{3}{2}p$$

㉠에 대입하면 $p^3+\left(1-\frac{3}{2}p\right)p^2+5=p^2+1$

$p^3-8=0,\ (p-2)(p^2+2p+4)=0$

p는 실수이므로 $p=2$

$$\therefore a=1-\frac{3}{2}p=-2$$

답 (1) $y=-2x+6,\ y=-4x+9$　(2) -2

4-1

$f(x)=x^3,\ g(x)=x^3+4$라 하면

$f'(x)=3x^2,\ g'(x)=3x^2$

곡선 $y=f(x)$ 위의
점 $A(\alpha,\ f(\alpha))$에서 접선의 방
정식은

$y-\alpha^3=3\alpha^2(x-\alpha)$

$\therefore y=3\alpha^2x-2\alpha^3$ … ㉠

곡선 $y=g(x)$ 위의
점 $B(\beta,\ g(\beta))$에서 접선의 방
정식은

$y-(\beta^3+4)=3\beta^2(x-\beta)$

$\therefore y=3\beta^2x-2\beta^3+4$ … ㉡

㉠, ㉡이 일치하므로

$3\alpha^2=3\beta^2$ … ㉢,　$-2\alpha^3=-2\beta^3+4$ … ㉣

㉢에서 $\alpha=\beta$ 또는 $\alpha=-\beta$

$\alpha=\beta$를 ㉣에 대입하면 성립하지 않는다.

$\alpha=-\beta$를 ㉣에 대입하고 정리하면 $\beta^3=1$

β는 실수이므로 $\beta=1$

㉡에 대입하고 정리하면 $y=3x+2$

답 $y=3x+2$

4-2

$f(x)=x^3+3x^2+2$라 하면 $f'(x)=3x^2+6x$

$g(x)=3x^2+ax$라 하면 $g'(x)=6x+a$

두 곡선이 $x=p$인 점에서 접한다고 하자.

$f(p)=g(p)$이므로

$p^3+3p^2+2=3p^2+ap,\ p^3+2=ap$ … ㉠

$f'(p)=g'(p)$이므로

$3p^2+6p=6p+a,\ a=3p^2$ … ㉡

㉡을 ㉠에 대입하면 $p^3+2=3p^3$

$p^3-1=0,\ (p-1)(p^2+p+1)=0$

---

p는 실수이므로 $p=1$

㉡에 대입하면 $a=3$

답 3

개념 Check　　72쪽

3

$f(-1)=f(5)=-2,\ f'(x)=-2x+4$이므로

$f'(c)=-2c+4=0$　$\therefore c=2$

답 2

4

$f(0)=0,\ f(3)=6,\ f'(x)=2x-1$이므로

$\dfrac{6-0}{3-0}=2c-1$　$\therefore c=\dfrac{3}{2}$

답 $\dfrac{3}{2}$

대표Q　　73쪽

대표 05

(1) $f(x)=x^3-3x$이므로 $f'(x)=3x^2-3$

또 $f(-3)=-18,\ f(3)=18$이므로 평균값 정리에
의하여

$\dfrac{18-(-18)}{3-(-3)}=3c^2-3,\ c^2=3$

$-3<c<3$이므로 $c=\pm\sqrt{3}$

(2) 그림과 같이
점 $(0,\ f(0)),\ (5,\ f(5))$
를 지나는 직선에 평행한
접선을 4개 그을 수 있으
므로 실수 c의 개수는 4
이다.

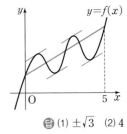

답 (1) $\pm\sqrt{3}$　(2) 4

5-1

(1) $f(x)=x(x^2-3x+2)=x^3-3x^2+2x$
이므로 $f'(x)=3x^2-6x+2$

또 $f(0)=0,\ f(3)=6$이므로 평균값 정리에 의하여

$\dfrac{6-0}{3-0}=3c^2-6c+2,\ c^2-2c=0,\ c(c-2)=0$

$0<c<3$이므로 $c=2$

(2) $f(x)=\{(x-1)(x+1)\}^2=x^4-2x^2+1$

이므로 $f'(x)=4x^3-4x$

또 $f(-2)=f(2)=9$이므로 평균값 정리에 의하여

$\dfrac{9-9}{2-(-2)}=4c^3-4c,\ c(c^2-1)=0$

$-2<c<2$이므로 $c=0$ 또는 $c=\pm1$

답 (1) 2 (2) 0, ±1

연습과 실전 **4 접선과 평균값 정리** 74쪽 ~ 76쪽

01 ②	**02** $y=-1$	**03** $y=-4x+1$	
04 $a=-2,\ b=1$	**05** ②	**06** ⑤	**07** 1	**08** $-\dfrac{1}{4}$
09 $a=-2,\ b=5,\ c=4$	**10** 10	**11** ②	
12 $\dfrac{4}{3}$	**13** $y=-4x+9$	**14** $-1<k<8$	

01

$f(x)=x^4+x^3+x^2+ax$라 하면 $f(1)=a+3$이므로

접점의 좌표는 $(1,\ a+3)$

$f'(x)=4x^3+3x^2+2x+a$이므로 $x=1$인 점에서 접선의 기울기는 $f'(1)=a+9$

따라서 접선의 방정식은 $y-(a+3)=(a+9)(x-1)$

이 직선이 점 $(-2,\ 4)$를 지나므로

$1-a=-3(a+9)$ ∴ $a=-14$

답 ②

02

$f(x)=x^4-2x^2$이라 하면 $f'(x)=4x^3-4x$

접점을 $(a,\ f(a))$라 하면 $f'(a)=4a^3-4a$

접선의 방정식은

$y-(a^4-2a^2)=(4a^3-4a)(x-a)$ ······ ㉠

이 직선이 점 $(0,\ -1)$을 지나므로

$-1-(a^4-2a^2)=(4a^3-4a)(-a)$

$3a^4-2a^2-1=0,\ (3a^2+1)(a^2-1)=0$

a는 실수이므로 $a^2=1$ ∴ $a=\pm1$

$a=1$일 때, ㉠에 대입하면 $y=-1$

$a=-1$일 때, ㉠에 대입하면 $y=-1$

따라서 구하는 직선의 방정식은 $y=-1$

답 $y=-1$

참고 곡선 $y=x^4-2x^2$에 접하고 점 $(0,\ -1)$을 지나는 직선은 그림과 같다. 곡선 $y=x^4-2x^2$을 그리는 방법은 5단원에서 공부한다.

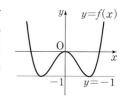

03

$f(x)=x^3-3x^2-x$라 하면 $f'(x)=3x^2-6x-1$

곡선 위의 $x=a$인 점에서 접선의 기울기는

$f'(a)=3a^2-6a-1=3(a-1)^2-4$

이므로 $a=1$일 때 최소이다.

$f(1)=1-3-1=-3,\ f'(1)=-4$이므로

$y+3=-4(x-1)$ ∴ $y=-4x+1$

답 $y=-4x+1$

04

$f(x)=2x^3+ax^2+b$라 하자.

곡선 $y=f(x)$가 점 $(1,\ 1)$을 지나므로

$1=2+a+b$ ······ ㉠

$f'(x)=6x^2+2ax$이므로 점 $(1,\ 1)$에서 접선의 기울기는

$f'(1)=6+2a$

접선이 직선 $y=-\dfrac{1}{2}x+2$와 수직이므로 $f'(1)=2$

$6+2a=2$ ∴ $a=-2$

㉠에 대입하면 $b=1$

답 $a=-2,\ b=1$

05

두 점 $(-2,\ 2),\ (1,\ c)$가 곡선 위의 점이므로 대입하면

$2=-8+4a-2b,\ 2a-b=5$ ······ ㉠

$c=1+a+b,\ a+b=c-1$ ······ ㉡

또 두 점 $(-2,\ 2),\ (1,\ c)$에서 접선의 기울기가 같으므로

$y'=3x^2+2ax+b$에 $x=-2,\ x=1$을 대입하면

$12-4a+b=3+2a+b$ ∴ $a=\dfrac{3}{2}$

$a=\dfrac{3}{2}$을 ㉠, ㉡에 대입하면 $b=-2,\ c=\dfrac{1}{2}$

∴ $a+b+c=0$

답 ②

06

구간 $[0, 3]$에서 평균값 정리를 만족시키는 실수가 2이
므로

$$\frac{f(3)-f(0)}{3-0}=f'(2)$$

$f(x)=x^3-kx^2+2x$에서

$f(3)=27-9k+6=33-9k,\ f(0)=0$

$f'(x)=3x^2-2kx+2$에서 $f'(2)=14-4k$

곧, $\dfrac{33-9k}{3}=14-4k$이므로 $k=3$

$\therefore f(x)=x^3-3x^2+2x,\ f'(x)=3x^2-6x+2$

또 $f(1)=f(2)=0$이므로 구간 $[1, 2]$에서 롤의 정리를
만족시키는 실수가 c이면

$$f'(c)=3c^2-6c+2=0 \qquad \therefore c=\frac{3\pm\sqrt{3}}{3}$$

이때 $1<c<2$이므로 $c=\dfrac{3+\sqrt{3}}{3}$

$\therefore k+c=3+\dfrac{3+\sqrt{3}}{3}=4+\dfrac{\sqrt{3}}{3}$

目 ⑤

07 전략 접선의 기울기가 -1일 때가 없으므로 미분계수가 -1인 경우는 없다.

$f(x)=x^3-2x^2+ax+3$이라 하면

$f'(x)=3x^2-4x+a$

직선 $y=-x+3$에 평행한 접선이 없으므로 접점의 x좌
표를 t라 하면 $f'(t)=-1$인 실수 t가 없다.

따라서 $f'(t)=3t^2-4t+a=-1$, 곧 방정식

$3t^2-4t+a+1=0$의 실근이 없으므로

$\dfrac{D}{4}=(-2)^2-3(a+1)=1-3a<0 \qquad \therefore a>\dfrac{1}{3}$

따라서 정수 a의 최솟값은 1이다.

目 1

08 전략 두 접선이 수직이면 두 접선의 기울기의 곱은 -1이다.

$f(x)=x^2$이라 하면 $f'(x)=2x$

접점을 $(a, f(a))$라 하면 접선의 방정식은

$y-f(a)=f'(a)(x-a)$

$\therefore y-a^2=2a(x-a)$

이 직선이 점 $(1, p)$를 지나므로

$p-a^2=2a(1-a) \qquad \therefore a^2-2a+p=0 \qquad \cdots ㉠$

이 방정식의 두 근을 α, β라 하면

곡선 위의 $x=\alpha$, $x=\beta$인 점에서 접선의 기울기는

$f'(\alpha)=2\alpha, f'(\beta)=2\beta$

두 접선의 기울기의 곱이 -1이므로

$4\alpha\beta=-1$

㉠에서 근과 계수의 관계에 의해 $\alpha\beta=p$이므로

$4p=-1 \qquad \therefore p=-\dfrac{1}{4}$

目 $-\dfrac{1}{4}$

09 전략 $y=f(x), y=g(x)$라 하면

$$f(-1)=1, g(-1)=1, f'(-1)g'(-1)=-1$$

이다.

$f(x)=x^3-ax^2, g(x)=2x^2+bx+c$라 하면

$f'(x)=3x^2-2ax, g'(x)=4x+b$

두 곡선이 점 $(-1, 1)$을 지나므로

$f(-1)=-1-a=1 \qquad \therefore a=-2 \qquad \cdots ㉠$

$g(-1)=2-b+c=1 \qquad \therefore b-c=1 \qquad \cdots ㉡$

점 $(-1, 1)$에서 두 곡선에 그은 접선이 서로 수직이므로

$f'(-1)g'(-1)=-1, (3+2a)(-4+b)=-1$

㉠을 대입하면 $b=5$

㉡에 대입하면 $c=4$

目 $a=-2, b=5, c=4$

10 전략 곡선 $y=f(x)$ 위의 점 $(2, 4)$에서 접선이 점 $(-1, 1)$을 지남을 이용한다.

$f(x)=x^3+ax^2+bx+c$라 하면 점 $(2, 4)$와 $(-1, 1)$
은 곡선 $y=f(x)$ 위의 점이므로

$4=8+4a+2b+c,\ 4a+2b+c=-4 \qquad \cdots ㉠$

$1=-1+a-b+c,\ a-b+c=2 \qquad \cdots ㉡$

$f'(x)=3x^2+2ax+b$이므로 점 $(2, 4)$에서의 접선의
기울기는

$f'(2)=12+4a+b$

따라서 접선의 방정식은

$y=(12+4a+b)(x-2)+4$

이 접선이 점 $(-1, 1)$을 지나므로

$1=-3(12+4a+b)+4,\ 4a+b=-11 \qquad \cdots ㉢$

㉠, ㉡, ㉢을 연립하여 풀면

$a=-3, b=1$

이므로 $f'(x)=3x^2-6x+1$

$\therefore f'(3)=10$

目 10

11 전략 접점을 $(a, f(a))$라 하고 접점부터 구한다.

$f(x)=x^4-2x^2+8$이라 하면 $f'(x)=4x^3-4x$

접점을 $(a, f(a))$라 하면 접선의 기울기는

$f'(a)=4a^3-4a$

접선의 방정식은

$y-(a^4-2a^2+8)=(4a^3-4a)(x-a)$

이 직선이 원점 $(0, 0)$을 지나므로

$-a^4+2a^2-8=-4a^4+4a^2$

$3a^4-2a^2-8=0,\ (a^2-2)(3a^2+4)=0$

a는 실수이므로 $a^2=2$ $\therefore a=\pm\sqrt{2}$

$a=\sqrt{2}$일 때, $f(\sqrt{2})=4-4+8=8$

$a=-\sqrt{2}$일 때, $f(-\sqrt{2})=4-4+8=8$

접점의 좌표는 $(\sqrt{2}, 8),\ (-\sqrt{2}, 8)$이므로

삼각형의 넓이는 $\dfrac{1}{2}\times2\sqrt{2}\times8=8\sqrt{2}$

답 ②

12 전략 넓이의 최댓값 ➡ 기울기가 같은 접선을 생각한다.

점 P와 직선 $y=x$ 사이의
거리가 최대일 때, 곧 P에
서 곡선 $y=f(x)$의 접선이
직선 $y=x$에 평행할 때, 삼
각형 OAP의 넓이가 최대
이다.

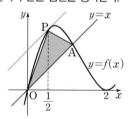

따라서 곡선 $y=f(x)$ 위의 $x=\dfrac{1}{2}$인 점에서 접선의 기울

기가 1이다.

$f'(x)=a(x-2)^2+2ax(x-2)=a(x-2)(3x-2)$

이므로

$f'\left(\dfrac{1}{2}\right)=1$에서 $a\times\left(-\dfrac{3}{2}\right)\times\left(-\dfrac{1}{2}\right)=1$ $\therefore a=\dfrac{4}{3}$

답 $\dfrac{4}{3}$

13 전략 먼저 $\dfrac{0}{0}$ 꼴의 극한에서 극한값이 존재하고

(분모) ⟶ 0일 때 (분자) ⟶ 0임을 이용한다.

(나)에서 극한값이 존재하고 $x\to 2$일 때 (분모) ⟶ 0이므
로 (분자) ⟶ 0이다.

$\therefore f(2)-g(2)=0$ … ㉠

(가)에 $x=2$를 대입하면

$g(2)=8f(2)-7$ … ㉡

㉠, ㉡을 연립하여 풀면 $f(2)=g(2)=1$

(가)를 미분하면 $g'(x)=3x^2f(x)+x^3f'(x)$

$x=2$를 대입하면

$g'(2)=12+8f'(2)$ … ㉢

또 (나)에서

$\displaystyle\lim_{x\to 2}\dfrac{f(x)-g(x)}{x-2}$

$=\displaystyle\lim_{x\to 2}\dfrac{f(x)-f(2)-\{g(x)-g(2)\}}{x-2}$

$=f'(2)-g'(2)$

이므로

$f'(2)-g'(2)=2$ … ㉣

㉢, ㉣을 연립하여 풀면 $g'(2)=-4$

따라서 곡선 $y=g(x)$ 위의 점 $(2, 1)$에서의 접선의 방정
식은

$y=-4(x-2)+1$ $\therefore y=-4x+9$

답 $y=-4x+9$

14 전략 평균값 정리를 생각한다.

평균값 정리에 의하여 $\dfrac{f(b)-f(a)}{b-a}=f'(c)$인 c가 열린

구간 (a, b)에 적어도 하나 존재한다.

$f'(x)=x^2+2x$에서 $f'(c)=c^2+2c$이므로

$k=c^2+2c=(c+1)^2-1$

$-1<c<2$이므로 $-1<k<8$

답 $-1<k<8$

5 미분과 그래프

1

(1) $f(x)$가 구간 $[3, 4]$에서 증가하므로 a의 최솟값은 3

(2) $f(x)$가 구간 $(-\infty, 1]$에서 감소하므로 b의 최댓값은 1

(3) $f(x)$가 극대인 x의 값은 2, 4

(4) 미분가능하지 않아도 극대 또는 극소일 수 있다.

따라서 $f(x)$가 극소인 x의 값은 1, 3

답 (1) 3 (2) 1 (3) 2, 4 (4) 1, 3

2

(1) $f'(x) = x^2 - 2x - 3 = (x+1)(x-3)$

이므로 구간 $(-1, 3)$에서 $f'(x) < 0$

따라서 구간 $(-1, 3)$에서 함수 $f(x)$는 감소한다.

(2) $f'(x) = 4x^3 - 12x^2 = 4x^2(x-3)$

이므로 구간 $(3, 5)$에서 $f'(x) > 0$

따라서 구간 $(3, 5)$에서 함수 $f(x)$는 증가한다.

답 (1) 감소 (2) 증가

3

(1) $f'(x) = 2x - 3$이므로 $f'\left(\dfrac{3}{2}\right) = 0$

$x = \dfrac{3}{2}$에서 $f'(x)$의 부호가 $-$에서 $+$로 바뀌므로 극소이고 극솟값은

$f\left(\dfrac{3}{2}\right) = -\dfrac{5}{4}$

(2) $f'(x) = -4x - 4$이므로 $f'(-1) = 0$

$x = -1$에서 $f'(x)$의 부호가 $+$에서 $-$로 바뀌므로 극대이고 극댓값은

$f(-1) = 2$

답 (1) 극솟값 : $-\dfrac{5}{4}$ (2) 극댓값 : 2

대표 01

(1) $f(x) = x^3 + 3x^2 - 9x + 1$에서

$f'(x) = 3x^2 + 6x - 9 = 3(x+3)(x-1)$

$f'(x) = 0$에서 $x = -3$ 또는 $x = 1$

$f(x)$의 증감표는 다음과 같다.

x	$\cdots$	-3	$\cdots$	1	$\cdots$
$f'(x)$	$+$	0	$-$	0	$+$
$f(x)$	↗	극대	↘	극소	↗

따라서 함수 $f(x)$의 극댓값은 $f(-3) = 28$, 극솟값은 $f(1) = -4$

또 $y = f(x)$의 그래프는 그림과 같다.

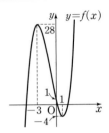

(2) $f(x) = -x^3 + 12x + 2$에서

$f'(x) = -3x^2 + 12$
$\qquad = -3(x+2)(x-2)$

$f'(x) = 0$에서 $x = -2$ 또는 $x = 2$

$f(x)$의 증감표는 다음과 같다.

x	$\cdots$	-2	$\cdots$	2	$\cdots$
$f'(x)$	$-$	0	$+$	0	$-$
$f(x)$	↘	극소	↗	극대	↘

따라서 함수 $f(x)$의 극댓값은 $f(2) = 18$, 극솟값은 $f(-2) = -14$

또 $y = f(x)$의 그래프는 그림과 같다.

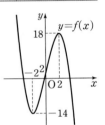

(3) $f(x) = \dfrac{1}{3}x^3 - x^2 + x - 2$에서

$f'(x) = x^2 - 2x + 1 = (x-1)^2$

$f'(x) = 0$에서 $x = 1$ (중근)

$f(x)$의 증감표는 다음과 같다.

x	$\cdots$	1	$\cdots$
$f'(x)$	$+$	0	$+$
$f(x)$	↗	$-\dfrac{5}{3}$	↗

따라서 함수 $f(x)$의 극댓값과 극솟값은 없다.

또 $y = f(x)$의 그래프는 그림과 같다.

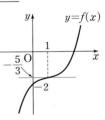

(4) $f(x)=\dfrac{1}{3}x^3+\dfrac{1}{2}x^2+x$에서

$f'(x)=x^2+x+1=\left(x+\dfrac{1}{2}\right)^2+\dfrac{3}{4}>0$

이므로 $f'(x)=0$의 실근
은 없다.
따라서 함수 $f(x)$의 극댓
값과 극솟값은 없다.
또 $f(x)$는 항상 증가하므
로 $y=f(x)$의 그래프는 그
림과 같다.

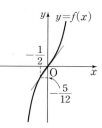

🔑 (1) 극댓값 : 28, 극솟값 : -4, 그래프는 풀이 참조
　(2) 극댓값 : 18, 극솟값 : -14, 그래프는 풀이 참조
　(3) 극댓값과 극솟값은 없다, 그래프는 풀이 참조
　(4) 극댓값과 극솟값은 없다, 그래프는 풀이 참조

참고 (4) $f'(x)=\left(x+\dfrac{1}{2}\right)^2+\dfrac{3}{4}$이므로 곡선 $y=f(x)$ 위의

$x=-\dfrac{1}{2}$인 점에서 접선의 기울기가 최소이다.

1-1

(1) $f(x)=x(x-2)^2=x^3-4x^2+4x$에서
$f'(x)=3x^2-8x+4=(3x-2)(x-2)$
$f'(x)=0$에서 $x=\dfrac{2}{3}$ 또는 $x=2$
$f(x)$의 증감표는 다음과 같다.

x	$\cdots$	$\dfrac{2}{3}$	$\cdots$	2	$\cdots$
$f'(x)$	$+$	0	$-$	0	$+$
$f(x)$	↗	극대	↘	극소	↗

따라서 함수 $f(x)$의
극댓값은 $f\left(\dfrac{2}{3}\right)=\dfrac{32}{27}$,
극솟값은 $f(2)=0$
또 $y=f(x)$의 그래프는 그
림과 같다.

(2) $f(x)=-x^3-6x^2-9x+3$에서
$f'(x)=-3x^2-12x-9=-3(x+3)(x+1)$
$f'(x)=0$에서 $x=-3$ 또는 $x=-1$
$f(x)$의 증감표는 다음과 같다.

x	$\cdots$	-3	$\cdots$	-1	$\cdots$
$f'(x)$	$-$	0	$+$	0	$-$
$f(x)$	↘	극소	↗	극대	↘

따라서 함수 $f(x)$의
극댓값은 $f(-1)=7$,
극솟값은 $f(-3)=3$
또 $y=f(x)$의 그래프는 그림
과 같다.

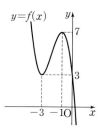

(3) $f(x)=x^3+3x^2+3x+2$에서
$f'(x)=3x^2+6x+3$
$\qquad=3(x+1)^2$
$f'(x)=0$에서 $x=-1$ (중근)
$f(x)$의 증감표는 다음과 같다.

x	$\cdots$	-1	$\cdots$
$f'(x)$	$+$	0	$+$
$f(x)$	↗	1	↗

따라서 함수 $f(x)$의 극댓
값과 극솟값은 없다.
또 $y=f(x)$의 그래프는
그림과 같다.

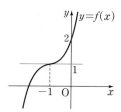

(4) $f(x)=-x^3-x+2$에서
$f'(x)=-3x^2-1<0$
이므로 $f'(x)=0$의 실근은
없다.
따라서 함수 $f(x)$의 극댓값
과 극솟값은 없다.
또 $f(x)$는 항상 감소하므로
$y=f(x)$의 그래프는 그림과
같다.

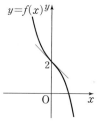

🔑 (1) 극댓값 : $\dfrac{32}{27}$, 극솟값 : 0, 그래프는 풀이 참조

　(2) 극댓값 : 7, 극솟값 : 3, 그래프는 풀이 참조

　(3) 극댓값과 극솟값은 없다, 그래프는 풀이 참조

　(4) 극댓값과 극솟값은 없다, 그래프는 풀이 참조

참고 (4) 곡선 $y=f(x)$ 위의 $x=0$인 점에서 접선의 기울기
가 최대이다.

대표 02

(1) $f(x)=3x^4+4x^3-12x^2+10$에서
$f'(x)=12x^3+12x^2-24x=12x(x+2)(x-1)$
$f'(x)=0$에서 $x=-2$ 또는 $x=0$ 또는 $x=1$

$f(x)$의 증감표는 다음과 같다.

x	$\cdots$	-2	$\cdots$	0	$\cdots$	1	$\cdots$
$f'(x)$	$-$	0	$+$	0	$-$	0	$+$
$f(x)$	↘	극소	↗	극대	↘	극소	↗

따라서 함수 $f(x)$의
극댓값은 $f(0)=10$,
극솟값은 $f(-2)=-22$,
$f(1)=5$
또 $y=f(x)$의 그래프는 그림
과 같다.

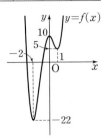

(2) $f(x)=3x^4-4x^3+4$에서
$f'(x)=12x^3-12x^2=12x^2(x-1)$
$f'(x)=0$에서 $x=0$ (중근) 또는 $x=1$
$f(x)$의 증감표는 다음과 같다.

x	$\cdots$	0	$\cdots$	1	$\cdots$
$f'(x)$	$-$	0	$-$	0	$+$
$f(x)$	↘	4	↘	극소	↗

따라서 함수 $f(x)$의
극댓값은 없고,
극솟값은 $f(1)=3$
또 $y=f(x)$의 그래프는 그림과
같다.

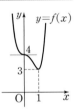

(3) $f(x)=-x^4-4x+1$에서
$f'(x)=-4x^3-4=-4(x+1)(x^2-x+1)$
$f'(x)=0$에서 $x=-1$
$f(x)$의 증감표는 다음과 같다.

x	$\cdots$	-1	$\cdots$
$f'(x)$	$+$	0	$-$
$f(x)$	↗	극대	↘

따라서 함수 $f(x)$의
극댓값은 $f(-1)=4$,
극솟값은 없다.
또 $y=f(x)$의 그래프는 그림과
같다.

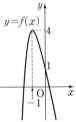

目 (1) 극댓값 : 10, 극솟값 : -22, 5, 그래프는 풀이 참조
　(2) 극댓값 : 없다, 극솟값 : 3, 그래프는 풀이 참조
　(3) 극댓값 : 4, 극솟값 : 없다, 그래프는 풀이 참조

2-1

(1) $f(x)=3x^4-8x^3-6x^2+24x-1$에서
$\qquad f'(x)=12x^3-24x^2-12x+24$
$\qquad\qquad =12x^2(x-2)-12(x-2)$
$\qquad\qquad =12(x^2-1)(x-2)$
$\qquad\qquad =12(x+1)(x-1)(x-2)$
$f'(x)=0$에서 $x=-1$ 또는 $x=1$ 또는 $x=2$
$f(x)$의 증감표는 다음과 같다.

x	$\cdots$	-1	$\cdots$	1	$\cdots$	2	$\cdots$
$f'(x)$	$-$	0	$+$	0	$-$	0	$+$
$f(x)$	↘	극소	↗	극대	↘	극소	↗

따라서 함수 $f(x)$의
극댓값은 $f(1)=12$,
극솟값은
$f(-1)=-20$,
$f(2)=7$
또 $y=f(x)$의 그래프는 그
림과 같다.

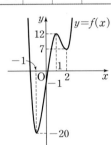

(2) $f(x)=-x^4+2x^2+2$에서
$\qquad f'(x)=-4x^3+4x=-4x(x^2-1)$
$\qquad\qquad =-4x(x+1)(x-1)$
$f'(x)=0$에서 $x=-1$ 또는 $x=0$ 또는 $x=1$
$f(x)$의 증감표는 다음과 같다.

x	$\cdots$	-1	$\cdots$	0	$\cdots$	1	$\cdots$
$f'(x)$	$+$	0	$-$	0	$+$	0	$-$
$f(x)$	↗	극대	↘	극소	↗	극대	↘

따라서 함수 $f(x)$의
극댓값은 $f(-1)=f(1)=3$,
극솟값은 $f(0)=2$
또 $y=f(x)$의 그래프는 그림
과 같다.

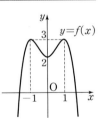

(3) $f(x)=-3x^4-4x^3+6x^2+12x$에서
$\qquad f'(x)=-12x^3-12x^2+12x+12$
$\qquad\qquad =-12x^2(x+1)+12(x+1)$
$\qquad\qquad =-12(x-1)(x+1)^2$
$f'(x)=0$에서 $x=-1$ (중근) 또는 $x=1$
$f(x)$의 증감표는 다음과 같다.

x	$\cdots$	-1	$\cdots$	1	$\cdots$
$f'(x)$	$+$	0	$+$	0	$-$
$f(x)$	↗	-5	↗	극대	↘

따라서 함수 $f(x)$의
극댓값은 $f(1)=11$,
극솟값은 없다.
또 $y=f(x)$의 그래프는 그림과
같다.

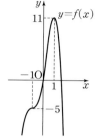

답 (1) 극댓값 : 12, 극솟값 : -20, 7, 그래프는 풀이 참조
　(2) 극댓값 : 3, 극솟값 : 2, 그래프는 풀이 참조
　(3) 극댓값 : 11, 극솟값 : 없다, 그래프는 풀이 참조

대표 03

(1) $f(x)$가 구간 $(-\infty, \infty)$에서 증가하므로
$f'(x)\geq0$
$f'(x)=3x^2-4x+a$이고, x^2의 계수가 양수이므로
이차방정식 $f'(x)=0$에서
$\frac{D}{4}=4-3a\leq0$ ∴ $a\geq\frac{4}{3}$

(2) $f(x)$가 구간 $(1, 3)$에서 감소하므로 이 구간에서
$f'(x)\leq0$
따라서 그림에서
$f'(1)\leq0$, $f'(3)\leq0$
$f'(x)=3x^2+2ax-a-2$이므로
$f'(1)=3+2a-a-2\leq0$
∴ $a\leq-1$ ⋯ ㉠
$f'(3)=27+6a-a-2\leq0$
∴ $a\leq-5$ ⋯ ㉡
㉠, ㉡의 공통부분은 $a\leq-5$

답 (1) $a\geq\frac{4}{3}$ (2) $a\leq-5$

3-1

$f(x)=-x(x^2-ax+1)=-x^3+ax^2-x$에서
$f'(x)=-3x^2+2ax-1$

(1) $f(x)$가 구간 $(-\infty, \infty)$에서 감소하므로 $f'(x)\leq0$
$f'(x)$의 x^2의 계수가 음수이므로 이차방정식
$f'(x)=0$에서

$\frac{D}{4}=a^2-3\leq0$ ∴ $-\sqrt{3}\leq a\leq\sqrt{3}$

(2) $f(x)$가 구간 $(-3, -1)$에서
증가하므로 이 구간에서
$f'(x)\geq0$
따라서 그림에서
$f'(-3)\geq0$, $f'(-1)\geq0$
$f'(-3)=-27-6a-1\geq0$
∴ $a\leq-\frac{14}{3}$ ⋯ ㉠
$f'(-1)=-3-2a-1\geq0$
∴ $a\leq-2$ ⋯ ㉡
㉠, ㉡의 공통부분은 $a\leq-\frac{14}{3}$

답 (1) $-\sqrt{3}\leq a\leq\sqrt{3}$ (2) $a\leq-\frac{14}{3}$

3-2

$f'(x)=3x^2+2ax-a^2+4a$이므로 $f(x)$가 극값을 갖지 않으면 방정식 $f'(x)=0$이 중근 또는 허근을 가진다.
$\frac{D}{4}=a^2-3(-a^2+4a)\leq0$, $4a^2-12a\leq0$
$a(a-3)\leq0$ ∴ $0\leq a\leq3$
따라서 정수 a는 0, 1, 2, 3이므로 개수는 4이다.

답 4

대표 04

(1) 삼차함수의 그래프가 x축에 접하면 극댓값 또는 극솟값이 0이다.
$f'(x)=3x^2-6x-9=3(x+1)(x-3)$
$f'(x)=0$에서 $x=-1$ 또는 $x=3$
(i) $y=f(x)$의 그래프가 $x=-1$인 점에서 x축에 접하면 $f(-1)=0$이므로
$-1-3+9+a=0$ ∴ $a=-5$
(ii) $y=f(x)$의 그래프가 $x=3$인 점에서 x축에 접하면 $f(3)=0$이므로
$27-27-27+a=0$ ∴ $a=27$
(i), (ii)에서 $a>0$이므로 $a=27$

(2) $f'(x)=3x^2+2ax+b$
$f(x)$가 $x=1$과 $x=3$에서 극값을 가지면
방정식 $f'(x)=0$의 해가 $x=1$ 또는 $x=3$
곧, $f'(1)=0$, $f'(3)=0$이므로
$3+2a+b=0$, $27+6a+b=0$

두 식을 연립하여 풀면 $a=-6$, $b=9$

$f(x)=x^3-6x^2+9x+c$

이고 x^3의 계수가 양수이

므로 그림과 같이 $f(x)$는

$x=1$에서 극대, $x=3$에

서 극소이다.

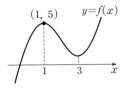

$f(1)=5$이므로

$f(1)=1-6+9+c=5$ $\therefore c=1$

따라서 $f(x)=x^3-6x^2+9x+1$이므로 극솟값은

$f(3)=1$

(3) $f(x)$가 $x=-1$에서 극솟값 2를 가지므로

$f'(-1)=0$, $f(-1)=2$

$f'(x)=-3x^2+12x+a$이므로

$f'(-1)=-3-12+a=0$ $\therefore a=15$

$f'(x)=-3x^2+12x+15=-3(x+1)(x-5)$이고,

$f(x)$의 x^3의 계수가 음수

이므로 그림과 같이 $f(x)$

는 $x=5$에서 극대이다.

$f(x)=-x^3+6x^2+15x+b$

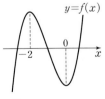

이고 $f(-1)=2$이므로

$1+6-15+b=2$ $\therefore b=10$

따라서 $f(x)=-x^3+6x^2+15x+10$이므로 극댓값은

$f(5)=110$

目 (1) 27 (2) 1 (3) $x=5$, 극댓값 : 110

(참고) (2) $f(x)$는 $x=1$에서 극대, $x=3$에서 극소이다.

4-1

$f'(x)=3x^2+6x=3x(x+2)$

$f'(x)=0$에서 $x=-2$ 또는 $x=0$

$f(x)$의 x^3의 계수가 양수이므로 $f(x)$는 $x=-2$에서 극

대이고 $x=0$에서 극소이다.

$f(x)$의 극댓값과 극솟값의 절

댓값이 같으므로 $y=f(x)$의 그

래프는 그림과 같다.

$f(-2)>0$, $f(0)<0$이고,

$f(0)=-f(-2)$이므로

$a=-(-8+12+a)$ $\therefore a=-2$

目 -2

4-2

$f'(x)=3x^2+2ax+1$

$y=f(x)$의 그래프가 $x=1$인 점에서 x축에 접하면

$f(1)=0$, $f'(1)=0$이므로

$1+a+1+b=0$, $3+2a+1=0$

두 식을 연립하여 풀면 $a=-2$, $b=0$

곧, $f(x)=x^3-2x^2+x$이고

$f'(x)=3x^2-4x+1=(3x-1)(x-1)$

$f'(x)=0$에서 $x=\dfrac{1}{3}$ 또는 $x=1$

이때 $f(x)$의 x^3의 계수가 양

수이므로 그림과 같이 $f(x)$

는 $x=\dfrac{1}{3}$에서 극대, $x=1$에

서 극소이다.

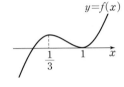

따라서 극댓값은 $f\left(\dfrac{1}{3}\right)=\dfrac{4}{27}$, 극솟값은 $f(1)=0$

目 극댓값 : $\dfrac{4}{27}$, 극솟값 : 0

4-3

$f'(x)=-3x^2+2ax+b$

$f(x)$가 $x=-2$와 $x=2$에서 극값을 가지면

방정식 $f'(x)=0$의 해가 $x=-2$ 또는 $x=2$이므로

$-12-4a+b=0$, $-12+4a+b=0$

두 식을 연립하여 풀면 $a=0$, $b=12$

$f(x)=-x^3+12x+c$이

고, $f(x)$의 x^3의 계수가 음수

이므로 그림과 같이 $f(x)$는

$x=-2$에서 극소이고 $x=2$

에서 극대이다.

$f(-2)=-2$이므로

$f(-2)=8-24+c=-2$

$\therefore c=14$

따라서 $f(x)=-x^3+12x+14$이므로 극댓값은

$f(2)=30$

目 30

대표 05

(1) 사차함수의 그래프가 x축에 접하면 극댓값 또는 극솟

값이 0이다.

$f'(x)=4x^3-8x=4x(x^2-2)$

$f'(x)=0$에서 $x=0$ 또는 $x=\pm\sqrt{2}$

(i) $y=f(x)$의 그래프가 $x=0$인 점에서 x축에 접하면 $f(0)=0$이므로 $a=0$

(ii) $y=f(x)$의 그래프가 $x=\sqrt{2}$인 점에서 x축에 접하면 $f(\sqrt{2})=0$이므로

$4-8+a=0$ ∴ $a=4$

(iii) $y=f(x)$의 그래프가 $x=-\sqrt{2}$인 점에서 x축에 접하면 $f(-\sqrt{2})=0$이므로

$4-8+a=0$ ∴ $a=4$

(i), (ii), (iii)에서 양수 a의 값은 4이다.

(2) $f'(x)=4x^3+2ax+b$

$f(x)$가 $x=-1$과 $x=3$에서 극값을 가지면 방정식 $f'(x)=0$의 해가 $x=-1$ 또는 $x=3$

곧, $f'(-1)=0$, $f'(3)=0$이므로

$-4-2a+b=0$, $108+6a+b=0$

두 식을 연립하여 풀면 $a=-14$, $b=-24$

$f(x)=x^4-14x^2-24x-10$

$f'(x)=4x^3-28x-24=4(x+2)(x+1)(x-3)$

$f'(x)=0$에서 $x=-2$ 또는 $x=-1$ 또는 $x=3$

$f(x)$의 x^4의 계수가 양수이므로 그림과 같이 함수 $f(x)$는 $x=-1$에서 극대이다.

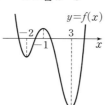

따라서 극댓값은

$f(-1)=1$

(3) $f'(x)=4x^3+3x^2+2ax=x(4x^2+3x+2a)$

$f(x)$가 극댓값을 갖지 않으면 방정식 $f'(x)=0$이 중근을 갖거나 허근을 가져야 한다.

(i) $x(4x^2+3x+2a)=0$이 중근을 가질 때

① 이차방정식 $4x^2+3x+2a=0$의 한 근이 $x=0$일 때 $2a=0$ ∴ $a=0$

② 이차방정식 $4x^2+3x+2a=0$이 중근을 가질 때 $D=9-32a=0$ ∴ $a=\dfrac{9}{32}$

(ii) $x(4x^2+3x+2a)=0$이 허근을 가질 때

이차방정식 $4x^2+3x+2a=0$이 허근을 가져야 하므로

$D=9-32a<0$ ∴ $a>\dfrac{9}{32}$

(i), (ii)에서 $a=0$ 또는 $a\ge\dfrac{9}{32}$

🔑 (1) 4 (2) 1 (3) $a=0$ 또는 $a\ge\dfrac{9}{32}$

참고 (2) $f(x)$의 증감표는 다음과 같다.

x	$\cdots$	-2	$\cdots$	-1	$\cdots$	3	$\cdots$
$f'(x)$	$-$	0	$+$	0	$-$	0	$+$
$f(x)$	↘	극소	↗	극대	↘	극소	↗

5-1

$f(x)=3x^4-8x^3+ax^2+bx+15$에서

$f'(x)=12x^3-24x^2+2ax+b$

(1) $y=f(x)$의 그래프가 $x=-1$인 점에서 x축에 접하면

$f(-1)=0$, $f'(-1)=0$이므로

$3+8+a-b+15=0$, $-12-24-2a+b=0$

두 식을 연립하여 풀면 $a=-10$, $b=16$

(2) $f(x)$가 $x=1$과 $x=2$에서 극값을 가지면 방정식 $f'(x)=0$의 해는 $x=1$ 또는 $x=2$

곧, $f'(1)=0$, $f'(2)=0$이므로

$12-24+2a+b=0$, $96-96+4a+b=0$

두 식을 연립하여 풀면 $a=-6$, $b=24$

$f(x)=3x^4-8x^3-6x^2+24x+15$

$f'(x)=12x^3-24x^2-12x+24$

$\qquad =12(x+1)(x-1)(x-2)$

$f'(x)=0$에서 $x=-1$ 또는 $x=1$ 또는 $x=2$

$f(x)$의 x^4의 계수가 양수이므로 그림과 같이 $f(x)$는 $x=-1$, $x=2$에서 극소이다.

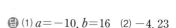

따라서 극솟값은

$f(-1)=-4$

$f(2)=23$

🔑 (1) $a=-10$, $b=16$ (2) -4, 23

5-2

$f'(x)=4x^3+4(a-1)x+4a=4(x+1)(x^2-x+a)$

$f(x)$의 극값이 하나뿐이면 극솟값만 가지므로 방정식 $f'(x)=0$이 중근을 갖거나 허근을 가져야 한다.

(i) $4(x+1)(x^2-x+a)=0$이 중근을 가질 때

① 이차방정식 $x^2-x+a=0$의 한 근이 $x=-1$일 때 $2+a=0$ ∴ $a=-2$

② 이차방정식 $x^2-x+a=0$이 중근을 가질 때 $D=1-4a=0$ ∴ $a=\dfrac{1}{4}$

(ii) $4(x+1)(x^2-x+a)=0$이 허근을 가질 때

이차방정식 $x^2-x+a=0$이 허근을 가져야 하므로

$D=1-4a<0$ $\therefore a>\dfrac{1}{4}$

(i), (ii)에서 $a=-2$ 또는 $a\geq\dfrac{1}{4}$

답 $a=-2$ 또는 $a\geq\dfrac{1}{4}$

대표 06

① $x=-1$의 좌우에서 $f'(x)$의 부호가 음에서 양으로 바뀌므로 $f(x)$는 구간 $(-2, 1)$에서 감소하다가 증가한다. (거짓)

② 구간 $(4, 5)$에서 $f'(x)<0$이므로 $f(x)$는 구간 $(4, 5)$에서 감소한다. (참)

③ $f'(1)\neq0$이므로 $f(x)$는 $x=1$에서 극대도 극소도 아니다. (거짓)

④ $f'(2)=0$이지만 $x=2$의 좌우에서 $f'(x)>0$이므로 $f(x)$는 증가한다.

곧, $f(x)$는 $x=2$에서 극대도 극소도 아니다. (거짓)

⑤ 방정식 $f'(x)=0$의 해는

$x=-1$ 또는 $x=2$ 또는 $x=4$ 또는 $x=5$

이 중에서 $x=-1, 4, 5$일 때만 $f'(x)$의 부호가 좌우에서 바뀐다.

곧, 구간 $[-2, 6]$에서 $f(x)$의 극값은 3개이다. (참)

따라서 옳은 것은 ②, ⑤이다.

답 ②, ⑤

6-1

$f(x)f'(x)<0$에서

$\begin{cases} f(x)>0 \\ f'(x)<0 \end{cases}$ 또는 $\begin{cases} f(x)<0 \\ f'(x)>0 \end{cases}$

(i) $f(x)>0 \Longleftrightarrow -1<x<3$ 또는 $6<x<8$

$f(x)<0 \Longleftrightarrow -2<x<-1$ 또는 $3<x<6$

(ii) $f(x)$의 증감을 생각하면

$f'(x)>0 \Longleftrightarrow -2<x<1$ 또는 $4<x<8$

$f'(x)<0 \Longleftrightarrow 1<x<4$

(i), (ii)에서 $\begin{cases} f(x)>0 \\ f'(x)<0 \end{cases}$ 의 해는 $1<x<3$

$\begin{cases} f(x)<0 \\ f'(x)>0 \end{cases}$ 의 해는

$-2<x<-1$ 또는 $4<x<6$

따라서 정수 x는 $2, 5$이고 합은 7이다.

답 7

6-2

$f(x)$의 증감표는 다음과 같다.

x	$\cdots$	-1	$\cdots$	0	$\cdots$	1	$\cdots$
$f'(x)$	$-$	0	$+$	0	$+$	0	$-$
$f(x)$	$\searrow$	극소	$\nearrow$		$\nearrow$	극대	$\searrow$

$f(1)=0$이므로 $y=f(x)$의 그래프는 그림과 같다.

따라서 $y=f(x)$가 증가하는 구간은 $[-1, 1]$이므로

$-1\leq x\leq1$

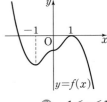

답 $-1\leq x\leq1$

날선 07

(가)에서 $y=f(x)$의 그래프가 y축에 대칭이므로 $f(x)$는 $x=-1$에서도 극소이고, 극솟값은 1이다.

또 $f(x)$는 사차함수이고, 극소인 x의 값이 2개이므로 극대인 x의 값이 1개 있다.

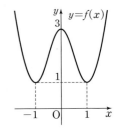

그런데 그래프가 y축에 대칭이므로 그림과 같이 $f(x)$는 $x=0$에서 극대이고 극댓값은 3이다.

$y=f(x)$의 그래프는 직선 $y=1$과 $x=-1$, $x=1$인 점에서 접하므로 방정식 $f(x)=1$은 $x=-1$과 $x=1$을 중근으로 가진다.

$f(x)-1=a(x+1)^2(x-1)^2$ $(a>0)$으로 놓으면

$f(0)=3$에서

$f(0)-1=a, f(0)=a+1=3$ $\therefore a=2$

$\therefore f(x)=2(x+1)^2(x-1)^2+1=2(x^2-1)^2+1$

$\quad=2x^4-4x^2+3$

다른 풀이

$f(x)$는 x^4의 계수가 양수인 사차함수이므로

$f(x)=ax^4+bx^3+cx^2+dx+e$로 놓으면

(가)에서 $f(x)=f(-x)$이므로

$ax^4+bx^3+cx^2+dx+e=ax^4-bx^3+cx^2-dx+e$

$2bx^3+2dx=0$ $\therefore b=0, d=0$

따라서 $f(x)=ax^4+cx^2+e$ 꼴이고

$f'(x)=4ax^3+2cx$

$f(1)=a+c+e=1, f(0)=e=3, f'(1)=4a+2c=0$

$\therefore a=2, c=-4, e=3$

$$\therefore f(x)=2x^4-4x^2+3$$

🖋 $f(x)=2x^4-4x^2+3$

7-1

(1) $y=f(x)$의 그래프는 x축과 $x=0$, $x=2$인 점에서 접하므로 방정식 $f(x)=0$은 $x=0$과 $x=2$를 중근으로 가진다.

$f(x)$는 x^4의 계수가 1인 사차함수이므로

$$f(x)=x^2(x-2)^2$$
$$=x^4-4x^3+4x^2$$
$$f'(x)=4x^3-12x^2+8x$$
$$=4x(x-1)(x-2)$$

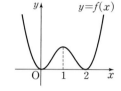

그림과 같이 함수 $f(x)$는 $x=1$에서 극대이다.

따라서 극댓값은 $f(1)=1$이다.

다른 풀이

$f(x)$는 x^4의 계수가 1인 사차함수이므로

$f(x)=x^4+ax^3+bx^2+cx+d$로 놓으면

$$f'(x)=4x^3+3ax^2+2bx+c$$

$f(0)=0$, $f'(0)=0$에서

$d=0$, $c=0$

$f(2)=0$, $f'(2)=0$에서

$f(2)=16+8a+4b=0$, $f'(2)=32+12a+4b=0$

$\therefore a=-4$, $b=4$

$f(x)=x^4-4x^3+4x^2$이므로

$$f'(x)=4x^3-12x^2+8x=4x(x-1)(x-2)$$

따라서 극댓값은 $f(1)=1$

(2) $f(x)=x^4-4x^3+4x^2$은 다항함수이므로 구간 $[0, 2]$에서 연속이고 구간 $(0, 2)$에서 미분가능하다.

$$f'(x)=4x^3-12x^2+8x$$

이므로 평균값 정리에 의하여

$$\frac{f(2)-f(0)}{2-0}=4c^3-12c^2+8c$$

$4c(c^2-3c+2)=0$, $4c(c-1)(c-2)=0$

$0<c<2$이므로 $c=1$

🖋 (1) 1 (2) 1

개념 Check   90쪽

4

$f(x)=-x^3+6x$에서

$$f'(x)=-3x^2+6=-3(x+\sqrt{2})(x-\sqrt{2})$$
$$f'(x)=0에서 x=\pm\sqrt{2}$$

$f(x)$의 증감표는 다음과 같다.

x	$\cdots$	$-\sqrt{2}$	$\cdots$	$\sqrt{2}$	$\cdots$
$f'(x)$	$-$	0	$+$	0	$-$
$f(x)$	↘	극소	↗	극대	↘

함수 $f(x)$의

극댓값은 $f(\sqrt{2})=4\sqrt{2}$,

극솟값은 $f(-\sqrt{2})=-4\sqrt{2}$

이므로 $y=f(x)$의 그래프는 그림과 같다.

(1) 구간 $(-\infty, \infty)$에서 최댓값과 최솟값은 없다.

(2) $f(-1)=-5$, $f(2)=4$이므로 구간 $[-1, 2]$에서 최댓값은 $f(\sqrt{2})=4\sqrt{2}$, 최솟값은 $f(-1)=-5$

(3) $f(-2)=-4$, $f(3)=-9$이므로 구간 $[-2, 3]$에서 최댓값은 $f(\sqrt{2})=4\sqrt{2}$, 최솟값은 $f(3)=-9$

🖋 (1) 최댓값과 최솟값은 없다.
(2) 최댓값 : $4\sqrt{2}$, 최솟값 : -5
(3) 최댓값 : $4\sqrt{2}$, 최솟값 : -9

대표Q   91쪽~93쪽

대표 Q8

(1) $f(x)=x^3-4x^2+4x+1$에서

$$f'(x)=3x^2-8x+4=(3x-2)(x-2)$$

$f'(x)=0$에서 $x=\dfrac{2}{3}$ 또는 $x=2$

구간 $[0, 3]$에서 $f(x)$의 증감표는 다음과 같다.

x	0	$\cdots$	$\frac{2}{3}$	$\cdots$	2	$\cdots$	3
$f'(x)$		$+$	0	$-$	0	$+$	
$f(x)$	1	↗	극대	↘	극소	↗	4

함수 $f(x)$의

극댓값은 $f\left(\dfrac{2}{3}\right)=\dfrac{59}{27}$

극솟값은 $f(2)=1$

이므로 $y=f(x)$의 그래프는 그림과 같다.

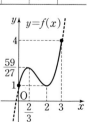

따라서 최댓값은 $f(3)=4$,

최솟값은 $f(0)=f(2)=1$

(2) $f(x)=-2x^3-3x^2+12x+5$에서
$f'(x)=-6x^2-6x+12=-6(x+2)(x-1)$
$f'(x)=0$에서 $x=-2$ 또는 $x=1$
구간 $[-4, 2]$에서 $f(x)$의 증감표는 다음과 같다.

x	-4	$\cdots$	-2	$\cdots$	1	$\cdots$	2
$f'(x)$		$-$	0	$+$	0	$-$	
$f(x)$	37	↘	극소	↗	극대	↘	1

함수 $f(x)$의
극댓값은 $f(1)=12$,
극솟값은 $f(-2)=-15$
이므로 $y=f(x)$의 그래프는
그림과 같다.
$f(-4)=37, f(2)=1$이므로
구간 $[-4, 2]$에서
최댓값은 $f(-4)=37$,
최솟값은 $f(-2)=-15$

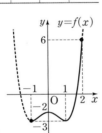

(3) $f(x)=x^4-2x^2-2$에서
$f'(x)=4x^3-4x=4x(x+1)(x-1)$
$f'(x)=0$에서 $x=-1$ 또는 $x=0$ 또는 $x=1$
구간 $[-1, 2]$에서 $f(x)$의 증감표는 다음과 같다.

x	-1	$\cdots$	0	$\cdots$	1	$\cdots$	2
$f'(x)$		$+$	0	$-$	0	$+$	
$f(x)$	-3	↗	극대	↘	극소	↗	6

함수 $f(x)$의
극댓값은 $f(0)=-2$
극솟값은 $f(1)=-3$
이므로 $y=f(x)$의 그래프는
그림과 같다.
따라서 최댓값은 $f(2)=6$,
최솟값은 $f(-1)=f(1)=-3$

🖐 (1) 최댓값 : 4, 최솟값 : 1
(2) 최댓값 : 37, 최솟값 : -15
(3) 최댓값 : 6, 최솟값 : -3

8-1
$f(x)=x^3-9x^2+24x+5$에서
$f'(x)=3x^2-18x+24=3(x-2)(x-4)$
$f'(x)=0$에서 $x=2$ 또는 $x=4$
$f(x)$의 증감표는 다음과 같다.

x	$\cdots$	2	$\cdots$	4	$\cdots$
$f'(x)$	$+$	0	$-$	0	$+$
$f(x)$	↗	극대	↘	극소	↗

함수 $f(x)$의
극댓값은 $f(2)=25$,
극솟값은 $f(4)=21$
이므로 $y=f(x)$의 그래프는
그림과 같다.

(1) $f(-1)=-29, f(3)=23$
이므로 구간 $[-1, 3]$에서 최댓값은 $f(2)=25$,
최솟값은 $f(-1)=-29$
(2) $f(0)=5, f(5)=25$이므로 구간 $[0, 5]$에서 최댓값
은 $f(2)=f(5)=25$, 최솟값은 $f(0)=5$

🖐 (1) 최댓값 : 25, 최솟값 : -29
(2) 최댓값 : 25, 최솟값 : 5

8-2
$f(x)=-x^4+4x^3-4x^2+6$에서
$f'(x)=-4x^3+12x^2-8x$
$\qquad =-4x(x-1)(x-2)$
$f'(x)=0$에서 $x=0$ 또는 $x=1$ 또는 $x=2$
$f(x)$의 증감표는 다음과 같다.

x	$\cdots$	0	$\cdots$	1	$\cdots$	2	$\cdots$
$f'(x)$	$+$	0	$-$	0	$+$	0	$-$
$f(x)$	↗	극대	↘	극소	↗	극대	↘

함수 $f(x)$의
극댓값은 $f(0)=6, f(2)=6$
극솟값은 $f(1)=5$
이므로 $y=f(x)$의 그래프는
그림과 같다.

(1) $f(-1)=-3, f(3)=-3$
이므로 구간 $[-1, 3]$에서
최댓값은 $f(0)=f(2)=6$,
최솟값은 $f(-1)=f(3)=-3$
(2) $f\left(\dfrac{1}{2}\right)=\dfrac{87}{16}, f(4)=-58$이므로 구간 $\left[\dfrac{1}{2}, 4\right]$에서
최댓값은 $f(2)=6$, 최솟값은 $f(4)=-58$

🖐 (1) 최댓값 : 6, 최솟값 : -3
(2) 최댓값 : 6, 최솟값 : -58

8-3

$f(x)=3x^4-4x^3-12x^2$이라 하면

$f'(x)=12x^3-12x^2-24x=12x(x+1)(x-2)$

$f'(x)=0$에서 $x=-1$ 또는 $x=0$ 또는 $x=2$

구간 $[-2, 3]$에서 $f(x)$의 증감표는 다음과 같다.

x	-2	$\cdots$	-1	$\cdots$	0	$\cdots$	2	$\cdots$	3
$f'(x)$		$-$	0	$+$	0	$-$	0	$+$	
$f(x)$	32	$\searrow$	극소	$\nearrow$	극대	$\searrow$	극소	$\nearrow$	27

함수 $f(x)$의

극댓값은 $f(0)=0$,

극솟값은 $f(-1)=-5$,

$f(2)=-32$

이므로 $y=|f(x)|$의 그래프

는 그림과 같다.

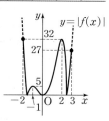

따라서 $y=|f(x)|$의 최댓값은

$|f(-2)|=|f(2)|=32$

답 32

참고 $f(x)=x^2(3x^2-4x-12)=0$에서

$x=0$ 또는 $x=\dfrac{2\pm2\sqrt{10}}{3}$

이 값에서 $|f(x)|$는 극소이다.

대표 09

⑴ $f(x)=x^3-12x+a$에서

$f'(x)=3x^2-12=3(x+2)(x-2)$

$f'(x)=0$에서 $x=\pm2$

구간 $[-4, 1]$에서 $f(x)$

의 증가와 감소를 조사하

면 그림과 같이

$x=-2$에서 최대이고

$x=-4$ 또는 $x=1$에서

최소이다.

최댓값이 10이므로 $f(-2)=10$에서

$-8+24+a=10$　$\therefore a=-6$

이때 $f(x)=x^3-12x-6$이고

$f(-4)=-22$, $f(1)=-17$

따라서 구간 $[-4, 1]$에서 최솟값은 $f(-4)=-22$

⑵ $f(x)=ax^3-3ax^2+2$가 삼차함수이므로 $a\neq0$이다.

$f'(x)=3ax^2-6ax=3ax(x-2)$

$f'(x)=0$에서 $x=0$ 또는 $x=2$

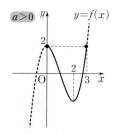

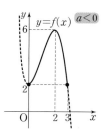

(i) $a>0$일 때

$x=0$ 또는 $x=3$에서 최대이고 $x=2$에서 최소이다.

그런데 $f(0)=f(3)=2$이고 최댓값이 6이므로

$a>0$일 수 없다.

(ii) $a<0$일 때

$x=2$에서 최대이고 $x=0$ 또는 $x=3$에서 최소이

다.

최댓값이 6이므로 $f(2)=6$에서

$8a-12a+2=6$　$\therefore a=-1$

이때 $f(x)=-x^3+3x^2+2$이고 $f(0)=f(3)=2$이

므로 최솟값은 2이다.

답 ⑴ $a=-6$, 최솟값 : -22　⑵ $a=-1$, 최솟값 : 2

9-1

$f(x)=-2x^3+3x^2+12x+a$에서

$f'(x)=-6x^2+6x+12=-6(x+1)(x-2)$

$f'(x)=0$에서 $x=-1$ 또는 $x=2$

구간 $[-1, 3]$에서 $f(x)$의 증

가와 감소를 조사하면 그림과

같이 $x=2$에서 최대이고

$x=-1$ 또는 $x=3$에서 최소이

다.

최댓값이 18이므로 $f(2)=18$

에서

$-16+12+24+a=18$　$\therefore a=-2$

이때 $f(x)=-2x^3+3x^2+12x-2$이고

$f(-1)=-9$, $f(3)=7$

따라서 구간 $[-1, 3]$에서 최솟값은 $f(-1)=-9$

답 $a=-2$, 최솟값 : -9

9-2

$f(x)=x^4-4x^3+a$에서

$f'(x)=4x^3-12x^2=4x^2(x-3)$

$f'(x)=0$에서 $x=0$ 또는 $x=3$

구간 $[-1, 4]$에서 $f(x)$의 증가와 감소를 조사하면 그림과 같이 $x=3$에서 최소이고 $x=-1$ 또는 $x=4$에서 최대이다.

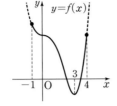

최솟값이 -7이므로

$f(3)=-7$에서

$81-108+a=-7$ $\therefore a=20$

이때 $f(x)=x^4-4x^3+20$이고

$f(-1)=25$, $f(4)=20$

따라서 구간 $[-1, 4]$에서 최댓값은 $f(-1)=25$

🅐 $a=20$, 최댓값 : 25

9-3

$f(x)=ax^4-4ax^3+b$에서

$f'(x)=4ax^3-12ax^2=4ax^2(x-3)$

$f'(x)=0$에서 $x=0$ 또는 $x=3$

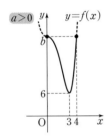 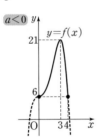

(ⅰ) $a>0$일 때

$x=3$에서 최소이고 $x=0$ 또는 $x=4$에서 최대이다.

최솟값이 6이므로

$f(3)=-27a+b=6$ ⋯ ㉠

최댓값이 21이므로

$f(0)=f(4)=b=21$

㉠에 대입하면 $a=\dfrac{5}{9}$

(ⅱ) $a<0$일 때

$x=3$에서 최대이고 $x=0$ 또는 $x=4$에서 최소이다.

최댓값이 21이므로

$f(3)=-27a+b=21$ ⋯ ㉡

최솟값이 6이므로

$f(0)=f(4)=b=6$

㉡에 대입하면 $a=-\dfrac{5}{9}$

따라서 $a=\dfrac{5}{9}$, $b=21$ 또는 $a=-\dfrac{5}{9}$, $b=6$이다.

🅐 $a=\dfrac{5}{9}$, $b=21$ 또는 $a=-\dfrac{5}{9}$, $b=6$

대표 010

$y=-x^2+2x=-(x-1)^2+1$이므로 이 곡선의 축은 직선 $x=1$이다.

그림과 같이 점 A의 x좌표를 a라 하면 $0<a<1$이고 $B(2-a, 0)$, $\overline{AB}=2(1-a)$, $\overline{AD}=-a^2+2a$이므로 직사각형 ABCD의 넓이를 $f(a)$라 하면

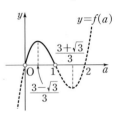

$f(a)=2(1-a)(-a^2+2a)=2a^3-6a^2+4a$

$f'(a)=6a^2-12a+4$

$f'(a)=0$에서 $3a^2-6a+2=0$ $\therefore a=\dfrac{3\pm\sqrt{3}}{3}$

$0<a<1$에서 $f(a)$의 증가와 감소를 조사하면 그림과 같이 $a=\dfrac{3-\sqrt{3}}{3}$에서 최대이다.

따라서 점 A의 좌표는 $\left(\dfrac{3-\sqrt{3}}{3}, 0\right)$

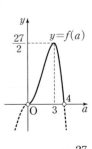

🅐 $\left(\dfrac{3-\sqrt{3}}{3}, 0\right)$

10-1

점 P의 x좌표를 a라 하면 $0<a<4$이고

$\overline{OH}=a$, $\overline{PH}=-a^2(a-4)$

삼각형 OPH의 넓이는

$\dfrac{1}{2}\times a\times\{-a^2(a-4)\}=-\dfrac{1}{2}a^4+2a^3$

$f(a)=-\dfrac{1}{2}a^4+2a^3$이라 하면

$f'(a)=-2a^3+6a^2=-2a^2(a-3)$

$f'(a)=0$에서 $a=0$ 또는 $a=3$

$0<a<4$에서 $f(a)$의 증가와 감소를 조사하면 그림과 같이 $a=3$에서 최대이다.

따라서 삼각형 OPH의 넓이의 최댓값은 $f(3)=\dfrac{27}{2}$

🅐 $\dfrac{27}{2}$

10-2

잘라 낸 정사각형의 한 변의 길이를 x cm라 하자.

직육면체의 가로, 세로, 높이는 각각 $(12-2x)$ cm,

$(6-2x)$ cm, x cm이므로 직육면체의 부피를 $f(x)$라

하면

$$f(x)=x(12-2x)(6-2x)=4x^3-36x^2+72x$$

$$f'(x)=12(x^2-6x+6)$$

$f'(x)=0$에서 $x=3\pm\sqrt{3}$

$0<x<3$이므로 이 범위에서

$f(x)$의 증가와 감소를 조사

하면 그림과 같이 $x=3-\sqrt{3}$

에서 최대이다.

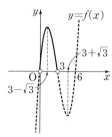

따라서 잘라 낸 정사각형의 한

변의 길이는 $(3-\sqrt{3})$ cm이다.

🔲 $(3-\sqrt{3})$ cm

연습과 실전 5 미분과 그래프

01 $\dfrac{14}{3}$　02 ①　03 1　04 ④　05 e　06 ⑤

07 ②　08 $a=1$, $b=-1$ 09 32π　10 ④

11 $1\leq a\leq 4$　12 ①

13 $a=-1$, 극댓값 : 6, 극솟값 : 2 14 $1<a<\dfrac{3}{2}$

15 -26 16 ③　17 8　18 12

19 최댓값 : 15, 최솟값 : -12　20 ①　21 $\dfrac{\sqrt{3}}{3}$

22 ①　23 ②

01

$f'(x)=3x^2-10x+a\leq 0$의 해가 $1\leq x\leq b$이므로

$3x^2-10x+a=0$의 해가 $x=1$ 또는 $x=b$이다.

근과 계수의 관계에서 $1+b=\dfrac{10}{3}$, $1\times b=\dfrac{a}{3}$이므로

$b=\dfrac{7}{3}$, $a=7$　∴ $a-b=7-\dfrac{7}{3}=\dfrac{14}{3}$

🔲 $\dfrac{14}{3}$

02

삼차함수 $f(x)$가 역함수가 존재하므로 일대일대응이고

$f(x)$의 최고차항의 계수가 양수이므로 실수 전체의 집합

에서 $f(x)$는 증가한다.

$f'(x)=x^2-2ax+3a\geq 0$이므로

$f'(x)=x^2-2ax+3a=0$에서

$$\dfrac{D}{4}=a^2-3a\leq 0$$

$a(a-3)\leq 0$　∴ $0\leq a\leq 3$

따라서 a의 최댓값은 3이다.

🔲 ①

03

$f(x)=x^3-3ax^2+4a$라 하자.

$f'(x)=3x^2-6ax=3x(x-2a)$

$f'(x)=0$에서 $x=0$ 또는 $x=2a$

$a>0$이므로 $f(x)$의 증감표는 다음과 같다.

x	$\cdots$	0	$\cdots$	$2a$	$\cdots$
$f'(x)$	+	0	−	0	+
$f(x)$	↗	극대	↘	극소	↗

$y=f(x)$의 그래프가 x축에 접하면

$f(0)=0$ 또는 $f(2a)=0$

$f(0)=0$일 때 $4a=0$　∴ $a=0$

$f(2a)=0$일 때 $8a^3-12a^3+4a=0$, $-4a(a^2-1)=0$

∴ $a=0$ 또는 $a=\pm 1$

그런데 $a>0$이므로 $a=1$

🔲 1

04

삼차함수 $f(x)$가 극댓값과 극솟값을 모두 가지므로 이차

방정식 $f'(x)=0$은 서로 다른 두 실근을 가진다.

$f'(x)=x^2-2ax+2a+3=0$에서

$$\dfrac{D}{4}=a^2-2a-3>0$$

$(a+1)(a-3)>0$　∴ $a<-1$ 또는 $a>3$

따라서 a의 값 중 가장 작은 자연수는 4이다.

🔲 ④

05

$h'(x)=f'(x)-g'(x)$이므로 $h'(x)=0$에서

$x=b$ 또는 $x=e$

$y=f'(x)$, $y=g'(x)$의 그래프에서
$x<b$이면 $f'(x)<g'(x)$,
$b<x<e$이면 $f'(x)>g'(x)$,
$x>e$이면 $f'(x)<g'(x)$이므로
$h(x)$의 증감는 다음과 같다.

x	$\cdots$	b	$\cdots$	e	$\cdots$
$h'(x)$	$-$	0	$+$	0	$-$
$h(x)$	$\searrow$	극소	$\nearrow$	극대	$\searrow$

따라서 $h(x)$는 $x=e$에서 극대이다.

답 e

06

$f'(x)=0$인 x는 -1과 2이고 $y=f'(x)$의 그래프에서
함숫값의 부호를 보고 증감표를 만들면 다음과 같다.

x	$\cdots$	-1	$\cdots$	2	$\cdots$
$f'(x)$	$-$	0	$-$	0	$+$
$f(x)$	$\searrow$		$\searrow$	극소	$\nearrow$

따라서 $y=f(x)$의 그래프가 될 수 있는 것은 ⑤이다.

답 ⑤

07

$f(x)=x^4-8x^2+4$에서
$f'(x)=4x^3-16x=4x(x+2)(x-2)$
$f'(x)=0$에서 $x=0$ 또는 $x=\pm2$
구간 $[-1, 2]$에서 $f(x)$의 증감
을 조사하면 그림과 같이 $x=0$
에서 최대이고 $x=-1$ 또는
$x=2$에서 최소이다.
$f(0)=4$이므로 최댓값은 4
$f(-1)=1-8+4=-3$
$f(2)=16-32+4=-12$
이므로 최솟값은 -12
따라서 최댓값과 최솟값의 합은
$4+(-12)=-8$

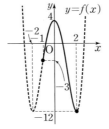

답 ②

08

$f(x)=2ax^3-3ax^2+b$에서
$f'(x)=6ax^2-6ax=6ax(x-1)$
$f'(x)=0$에서 $x=0$ 또는 $x=1$

$a>0$이므로 구간 $[0, 2]$에서 $f(x)$
의 증감을 조사하면 그림과 같이
$x=1$에서 최소이고 $x=0$ 또는
$x=2$에서 최대이다.
최솟값이 -2이므로 $f(1)=-2$에서
$-a+b=-2$ $\cdots$ ㉠
$f(0)=b$, $f(2)=4a+b$이고,
$b<4a+b$이므로 $x=2$에서 최대이다.
이때 최댓값이 3이므로 $f(2)=3$
$4a+b=3$ $\cdots$ ㉡
㉠, ㉡을 연립하여 풀면 $a=1$, $b=-1$

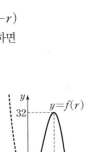

답 $a=1$, $b=-1$

09

밑면의 반지름의 길이를 r, 높이를 h라 하고 원기둥의 부
피를 V라 하자.
$r+h=6$이므로 $V=\pi r^2 h=\pi r^2(6-r)$
$f(r)=r^2(6-r)=-r^3+6r^2$이라 하면
$f'(r)=-3r^2+12r=-3r(r-4)$
$f'(r)=0$에서 $r=0$ 또는 $r=4$
$0<r<6$이므로 이 범위에서
$f(r)$의 증감을 조사하면 그림과
같이 $r=4$에서 최대이다.
$f(4)=-64+96=32$
따라서 원기둥의 부피의 최댓값
은 32π이다.

답 32π

10 전략 α, β가 $f'(x)=0$의 해임을 이용한다.

$f(x)=ax^3+bx^2+cx+d$에서
$f'(x)=3ax^2+2bx+c$
$f(x)$가 $x=\alpha$, $x=\beta$에서 극값을 가지므로
α, β가 방정식 $f'(x)=0$, 곧 $3ax^2+2bx+c=0$의 해이다.
$\alpha<0$, $\beta>0$, $|\beta|>|\alpha|$이므로 근과 계수의 관계에서
$\alpha+\beta=-\dfrac{2b}{3a}>0$, $\alpha\beta=\dfrac{c}{3a}<0$ $\cdots$ ㉠
$y=f(x)$의 그래프에서 x^3의 계수가 양수이므로 $a>0$
이때 ㉠에서 $b<0$, $c<0$
$\therefore |b+c|-|b|+|c|=-(b+c)-(-b)+(-c)$
$\qquad\qquad\qquad\qquad =-2c$

답 ④

11 **전략** 함수 $f(x)$에서 임의의 두 실수 x_1, x_2에 대하여 $x_1 < x_2$일 때 $f(x_1) > f(x_2)$이면 $f(x)$는 감소함수이다.

두 실수 x_1, x_2에 대하여 $x_1 < x_2$일 때 $f(x_1) > f(x_2)$가 항상 성립하면 함수 $f(x)$는 실수 전체에서 감소한다.
따라서 모든 실수 x에 대하여 $f'(x) \leq 0$이다.
$f'(x) = -3x^2 + 2(a-1)x - (a-1) \leq 0$
$3x^2 - 2(a-1)x + a - 1 \geq 0$이므로
$3x^2 - 2(a-1)x + a - 1 = 0$에서
$\dfrac{D}{4} = (a-1)^2 - 3(a-1) \leq 0$
$(a-1)(a-4) \leq 0$ ∴ $1 \leq a \leq 4$

답 $1 \leq a \leq 4$

12 **전략** $f'(x) = 0$의 해를 찾고 $y = f(x)$의 그래프를 생각한다.

$f'(x) = -6x^2 + 2(a+2)x = -2x(3x - a - 2)$
$f'(x) = 0$에서 $x = 0$ 또는 $x = \dfrac{a+2}{3}$
$f(x)$의 x^3의 계수가 음수이므로
$\dfrac{a+2}{3} < 0$이면 $f(x)$는 $x = 0$에서 극대이고 구간 $(0, 5)$에서 감소한다.
$\dfrac{a+2}{3} = 0$이면 $f(x) = -2x^3$이므로 구간 $(0, 5)$에서 감소한다.
$\dfrac{a+2}{3} > 0$이면 $y = f(x)$의
그래프는 그림과 같으므로
$f(x)$가 구간 $(0, 5)$에서 증가하려면
$\dfrac{a+2}{3} \geq 5$ ∴ $a \geq 13$

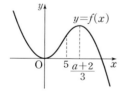

따라서 실수 a의 최솟값은 13이다.

답 ①

13 **전략** $x = a$에서 극값을 가지면 $f'(a) = 0$이다.

$f'(x) = 3x^2 + 6(a-1)x + 3(a^2 - 2a)$
$f(x)$가 $x = 1$에서 극대이므로 $f'(1) = 0$
$3 + 6(a-1) + 3(a^2 - 2a) = 0$, $3a^2 - 3 = 0$
∴ $a = -1$ 또는 $a = 1$

(i) $a = -1$일 때
$f(x) = x^3 - 6x^2 + 9x + 2$이고
$f'(x) = 3x^2 - 12x + 9 = 3(x-1)(x-3)$
$f'(x) = 0$에서 $x = 1$ 또는 $x = 3$
$f(x)$의 증감표는 다음과 같다.

x	$\cdots$	1	$\cdots$	3	$\cdots$
$f'(x)$	+	0	−	0	+
$f(x)$	↗	극대	↘	극소	↗

따라서 $f(x)$의 극댓값은 $f(1) = 6$
극솟값은 $f(3) = 2$

(ii) $a = 1$일 때
$f(x) = x^3 - 3x + 2$이고
$f'(x) = 3x^2 - 3 = 3(x+1)(x-1)$
$f'(x) = 0$에서 $x = -1$ 또는 $x = 1$
$f(x)$의 증감표는 다음과 같다.

x	$\cdots$	-1	$\cdots$	1	$\cdots$
$f'(x)$	+	0	−	0	+
$f(x)$	↗	극대	↘	극소	↗

따라서 $f(x)$가 $x = 1$에서 극소이므로 주어진 조건을 만족하지 않는다.
(i), (ii)에서 $a = -1$이고, $f(x)$의 극댓값은 6, 극솟값은 2이다.

답 $a = -1$, 극댓값 : 6, 극솟값 : 2

14 **전략** $f'(x) = 0$의 해의 범위에 대한 문제이다. $y = f'(x)$의 그래프를 생각한다.

$f'(x) = -6x^2 + 2ax + 4a^2$
$f'(x) = 0$의 해를 α, β $(\alpha < \beta)$라 하면
$f(x)$의 증감표는 다음과 같다.

x	$\cdots$	α	$\cdots$	β	$\cdots$
$f'(x)$	−	0	+	0	−
$f(x)$	↘	극소	↗	극대	↘

$f(x)$가 $x = \alpha$에서 극소, $x = \beta$에서 극대이므로 주어진 조건에서
$-1 < \alpha < 1$, $\beta > 1$
곧, $y = f'(x)$의 그래프가 그림과 같으므로

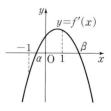

$f'(-1)<0, f'(1)>0$

$f'(-1)<0$에서

$4a^2-2a-6<0, (a+1)(2a-3)<0$

$\therefore -1<a<\dfrac{3}{2}$ $\qquad\cdots$ ㉠

$f'(1)>0$에서

$4a^2+2a-6>0, (2a+3)(a-1)>0$

$\therefore a<-\dfrac{3}{2}$ 또는 $a>1$ $\qquad\cdots$ ㉡

㉠, ㉡의 공통부분은 $1<a<\dfrac{3}{2}$

🔵 $1<a<\dfrac{3}{2}$

15 〔전략〕 $f(x)=x^3+ax^2+bx$라 하고 조건을 만족시키는 $f'(x)$를 먼저 구한다.

삼차함수 $f(x)$의 최고차항의 계수가 1이고, $f(0)=0$이므로

$f(x)=x^3+ax^2+bx$

라 하면

$f'(x)=3x^2+2ax+b$

조건 ㈎에서 $x=4$에서 극소이므로

$f'(4)=0$ $\qquad\cdots$ ㉠

또 조건 ㈏에서 $f'(1-3)=f'(1+3)$이므로

$f'(-2)=0$ $\qquad\cdots$ ㉡

따라서 $f'(x)$의 최고차항의 계수가 3이고, ㉠, ㉡에 의해 $f'(x)=0$의 두 근이 -2와 4이므로

$f'(x)=3(x+2)(x-4)=3x^2-6x-24$

$2a=-6$에서 $a=-3$이고, $b=-24$이므로

$f(x)=x^3-3x^2-24x$

$\therefore f(1)=1-3-24=-26$

🔵 -26

16 〔전략〕 모든 실수 x에 대하여 $f(-x)=f(x)$이므로 사차함수 $f(x)=ax^4+bx^2+c$ $(a\neq0)$라 놓고 조건을 만족시키는 $f(x)$를 구한다.

조건 ㈎에 의하여 사차함수 $y=f(x)$는 다음과 같이 놓을 수 있다.

$f(x)=ax^4+bx^2+c$ $(a\neq0$이고 a, b, c는 정수)

조건 ㈏에서 $f(0)=3$, $f(1)=0$이므로

$c=3, a+b=-3$ $\qquad\cdots$ ㉠

$f'(x)=4ax^3+2bx$에서 $f'(1)=4a+2b$이므로

조건 ㈐에서 $-8<4a+2b<-2$이다.

$b=-3-a$를 대입하면

$-2<2a<4, -1<a<2$

a는 0이 아닌 정수이므로 $a=1, b=-4$

$f(x)=x^4-4x^2+3, f'(x)=4x^3-8x$

$f'(x)=0$에서 $4x^3-8x=0$

$x(x^2-2)=x(x+\sqrt{2})(x-\sqrt{2})=0$

따라서 $x=0$ 또는 $x=\pm\sqrt{2}$에서 극값을 가진다.

함수 $y=f(x)$는 최고차항의 계수가 양수인 사차함수이므로 $x=-\sqrt{2}$와 $x=\sqrt{2}$에서 극솟값을 가진다.

$\therefore f(-\sqrt{2})=f(\sqrt{2})=-1$

🔵 ③

17 〔전략〕 $f(x)$가 다항함수이고 $f(a)=0$일 때, $|f(x)|$가 $x=a$에서 미분가능하면 $x=a$인 점에서 곡선 $y=f(x)$의 접선의 기울기는 0, 곧 $f'(a)=0$이다.

[그림 1]과 같이 삼차함수 $f(x)$의 그래프가 $x=a$에서 x축과 만나면 $|f(x)|$는 $x=a$에서 미분가능하지 않다. 그러나 [그림 2]처럼 삼차함수 $f(x)$의 그래프가 $x=a$에서 x축에 접하면 $|f(x)|$는 $x=a$에서 미분가능하다.

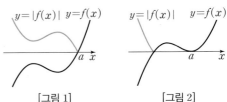

[그림 1] [그림 2]

따라서 $y=f(x)$의 그래프가 그림과 같이 $x=2$인 점에서 x축과 만나고, $x=5$인 점에서 x축에 접한다.

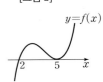

또, 삼차항의 계수는 2이므로

$f(x)=2(x-2)(x-5)^2$

$f'(x)=2(x-5)^2+4(x-2)(x-5)$

$\qquad=6(x-3)(x-5)$

$f'(x)=0$에서 $x=3$ 또는 $x=5$이므로 $x=3$에서 극대이다.

$\therefore f(3)=8$

🔵 8

18 **전략** 극값과 구간의 양 끝 점의 함숫값을 비교한다.

$f'(x)=3x^2+2ax-a^2$이므로 $f'(x)=0$에서

$3x^2+2ax-a^2=(x+a)(3x-a)=0$

$f(x)$의 최고차항의 계수가 양수이고

$a>0$이므로 그림과 같이 $x=-a$에서

극대, $x=\dfrac{a}{3}$에서 극소이다.

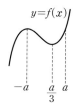

구간 $[-a, a]$에서 극솟값이 최솟값이

므로 최솟값은

$f\left(\dfrac{a}{3}\right)=\dfrac{a^3}{27}+\dfrac{a^3}{9}-\dfrac{a^3}{3}+2=\dfrac{14}{27}$

$a^3=8$ ∴ $a=2$

$f(x)=x^3+2x^2-4x+2$

최댓값은 $f(-2)$ 또는 $f(2)$이므로

$f(-2)=f(2)=10$

따라서 최댓값 M은 10이므로

$a+M=2+10=12$

답 12

19 **전략** $g(x)=t$로 놓고 t의 범위에서 $f(t)$의 증감을 조사한다.

$g(x)=x^2-2x=(x-1)^2-1$이고

$g(1)=-1$, $g(3)=3$이므로 $0\le x\le 3$에서

$-1\le g(x)\le 3$

$(f\circ g)(x)=f(g(x))$에서 $g(x)=t$라 하면 $-1\le t\le 3$

이고

$f(t)=-2t^3+3t^2+12t-5$

$f'(t)=-6t^2+6t+12=-6(t+1)(t-2)$

$f'(t)=0$에서 $t=-1$ 또는 $t=2$

$-1\le t\le 3$에서 $f(t)$의 증감을

조사하면 그림과 같이 $t=2$에서

최대이고 $t=-1$ 또는 $t=3$에

서 최소이다.

$f(2)=15$

이므로 최댓값은 15

$f(-1)=-12$, $f(3)=4$

이므로 최솟값은 -12

답 최댓값 : 15, 최솟값 : -12

20 **전략** $x^2+3y^2=9$를 이용하여 구하는 식에서 한 문자를 소거한다. 이때 문자의 범위에 주의한다.

$x^2+3y^2=9$에서 $y^2=\dfrac{1}{3}(9-x^2)$ ⋯ ㉠

$y^2\ge 0$이므로 $\dfrac{1}{3}(9-x^2)\ge 0$ ∴ $-3\le x\le 3$

㉠을 x^2+xy^2에 대입하면

$x^2+xy^2=x^2+x\times\dfrac{1}{3}(9-x^2)$

$=-\dfrac{1}{3}x^3+x^2+3x$

$f(x)=-\dfrac{1}{3}x^3+x^2+3x$라 하면

$f'(x)=-x^2+2x+3=-(x+1)(x-3)$

$f'(x)=0$에서 $x=-1$ 또는 $x=3$

구간 $[-3, 3]$에서 $f(x)$의 증감표는 다음과 같다.

x	-3	$\cdots$	-1	$\cdots$	3
$f'(x)$		$-$	0	$+$	
$f(x)$	9	↘	극소	↗	9

따라서 $f(x)$가 $x=-1$에서 극소이면서 최소이므로 최

솟값은

$f(-1)=-\dfrac{5}{3}$

답 ①

21 **전략** 점 A, B, C의 좌표를 구하고 삼각형 OBC, BAC의 넓이를 구한다.

두 곡선 $y=x^3$, $y=-x^3+2x$의 교점의 x좌표는

$x^3=-x^3+2x$, $2x(x^2-1)=0$

∴ $x=0$ 또는 $x=\pm1$

점 A는 제1사분면의 점이므로 A$(1, 1)$이다.

또 두 곡선과 직선 $x=k$가 만나는 두 점 B, C의 좌표는

B(k, k^3), C$(k, -k^3+2k)$이므로

$\overline{\text{BC}}=-k^3+2k-k^3=-2k^3+2k$

점 O와 직선 BC 사이의 거리는 k, 점 A와 직선 BC 사

이의 거리는 $1-k$이므로 사각형 OBAC의 넓이는

□OBAC$=\triangle$OBC$+\triangle$BAC

$=\dfrac{1}{2}\overline{\text{BC}}\times k+\dfrac{1}{2}\overline{\text{BC}}\times(1-k)$

$=\dfrac{1}{2}\overline{\text{BC}}=-k^3+k$

$f(k)=-k^3+k$라 하면 $f'(k)=-3k^2+1$

$f'(k)=0$에서 $k=\pm\dfrac{\sqrt{3}}{3}$

$0<k<1$에서 $f(k)$의 증감을
조사하면 그림과 같이 $k=\dfrac{\sqrt{3}}{3}$
에서 □OBAC의 넓이가 최대
이다.

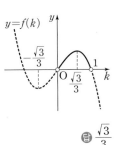

답 $\dfrac{\sqrt{3}}{3}$

$0<x<3$에서 $f(x)$의 증감
을 조사하면 그림과 같이
$x=2$에서 최대이다.

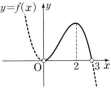

$f(2)=-2^3+3\times 2^2$
$\quad\ =4$

따라서 직육면체의 부피의 최댓값은

$\dfrac{\sqrt{2}}{2}\times 4=2\sqrt{2}$

답 ①

22 전략 피타고라스 정리와 도형의 닮음을 이용하여 직육면체의 부피를 다항식으로 나타낸다.

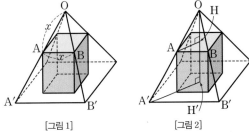

[그림 1]　　　　[그림 2]

직육면체의 밑면은 정사각뿔의 밑면과 닮은 도형이므로
정사각형이다. 이 정사각형의 한 변의 길이를 x라 하자.
정사각뿔의 옆면이 정삼각형이므로 [그림 1]에서 삼각형
OAB는 한 변의 길이가 x $(0<x<3)$인 정삼각형이다.
또 [그림 2]와 같이 점 O에서 정사각뿔의 밑면에 수선을
내릴 때, 직육면체의 윗면, 아랫면과 만나는 점을 각각 H,
H$'$이라 하자.
정사각뿔 밑면의 대각선의 길이가 $3\sqrt{2}$이므로

$\overline{\text{A}'\text{H}'}=\dfrac{3\sqrt{2}}{2}$, $\overline{\text{OH}'}=\sqrt{3^2-\left(\dfrac{3\sqrt{2}}{2}\right)^2}=\dfrac{3\sqrt{2}}{2}$

두 삼각형 OAH와 OA$'$H$'$이 닮음이므로

$\overline{\text{OH}}:\overline{\text{OH}'}=x:3$, $\overline{\text{OH}}:\dfrac{3\sqrt{2}}{2}=x:3$

$\therefore\ \overline{\text{OH}}=\dfrac{\sqrt{2}x}{2}$

$\overline{\text{HH}'}=\overline{\text{OH}'}-\overline{\text{OH}}=\dfrac{3\sqrt{2}}{2}-\dfrac{\sqrt{2}x}{2}=\dfrac{\sqrt{2}(3-x)}{2}$

곧, 직육면체의 부피는 $\dfrac{\sqrt{2}}{2}x^2(3-x)$

$f(x)=x^2(3-x)=-x^3+3x^2$이라 하면

$f'(x)=-3x^2+6x=-3x(x-2)$

$f'(x)=0$에서 $x=0$ 또는 $x=2$

23 전략 주어진 함수의 그래프를 이용하여 $y=f(x)g(x)$
의 그래프를 그린다.

그래프에서 $f(a)=0$, $f(c)=g(c)=0$, $f(e)=0$이므로
함수 $y=f(x)g(x)$는 $x=a$, $x=c$, $x=e$에서 함숫값이
0이다.
$x<a$에서 $f(x)g(x)>0$, $a<x<e$에서 $f(x)g(x)\leq 0$,
$x>e$에서 $f(x)g(x)>0$이다.
또 $x=p$, $x=q$에서 극소이므
로 $y=f(x)g(x)$의 그래프는
그림과 같다.
$h(x)=f(x)g(x)$라 하자.
$h'(x)=f'(x)g(x)+f(x)g'(x)\quad\cdots\text{㉠}$
이고 $x=b$에서 $f'(b)=0$, $g(b)<0$, $f(b)>0$,
$g'(b)>0$이므로 ㉠에서 $h'(b)>0$
곧, $x=b$에서 $h(x)$는 증가하므로 $p<b<c$
$\therefore\ a<p<b$
$x=d$에서 $f'(d)=0$, $g(d)>0$, $f(d)<0$, $g'(d)>0$이
므로 ㉠에서 $h'(d)<0$
곧, $x=d$에서 $h(x)$는 감소하므로 $c<d<q$
$\therefore\ d<q<e$
따라서 옳은 것은 ②이다.

답 ②

6 미분의 활용

1

(1) $f(x)=x^3-3x+3$이라 하자.

$f'(x)=3x^2-3=3(x+1)(x-1)$

$f'(x)=0$에서 $x=-1$ 또는 $x=1$

$f(x)$의 증감표는 다음과 같다.

x	$\cdots$	-1	$\cdots$	1	$\cdots$
$f'(x)$	$+$	0	$-$	0	$+$
$f(x)$	$\nearrow$	5	$\searrow$	1	$\nearrow$

따라서 $y=f(x)$의 그래프
는 그림과 같고 x축과 한
점에서 만나므로 방정식의
실근의 개수는 1이다.

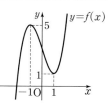

(2) $f(x)=x^3+x^2+2x-3$이라 하자.

$f'(x)=3x^2+2x+2>0$

이므로 $y=f(x)$의 그래프는 그
림과 같다.

따라서 $y=f(x)$의 그래프는 x축
과 한 점에서 만나므로 방정식의
실근의 개수는 1이다.

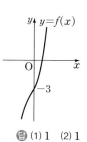

🔴 (1) 1　(2) 1

2

(1) $f(x)=x^4-2x^2-1$이라 하자.

$f'(x)=4x^3-4x=4x(x+1)(x-1)$

$f'(x)=0$에서 $x=-1$ 또는 $x=0$ 또는 $x=1$

$f(x)$의 증감표는 다음과 같다.

x	$\cdots$	-1	$\cdots$	0	$\cdots$	1	$\cdots$
$f'(x)$	$-$	0	$+$	0	$-$	0	$+$
$f(x)$	$\searrow$	-2	$\nearrow$	-1	$\searrow$	-2	$\nearrow$

따라서 $y=f(x)$의 그래프는
그림과 같고 x축과 두 점에
서 만나므로 방정식의 실근
의 개수는 2이다.

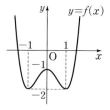

(2) $f(x)=3x^4-4x^3-12x^2+4$라 하자.

$f'(x)=12x^3-12x^2-24x=12x(x+1)(x-2)$

$f'(x)=0$에서 $x=-1$ 또는 $x=0$ 또는 $x=2$

$f(x)$의 증감표는 다음과 같다.

x	$\cdots$	-1	$\cdots$	0	$\cdots$	2	$\cdots$
$f'(x)$	$-$	0	$+$	0	$-$	0	$+$
$f(x)$	$\searrow$	-1	$\nearrow$	4	$\searrow$	-28	$\nearrow$

따라서 $y=f(x)$의 그래프
는 그림과 같고 x축과 네
점에서 만나므로 방정식의
실근의 개수는 4이다.

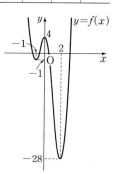

(3) $f(x)=3x^4+4x^3+4$라 하자.

$f'(x)=12x^3+12x^2=12x^2(x+1)$

$f'(x)=0$에서 $x=-1$ 또는 $x=0$ (중근)

$f(x)$의 증감표는 다음과 같다.

x	$\cdots$	-1	$\cdots$	0	$\cdots$
$f'(x)$	$-$	0	$+$	0	$+$
$f(x)$	$\searrow$	3	$\nearrow$	4	$\nearrow$

따라서 $y=f(x)$의 그래프는
그림과 같고 x축과 만나지 않
으므로 방정식의 실근의 개수
는 0이다.

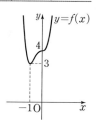

🔴 (1) 2　(2) 4　(3) 0

3

$f(x)=x^3-3x+a$라 하면

$f'(x)=3x^2-3=3(x+1)(x-1)$

$f'(x)=0$에서 $x=-1$ 또는 $x=1$

$-2<x<2$에서 $f(x)$의 증감표는 다음과 같다.

x	(-2)	$\cdots$	-1	$\cdots$	1	$\cdots$	(2)
$f'(x)$		$+$	0	$-$	0	$+$	
$f(x)$		$\nearrow$	극대	$\searrow$	극소	$\nearrow$	

따라서 $-2<x<2$에서

$f(x)>0$이려면

$f(-2)=-2+a>0$이고

$f(1)=-2+a>0$

$\therefore a>2$

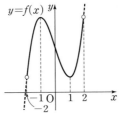

🔒 $a>2$

4

$f(x)=x^4+4x+a$라 하면

$f'(x)=4x^3+4=4(x+1)(x^2-x+1)$

$f'(x)=0$의 실근은 $x=-1$

$f(x)$의 증감표와 그래프는 다음과 같다.

x	$\cdots$	-1	$\cdots$
$f'(x)$	$-$	0	$+$
$f(x)$	$\searrow$	극소	$\nearrow$

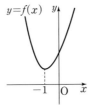

$f(x)$는 $x=-1$에서 극소이고 최

소이다.

따라서 $f(x)\geq0$이려면 $f(-1)\geq0$이어야 한다.

$1-4+a\geq0$ $\therefore a\geq3$

🔒 $a\geq3$

대표Q   103쪽~107쪽

대표 01

$f(x)=x^3+3x^2-9x+k$라 하면

$f'(x)=3x^2+6x-9=3(x+3)(x-1)$

$f'(x)=0$에서 $x=-3$ 또는 $x=1$

$f(x)$의 증감표는 다음과 같다.

x	$\cdots$	-3	$\cdots$	1	$\cdots$
$f'(x)$	$+$	0	$-$	0	$+$
$f(x)$	$\nearrow$	$27+k$	$\searrow$	$-5+k$	$\nearrow$

(1) $y=f(x)$의 그래프가 그림과

같으므로

$f(-3)>0$, $f(1)<0$에서

$27+k>0$, $-5+k<0$

$\therefore -27<k<5$

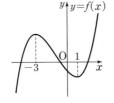

(2) $y=f(x)$의 그래프가 그림과

같으므로

$f(-3)>0$, $f(0)>0$,

$f(1)<0$에서

$27+k>0$, $k>0$,

$-5+k<0$ $\therefore 0<k<5$

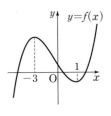

(3) $y=f(x)$의 그래프가 그림과

같으므로

$f(-3)<0$에서 $27+k<0$

$\therefore k<-27$

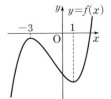

다른 풀이

$x^3+3x^2-9x=-k$에서 $f(x)=x^3+3x^2-9x$라 하면

$f'(x)=3x^2+6x-9=3(x+3)(x-1)$

$f'(x)=0$에서 $x=-3$ 또는 $x=1$

$f(x)$의 증감표는 다음과 같다.

x	$\cdots$	-3	$\cdots$	1	$\cdots$
$f'(x)$	$+$	0	$-$	0	$+$
$f(x)$	$\nearrow$	27	$\searrow$	-5	$\nearrow$

(1) 서로 다른 세 실근을 가

지면

$-5<-k<27$

$\therefore -27<k<5$

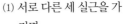

(2) 음의 실근 한 개와 서

로 다른 두 양의 실근

을 가지면

$-5<-k<0$ $\therefore 0<k<5$

(3) 양의 실근 한 개와 두 허근을 가지면

$-k>27$ $\therefore k<-27$

🔒 (1) $-27<k<5$ (2) $0<k<5$ (3) $k<-27$

1-1

$f(x)=3x^4-8x^3-6x^2+24x-k$라 하면

$f'(x)=12x^3-24x^2-12x+24$

$\qquad =12x^2(x-2)-12(x-2)$

$\qquad =12(x^2-1)(x-2)$

$\qquad =12(x+1)(x-1)(x-2)$

$f'(x)=0$에서 $x=-1$ 또는 $x=1$ 또는 $x=2$

$f(x)$의 증감표는 다음과 같다.

x	$\cdots$	-1	$\cdots$	1	$\cdots$	2	$\cdots$
$f'(x)$		$-$	0	$+$	0	$-$	0	$+$
$f(x)$	$\searrow$	$-19-k$	$\nearrow$	$13-k$	$\searrow$	$8-k$	$\nearrow$

x	$\cdots$	-1	$\cdots$	1	$\cdots$	2	$\cdots$
$f'(x)$		$-$	0	$+$	0	$-$	0	$+$
$f(x)$	$\searrow$	-19	$\nearrow$	13	$\searrow$	8	$\nearrow$

(1) $y=f(x)$의 그래프가 그림과
 같으므로
$$f(-1)<0, f(1)>0,$$
 $f(2)<0$에서
$$-19-k<0, 13-k>0,$$
 $8-k<0$
$$\therefore 8<k<13$$

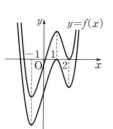

(2) $y=f(x)$의 그래프가 그림과
 같으므로
$$f(1)=0 \text{ 또는 } f(2)=0$$
$$\therefore k=8 \text{ 또는 } k=13$$

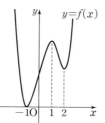

(3) $y=f(x)$의 그래프가 그림과
 같으므로
$$f(-1)=0 \qquad \therefore k=-19$$

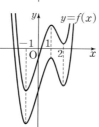

(4) $y=f(x)$의 그래프가 그림과
 같으므로
$$f(-1)<0, f(2)>0$$
 또는 $f(1)<0$
$$-19-k<0, 8-k>0$$
 또는 $13-k<0$
$$\therefore -19<k<8 \text{ 또는 } k>13$$

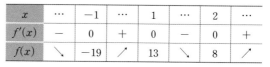

다른 풀이

$3x^4-8x^3-6x^2+24x=k$에서
$f(x)=3x^4-8x^3-6x^2+24x$라 하면
$$\begin{aligned} f'(x) &= 12x^3-24x^2-12x+24 \\ &= 12x^2(x-2)-12(x-2) \\ &= 12(x^2-1)(x-2) \\ &= 12(x+1)(x-1)(x-2) \end{aligned}$$
$f'(x)=0$에서 $x=-1$ 또는 $x=1$ 또는 $x=2$
$f(x)$의 증감표는 다음과 같다.

(1) 서로 다른 네 실근을 가지면
$$8<k<13$$
(2) 중근 한 개와 서로 다른 두
 실근을 가지면
$$k=8 \text{ 또는 } k=13$$
(3) 중근 한 개와 두 허근을 가지
 면 $k=-19$
(4) 서로 다른 두 실근과 두 허근을 가지면
$$-19<k<8 \text{ 또는 } k>13$$

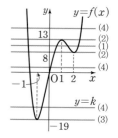

답 (1) $8<k<13$ (2) $8, 13$ (3) -19
(4) $-19<k<8$ 또는 $k>13$

대표 02

$x^3-2x+1=x+k$에서 $x^3-3x+1=k$
$f(x)=x^3-3x+1$이라 하면
$$f'(x)=3x^2-3=3(x+1)(x-1)$$
$f'(x)=0$에서 $x=-1$ 또는 $x=1$
$f(x)$의 증감표는 다음과 같다.

x	$\cdots$	-1	$\cdots$	1	$\cdots$
$f'(x)$	$+$	0	$-$	0	$+$
$f(x)$	$\nearrow$	3	$\searrow$	-1	$\nearrow$

(1) $y=f(x)$의 그래프와 직선
 $y=k$가 서로 다른 세 점에
 서 만나면
$$-1<k<3$$

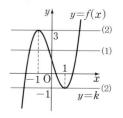

(2) $y=f(x)$의 그래프와 직선 $y=k$가 서로 다른 두 점에
 서 만나면
$$k=-1 \text{ 또는 } k=3$$

다른 풀이

그림에서 직선 $y=x+k$는 곡선
$y=x^3-2x+1$에 접하고 기울
기가 1인 접선의 방정식과 같으
므로
$f(x)=x^3-2x+1$이라 하면
$$f'(x)=3x^2-2$$

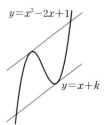

접점의 좌표를 $(a, f(a))$라 하면 접선의 기울기가 1이므로

$f'(a)=3a^2-2=1$ $\therefore a=\pm1$

이때 $f(-1)=-1+2+1=2, f(1)=1-2+1=0$

따라서 접선의 방정식은 $y=x-1, y=x+3$이다.

(1) 서로 다른 세 점에서 만나면

  $-1<k<3$

(2) 서로 다른 두 점에서 만나면

  $k=-1$ 또는 $k=3$

📗 (1) $-1<k<3$ (2) $-1, 3$

2-1

$x^4-2x^2-2x-1=-2x+k$에서

$x^4-2x^2-1=k$

$f(x)=x^4-2x^2-1$이라 하면

$f'(x)=4x^3-4x=4x(x+1)(x-1)$

$f'(x)=0$에서 $x=-1$ 또는 $x=0$ 또는 $x=1$

$f(x)$의 증감표는 다음과 같다.

x	$\cdots$	-1	$\cdots$	0	$\cdots$	1	$\cdots$
$f'(x)$	$-$	0	$+$	0	$-$	0	$+$
$f(x)$	$\searrow$	-2	$\nearrow$	-1	$\searrow$	-2	$\nearrow$

(1) $y=f(x)$의 그래프와 직선

  $y=k$가 서로 다른 네 점에서

  만나면

  $-2<k<-1$

(2) $y=f(x)$의 그래프와 직선

  $y=k$가 접하면

  $k=-2$ 또는 $k=-1$

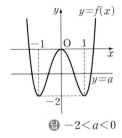

📗 (1) $-2<k<-1$ (2) $-2, -1$

2-2

$x^4-x^2=-x^4+3x^2+a$에서

$2x^4-4x^2=a$

$f(x)=2x^4-4x^2$이라 하면 $y=f(x)$의 그래프와 직선 $y=a$가 네 점에서 만난다.

$f'(x)=8x^3-8x=8x(x^2-1)=8x(x+1)(x-1)$

$f'(x)=0$에서 $x=-1$ 또는 $x=0$ 또는 $x=1$

$f(x)$의 증감표는 다음과 같다.

x	$\cdots$	-1	$\cdots$	0	$\cdots$	1	$\cdots$
$f'(x)$	$-$	0	$+$	0	$-$	0	$+$
$f(x)$	$\searrow$	-2	$\nearrow$	0	$\searrow$	-2	$\nearrow$

$y=f(x)$의 그래프와 직선
$y=a$가 서로 다른 네 점에서
만나면 $-2<a<0$

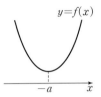

📗 $-2<a<0$

대표 03

(1) $f(x)=x^4+4a^3x+48$이라 하면

  $f'(x)=4x^3+4a^3=4(x+a)(x^2-ax+a^2)$

  $f'(x)=0$의 실근은 $x=-a$

  $f(x)$의 증감표와 그래프는 다음과 같다.

x	$\cdots$	$-a$	$\cdots$
$f'(x)$	$-$	0	$+$
$f(x)$	$\searrow$	극소	$\nearrow$

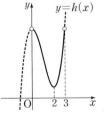

  $f(x)$는 $x=-a$에서 극소이고 최소이다.

  따라서 $f(x)>0$이면 $f(-a)>0$이다.

  $f(-a)=a^4-4a^4+48>0$

  $a^4<16, (a^2-4)(a^2+4)<0$

  $a^2\geq0$이므로 $a^2<4$ $\therefore -2<a<2$

(2) $h(x)=f(x)-g(x)$라 하면

  $h(x)=5x^3-10x^2+k-(5x^2+2)$

  $\quad\quad=5x^3-15x^2+k-2$

  $h'(x)=15x^2-30x=15x(x-2)$

  $h'(x)=0$에서 $x=0$ 또는 $x=2$

  $h(x)$의 증감표는 다음과 같다.

x	(0)	$\cdots$	2	$\cdots$	(3)
$h'(x)$		$-$	0	$+$	
$h(x)$		$\searrow$	극소	$\nearrow$	

$h(x)$는 $x=2$에서 극소이고
최소이다.

곧, $0<x<3$에서 $h(x)\geq0$
이면 $h(2)\geq0$이다.

$40-60+k-2\geq0$

$\therefore k\geq22$

따라서 k의 최솟값은 22이다.

📗 (1) $-2<a<2$ (2) 22

3-1

$f(x)=x^4-4x-a^2+4a$라 하면

$f'(x)=4x^3-4=4(x-1)(x^2+x+1)$

$f'(x)=0$의 실근은 $x=1$

$f(x)$의 증감표와 그래프는 다음과 같다.

x	$\cdots$	1	$\cdots$
$f'(x)$	$-$	0	$+$
$f(x)$	$\searrow$	극소	$\nearrow$

$f(x)$는 $x=1$에서 극소이고 최소이다.

따라서 $f(x)>0$이면 $f(1)>0$이다.

$f(1)=1-4-a^2+4a>0,\ a^2-4a+3<0$

$(a-1)(a-3)<0\qquad\therefore\ 1<a<3$

🖊 $1<a<3$

3-2

$f(x)=x^3-3ax+2$라 하면

$f'(x)=3x^2-3a=3(x^2-a)$

$x>0$에서 $f'(x)=0$의 해는 $x=\sqrt{a}$

$f(x)$의 증감표와 그래프는 다음과 같다.

x	(0)	$\cdots$	$\sqrt{a}$	$\cdots$
$f'(x)$		$-$	0	$+$
$f(x)$		$\searrow$	극소	$\nearrow$

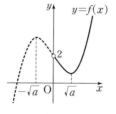

$f(x)$는 $x=\sqrt{a}$에서 극소이고 최소이다.

따라서 $x>0$에서 $f(x)>0$이면 $f(\sqrt{a})>0$이다.

$f(\sqrt{a})=a\sqrt{a}-3a\sqrt{a}+2>0,\ a\sqrt{a}<1,\ a^{\frac{3}{2}}<1$

$a>0$이므로 $0<a<1$

🖊 $0<a<1$

3-3

$h(x)=f(x)-g(x)$라 하면

$h(x)=x^4-x^3+5x+k^2-(-x^3+6x^2-3x+2k)$

$\qquad=x^4-6x^2+8x+k^2-2k$

$h'(x)=4x^3-12x+8=4(x-1)^2(x+2)$

$h'(x)=0$에서 $x=-2$ 또는 $x=1$ (중근)

$h(x)$의 증감표는 다음과 같다.

x	$\cdots$	-2	$\cdots$	1	$\cdots$
$h'(x)$	$-$	0	$+$	0	$+$
$h(x)$	$\searrow$	극소	$\nearrow$		$\nearrow$

$h(x)$는 $x=-2$에서 극소이고 최소이다.

따라서 $h(x)>0$이면 $h(-2)>0$이다.

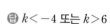

$h(-2)$

$=16-24-16+k^2-2k>0$

$k^2-2k-24>0$

$(k+4)(k-6)>0$

$\therefore\ k<-4$ 또는 $k>6$

🖊 $k<-4$ 또는 $k>6$

대표 **04**

① $y=f'(x)$의 그래프가 x축과 만나는 원점이 아닌 점의 x좌표를 p라 하자.

$f'(x)=0$의 실근은 $x=0$ 또는 $x=p\ (p>2)$

$f(x)$의 증감표는 다음과 같다.

x	$\cdots$	0	$\cdots$	p	$\cdots$
$f'(x)$	$+$	0	$-$	0	$+$
$f(x)$	$\nearrow$	극대	$\searrow$	극소	$\nearrow$

$f(x)$는 $x=0$에서 극대이고, $x=p$에서 극소이다.

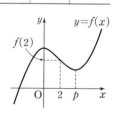

이때 $y=f(x)$의 그래프가 그림과 같으면 방정식 $f(x)=0$은 서로 다른 세 실근을 갖지 않는다. (거짓)

② $g'(x)=0$에서 $x=0$

$g(x)$의 증감표와 그래프는 다음과 같다.

x	$\cdots$	0	$\cdots$
$g'(x)$	$+$	0	$-$
$g(x)$	$\nearrow$	극대	$\searrow$

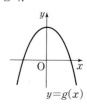

$g(x)$는 $x=0$에서 극대이고 극댓값은 $g(0)=f(0)$이다.

그런데 $y=f(x)$의 그래프에서 $f(0)>f(2)$이므로 $g(0)>f(2)$

곧, $g(x)$의 극댓값은 $f(2)$보다 크다. (참)

③, ④, ⑤ $h'(x)=f'(x)-g'(x)$이므로

$h'(x)=0$에서 $x=0$ 또는 $x=2$

$h(x)$의 증감표는 다음과 같다.

x	$\cdots$	0	$\cdots$	2	$\cdots$
$h'(x)$	+	0	−	0	+
$h(x)$	↗	극대	↘	극소	↗

$h(x)$는 $x=0$에서 극대이

고, $x=2$에서 극소이다.

또 $h(0)=f(0)-g(0)=0$

이므로 $y=h(x)$의 그래프

는 그림과 같다.

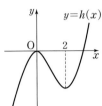

③ 구간 $(-\infty,\ 2)$에서 $h(x)$

의 최댓값은 $h(0)=0$이다. (참)

④ 방정식 $h(x)=0$은 한 실근과 중근을 가진다. (거짓)

⑤ $x \geq 2$에서 $h(x)<0$인 부분이 있다. (거짓)

따라서 옳은 것은 ②, ③이다.

답 ②, ③

4-1

$y=f'(x)$의 그래프와 $y=g'(x)$의 그래프가 $x=p$,

$x=3$인 점에서 만난다고 하자.

$h'(x)=f'(x)-g'(x)$이므로

$h'(x)=0$에서 $x=p$ 또는 $x=3$

$h(x)$의 증감표는 다음과 같다.

x	$\cdots$	p	$\cdots$	3	$\cdots$
$h'(x)$	−	0	+	0	−
$h(x)$	↘	극소	↗	극대	↘

$h(x)$는 $x=p$에서 극소이고,

$x=3$에서 극대이다.

또 $h(3)=f(3)-g(3)=0$이

므로 $y=h(x)$의 그래프는 그

림과 같다.

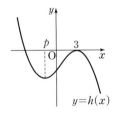

ㄱ. 방정식 $h(x)=0$은 음의 실

근을 가진다. (참)

ㄴ. 방정식 $h(x)=0$은 한 실근과 중근을 가지므로 허근

을 갖지 않는다. (거짓)

ㄷ. $x>0$에서 $h(x) \leq 0$이다. (거짓)

따라서 옳은 것은 ㄱ이다.

답 ㄱ

날선 Q5

방정식 $|f(x)|=2$의 서로

다른 실근이 4개이면

$y=|f(x)|$의 그래프와 직

선 $y=2$가 서로 다른 네 점

에서 만난다.

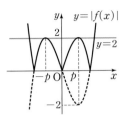

$p>0$일 때 $y=f(x)$가

$x=-p$에서 극댓값 2,

$x=p$에서 극솟값 −2

를 가진다.

모든 실수 x에 대하여 $f(-x)=-f(x)$이므로

$f(x)=x^3+ax$라 하면

$f'(x)=0$의 근이 $x=\pm p$이므로

$3x^2+a=3(x+p)(x-p)$

우변을 전개하여 양변의 계수를 비교하면 $a=-3p^2$

이때 $f(x)=x^3-3p^2 x$이고 $f(p)=-2$이므로

$p^3-3p^3=-2$, $p^3=1$

p는 실수이므로 $p=1$

$\therefore f(x)=x^3-3x$

답 $f(x)=x^3-3x$

5-1

x^4의 계수가 1인 사차함수

$y=f(x)$의 그래프가 직선

$y=4$와 서로 다른 세 점에

서 만나므로 그림과 같이 직

선 $y=4$는 $y=f(x)$의 그래

프와 극대인 점에서 접한다.

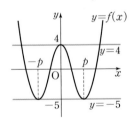

또 모든 실수 x에 대하여

$f(x)=f(-x)$이면 $y=f(x)$의 그래프는 y축에 대칭이

므로 $f(x)$는 $x=0$에서 극댓값 4를 가진다.

한편 $y=f(x)$의 그래프가 직선 $y=-5$와 서로 다른 두

점에서 만나므로 $f(x)$는 y좌표가 −5인 두 점에서 극소

이다.

$f(x)=x^4+ax^2+b$라 하면 $f(0)=4$이므로 $b=4$

$f(x)$가 $x=\pm p$ $(p>0)$에서 극소라 하면 방정식

$f'(x)=0$의 근이 $x=0$ 또는 $x=\pm p$이므로

$4x^3+2ax=4x(x+p)(x-p)$

우변을 전개하여 양변의 계수를 비교하면 $a=-2p^2$

이때 $f(x)=x^4-2p^2 x^2+4$이고 $f(p)=-5$이므로

$-p^4+4=-5$, $p^4=9$

$p^2 > 0$이므로 $p^2 = 3$

$\therefore f(x) = x^4 - 6x^2 + 4$

답 $f(x) = x^4 - 6x^2 + 4$

개념 Check 109쪽

5

(1) 시각 t에서 P의 속도는 $v(t) = x'(t) = 2t - 6$,

가속도는 $a(t) = v'(t) = 2$

(2) 시각 $t = 2$에서 P의 속도는 $v(2) = 2 \times 2 - 6 = -2$,

가속도는 $a(2) = 2$

(3) P의 속도가 0이 되는 시각은

$v(t) = 2t - 6 = 0$에서 $t = 3$

P의 속도가 0이 되는 위치는

$x(3) = 3^2 - 6 \times 3 + 2 = -7$

답 (1) 속도 : $2t - 6$, 가속도 : 2

(2) 속도 : -2, 가속도 : 2

(3) 시각 : 3, 위치 : -7

참고 (2) P의 가속도는 2로 일정하다.

대표Q 110쪽~112쪽

대표 Q6

$x(t) = t^3 - 6t^2 + 9t$에서

$x'(t) = 3t^2 - 12t + 9 = 3(t-1)(t-3)$

$x'(t) = 0$에서 $t = 1$ 또는 $t = 3$

$t \geq 0$에서 $x(t)$의 증감표는 다음과 같다.

t	0	$\cdots$	1	$\cdots$	3	$\cdots$
$x'(t)$		$+$	0	$-$	0	$+$
$x(t)$	0	$\nearrow$	4	$\searrow$	0	$\nearrow$

또 시각 t에서 P의 속도와 가속도를 각각 $v(t)$, $a(t)$라 하면

$v(t) = x'(t) = 3t^2 - 12t + 9$

$a(t) = v'(t) = 6t - 12$

(1) $t = 4$에서 P의 속도는

$v(4) = 48 - 48 + 9 = 9$

가속도는 $a(4) = 24 - 12 = 12$

(2) $x(t)$가 극값을 가질 때 P가 움직이는 방향이 바뀌므로 P의 위치는 $x(1) = 4$, $x(3) = 0$

(3) $v(t) < 0$일 때 P가 음의 방향으로 움직이므로

$v(t) = 3t^2 - 12t + 9 = 3(t-1)(t-3) < 0$

$\therefore 1 < t < 3$

(4) $t = 1$, $t = 3$에서 P가 움직이는 방향이 바뀌고

$x(1) = 4$, $x(3) = 0$, $x(4) = 4$이다. 따라서 P가

$t = 0$에서 $t = 1$까지 움직인 거리는 $x(1) - x(0) = 4$

$t = 1$에서 $t = 3$까지 움직인 거리는 $x(1) - x(3) = 4$

$t = 3$에서 $t = 4$까지 움직인 거리는 $x(4) - x(3) = 4$

따라서 $t = 0$에서 $t = 4$까지 P가 움직인 거리는

$4 + 4 + 4 = 12$

답 (1) 속도 : 9, 가속도 : 12 (2) 0, 4

(3) $1 < t < 3$ (4) 12

참고 (3) $x(t)$가 감소하는 구간으로 생각해도 된다.

6-1

$x(t) = 3t^4 - 20t^3 + 36t^2$에서

$x'(t) = 12t^3 - 60t^2 + 72t = 12t(t-2)(t-3)$

$x'(t) = 0$에서 $t = 0$ 또는 $t = 2$ 또는 $t = 3$

$t \geq 0$에서 $x(t)$의 증감표는 다음과 같다.

t	0	$\cdots$	2	$\cdots$	3	$\cdots$
$x'(t)$		$+$	0	$-$	0	$+$
$x(t)$	0	$\nearrow$	32	$\searrow$	27	$\nearrow$

또 시각 t에서 P의 속도와 가속도를 각각 $v(t)$, $a(t)$라 하면

$v(t) = x'(t)$

$= 12t^3 - 60t^2 + 72t$

$a(t) = v'(t)$

$= 36t^2 - 120t + 72$

(1) $t = 1$에서 P의 속도는

$v(1) = 12 - 60 + 72 = 24$

가속도는 $a(1) = 36 - 120 + 72 = -12$

(2) $x(t)$가 극값을 가질 때 P가 움직이는 방향이 바뀌므로 시각은 $t = 2$, $t = 3$

(3) $v(t) < 0$, 곧 $x(t)$가 감소하는 구간에서 P가 음의 방향으로 움직이므로 $2 < t < 3$

(4) $a(t) = 12(3t^2 - 10t + 6) = 36\left(t - \dfrac{5}{3}\right)^2 - 28$

이므로 $t = \dfrac{5}{3}$일 때 P의 가속도가 최소이다.

63

6 미분의 활용

(5) $t=2$, $t=3$에서 P가 움직이는 방향이 바뀌고
$x(2)=32$, $x(3)=27$, $x(4)=64$이다.
따라서 P가
$t=0$에서 $t=2$까지 움직인 거리는 $x(2)-x(0)=32$
$t=2$에서 $t=3$까지 움직인 거리는 $x(2)-x(3)=5$
$t=3$에서 $t=4$까지 움직인 거리는 $x(4)-x(3)=37$
따라서 $t=0$에서 $t=4$까지 P가 움직인 거리는
$32+5+37=74$

🖺 (1) 속도 : 24, 가속도 : -12

(2) 2, 3　(3) $2 < t < 3$　(4) $\dfrac{5}{3}$　(5) 74

대표 07

$v(t)$의 그래프를 이용하여 $x(t)$, $a(t)$의 그래프를 그리면 그림과 같다.

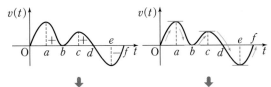

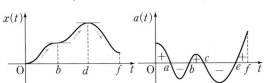

① $t=d$일 때 P는 원점에서 가장 멀리 있다. (거짓)
② $d < t < f$에서 $v(t)$가 음수이므로 P는 음의 방향으로 움직인다. (참)
③ $b < t < c$에서 P의 가속도는 양수이지만 $c < t < d$에서 P의 가속도는 음수이다. (거짓)
④ $a < t < b$에서 가속도가 음수이지만 이 구간에서 $v(t)$는 양수이므로 P는 양의 방향으로 움직인다. (거짓)
⑤ $t > 0$에서 P의 가속도가 0인 시각은 $t=a$, $t=b$, $t=c$, $t=e$의 4번이다. (참)
따라서 옳은 것은 ②, ⑤이다.

🖺 ②, ⑤

7-1

① $0 < t < 3$에서 $v(t) > 0$, $3 < t < 5$에서 $v(t) < 0$이므로 P는 움직이는 방향을 $t=3$에서 1번 바꾼다. (거짓)

② $t=3$에서 $x(t)$는 극대이므로 P는 원점에서 가장 멀리 있다. (거짓)
③ $2 < t < 4$에서 $v(t)$의 그래프는 기울기가 -2인 직선이므로 이 구간에서 P의 가속도 $v'(t)$는 -2로 일정하다. (참)
④ $v(t)$의 그래프가 x축에 평행한 구간, 곧 $1 < t < 2$에서 P의 가속도 $v'(t)$는 0이다. 그러나 이 구간에서 $v(t) > 0$이므로 P는 양의 방향으로 움직이고, 원점에서 거리가 멀어진다. (참)
⑤ 그림과 같이 직선 OA의 기울기는 2이다. 이때 $0 < t < 1$에서 $v(t)$의 그래프에 접하고 기울기가 2인 직선을 그을 수 있다. 곧, 이 접점의 t의 값에서 가속도가 2이다. (거짓)

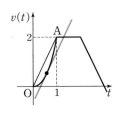

따라서 옳은 것은 ③, ④이다.

🖺 ③, ④

대표 08

(1) t초 후에 $\overline{AP}=2t$, $\overline{BQ}=3t$이므로
$$\triangle APD = \frac{1}{2} \times 20 \times 2t = 20t$$
$$\triangle DQC = \frac{1}{2} \times 20 \times (20-3t) = 200-30t$$
사각형 DPBQ의 넓이를 $S(t)$라 하면
$$S(t) = 20^2 - 20t - (200-30t) = 200+10t$$
따라서 사각형 DPBQ의 넓이의 변화율은 $S'(t)=10$

(2) 사각형 DPBQ의 넓이가 정사각형 ABCD의 넓이의 $\dfrac{11}{20}$이 되는 시각 t는
$$200+10t = \frac{11}{20} \times 20^2, \ 20+t=22 \qquad \therefore t=2$$
삼각형 PBQ의 넓이를 $R(t)$라 하면
$$R(t) = \frac{1}{2} \times 3t \times (20-2t) = 30t-3t^2$$
$$R'(t) = 30-6t$$
따라서 $t=2$일 때, 삼각형 PBQ의 넓이의 변화율은
$$R'(2)=18$$

🖺 (1) 10　(2) 18

8-1

처음 구의 반지름의 길이는 1이므로 t초 후 구의 반지름의 길이를 r라 하면 $r=1+2t$

반지름의 길이가 5가 되는 시각 t는

$1+2t=5$ $\therefore t=2$

(1) t초 후 구의 겉넓이를 $S(t)$라 하면

$$S(t)=4\pi r^2=4\pi(2t+1)^2=16\pi t^2+16\pi t+4\pi$$

$$S'(t)=32\pi t+16\pi$$

따라서 $t=2$일 때, 구의 겉넓이의 변화율은

$$S'(2)=64\pi+16\pi=80\pi$$

(2) t초 후 구의 부피를 $V(t)$라 하면

$$V(t)=\frac{4}{3}\pi r^3=\frac{4}{3}\pi(2t+1)^3$$

$$=\frac{32}{3}\pi t^3+16\pi t^2+8\pi t+\frac{4}{3}\pi$$

$$V'(t)=32\pi t^2+32\pi t+8\pi$$

따라서 $t=2$일 때, 구의 부피의 변화율은

$$V'(2)=128\pi+64\pi+8\pi=200\pi$$

🔑 (1) 80π (2) 200π

8-2

그림과 같이 가로등의 바로 밑인 지점을 O, 가로등의 맨 끝 지점을 P, 영수의 머리 끝 지점을 A, 영수가 지면과 닿는 지점을 B, 그림자의 끝 지점을 C라 하자.

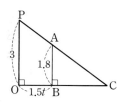

$\overline{PO}=3$, $\overline{AB}=1.8$이고 t초 후에 $\overline{OB}=1.5t$

(1) $\overline{OC}=x$라 하면 그림자 끝이 움직이는 속도는 x'이다.

두 삼각형 ABC, POC는 서로 닮음이므로

$\overline{AB}:\overline{BC}=\overline{PO}:\overline{OC}$

$1.8:(x-1.5t)=3:x$, $1.8x=3x-4.5t$

$1.2x=4.5t$ $\therefore x=\frac{15}{4}t$

$\therefore x'=\frac{15}{4}=3.75\text{(m/s)}$

(2) $\overline{BC}=l$이라 하면 그림자 길이의 변화율은 l'이다.

$l=\frac{15}{4}t-1.5t=\frac{9}{4}t$이므로

$l'=\frac{9}{4}=2.25\text{(m/s)}$

🔑 (1) 3.75 m/s   (2) 2.25 m/s

---

6 미분의 활용

01 $0<n<1$	**02** ①	**03** $k\le -4$
04 $1<a<3$	**05** ③	**06** 30초
07 (1) -10 m/s	(2) -30 m/s	**08** ⑤ **09** 53
10 1	**11** ①	**12** $-3<k<-2$ **13** ④, ⑤
14 ①	**15** 22	**16** 8 **17** ④ **18** ③ **19** π

01

$f(x)=2x^3-9x^2+12x-5$라 하면

$f'(x)=6x^2-18x+12=6(x-1)(x-2)$

$f'(x)=0$에서 $x=1$ 또는 $x=2$

$f(x)$의 증감표는 다음과 같다.

x	$\cdots$	1	$\cdots$	2	$\cdots$
$f'(x)$	$+$	0	$-$	0	$+$
$f(x)$	↗	극대	↘	극소	↗

$f(x)$의 극댓값은 $f(1)=0$, 극솟값은 $f(2)=-1$

이므로 $y=f(x)$의 그래프는 그림과 같다. 곡선 $y=f(x)$를 y축 방향으로 n만큼 평행이동하면 극댓값은 $f(1)=n$,

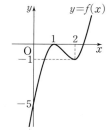

극솟값은 $f(2)=-1+n$

극댓값이 양수, 극솟값이 음수이면 x축과 세 점에서 만나므로

$n>0$, $-1+n<0$ $\therefore 0<n<1$

🔑 $0<n<1$

02

$x^3-3x^2-4x-k=5x+2$에서

$x^3-3x^2-9x-2=k$

$f(x)=x^3-3x^2-9x-2$라 하면

$f'(x)=3x^2-6x-9=3(x+1)(x-3)$

$f'(x)=0$에서 $x=-1$ 또는 $x=3$

$f(x)$의 증감표는 다음과 같다.

x	$\cdots$	-1	$\cdots$	3	$\cdots$
$f'(x)$	$+$	0	$-$	0	$+$
$f(x)$	↗	3	↘	-29	↗

$y=f(x)$의 그래프와 직선
$y=k$가 서로 다른 두 점에서
만나면 $k=3$ 또는 $k=-29$
k는 자연수이므로 $k=3$

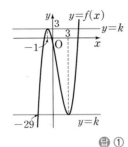

🅐 ①

03

$f(x)=x^3-3x^2-k$라 하면
$f'(x)=3x^2-6x=3x(x-2)$
$f'(x)=0$에서 $x=0$ 또는 $x=2$
$f(x)$의 증감표는 다음과 같다.

x	$\cdots$	0	$\cdots$	2	$\cdots$
$f'(x)$	$+$	0	$-$	0	$+$
$f(x)$	↗	극대	↘	극소	↗

$x>2$에서 부등식이 성립하면
$x>2$에서 $f(x)>0$이다.
따라서 $f(2)\geq0$이므로
$f(2)=8-12-k\geq0$
$\therefore k\leq-4$

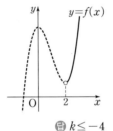

🅐 $k\leq-4$

04

$h(x)=f(x)-g(x)$라 하면
$h(x)=x^4-2x^2+x-a^2-(-2x^2+5x-4a)$
$\quad=x^4-4x-a^2+4a$
$h'(x)=4x^3-4=4(x-1)(x^2+x+1)$
$h'(x)=0$의 실근은 $x=1$
$h(x)$의 증감표와 그래프는 다음과 같다.

x	$\cdots$	1	$\cdots$
$h'(x)$	$-$	0	$+$
$h(x)$	↘	극소	↗

$h(x)$는 $x=1$에서 극소이고 최소
이다.
따라서 $y=f(x)$의 그래프가 $y=g(x)$의 그래프보다 항
상 위쪽에 있으면 $h(x)>0$이므로 $h(1)>0$이다.
$h(1)=1-4-a^2+4a>0$, $a^2-4a+3<0$

$(a-1)(a-3)<0$ $\qquad \therefore 1<a<3$

🅐 $1<a<3$

05

$f(x)$의 증감표는 다음과 같다.

x	$\cdots$	-1	$\cdots$	1	$\cdots$	3	$\cdots$
$f'(x)$	$-$	0	$+$	0	$-$	0	$+$
$f(x)$	↘	-3	↗	4	↘	2	↗

$y=f(x)$의 그래프가 그림과
같이 x축과 두 점에서 만나
므로 방정식 $f(x)=0$의 서로
다른 실근의 개수는 2이다.

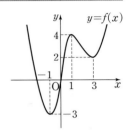

🅐 ③

06

자동차의 t초 후 속도를 v m/s라 하면
$$v=\frac{dx}{dt}=27-0.9t$$
자동차가 정지할 때 속도가 0이므로
$v=27-0.9t=0$ $\qquad \therefore t=30$
따라서 제동을 건 후 정지할 때까지 걸린 시간은 30초이다.

🅐 30초

07

물체의 t초 후 속도를 v m/s라 하면
$$v=\frac{dh}{dt}=20-10t$$
(1) $t=3$일 때 물체의 속도는 $20-10\times3=-10(\text{m/s})$
(2) 물체가 지면에 떨어질 때 높이는 0이므로
$\quad 25+20t-5t^2=0$, $t^2-4t-5=0$
$\quad (t+1)(t-5)=0$ $\qquad \therefore t=5 \ (\because \ t>0)$
$\quad$따라서 $t=5$일 때 물체의 속도는
$\quad 20-10\times5=-30(\text{m/s})$

🅐 (1) -10 m/s (2) -30 m/s

08

시각 t에서 P의 가속도는 $a(t)=v'(t)$이므로 가속도는
$y=v(t)$의 그래프의 접선의 기울기와 같다.

그래프에서

$a(t_1)=0, a(t_2)<0, a(t_3)<0, a(t_4)=0, a(t_5)>0$

따라서 시각 t_5에서 P의 가속도가 양수이다.

답 ⑤

09 전략 x^4의 계수가 양수인 사차함수 $f(x)$의 극댓값이 존재한다. ➡ 방정식 $f'(x)=0$의 해는 서로 다른 세 실수이다.

x^4의 계수가 양수인 사차함수 $f(x)$가 극댓값을 가지면 방정식 $f'(x)=0$은 서로 다른 세 실근을 가진다.

$4x^3-6x^2-24x-a=0$에서 $4x^3-6x^2-24x=a$

$g(x)=4x^3-6x^2-24x$라 하면

$g'(x)=12x^2-12x-24=12(x+1)(x-2)$

$g'(x)=0$에서 $x=-1$ 또는 $x=2$

$g(x)$의 증감표는 다음과 같다.

x	$\cdots$	-1	$\cdots$	2	$\cdots$
$g'(x)$	$+$	0	$-$	0	$+$
$g(x)$	↗	극대	↘	극소	↗

$g(x)$의 극댓값은 $g(-1)=14$,

극솟값은 $g(2)=-40$이므로

$y=g(x)$의 그래프는 그림과 같다.

$y=g(x)$의 그래프와 직선 $y=a$

가 세 점에서 만나므로

$-40<a<14$

따라서 정수 a는

$-39, -38, -37, \cdots, 13$

이고 53개이다.

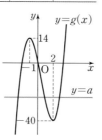

답 53

10 전략 $\dfrac{f(3)-f(-1)}{3-(-1)}=f'(c)$를 만족시키는 실수 c $(-1<c<3)$의 개수를 찾는다.

$f(x)=x^4-2x^3+x$에 대하여 구간 $[-1, 3]$에서 평균값 정리를 만족시키는 값을 c $(-1<c<3)$라 하면

$\dfrac{f(3)-f(-1)}{3-(-1)}=f'(c)$ $\quad\cdots$ ㉠

$f(3)=30, f(-1)=2$이므로

㉠의 좌변은 $\dfrac{30-2}{4}=7$

㉠의 우변은 $f'(c)=4c^3-6c^2+1$

곧, $-1<c<3$에서 $7=4c^3-6c^2+1$의 해의 개수를 구한다.

$g(c)=4c^3-6c^2+1$이라 하면

$g'(c)=12c^2-12c=12c(c-1)$

$g'(c)=0$에서 $c=0$ 또는 $c=1$

구간 $(-1, 3)$에서 $g(c)$의 증감표는 다음과 같다.

c	(-1)	$\cdots$	0	$\cdots$	1	$\cdots$	(3)
$g'(c)$		$+$	0	$-$	0	$+$	
$g(c)$		↗	극대	↘	극소	↗	

$g(c)$의 극댓값은 $g(0)=1$,

극솟값은 $g(1)=-1$이고

$g(-1)=-9, g(3)=55$

이므로 $y=g(c)$의 그래프는

그림과 같다.

따라서 $-1<c<3$에서

$y=g(c)$의 그래프와 직선

$y=7$은 한 점에서 만나므로

c의 개수는 1이다.

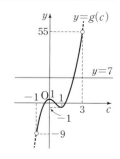

답 1

참고 곡선 $y=f(x)$에 접하고 기울기가 $\dfrac{f(3)-f(-1)}{3-(-1)}=7$인 접선이 몇 개 있는지 구하는 문제이다. 그림에서 ㉠과 같은 경우는 접선이 아니라는 것을 주의한다.

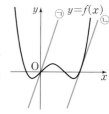

11 전략 $h(x)=f(x)-g(x)$로 놓는다.

$h(x)=f(x)-g(x)$라 하면 방정식 $h(x)=0$은 서로 다른 두 개의 양의 실근과 한 개의 음의 실근을 가진다.

$h(x)=2x^3+3x^2-12x-a$

$h'(x)=6x^2+6x-12$

$h'(x)=0$에서 $x=-2$ 또는 $x=1$

$h(x)$는 최고차항이 양수인 삼차함수이므로 $x=-2$에서 극대이고 $x=1$에서 극소이다.

따라서 서로 다른 세 근을 가지므로

$h(-2)>0, h(1)<0$

$h(-2)=20-a>0$ $\quad\therefore a<20$ $\quad\cdots$ ㉠

$h(1)=-7-a<0$ $\quad\therefore a>-7$ $\quad\cdots$ ㉡

또 하나의 음의 실근을 가지므로 $y=h(x)$의 그래프가 y축과 만나는 점이 양이다.

$h(0)=-a>0$ $\therefore a<0$ $\cdots$ ㉢

㉠, ㉡, ㉢에서 $-7<a<0$이므로 정수 a는 모두 6개이다.

답 ①

12 **전략** 곡선과 직선의 접점의 좌표를 (a, a^3-3a)라 하고, 접선의 방정식부터 구한다.

$y'=3x^2-3$이므로 곡선 $y=x^3-3x$ 위의 점 (a, a^3-3a) 에서의 접선의 방정식은

$y-a^3+3a=(3a^2-3)(x-a)$

이 접선이 점 $(1, k)$를 지나므로

$k-a^3+3a=(3a^2-3)(1-a)$

$\therefore k=-2a^3+3a^2-3$

이 방정식의 해가 서로 다른 세 실수이다.

$f(a)=-2a^3+3a^2-3$이라 하면

$f'(a)=-6a^2+6a=-6a(a-1)$

$f'(a)=0$에서 $a=0$ 또는 $a=1$

$f(a)$의 증감표는 다음과 같다.

a	$\cdots$	0	$\cdots$	1	$\cdots$
$f'(a)$	$-$	0	$+$	0	$-$
$f(a)$	↘	극소	↗	극대	↘

$f(a)$의 극댓값은 $f(1)=-2$, 극솟값은 $f(0)=-3$이므로 $y=f(a)$의 그래프는 그림과 같다.

따라서 곡선 $y=f(a)$와 직선 $y=k$가 세 점에서 만나면

$-3<k<-2$

답 $-3<k<-2$

13 **전략** 모든 실수 x에 대하여
$f'(x)<g'(x)$ ➡ $f(x)-g(x)$는 감소한다.

모든 실수 x에 대하여 $f'(x)-g'(x)<0$이므로

$h(x)=f(x)-g(x)$라 하면 $h(x)$는 감소한다.

또 $f(0)=g(0)$에서 $h(0)=f(0)-g(0)=0$

(i) $x<0$일 때, $h(x)>0$이므로

$h(-1)=f(-1)-g(-1)>0$

$\therefore f(-1)>g(-1)$

(ii) $x>0$일 때, $h(x)<0$이므로

$h(1)=f(1)-g(1)<0$

$\therefore f(1)<g(1)$

또 $g(x)$는 감소하므로 (i), (ii)에서

$f(1)<g(1)<g(-1)<f(-1)$

따라서 옳은 것은 ④, ⑤이다.

답 ④, ⑤

14 **전략** 운동 방향이 바뀌지 않으려면 $v \geq 0$이다.

시각 t $(t \geq 0)$에서의 위치를 $x(t)=t^3-5t^2+at+5$라 하면

$x'(t)=3t^2-10t+a$

점 P에서 운동 방향이 바뀌지 않으려면 속도는 음수가 아니다. 곧, $x'(t) \geq 0$이다.

$3t^2-10t+a \geq 0$

방정식 $3t^2-10t+a=0$의 판별식을 D라 하면

$\dfrac{D}{4}=25-3a \leq 0$ $\therefore a \geq \dfrac{25}{3}$

따라서 자연수 a의 최솟값은 9이다.

답 ①

15 **전략** $v=\dfrac{dx}{dt}$, $a=\dfrac{dv}{dt}$를 이용하여 $a=0$인 시각 t를 구한다.

시각 t $(t \geq 0)$에서의 위치를 $x(t)=-\dfrac{1}{3}t^3+3t^2+k$라 하면 시각 t에서의 속도 v는

$v(t)=x'(t)=-t^2+6t$

시각 t에서의 가속도 a는

$a(t)=v'(t)=-2t+6$

이므로 가속도 $a(t)=0$일 때 $t=3$이므로 이때 점 P의 위치는

$-9+27+k=40$ $\therefore k=22$

답 22

16 **전략** 먼저 P, Q의 속도를 구한 후 속도가 같을 때 시각 t를 구한다.

P, Q의 속도를 각각 $v_P(t)$, $v_Q(t)$,

가속도를 $a_P(t)$, $a_Q(t)$라 하면

$v_P(t)=f'(t)=t^2+4$, $v_Q(t)=g'(t)=4t$

$a_P(t)=v_P'(t)=2t$, $a_Q(t)=v_Q'(t)=4$

P, Q의 속도가 같아지는 시각 t는

$t^2+4=4t$, $(t-2)^2=0$ $\therefore t=2$

곧, $t=2$에서 P, Q의 가속도는 각각

$a_P(2)=4$, $a_Q(2)=4$

따라서 가속도의 합은 8이다.

답 8

17 (전략) 속도의 그래프 ➡ 부호는 움직이는 방향, 증감은 가속도

① $v(a)>0$, $v(b)<0$이므로 P는 $t=a$, $t=b$일 때 서로 반대 방향으로 움직인다. (참)

② $v(t)$의 부호가 세 번 바뀌므로 P는 움직이는 방향을 세 번 바꾼다. (참)

③ $t=g$일 때 속도가 감소하므로 P의 가속도는 음수이다. (참)

④ 구간 (e, f)에서 속도가 일정하고 양수이므로 P는 일정하게 양의 방향으로 움직인다. (거짓)

⑤ 구간 (c, e)에서 $v(t)≥0$이므로 P는 양의 방향으로 움직인다. (참)

따라서 옳지 않은 것은 ④이다.

(답) ④

18 (전략) 두 자동차 A, B의 속도가 $f'(t)$, $g'(t)$임을 이용한다.

$f(20)=g(20)$이므로 $t=20$일 때, 같은 지점에서 동시에 출발한 A, B의 위치가 같다.

$10≤t≤30$에서 $f'(t)<g'(t)$이므로 B가 A보다 빠르다.

따라서 B가 $t<20$에서 A의 뒤에 있다가 $t=20$에서 A를 추월한 다음 A와의 거리가 점점 멀어진다.

따라서 옳은 것은 ③이다.

(답) ③

19 (전략) t초 후 수면의 높이, 수면의 반지름의 길이, 물의 부피를 t에 대한 식으로 나타낸다.

t초 후 수면의 높이는 t이다.

t초 후 수면의 반지름의 길이를 r라 하면

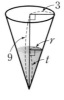

$r:3=t:9$ ∴ $r=\dfrac{1}{3}t$

그릇에 담긴 물의 부피를 $V(t)$라 하면

$V(t)=\dfrac{1}{3}\pi\times\left(\dfrac{1}{3}t\right)^2\times t=\dfrac{1}{27}\pi t^3$

$V'(t)=\dfrac{1}{9}\pi t^2$

따라서 $t=3$일 때, 물의 부피의 변화율은

$V'(3)=\dfrac{1}{9}\pi\times3^2=\pi$

(답) π

부정적분

개념 Check

118쪽 ~ 120쪽

1

$\dfrac{d}{dx}\displaystyle\int f(x)\,dx=f(x)$이므로 양변을 미분하면

$f(x)=2x+2$

(답) $f(x)=2x+2$

2

(1) $\displaystyle\int 5\,dx=5\int 1\,dx=5x+C$

(2) $\displaystyle\int k\,dx=k\int 1\,dx=kx+C$

(3) $\displaystyle\int 4x^3\,dx=4\int x^3\,dx=4\times\dfrac{1}{3+1}x^{3+1}+C=x^4+C$

(4) $\displaystyle\int (2x+1)\,dx=\int 2x\,dx+\int 1\,dx$

$=2\displaystyle\int x\,dx+\int 1\,dx$

$=2\times\dfrac{1}{2}x^2+x+C=x^2+x+C$

(5) $\displaystyle\int (3x-x^3)\,dx=\int 3x\,dx-\int x^3\,dx$

$=3\displaystyle\int x\,dx-\int x^3\,dx$

$=3\times\dfrac{1}{2}x^2-\dfrac{1}{4}x^4+C$

$=-\dfrac{1}{4}x^4+\dfrac{3}{2}x^2+C$

(답) (1) $5x+C$ (2) $kx+C$ (3) x^4+C

(4) x^2+x+C (5) $-\dfrac{1}{4}x^4+\dfrac{3}{2}x^2+C$

3

(1) $\dfrac{d}{dx}\displaystyle\int f(x)\,dx=f(x)$이므로

$f(x)=x^2+6x-3$

(2) $\displaystyle\int\left\{\dfrac{d}{dx}f(x)\right\}dx=f(x)+C$이므로

$f(x)=\displaystyle\int\left\{\dfrac{d}{dx}(x^2+6x-3)\right\}dx$에서

$f(x)=x^2+6x-3+C$

$f(1)=2$이므로 $4+C=2$ $\therefore C=-2$

$\therefore f(x)=x^2+6x-5$

     답 (1) $f(x)=x^2+6x-3$ (2) $f(x)=x^2+6x-5$

대표Q

121쪽 ~ 124쪽

대표 01

(1) $\displaystyle\int (2x^3-6x^2+3)\,dx = 2\times\frac{1}{4}x^4-6\times\frac{1}{3}x^3+3x+C$

$$=\frac{1}{2}x^4-2x^3+3x+C$$

(2) $\displaystyle\int (x-1)(2x+1)\,dx = \int (2x^2-x-1)\,dx$

$$=\frac{2}{3}x^3-\frac{1}{2}x^2-x+C$$

(3) $\displaystyle\int (2t-1)^2\,dt = \int (4t^2-4t+1)\,dt$

$$=\frac{4}{3}t^3-2t^2+t+C \quad \cdots \text{㉠}$$

(4) $\displaystyle\int \frac{x^3}{x+1}\,dx + \int \frac{1}{x+1}\,dx$

$$=\int \frac{x^3+1}{x+1}\,dx$$

$$=\int \frac{(x+1)(x^2-x+1)}{x+1}\,dx$$

$$=\int (x^2-x+1)\,dx$$

$$=\frac{1}{3}x^3-\frac{1}{2}x^2+x+C$$

     답 (1) $\dfrac{1}{2}x^4-2x^3+3x+C$ (2) $\dfrac{2}{3}x^3-\dfrac{1}{2}x^2-x+C$

        (3) $\dfrac{4}{3}t^3-2t^2+t+C$ (4) $\dfrac{1}{3}x^3-\dfrac{1}{2}x^2+x+C$

참고 (3) $f(x)=(ax+b)^{n+1}$의 도함수는

$f'(x)=(n+1)(ax+b)^n\times a$이므로

$$\int (ax+b)^n\,dx = \frac{1}{a}\times\frac{1}{n+1}\times(ax+b)^{n+1}+C$$

를 이용할 수 있다. (단, $a\neq 0$, n은 자연수)

$$\int (2t-1)^2\,dt = \frac{1}{2}\times\frac{1}{3}\times(2t-1)^3+C$$

$$=\frac{1}{6}(2t-1)^3+C$$

이를 전개하면 $\dfrac{4}{3}t^3-2t^2+t-\dfrac{1}{6}+C$, $-\dfrac{1}{6}+C$도

상수이므로 C로 바꾸어 놓으면 ㉠과 같다.

1-1

(1) $\displaystyle\int (2-3x^3-x^4)\,dx = -\frac{1}{5}x^5-\frac{3}{4}x^4+2x+C$

(2) $\displaystyle\int (t-1)(t^2+1)\,dt = \int (t^3-t^2+t-1)\,dt$

$$=\frac{1}{4}t^4-\frac{1}{3}t^3+\frac{1}{2}t^2-t+C$$

(3) $\displaystyle\int (x+2)^3\,dx = \int (x^3+6x^2+12x+8)\,dx$

$$=\frac{1}{4}x^4+2x^3+6x^2+8x+C$$

(4) $\displaystyle\int \frac{x^2}{x-1}\,dx - \int \frac{1}{x-1}\,dx$

$$=\int \frac{x^2-1}{x-1}\,dx$$

$$=\int \frac{(x+1)(x-1)}{x-1}\,dx$$

$$=\int (x+1)\,dx$$

$$=\frac{1}{2}x^2+x+C$$

     답 (1) $-\dfrac{1}{5}x^5-\dfrac{3}{4}x^4+2x+C$

        (2) $\dfrac{1}{4}t^4-\dfrac{1}{3}t^3+\dfrac{1}{2}t^2-t+C$

        (3) $\dfrac{1}{4}x^4+2x^3+6x^2+8x+C$

        (4) $\dfrac{1}{2}x^2+x+C$

대표 02

(1) $\displaystyle f(x)=\int f'(x)\,dx = \int (3x^2-2)\,dx$

$$=x^3-2x+C$$

$f(0)=2$이므로 $C=2$

$\therefore f(x)=x^3-2x+2$

(2) $\displaystyle\int (x+2)\,dx = \frac{1}{2}x^2+2x+C_1 = f_1(x)$

$\displaystyle\int 3x^2\,dx = x^3+C_2 = f_2(x)$

라 하면

$$f(x)=\begin{cases} f_1(x) & (x>1) \\ f_2(x) & (x<1) \end{cases}$$

$f(2)=f_1(2)=2$이므로

$6+C_1=2$ $\therefore C_1=-4$

또 $f(x)$가 연속함수이므로 $x=1$에서 연속이다.

곧, $f_1(1)=f_2(1)$이므로

$-\frac{3}{2}=1+C_2 \quad \therefore C_2=-\frac{5}{2}$

$\therefore f(0)=f_2(0)=-\frac{5}{2}$

답 (1) $f(x)=x^3-2x+2$ (2) $-\frac{5}{2}$

2-1

$f'(x)=4x^3+2x-3$이므로

$f(x)=\int f'(x)\,dx=\int(4x^3+2x-3)\,dx$

$=x^4+x^2-3x+C_1$

$f(1)=2$이므로 $-1+C_1=2 \quad \therefore C_1=3$

따라서 $f(x)=x^4+x^2-3x+3$이므로

$\int f(x)\,dx=\int(x^4+x^2-3x+3)\,dx$

$=\frac{1}{5}x^5+\frac{1}{3}x^3-\frac{3}{2}x^2+3x+C$

답 $\frac{1}{5}x^5+\frac{1}{3}x^3-\frac{3}{2}x^2+3x+C$

2-2

$\int(x^2-1)\,dx=\frac{1}{3}x^3-x+C_1=f_1(x)$

$\int(-1)\,dx=-x+C_2=f_2(x)$

라 하면

$f(x)=\begin{cases} f_1(x) & (x>0) \\ f_2(x) & (x<0) \end{cases}$

$f(-1)=f_2(-1)=3$이므로

$1+C_2=3 \quad \therefore C_2=2$

또 $f(x)$가 연속함수이므로 $x=0$에서 연속이다.

곧, $f_1(0)=f_2(0)$이므로 $C_1=C_2=2$

$\therefore f(1)=f_1(1)=\frac{1}{3}-1+2=\frac{4}{3}$

답 $\frac{4}{3}$

대표 Q3

(1) $f'(x)=3x^2-4x$이므로

$f(x)=\int f'(x)\,dx=\int(3x^2-4x)\,dx$

$=x^3-2x^2+C$

곡선 $y=f(x)$가 점 $(1, 2)$를 지나므로 $f(1)=2$에서

$-1+C=2 \quad \therefore C=3$

$\therefore f(x)=x^3-2x^2+3$

(2) $f(x)=\int f'(x)\,dx=\int(x^2-2x-3)\,dx$

$=\frac{1}{3}x^3-x^2-3x+C$

$f'(x)=x^2-2x-3=(x+1)(x-3)$이므로

$f'(x)=0$에서 $x=-1$ 또는 $x=3$

$f(x)$의 증감표는 다음과 같다.

x	$\cdots$	-1	$\cdots$	3	$\cdots$
$f'(x)$	$+$	0	$-$	0	$+$
$f(x)$	↗	극대	↘	극소	↗

극댓값이 2이므로 $f(-1)=2$에서

$\frac{5}{3}+C=2 \quad \therefore C=\frac{1}{3}$

$\therefore f(x)=\frac{1}{3}x^3-x^2-3x+\frac{1}{3}$

따라서 $f(x)$의 극솟값은

$f(3)=9-9-9+\frac{1}{3}=-\frac{26}{3}$

답 (1) $f(x)=x^3-2x^2+3$ (2) $-\frac{26}{3}$

3-1

$f'(x)=6x^2+4$이므로

$f(x)=\int(6x^2+4)\,dx=2x^3+4x+C$

곡선 $y=f(x)$가 점 $(0, 6)$을 지나므로 $f(0)=6$에서

$C=6$

$\therefore f(x)=2x^3+4x+6$

답 $f(x)=2x^3+4x+6$

3-2

$(x^4)'=4x^3$이므로 $f'(x)$는 x^3의 계수가 4인 삼차함수이다.

또 $x=0$ 또는 $x=\pm1$에서 극값을 가지므로 $f'(x)=0$의 해가 $x=0$ 또는 $x=\pm1$이다. 곧,

$f'(x)=4x(x+1)(x-1)=4x^3-4x$

$\therefore f(x)=\int f'(x)\,dx=\int(4x^3-4x)\,dx$

$=x^4-2x^2+C$

$f(x)$의 증감표는 다음과 같다.

x	$\cdots$	-1	$\cdots$	0	$\cdots$	1	$\cdots$
$f'(x)$	$-$	0	$+$	0	$-$	0	$+$
$f(x)$	$\searrow$	극소	$\nearrow$	극대	$\searrow$	극소	$\nearrow$

극댓값이 -1이므로 $f(0)=-1$에서 $C=-1$

$\therefore f(x)=x^4-2x^2-1$

답 $f(x)=x^4-2x^2-1$

대표 04

(1) $F(x)=xf(x)-3x^4+x^2$의 양변을 미분하면

$f(x)=f(x)+xf'(x)-12x^3+2x$

$xf'(x)=12x^3-2x$

$f'(x)=12x^2-2$

$\therefore f(x)=\displaystyle\int f'(x)\,dx=\int(12x^2-2)\,dx$

$\qquad =4x^3-2x+C$

$f(0)=1$이므로 $C=1$

$\therefore f(x)=4x^3-2x+1$

(2) $g(x)$가 $x^2+f(x)$의 한 부정적분이므로

$g'(x)=x^2+f(x)$

그런데 $g'(x)$는 일차함수이므로

$g'(x)=ax+b\,(a\neq0)$로 놓으면

$f(x)=-x^2+ax+b$

라 할 수 있다.

$g(x)=\displaystyle\int(ax+b)\,dx=\frac{a}{2}x^2+bx+C$

이므로 $f(x)+g(x)=x+1$에서

$\left(-1+\dfrac{a}{2}\right)x^2+(a+b)x+b+C=x+1$

양변의 계수를 비교하면

$-1+\dfrac{a}{2}=0,\ a+b=1,\ b+C=1$

$\therefore a=2,\ b=-1,\ C=2$

$\therefore f(x)=-x^2+2x-1$

답 (1) $f(x)=4x^3-2x+1$ (2) $f(x)=-x^2+2x-1$

4-1

$F(x)=xf(x)+4x^3-3x^2$의 양변을 미분하면

$f(x)=f(x)+xf'(x)+12x^2-6x$

$xf'(x)=-12x^2+6x$

$f'(x)=-12x+6$

$\therefore f(x)=\displaystyle\int f'(x)\,dx=\int(-12x+6)\,dx$

$\qquad =-6x^2+6x+C$

$f(1)=-3$이므로 $C=-3$

$\therefore f(x)=-6x^2+6x-3$

답 $f(x)=-6x^2+6x-3$

4-2

$f(x)$가 일차함수이므로 $f(x)=ax+b\,(a\neq0)$라 하면

$g(x)=\displaystyle\int x(ax+b)\,dx=\int(ax^2+bx)\,dx$

$\qquad =\dfrac{a}{3}x^3+\dfrac{b}{2}x^2+C$

$g'(x)=ax^2+bx$이므로

$g(x)+g'(x)=x^3+px^2+2x+3$에서

$\dfrac{a}{3}x^3+\left(\dfrac{b}{2}+a\right)x^2+bx+C=x^3+px^2+2x+3$

양변의 계수를 비교하면

$\dfrac{a}{3}=1,\ \dfrac{b}{2}+a=p,\ b=2,\ C=3$

$\therefore a=3,\ p=4$

답 4

7 부정적분

125쪽 ~ 126쪽

01 (1) $\dfrac{1}{4}x^4-\dfrac{1}{3}x^3-\dfrac{1}{2}x^2+x+C$

(2) $x^2y^3+xy^2+y+C$ (3) $\dfrac{1}{2}x^2+x+C$

(4) x^2-2x+C

02 ① 03 4 04 36 05 ④ 06 -5

07 17 08 ④ 09 $f(x)=3x^2-2x+1$

10 $f(x)=x^2+x-1,\ g(x)=x+2$

01

(1) $\displaystyle\int(x+1)(x-1)^2\,dx$

$=\displaystyle\int(x^3-x^2-x+1)\,dx$

$=\dfrac{1}{4}x^4-\dfrac{1}{3}x^3-\dfrac{1}{2}x^2+x+C$

(2) $\displaystyle\int (3x^2y^2+2xy+1)\,dy$

$\displaystyle =3x^2\int y^2\,dy+2x\int y\,dy+\int 1\,dy$

$\displaystyle =3x^2\times\frac{1}{3}y^3+2x\times\frac{1}{2}y^2+y+C$

$=x^2y^3+xy^2+y+C$

(3) $\displaystyle\int\left(\frac{1}{2}x^3+2x+1\right)dx-\int\left(\frac{1}{2}x^3+x\right)dx$

$\displaystyle =\int\left\{\left(\frac{1}{2}x^3+2x+1\right)-\left(\frac{1}{2}x^3+x\right)\right\}dx$

$\displaystyle =\int (x+1)\,dx$

$\displaystyle =\frac{1}{2}x^2+x+C$

(4) $\displaystyle\int\frac{2x^2}{x+2}\,dx+\int\frac{2x}{x+2}\,dx-\int\frac{4}{x+2}\,dx$

$\displaystyle =\int\frac{2x^2+2x-4}{x+2}\,dx$

$\displaystyle =\int\frac{2(x+2)(x-1)}{x+2}\,dx$

$\displaystyle =\int 2(x-1)\,dx$

$\displaystyle =\int (2x-2)\,dx$

$=x^2-2x+C$

目 (1) $\dfrac{1}{4}x^4-\dfrac{1}{3}x^3-\dfrac{1}{2}x^2+x+C$

(2) $x^2y^3+xy^2+y+C$

(3) $\dfrac{1}{2}x^2+x+C$

(4) x^2-2x+C

02

$\displaystyle f(x)=\int f'(x)\,dx=\int (4x^3+6x^2-4x+1)\,dx$

$=x^4+2x^3-2x^2+x+C$

$f(0)=-1$에서 $C=-1$

$\therefore f(x)=x^4+2x^3-2x^2+x-1$

$\therefore f(1)=1+2-2+1-1=1$

目 ①

03

$\displaystyle\lim_{x\to 1}\frac{f(x^2)-f(1)}{x-1}=\lim_{x\to 1}\left\{\frac{f(x^2)-f(1)}{x^2-1}\times (x+1)\right\}$

$=2f'(1)$

$f(x)=\displaystyle\int (4x^3+3x-5)\,dx$의 양변을 미분하면

$f'(x)=\dfrac{d}{dx}\displaystyle\int (4x^3+3x-5)\,dx=4x^3+3x-5$

$f'(1)=4+3-5=2$이므로

$2f'(1)=2\times 2=4$

目 4

04

$\displaystyle\int g(x)\,dx=3x^2f(x)+C$의 양변을 미분하면

$g(x)=6xf(x)+3x^2f'(x)$

$f(2)=1,\ f'(2)=2$이므로

$g(2)=12f(2)+12f'(2)=36$

目 36

05

$f'(x)=1+2x+3x^2+\cdots+nx^{n-1}$이므로

$\displaystyle f(x)=\int f'(x)\,dx$

$\displaystyle =\int (1+2x+3x^2+\cdots+nx^{n-1})\,dx$

$=x+x^2+x^3+\cdots+x^n+C$

$f(0)=3$에서 $C=3$

$\therefore f(x)=x+x^2+x^3+\cdots+x^n+3$

$\therefore f(2)=2+2^2+2^3+\cdots+2^n+3$

$=\dfrac{2(2^n-1)}{2-1}+3=2^{n+1}+1$

目 ④

참고 첫째항이 a이고 공비가 $r\,(r\neq 1)$인 등비수열의 첫째항

부터 제 n항까지의 합은 $\dfrac{a(r^n-1)}{r-1}$이다. (수학 I 내용)

곧, $a+ar+ar^2+\cdots+ar^{n-1}=\dfrac{a(r^n-1)}{r-1}$

06 전략 미분가능과 연속의 정의를 이용하여

k의 값과 적분상수를 구한다.

$\displaystyle\int k\,dx=kx+C_1=f_1(x)$

$\displaystyle\int (x+4)\,dx=\frac{1}{2}x^2+4x+C_2=f_2(x)$

라 하면

$f(x)=\begin{cases} f_1(x)\ (x>1) \\ f_2(x)\ (x<1) \end{cases}$

(i) $f(x)$가 $x=1$에서 연속이므로 $f_1(1)=f_2(1)$

$k+C_1=\dfrac{9}{2}+C_2$ $\cdots$ ㉠

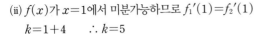

(ii) $f(x)$가 $x=1$에서 미분가능하므로 $f_1{'}(1)=f_2{'}(1)$

$\quad k=1+4$ $\quad \therefore k=5$

(iii) $f(2)=f_1(2)=8$이므로

$\quad 2k+C_1=8$ $\quad \therefore C_1=-2$

㉠에 대입하면 $5-2=\dfrac{9}{2}+C_2$ $\quad \therefore C_2=-\dfrac{3}{2}$

$\therefore f(-1)=f_2(-1)=\dfrac{1}{2}-4-\dfrac{3}{2}=-5$

$\qquad\qquad\qquad\qquad\qquad$ 🖪 -5

07 전략 부정적분을 구할 수 없으면 미분을 생각한다.

$\displaystyle\int \{1-f(x)\}\,dx=\dfrac{1}{4}x^2(24-x^2)+C$

의 양변을 미분하면

$1-f(x)=12x-x^3$ $\quad \therefore f(x)=x^3-12x+1$

$f'(x)=3x^2-12=3(x+2)(x-2)$이므로

$f'(x)=0$에서 $x=-2$ 또는 $x=2$

$f(x)$의 증감표는 다음과 같다.

x	$\cdots$	-2	$\cdots$	2	$\cdots$
$f'(x)$	$+$	0	$-$	0	$+$
$f(x)$	↗	극대	↘	극소	↗

따라서 극댓값은 $f(-2)=-8+24+1=17$

$\qquad\qquad\qquad\qquad\qquad$ 🖪 17

08 전략 그래프에서 $f'(x)$를 구하고 부정적분을 이용한다.

$y=f'(x)$의 그래프에서

$f'(x)=a(x+1)(x-1)\ (a>0)$이라 하면

$f(x)=\displaystyle\int f'(x)\,dx=\int a(x+1)(x-1)\,dx$

$\qquad =a\displaystyle\int (x^2-1)\,dx=a\left(\dfrac{1}{3}x^3-x\right)+C$

또 $f'(x)=0$에서 $x=-1$ 또는 $x=1$

$f(x)$의 증감표는 다음과 같다.

x	$\cdots$	-1	$\cdots$	1	$\cdots$
$f'(x)$	$+$	0	$-$	0	$+$
$f(x)$	↗	극대	↘	극소	↗

극댓값이 4, 극솟값이 0이므로

$f(-1)=\dfrac{2}{3}a+C=4,\ f(1)=-\dfrac{2}{3}a+C=0$

두 식을 연립하여 풀면 $a=3,\ C=2$

$\therefore f(x)=x^3-3x+2$

$\therefore f(3)=27-9+2=20$

$\qquad\qquad\qquad\qquad\qquad$ 🖪 ④

09 전략 $F'(x)=f(x)$이므로 양변을 미분한다.

$F(x)-x^2=xf(x)-2x^3-3$의 양변을 미분하면

$f(x)-2x=f(x)+xf'(x)-6x^2$

$xf'(x)=6x^2-2x,\ f'(x)=6x-2$

$\therefore f(x)=\displaystyle\int f'(x)\,dx=\int (6x-2)\,dx$

$\qquad\qquad =3x^2-2x+C$

$f(-1)=6$이므로 $5+C=6$ $\quad \therefore C=1$

$\therefore f(x)=3x^2-2x+1$

$\qquad\qquad\qquad\qquad\qquad$ 🖪 $f(x)=3x^2-2x+1$

10 전략 조건식을 미분하거나 적분하여 $f(x)$와 $g(x)$에 대한
식을 구한다.

$\displaystyle\int \{f(x)+g(x)\}\,dx=\dfrac{1}{3}x^3+x^2+x+C$

의 양변을 미분하면

$f(x)+g(x)=x^2+2x+1$ $\qquad\cdots$ ㉠

또 $\dfrac{d}{dx}\{f(x)g(x)\}=3x^2+6x+1$에서

$f(x)g(x)=\displaystyle\int (3x^2+6x+1)\,dx$

$\qquad\qquad =x^3+3x^2+x+C_1$ $\qquad\cdots$ ㉡

$x=1$을 ㉠에 대입하면 $f(1)+g(1)=4$

$f(1)=1$이므로 $g(1)=3$

또 $x=1$을 ㉡에 대입하면 $f(1)g(1)=1+3+1+C_1$

$1\times 3=5+C_1$ $\quad \therefore C_1=-2$

따라서 ㉡에서

$f(x)g(x)=x^3+3x^2+x-2=(x+2)(x^2+x-1)$

그런데 $f(1)=1$이므로

$f(x)=x^2+x-1,\ g(x)=x+2$

이 식은 ㉠을 만족시킨다.

$\qquad\qquad\qquad$ 🖪 $f(x)=x^2+x-1,\ g(x)=x+2$

8 정적분

1

(1) $\displaystyle\int_{-2}^{2} x\,dx = \left[\dfrac{1}{2}x^2\right]_{-2}^{2}$

$\qquad = \left(\dfrac{1}{2}\times 2^2\right) - \left\{\dfrac{1}{2}\times(-2)^2\right\} = 0$

(2) $\displaystyle\int_{-2}^{2} x^2\,dx = \left[\dfrac{1}{3}x^3\right]_{-2}^{2}$

$\qquad = \left(\dfrac{1}{3}\times 2^3\right) - \left\{\dfrac{1}{3}\times(-2)^3\right\} = \dfrac{16}{3}$

(3) $\displaystyle\int_{-2}^{2} x^3\,dx = \left[\dfrac{1}{4}x^4\right]_{-2}^{2}$

$\qquad = \left(\dfrac{1}{4}\times 2^4\right) - \left\{\dfrac{1}{4}\times(-2)^4\right\} = 0$

답 (1) 0   (2) $\dfrac{16}{3}$ (3) 0

2

$\displaystyle\int_{1}^{1} x^2\,dx = 0$

답 0

3

(1) $\displaystyle\int_{b}^{a} f(x)\,dx = -\int_{a}^{b} f(x)\,dx = -3$

(2) $\displaystyle\int_{a}^{b} f(x)\,dx + \int_{b}^{c} f(x)\,dx = \int_{a}^{c} f(x)\,dx$이므로

$\qquad \displaystyle\int_{a}^{c} f(x)\,dx = 2+5 = 7$

답 (1) -3 (2) 7

4

(1) $\displaystyle\int_{a}^{b} \{f(x) - g(x)\}\,dx$

$\qquad = \displaystyle\int_{a}^{b} f(x)\,dx - \int_{a}^{b} g(x)\,dx$

$\qquad = 4 - 3 = 1$

(2) $\displaystyle\int_{a}^{b} \{2f(x) + 3g(x)\}\,dx$

$\qquad = \displaystyle\int_{a}^{b} 2f(x)\,dx + \int_{a}^{b} 3g(x)\,dx$

$\qquad = 2\displaystyle\int_{a}^{b} f(x)\,dx + 3\int_{a}^{b} g(x)\,dx$

$\qquad = 2\times 4 + 3\times 3 = 17$

답 (1) 1   (2) 17

5

(1) $\displaystyle\int_{2}^{4} f(x)\,dx = S_1 = 7$

(2) $\displaystyle\int_{4}^{5} f(x)\,dx = -S_2 = -2$

(3) $\displaystyle\int_{2}^{5} f(x)\,dx = \int_{2}^{4} f(x)\,dx + \int_{4}^{5} f(x)\,dx$

$\qquad = 7 + (-2) = 5$

답 (1) 7   (2) -2 (3) 5

6

(1) $\displaystyle\int_{-1}^{1} (x^2 - 3)\,dx = 2\int_{0}^{1} (x^2 - 3)\,dx$

$\qquad = 2\left[\dfrac{1}{3}x^3 - 3x\right]_{0}^{1}$

$\qquad = 2\left\{\left(\dfrac{1}{3} - 3\right) - 0\right\} = -\dfrac{16}{3}$

(2) $\displaystyle\int_{-2}^{2} (x^3 + 2x)\,dx = 0$

답 (1) $-\dfrac{16}{3}$ (2) 0

대표 01

(1) $\displaystyle\int_{-2}^{1} (x-1)(x+2)\,dx$

$\qquad = \displaystyle\int_{-2}^{1} (x^2 + x - 2)\,dx$

$\qquad = \left[\dfrac{1}{3}x^3 + \dfrac{1}{2}x^2 - 2x\right]_{-2}^{1}$

$\qquad = \left(\dfrac{1}{3} + \dfrac{1}{2} - 2\right) - \left(-\dfrac{8}{3} + 2 + 4\right) = -\dfrac{9}{2}$

(2) $\int_0^3 (x+1)^2\,dx - \int_3^0 (x-1)^2\,dx$

$=\int_0^3 (x+1)^2\,dx + \int_0^3 (x-1)^2\,dx$

$=\int_0^3 \{(x+1)^2+(x-1)^2\}\,dx$

$=\int_0^3 (2x^2+2)\,dx$

$=\left[\dfrac{2}{3}x^3+2x\right]_0^3$

$=(18+6)-0=24$

(3) $\int_{-2}^1 (x^2-3x)\,dx + \int_1^3 (x^2-3x)\,dx$

$=\int_{-2}^3 (x^2-3x)\,dx$

$=\left[\dfrac{1}{3}x^3-\dfrac{3}{2}x^2\right]_{-2}^3$

$=\left(9-\dfrac{27}{2}\right)-\left(-\dfrac{8}{3}-6\right)=\dfrac{25}{6}$

답 (1) $-\dfrac{9}{2}$ (2) 24 (3) $\dfrac{25}{6}$

1-1

(1) $\int_{-3}^2 (-3x^2+4x)\,dx$

$=\left[-x^3+2x^2\right]_{-3}^2$

$=(-8+8)-(27+18)=-45$

(2) $\int_1^3 (2x-3)(x+1)\,dx$

$=\int_1^3 (2x^2-x-3)\,dx$

$=\left[\dfrac{2}{3}x^3-\dfrac{1}{2}x^2-3x\right]_1^3$

$=\left(18-\dfrac{9}{2}-9\right)-\left(\dfrac{2}{3}-\dfrac{1}{2}-3\right)$

$=\dfrac{22}{3}$

(3) $\int_{-1}^2 (2x-1)^2\,dx - \int_2^{-1}(4x-1)\,dx$

$=\int_{-1}^2 (4x^2-4x+1)\,dx + \int_{-1}^2 (4x-1)\,dx$

$=\int_{-1}^2 4x^2\,dx=\left[\dfrac{4}{3}x^3\right]_{-1}^2$

$=\dfrac{32}{3}-\left(-\dfrac{4}{3}\right)=12$

(4) $\int_0^1 (x^3+4)\,dx + \int_1^3 (x^3+4)\,dx$

$=\int_0^3 (x^3+4)\,dx=\left[\dfrac{1}{4}x^4+4x\right]_0^3$

$=\dfrac{81}{4}+12=\dfrac{129}{4}$

답 (1) -45 (2) $\dfrac{22}{3}$ (3) 12 (4) $\dfrac{129}{4}$

대표 02

(1) $\int_{-2}^2 (x^3+2x^2-3x+4)\,dx$

$=\int_{-2}^2 (x^3-3x)\,dx + \int_{-2}^2 (2x^2+4)\,dx$

$=0+2\int_0^2 (2x^2+4)\,dx$

$=2\left[\dfrac{2}{3}x^3+4x\right]_0^2=2\left(\dfrac{16}{3}+8\right)=\dfrac{80}{3}$

(2) $\int_2^4 \dfrac{x^2}{x-1}\,dx - \int_2^4 \dfrac{1}{t-1}\,dt$

$=\int_2^4 \dfrac{x^2}{x-1}\,dx - \int_2^4 \dfrac{1}{x-1}\,dx$

$=\int_2^4 \dfrac{x^2-1}{x-1}\,dx=\int_2^4 (x+1)\,dx$

$=\left[\dfrac{1}{2}x^2+x\right]_2^4=(8+4)-(2+2)=8$

답 (1) $\dfrac{80}{3}$ (2) 8

2-1

(1) $\int_{-2}^0 (x^5+4x^3-2x^2+1)\,dx$

$+\int_0^2 (x^5+4x^3-2x^2+1)\,dx$

$=\int_{-2}^2 (x^5+4x^3-2x^2+1)\,dx$

$=\int_{-2}^2 (x^5+4x^3)\,dx + \int_{-2}^2 (-2x^2+1)\,dx$

$=0+2\int_0^2 (-2x^2+1)\,dx$

$=2\left[-\dfrac{2}{3}x^3+x\right]_0^2$

$=2\left(-\dfrac{16}{3}+2\right)=-\dfrac{20}{3}$

(2) $\int_1^4 \frac{4}{x+2}\,dx - \int_1^4 \frac{y^2}{y+2}\,dy$

$= \int_1^4 \frac{4}{x+2}\,dx - \int_1^4 \frac{x^2}{x+2}\,dx$

$= \int_1^4 \frac{4-x^2}{x+2}\,dx = \int_1^4 \frac{-(x+2)(x-2)}{x+2}\,dx$

$= \int_1^4 (-x+2)\,dx = \left[-\frac{1}{2}x^2+2x\right]_1^4$

$= (-8+8) - \left(-\frac{1}{2}+2\right) = -\frac{3}{2}$

답 (1) $-\frac{20}{3}$ (2) $-\frac{3}{2}$

대표 03

(1) $-1 \le x \le 1$일 때 $|x^2-1| = -(x^2-1)$,
$1 \le x \le 2$일 때 $|x^2-1| = x^2-1$이므로

$\int_{-1}^2 |x^2-1|\,dx$

$= \int_{-1}^1 \{-(x^2-1)\}\,dx + \int_1^2 (x^2-1)\,dx$

$= \left[-\frac{1}{3}x^3+x\right]_{-1}^1 + \left[\frac{1}{3}x^3-x\right]_1^2$

$= \frac{4}{3} + \frac{4}{3} = \frac{8}{3}$

(2) $0 \le x \le a$일 때 $|x-a| = -(x-a)$,
$a \le x \le 4$일 때 $|x-a| = x-a$이므로

$\int_0^4 |x-a|\,dx$

$= \int_0^a \{-(x-a)\}\,dx + \int_a^4 (x-a)\,dx$

$= \left[-\frac{1}{2}x^2+ax\right]_0^a + \left[\frac{1}{2}x^2-ax\right]_a^4$

$= \left(-\frac{1}{2}a^2+a^2\right) + \left(\frac{1}{2}a^2-4a+8\right)$

$= a^2-4a+8 = (a-2)^2+4$

따라서 $a=2$일 때 최소이고, 최솟값은 4이다.

다른 풀이

$\int_0^4 |x-a|\,dx$는

그림에서 색칠한 두 삼각
형의 넓이의 합이므로

$\frac{1}{2}a^2 + \frac{1}{2}(4-a)^2$

$= a^2-4a+8$

답 (1) $\frac{8}{3}$ (2) $a=2$, 최솟값 : 4

3-1

(1) $1 \le x \le 3$일 때 $|x-3| = -(x-3)$,
$3 \le x \le 4$일 때 $|x-3| = x-3$이므로

$\int_1^4 |x-3|\,dx$

$= \int_1^3 \{-(x-3)\}\,dx + \int_3^4 (x-3)\,dx$

$= \left[-\frac{1}{2}x^2+3x\right]_1^3 + \left[\frac{1}{2}x^2-3x\right]_3^4$

$= 2 + \frac{1}{2} = \frac{5}{2}$

(2) $0 \le x \le 2$일 때 $|x^2-2x| = -(x^2-2x)$,
$2 \le x \le 3$일 때 $|x^2-2x| = x^2-2x$이므로

$\int_0^3 |x^2-2x|\,dx$

$= \int_0^2 \{-(x^2-2x)\}\,dx + \int_2^3 (x^2-2x)\,dx$

$= \left[-\frac{1}{3}x^3+x^2\right]_0^2 + \left[\frac{1}{3}x^3-x^2\right]_2^3$

$= \frac{4}{3} + \frac{4}{3} = \frac{8}{3}$

답 (1) $\frac{5}{2}$ (2) $\frac{8}{3}$

3-2

$0 \le x < 1$에서 $f(x)$가 증가하므로 $f'(x) > 0$
$1 < x < 3$에서 $f(x)$가 감소하므로 $f'(x) < 0$

$\therefore \int_0^3 |f'(x)|\,dx = \int_0^1 f'(x)\,dx - \int_1^3 f'(x)\,dx$

$= \left[f(x)\right]_0^1 - \left[f(x)\right]_1^3$

$= f(1)-f(0) - \{f(3)-f(1)\}$

$= 1-(-3)-(-3)+1 = 8$

다른 풀이

$f'(x)=0$의 해가 $x=1$ 또는 $x=3$이므로
$f'(x) = a(x-1)(x-3)$으로 놓으면

$f(x) = \int a(x-1)(x-3)\,dx$

$= a\left(\frac{1}{3}x^3-2x^2+3x\right) + C$

$f(1)=1$이므로 $\frac{4}{3}a+C=1$ ··· ㉠

$f(3)=-3$이므로 $C=-3$

㉠에 대입하면 $\frac{4}{3}a-3=1$ $\therefore a=3$

$$\therefore \int_0^3 |f'(x)|\, dx$$

$$= 3\int_0^3 |(x-1)(x-3)|\, dx$$

$$= 3\int_0^1 (x-1)(x-3)\, dx - 3\int_1^3 (x-1)(x-3)\, dx$$

$$= \left[x^3 - 6x^2 + 9x\right]_0^1 - \left[x^3 - 6x^2 + 9x\right]_1^3$$

$$= 4 - (-4) = 8$$

🅐 8

대표 04

(1) $f(x)$는 주기가 2인 주기함수이므로

$$\int_{-1}^1 f(x)\, dx = \int_1^3 f(x)\, dx = \int_3^5 f(x)\, dx = \cdots$$

$$\therefore \int_5^7 f(x)\, dx = \int_{-1}^1 f(x)\, dx$$

$$= \int_{-1}^1 (x^2+1)\, dx = 2\int_0^1 (x^2+1)\, dx$$

$$= 2\left[\frac{1}{3}x^3 + x\right]_0^1 = 2\left(\frac{1}{3}+1\right) = \frac{8}{3}$$

(2) $$\int_9^{10} f(x)\, dx = \int_7^8 f(x)\, dx = \int_5^6 f(x)\, dx$$

$$= \cdots = \int_{-1}^0 f(x)\, dx$$

$$\therefore \int_9^{10} f(x)\, dx$$

$$= \int_{-1}^0 f(x)\, dx$$

$$= \int_{-1}^0 (x^2+1)\, dx = \left[\frac{1}{3}x^3 + x\right]_{-1}^0$$

$$= -\left(-\frac{1}{3}-1\right) = \frac{4}{3}$$

(3) $\displaystyle\int_0^{10} f(x)\, dx = \int_0^9 f(x)\, dx + \int_9^{10} f(x)\, dx$이고,

$\displaystyle\int_9^{10} f(x)\, dx = \int_{-1}^0 f(x)\, dx$이므로

$$\int_0^{10} f(x)\, dx = \int_0^9 f(x)\, dx + \int_9^{10} f(x)\, dx$$

$$= \int_0^9 f(x)\, dx + \int_{-1}^0 f(x)\, dx$$

$$= \int_{-1}^9 f(x)\, dx = 5\int_{-1}^1 f(x)\, dx$$

$$= 5 \times \frac{8}{3} = \frac{40}{3}$$

🅐 (1) $\dfrac{8}{3}$ (2) $\dfrac{4}{3}$ (3) $\dfrac{40}{3}$

4-1

(1) $$\int_0^2 f(x)\, dx = \int_0^1 x^2\, dx + \int_1^2 (2-x)\, dx$$

$$= \left[\frac{1}{3}x^3\right]_0^1 + \left[2x - \frac{1}{2}x^2\right]_1^2$$

$$= \frac{1}{3} + \frac{1}{2} = \frac{5}{6}$$

(2) $f(x)$는 주기가 2인 주기함수이므로

$$\int_{-1}^0 f(x)\, dx = \int_1^2 f(x)\, dx,$$

$$\int_2^3 f(x)\, dx = \int_0^1 f(x)\, dx$$

$$\therefore \int_{-1}^3 f(x)\, dx$$

$$= \int_{-1}^0 f(x)\, dx + \int_0^2 f(x)\, dx + \int_2^3 f(x)\, dx$$

$$= \int_1^2 f(x)\, dx + \int_0^2 f(x)\, dx + \int_0^1 f(x)\, dx$$

$$= 2\int_0^2 f(x)\, dx$$

$$= 2 \times \frac{5}{6} = \frac{5}{3}$$

(3) $$\int_{-3}^{10} f(x)\, dx$$

$$= \int_{-3}^{-2} f(x)\, dx + \int_{-2}^{10} f(x)\, dx$$

$$= \int_1^2 f(x)\, dx + 6\int_0^2 f(x)\, dx$$

$$= \int_1^2 (2-x)\, dx + 6 \times \frac{5}{6}$$

$$= \left[2x - \frac{1}{2}x^2\right]_1^2 + 5$$

$$= \frac{1}{2} + 5 = \frac{11}{2}$$

🅐 (1) $\dfrac{5}{6}$ (2) $\dfrac{5}{3}$ (3) $\dfrac{11}{2}$

대표 05

(1) $\displaystyle\int_0^3 f(x)\, dx = 3$, $\displaystyle\int_0^4 f(x)\, dx = 5$

이므로

$$\int_3^4 f(x)\, dx = \int_0^4 f(x)\, dx - \int_0^3 f(x)\, dx$$

$$= 5 - 3 = 2$$

$y = f(x)$의 그래프는 직선 $x=2$에 대칭이므로

$$\int_0^1 f(x)\, dx = \int_3^4 f(x)\, dx = 2$$

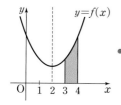 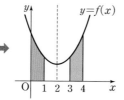

$$\therefore \int_1^2 f(x)\,dx = \frac{1}{2}\left\{\int_0^3 f(x)\,dx - \int_0^1 f(x)\,dx\right\}$$
$$= \frac{1}{2}\times(3-2) = \frac{1}{2}$$

(2) $y=f(x+1)$의 그래프는 $y=f(x)$의 그래프를 x축 방향으로 -1만큼 평행이동한 것이므로

$$\int_1^2 f(x+1)\,dx = \int_2^3 f(x)\,dx$$

$y=f(x)$의 그래프는 직선 $x=2$에 대칭이므로

$$\int_2^3 f(x)\,dx = \int_1^2 f(x)\,dx = \frac{1}{2}$$

답 (1) $\frac{1}{2}$ (2) $\frac{1}{2}$

5-1

$f(-x)=f(x)$이므로 $y=f(x)$의 그래프는 y축에 대칭이고 $\int_0^4 f(x)\,dx=-6$, $\int_{-2}^4 f(x)\,dx=-2$

(1) $\int_{-2}^4 f(x)\,dx = \int_{-2}^0 f(x)\,dx + \int_0^4 f(x)\,dx$이므로

$$-2 = \int_{-2}^0 f(x)\,dx - 6 \qquad \therefore \int_{-2}^0 f(x)\,dx = 4$$

$$\therefore \int_0^2 f(x)\,dx = \int_{-2}^0 f(x)\,dx = 4$$

(2) $\int_{-4}^0 f(x)\,dx = \int_0^4 f(x)\,dx$이므로

$$\int_{-4}^2 f(x)\,dx = \int_{-4}^0 f(x)\,dx + \int_0^2 f(x)\,dx$$
$$= \int_0^4 f(x)\,dx + \int_0^2 f(x)\,dx$$
$$= -6+4 = -2$$

답 (1) 4 (2) -2

5-2

$y=f(x-2)$의 그래프는 $y=f(x)$의 그래프를 x축 방향으로 2만큼 평행이동한 것이므로

$$\int_0^4 f(x-2)\,dx = \int_{-2}^2 f(x)\,dx$$

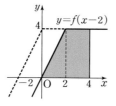

$f(x)=\begin{cases}2x+4 & (x<0)\\ 4 & (x\geq0)\end{cases}$ 이므로

$$\int_0^4 f(x-2)\,dx = \int_{-2}^2 f(x)\,dx$$
$$= \int_{-2}^0 (2x+4)\,dx + \int_0^2 4\,dx$$
$$= \Big[x^2+4x\Big]_{-2}^0 + \Big[4x\Big]_0^2$$
$$= 4+8 = 12$$

답 12

대표 Q6

(1) $\int_0^1 f(x)\,dx = p$ (p는 상수) ⋯ ㉠

로 놓으면 $f(x)=x^3-2x-2p$

$$\int_0^1 f(x)\,dx = \int_0^1 (x^3-2x-2p)\,dx$$
$$= \Big[\frac{1}{4}x^4-x^2-2px\Big]_0^1 = -\frac{3}{4}-2p$$

㉠에 대입하면 $-\frac{3}{4}-2p=p$ ∴ $p=-\frac{1}{4}$

$$\therefore f(x)=x^3-2x+\frac{1}{2}$$

(2) $f(0)=-1$이므로

$f(x)=ax^2+bx-1$ ($a\neq0$)로 놓으면

$$\int_{-1}^1 f(x)\,dx = \int_{-1}^1 (ax^2+bx-1)\,dx$$
$$= 2\int_0^1 (ax^2-1)\,dx$$
$$= 2\Big[\frac{a}{3}x^3-x\Big]_0^1 = \frac{2}{3}a-2$$

$$\int_0^1 f(x)\,dx = \int_0^1 (ax^2+bx-1)\,dx$$
$$= \Big[\frac{a}{3}x^3+\frac{b}{2}x^2-x\Big]_0^1 = \frac{a}{3}+\frac{b}{2}-1$$

$$\int_{-1}^0 f(x)\,dx = \int_{-1}^0 (ax^2+bx-1)\,dx$$
$$= \Big[\frac{a}{3}x^3+\frac{b}{2}x^2-x\Big]_{-1}^0 = \frac{a}{3}-\frac{b}{2}-1$$

조건에서 $\frac{2}{3}a-2=\frac{a}{3}+\frac{b}{2}-1=\frac{a}{3}-\frac{b}{2}-1$

연립하여 풀면 $a=3$, $b=0$

$$\therefore f(x)=3x^2-1$$

답 (1) $f(x)=x^3-2x+\frac{1}{2}$ (2) $f(x)=3x^2-1$

6-1

$\int_0^1 xf(x)\,dx = p$ (p는 상수) $\cdots$ ㉠

로 놓으면 $f(x)=x-2+p$이므로

$\int_0^1 xf(x)\,dx = \int_0^1 (x^2-2x+px)\,dx$

$= \left[\dfrac{1}{3}x^3-x^2+\dfrac{p}{2}x^2\right]_0^1 = -\dfrac{2}{3}+\dfrac{p}{2}$

㉠에 대입하면 $-\dfrac{2}{3}+\dfrac{p}{2}=p$ $\therefore p=-\dfrac{4}{3}$

$\therefore f(x)=x-\dfrac{10}{3}$

답 $f(x)=x-\dfrac{10}{3}$

6-2

$f(x)=ax^2+bx+c$로 놓으면

$\int_{-1}^1 f(x)\,dx = \int_{-1}^1 (ax^2+bx+c)\,dx$

$= 2\int_0^1 (ax^2+c)\,dx$

$= 2\left[\dfrac{a}{3}x^3+cx\right]_0^1 = \dfrac{2}{3}a+2c$ $\cdots$ ㉠

$pf(\sqrt{2})+qf(0)+pf(-\sqrt{2})$

$= p(2a+\sqrt{2}b+c)+qc+p(2a-\sqrt{2}b+c)$

$= 4pa+(2p+q)c$ $\cdots$ ㉡

조건에서 ㉠=㉡이므로

$\dfrac{2}{3}a+2c=4pa+(2p+q)c$

모든 a, c에 대해 성립하므로

$\dfrac{2}{3}=4p,\ 2=2p+q$ $\therefore p=\dfrac{1}{6},\ q=\dfrac{5}{3}$

답 $p=\dfrac{1}{6},\ q=\dfrac{5}{3}$

개념 Check 138쪽

7

(1) $f(x)=\int_{-1}^x (t^2-2t)\,dt$의 양변에 $x=-1$을 대입하면

$f(-1)=\int_{-1}^{-1}(t^2-2t)\,dt=0$

(2) $f(x)=\int_{-1}^x (t^2-2t)\,dt$의 양변을 x에 대하여 미분하면

$f'(x)=x^2-2x$

답 (1) 0 (2) $f'(x)=x^2-2x$

대표Q 139쪽~141쪽

대표 07

(1) $\int_{-1}^x f(t)\,dt=x^4+x^3+px-2$ $\cdots$ ㉠

㉠의 양변에 $x=-1$을 대입하면

$0=1-1-p-2$ $\therefore p=-2$

㉠의 양변을 x에 대하여 미분하면

$f(x)=4x^3+3x^2+p=4x^3+3x^2-2$

(2) $\int_1^x (x-t)f(t)\,dt=x^3+px^2+7x-3$ $\cdots$ ㉠

㉠의 양변에 $x=1$을 대입하면

$0=1+p+7-3$ $\therefore p=-5$

㉠에서 (좌변)$=x\int_1^x f(t)\,dt-\int_1^x tf(t)\,dt$이므로

㉠의 양변을 x에 대하여 미분하면

$\int_1^x f(t)\,dt+xf(x)-xf(x)=3x^2+2px+7$

$\int_1^x f(t)\,dt=3x^2+2px+7$ $\cdots$ ㉡

㉡의 양변을 x에 대하여 미분하면

$f(x)=6x+2p$

$\therefore f(x)=6x-10$

답 (1) $p=-2,\ f(x)=4x^3+3x^2-2$

(2) $p=-5,\ f(x)=6x-10$

참고 (2) $x=1$을 ㉡에 대입하여 p의 값을 구해도 된다.

곧, $0=3+2p+7$ $\therefore p=-5$

7-1

$\int_1^x f(t)\,dt=xf(x)-3x^4+2x^2$ $\cdots$ ㉠

㉠의 양변에 $x=1$을 대입하면

$0=f(1)-3+2$ $\therefore f(1)=1$ $\cdots$ ㉡

㉠의 양변을 x에 대하여 미분하면

$f(x)=f(x)+xf'(x)-12x^3+4x$

$xf'(x)=12x^3-4x,\ f'(x)=12x^2-4$

$\therefore f(x)=\int(12x^2-4)\,dx=4x^3-4x+C$

㉡에서 $f(1)=1$이므로 $4-4+C=1$ $\therefore C=1$

$\therefore f(x)=4x^3-4x+1$

답 $f(x)=4x^3-4x+1$

7-2

$$\int_{-1}^{x}(x-t)f(t)\,dt=x^4+px^3+x+1 \qquad \cdots \, ㉠$$

㉠의 양변에 $x=-1$을 대입하면

$$0=1-p-1+1 \qquad \therefore \ p=1$$

㉠에서 (좌변)$=x\int_{-1}^{x}f(t)\,dt-\int_{-1}^{x}tf(t)\,dt$이므로

㉠의 양변을 x에 대하여 미분하면

$$\int_{-1}^{x}f(t)\,dt+xf(x)-xf(x)=4x^3+3px^2+1$$

$$\int_{-1}^{x}f(t)\,dt=4x^3+3px^2+1 \qquad \cdots \, ㉡$$

㉡의 양변을 x에 대하여 미분하면

$$f(x)=12x^2+6px \qquad \therefore \ f(x)=12x^2+6x$$

📎 $p=1$, $f(x)=12x^2+6x$

대표 08

$f(x)=x^3+2x-3$의 한 부정적분을 $F(x)$라 하자.

(1) $\displaystyle\int_{1}^{x}f(t)\,dt=F(x)-F(1)$이므로

$$\lim_{x\to 1}\frac{1}{x^2-1}\int_{1}^{x}f(t)\,dt$$
$$=\lim_{x\to 1}\frac{F(x)-F(1)}{x^2-1}$$
$$=\lim_{x\to 1}\left\{\frac{F(x)-F(1)}{x-1}\times\frac{1}{x+1}\right\}$$
$$=F'(1)\times\frac{1}{2}=\frac{1}{2}f(1)$$
$$=\frac{1}{2}\times 0=0$$

(2) $\displaystyle\int_{2}^{2+2h}f(t)\,dt=F(2+2h)-F(2)$이므로

$$\lim_{h\to 0}\frac{1}{3h}\int_{2}^{2+2h}f(t)\,dt$$
$$=\lim_{h\to 0}\frac{F(2+2h)-F(2)}{3h}$$
$$=\lim_{h\to 0}\left\{\frac{F(2+2h)-F(2)}{2h}\times\frac{2}{3}\right\}$$
$$=F'(2)\times\frac{2}{3}=\frac{2}{3}f(2)$$
$$=\frac{2}{3}\times 9=6$$

📎 (1) 0 (2) 6

8-1

$f(x)=x^4-4x^2+1$의 한 부정적분을 $F(x)$라 하자.

(1) $\displaystyle\int_{2}^{2x}f(t)\,dt=F(2x)-F(2)$이므로

$$\lim_{x\to 1}\frac{1}{x-1}\int_{2}^{2x}f(t)\,dt$$
$$=\lim_{x\to 1}\frac{F(2x)-F(2)}{x-1}$$
$$=\lim_{x\to 1}\left\{\frac{F(2x)-F(2)}{2x-2}\times 2\right\}$$
$$=F'(2)\times 2=2f(2)$$
$$=2\times 1=2$$

(2) $\displaystyle\int_{1}^{x^2}f(t)\,dt=F(x^2)-F(1)$이므로

$$\lim_{x\to 1}\frac{1}{x-1}\int_{1}^{x^2}f(t)\,dt$$
$$=\lim_{x\to 1}\frac{F(x^2)-F(1)}{x-1}$$
$$=\lim_{x\to 1}\left\{\frac{F(x^2)-F(1)}{x^2-1}\times(x+1)\right\}$$
$$=F'(1)\times 2=2f(1)$$
$$=2\times(-2)=-4$$

📎 (1) 2 (2) -4

8-2

$f(x)=x^3-5x+2$의 한 부정적분을 $F(x)$라 하자.

(1) $\displaystyle\int_{1}^{1-3h}f(t)\,dt=F(1-3h)-F(1)$이므로

$$\lim_{h\to 0}\frac{1}{2h}\int_{1}^{1-3h}f(t)\,dt$$
$$=\lim_{h\to 0}\frac{F(1-3h)-F(1)}{2h}$$
$$=\lim_{h\to 0}\left\{\frac{F(1-3h)-F(1)}{-3h}\times\frac{-3}{2}\right\}$$
$$=F'(1)\times\left(-\frac{3}{2}\right)=-\frac{3}{2}f(1)$$
$$=-\frac{3}{2}\times(-2)=3$$

(2) $\displaystyle\int_{1-h}^{1+h}f(t)\,dt=F(1+h)-F(1-h)$이므로

$$\lim_{h\to 0}\frac{1}{h}\int_{1-h}^{1+h}f(t)\,dt$$
$$=\lim_{h\to 0}\frac{F(1+h)-F(1-h)}{h}$$
$$=\lim_{h\to 0}\left\{\frac{F(1+h)-F(1)}{h}+\frac{F(1-h)-F(1)}{-h}\right\}$$
$$=F'(1)+F'(1)=2f(1)$$
$$=2\times(-2)=-4$$

📎 (1) 3 (2) -4

대표 09

(1) $f(x)=\displaystyle\int_x^{x+1}(t^3-t)\,dt$에서 $g(t)=t^3-t$라 하고,

$g(t)$의 한 부정적분을 $G(t)$라 하면

$f(x)=G(x+1)-G(x)$

위 식의 양변을 x에 대하여 미분하면

$f'(x)=g(x+1)-g(x)$

$\quad=\{(x+1)^3-(x+1)\}-\{x^3-x\}$

$\quad=3x^2+3x=3x(x+1)$

$f'(x)=0$에서 $x=-1$ 또는 $x=0$

$f(x)$의 증감표는 다음과 같다.

x	$\cdots$	-1	$\cdots$	0	$\cdots$
$f'(x)$	$+$	0	$-$	0	$+$
$f(x)$	↗	극대	↘	극소	↗

극댓값은

$f(-1)=\displaystyle\int_{-1}^0(t^3-t)\,dt=\left[\frac14 t^4-\frac12 t^2\right]_{-1}^0=\frac14$

극솟값은

$f(0)=\displaystyle\int_0^1(t^3-t)\,dt=\left[\frac14 t^4-\frac12 t^2\right]_0^1=-\frac14$

따라서 $f(x)$는 $x=-1$일 때 극댓값 $\dfrac14$,

$x=0$일 때 극솟값 $-\dfrac14$을 갖는다.

(2) (1)에서 $f'(x)=3x^2+3x$이므로

$f(x)=x^3+\dfrac32 x^2+C$

$f(0)=-\dfrac14$이므로 $C=-\dfrac14$

$\therefore f(x)=x^3+\dfrac32 x^2-\dfrac14$

(1)의 증감표를 이용하면

$y=f(x)$의 그래프는 그림과

같다.

$f(-2)=-\dfrac94$, $f(2)=\dfrac{55}{4}$,

$f(-1)=\dfrac14$, $f(0)=-\dfrac14$이므로

구간 $[-2,2]$에서 최댓값은 $f(2)=\dfrac{55}{4}$,

최솟값은 $f(-2)=-\dfrac94$

답 (1) 극댓값 : $\dfrac14$, 극솟값 : $-\dfrac14$

(2) 최댓값 : $\dfrac{55}{4}$, 최솟값 : $-\dfrac94$

9-1

(1) $f(x)=\displaystyle\int_x^{-2}t(t-1)(t+2)\,dt$에서

$g(t)=t(t-1)(t+2)$라 하고,

$g(t)$의 한 부정적분을 $G(t)$라 하면

$f(x)=G(-2)-G(x)$

위 식의 양변을 x에 대하여 미분하면

$f'(x)=-g(x)$

$\quad=-x(x-1)(x+2)$

$f'(x)=0$에서 $x=-2$ 또는 $x=0$ 또는 $x=1$

$f(x)$의 증감표는 다음과 같다.

x	$\cdots$	-2	$\cdots$	0	$\cdots$	1	$\cdots$
$f'(x)$	$+$	0	$-$	0	$+$	0	$-$
$f(x)$	↗	극대	↘	극소	↗	극대	↘

극댓값은

$f(-2)=\displaystyle\int_{-2}^{-2}t(t-1)(t+2)\,dt=0$

$f(1)=\displaystyle\int_1^{-2}t(t-1)(t+2)\,dt$

$\quad=\displaystyle\int_1^{-2}(t^3+t^2-2t)\,dt$

$\quad=\left[\frac14 t^4+\frac13 t^3-t^2\right]_1^{-2}=-\frac94$

극솟값은

$f(0)=\displaystyle\int_0^{-2}t(t-1)(t+2)\,dt$

$\quad=\left[\frac14 t^4+\frac13 t^3-t^2\right]_0^{-2}=-\frac83$

(2) $f(x)=\displaystyle\int_x^{x+1}(t^2-4t+3)\,dt$에서

$g(t)=t^2-4t+3$이라 하고,

$g(t)$의 한 부정적분을 $G(t)$라 하면

$f(x)=G(x+1)-G(x)$

위 식의 양변을 x에 대하여 미분하면

$f'(x)=g(x+1)-g(x)$

$\quad=\{(x+1)^2-4(x+1)+3\}-\{x^2-4x+3\}$

$\quad=2x-3$

$f'(x)=0$에서 $x=\dfrac32$

$f(x)$의 증감표는 다음과 같다.

x	$\cdots$	$\dfrac32$	$\cdots$
$f'(x)$	$-$	0	$+$
$f(x)$	↘	극소	↗

극솟값은

$$f\left(\frac{3}{2}\right)=\int_{\frac{3}{2}}^{\frac{5}{2}}(t^2-4t+3)\,dt$$

$$=\left[\frac{1}{3}t^3-2t^2+3t\right]_{\frac{3}{2}}^{\frac{5}{2}}=-\frac{11}{12}$$

冒 (1) 극댓값 : 0, $-\dfrac{9}{4}$, 극솟값 : $-\dfrac{8}{3}$

(2) 극솟값 : $-\dfrac{11}{12}$

9-2

$F'(x)=f(x)=x^3-3x+a$

$f'(x)=3x^2-3=3(x+1)(x-1)$

$F(x)$는 사차함수이고 극값이 1개이므로
방정식 $F'(x)=0$, 곧 $f(x)=0$의 해가 실근이 1개이거
나 중근과 실근이 1개이다.

$f'(x)=0$에서 $x=-1$ 또는 $x=1$

$f(x)$의 증감표는 다음과 같다.

x	$\cdots$	-1	$\cdots$	1	$\cdots$
$f'(x)$	$+$	0	$-$	0	$+$
$f(x)$	↗	극대	↘	극소	↗

이때 극댓값 $f(-1)=a+2$, 극솟값 $f(1)=a-2$이고,
조건을 만족시키는 $y=f(x)$의 그래프의 개형은 다음 4개
중 하나이다.

(i) 실근이 1개일 때, $f(-1)f(1)>0$

  $(a+2)(a-2)>0$ ∴ $a<-2$ 또는 $a>2$

(ii) 중근과 실근이 1개일 때, $f(-1)=0$ 또는 $f(1)=0$

  ∴ $a=-2$ 또는 $a=2$

(i), (ii)에서 $a\leq-2$ 또는 $a\geq2$

冒 $a\leq-2$ 또는 $a\geq2$

참고 $f(x)=0$의 해가 삼중근인 경우에도 $F(x)$의 극값은
1개이다. 주어진 문제에서는 $f(x)=0$의 해가 삼중근
일 수 없으므로 $f(x)=0$의 해가 실근이 1개이거나 중
근과 실근이 1개인 경우만 생각한다.

01 3 02 (1) 0 (2) -2 03 (1) $\dfrac{16}{3}$ (2) 72

04 (1) 10 (2) $\dfrac{59}{3}$ 05 $\dfrac{1}{2}$ 06 $\dfrac{11}{4}$ 07 ①

08 ②   09 6 10 ②   11 $\dfrac{2}{3}$

12 $p=4$, $f(x)=-3x^2+16x-3$ 13 ⑤   14 4

15 (1) 2022 (2) $-\dfrac{5}{12}$ 16 $\dfrac{19}{2}$ 17 ②   18 ①

19 16 20 6 21 $f(x)=3x^2-4x+\dfrac{2}{3}$

22 $a=4$, $b=-16$ 23 ①   24 ②

01

$$\int_0^1(2x+a)\,dx=\left[x^2+ax\right]_0^1=1+a$$

이므로 $1+a=4$ ∴ $a=3$

冒 3

02

(1) $\displaystyle\int_1^3(2x^2-x+1)\,dx+\int_3^1(2x^2-x+1)\,dx$

  $=\displaystyle\int_1^3(2x^2-x+1)\,dx-\int_1^3(2x^2-x+1)\,dx=0$

(2) $\displaystyle\int_0^4(2x^3-6x+1)\,dx+\int_4^6(2x^3-6x+1)\,dx$

  $+\displaystyle\int_6^2(2x^3-6x+1)\,dx$

  $=\displaystyle\int_0^6(2x^3-6x+1)\,dx+\int_6^2(2x^3-6x+1)\,dx$

  $=\displaystyle\int_0^2(2x^3-6x+1)\,dx=\left[\frac{1}{2}x^4-3x^2+x\right]_0^2=-2$

冒 (1) 0 (2) -2

03

(1) $\displaystyle\int_{-2}^2 x(x^3+x^2-1)\,dx+\int_{-2}^2 y^2(y^3-y^2+1)\,dy$

  $=\displaystyle\int_{-2}^2 x(x^3+x^2-1)\,dx+\int_{-2}^2 x^2(x^3-x^2+1)\,dx$

  $=\displaystyle\int_{-2}^2\{x(x^3+x^2-1)+x^2(x^3-x^2+1)\}\,dx$

  $=\displaystyle\int_{-2}^2(x^5+x^3+x^2-x)\,dx$

  $=2\displaystyle\int_0^2 x^2\,dx=2\left[\frac{1}{3}x^3\right]_0^2=\frac{16}{3}$

(2) $\displaystyle\int_0^3 (x^5+4x^2-2x)\,dx-\int_0^{-3}(x^5+4x^2-2x)\,dx$

$\displaystyle=\int_0^3 (x^5+4x^2-2x)\,dx+\int_{-3}^0 (x^5+4x^2-2x)\,dx$

$\displaystyle=\int_{-3}^3 (x^5+4x^2-2x)\,dx$

$\displaystyle=2\int_0^3 4x^2\,dx$

$\displaystyle=2\left[\frac{4}{3}x^3\right]_0^3=72$

🖪 (1) $\dfrac{16}{3}$　(2) 72

04

(1) $1\le x\le 3$일 때 $|x-3|=-(x-3)$,

　$3\le x\le 4$일 때 $|x-3|=x-3$이므로

　$\displaystyle\int_1^4 (x+|x-3|)\,dx$

　$\displaystyle=\int_1^3 3\,dx+\int_3^4 (2x-3)\,dx$

　$\displaystyle=\Big[3x\Big]_1^3+\Big[x^2-3x\Big]_3^4$

　$=6+4=10$

(2) $x^2+2x-3=(x+3)(x-1)$에서

　$-2\le x\le 1$일 때 $|x^2+2x-3|=-(x^2+2x-3)$,

　$1\le x\le 3$일 때 $|x^2+2x-3|=x^2+2x-3$이므로

　$\displaystyle\int_{-2}^3 |x^2+2x-3|\,dx$

　$\displaystyle=\int_{-2}^1 \{-(x^2+2x-3)\}\,dx$

　　$\displaystyle+\int_1^3 (x^2+2x-3)\,dx$

　$\displaystyle=\left[-\frac{1}{3}x^3-x^2+3x\right]_{-2}^1+\left[\frac{1}{3}x^3+x^2-3x\right]_1^3$

　$\displaystyle=9+\frac{32}{3}=\frac{59}{3}$

🖪 (1) 10　(2) $\dfrac{59}{3}$

05

$\displaystyle\int_{-a}^a (3x^2+2x)\,dx=2\int_0^a 3x^2\,dx=2\Big[x^3\Big]_0^a=2a^3$

이므로 $2a^3=\dfrac{1}{4}$, $a^3=\dfrac{1}{8}$

a는 실수이므로 $a=\dfrac{1}{2}$

🖪 $\dfrac{1}{2}$

06

$f(x)=\begin{cases} x^3+1 & (x\le 1) \\ 3-x & (x>1)\end{cases}$이므로

$\displaystyle\int_0^4 f(x)\,dx=\int_0^1 (x^3+1)\,dx+\int_1^4 (3-x)\,dx$

$\displaystyle=\left[\frac{1}{4}x^4+x\right]_0^1+\left[3x-\frac{1}{2}x^2\right]_1^4$

$\displaystyle=\frac{5}{4}+\frac{3}{2}=\frac{11}{4}$

🖪 $\dfrac{11}{4}$

07

$0\le x\le 2$일 때 $f(x)\le 0$이므로

$\displaystyle\int_0^1 f(x)\,dx<0,\ \int_1^2 f(x)\,dx<0$

② $\displaystyle\int_{-1}^0 f(x)\,dx>0$

③ $\displaystyle\int_0^2 f(x)\,dx<0$

④ 그래프가 직선 $x=1$에 대칭이므로

　$\displaystyle\int_1^3 f(x)\,dx<\int_2^3 f(x)\,dx=\int_{-1}^0 f(x)\,dx$

⑤ $\displaystyle\int_4^2 f(x)\,dx=-\int_2^4 f(x)\,dx<0$

그런데 ① $\displaystyle\int_{-2}^0 f(x)\,dx>\int_{-1}^0 f(x)\,dx$

따라서 ①이 가장 크다.

🖪 ①

08

$\displaystyle\int_1^5 f(x)\,dx$

$\displaystyle=\int_1^4 f(x)\,dx+\int_4^5 f(x)\,dx$

$\displaystyle=\int_1^4 f(x)\,dx+\int_3^5 f(x)\,dx-\int_3^4 f(x)\,dx$

$=A+C-B$

다른 풀이

다음 그림에서 $\displaystyle\int_1^5 f(x)\,dx=A+C-B$

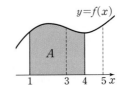
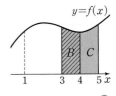

🖪 ②

09

$f(x)$는 주기가 4인 주기함수이고, $\displaystyle\int_{-3}^{1} f(x)\,dx = 2$이므로

$$\int_{-7}^{5} f(x)\,dx$$

$$= \int_{-7}^{-3} f(x)\,dx + \int_{-3}^{1} f(x)\,dx + \int_{1}^{5} f(x)\,dx$$

$$= 3\int_{-3}^{1} f(x)\,dx$$

$$= 3 \times 2 = 6$$

답 6

10

$y=f(x+5)$의 그래프는 $y=f(x)$의 그래프를 x축 방향으로 -5만큼 평행이동한 것이므로

$$\int_{-7}^{1} f(x+5)\,dx = \int_{-2}^{6} f(x)\,dx = 10$$

답 ②

11

$$\int_{-1}^{1} \{f(x)\}^2\,dx = \int_{-1}^{1} (x^2+2x+1)\,dx$$

$$= 2\int_{0}^{1} (x^2+1)\,dx$$

$$= 2\left[\frac{1}{3}x^3+x\right]_{0}^{1} = \frac{8}{3}$$

$$k\left\{\int_{-1}^{1}(x+1)\,dx\right\}^2 = k\left(2\int_{0}^{1} 1\,dx\right)^2$$

$$= k\left(2\left[x\right]_{0}^{1}\right)^2 = 4k$$

이므로 $\dfrac{8}{3} = 4k$에서 $k = \dfrac{2}{3}$

답 $\dfrac{2}{3}$

12

$$\int_{x}^{1} f(t)\,dt = x^3 - 2px^2 + 3x + 4 \qquad \cdots \ \bigcirc$$

$\bigcirc$의 양변에 $x=1$을 대입하면

$0 = 1 - 2p + 3 + 4$ $\qquad \therefore p = 4$

$\bigcirc$에서 $\displaystyle\int_{x}^{1} f(t)\,dt = -\int_{1}^{x} f(t)\,dt$이므로

$$-\int_{1}^{x} f(t)\,dt = x^3 - 2px^2 + 3x + 4$$

$$\int_{1}^{x} f(t)\,dt = -x^3 + 2px^2 - 3x - 4$$

이 식의 양변을 x에 대하여 미분하면

$f(x) = -3x^2 + 4px - 3$

$\therefore f(x) = -3x^2 + 16x - 3$

답 $p=4$, $f(x) = -3x^2 + 16x - 3$

13

$\dfrac{d}{dt} f(t) = f'(t)$이므로

$$\int_{1}^{x} f'(t)\,dt = x^3 + ax^2 - 2 \qquad \cdots \ \bigcirc$$

$\bigcirc$의 양변에 $x=1$을 대입하면

$0 = 1 + a - 2$ $\qquad \therefore a = 1$

$\bigcirc$의 양변을 x에 대하여 미분하면

$f'(x) = 3x^2 + 2ax$

$\therefore f'(a) = 3a^2 + 2a^2 = 5a^2 = 5$

답 ⑤

14

$f(x) = x^2 - 2x + 2$라 하고,

$f(x)$의 한 부정적분을 $F(x)$라 하면

$$\int_{2+h}^{2+3h} f(x)\,dx = F(2+3h) - F(2+h)$$이므로

$$\lim_{h \to 0} \frac{1}{h} \int_{2+h}^{2+3h} f(x)\,dx$$

$$= \lim_{h \to 0} \frac{F(2+3h) - F(2+h)}{h}$$

$$= \lim_{h \to 0} \left\{ 3 \times \frac{F(2+3h) - F(2)}{3h} - \frac{F(2+h) - F(2)}{h} \right\}$$

$$= 3F'(2) - F'(2)$$

$$= 2F'(2) = 2f(2)$$

$$= 2 \times 2 = 4$$

답 4

15 전략 (1) 그래프가 y축 또는 원점에 대칭인 함수의 정적분을 이용하여 식을 간단히 한다.

(2) $a_n = \displaystyle\int_{0}^{1} x^n (x-1)\,dx$로 놓고 $\displaystyle\sum_{n=1}^{10} a_n$의 값을 구한다.

(1) $\displaystyle\int_{-1}^{1} (1 + 2x + 3x^2 + \cdots + 2022x^{2021})\,dx$

$$= 2\int_{0}^{1} (1 + 3x^2 + 5x^4 + \cdots + 2021x^{2020})\,dx$$

$$= 2\left[x + x^3 + x^5 + \cdots + x^{2021} \right]_{0}^{1}$$

$2021 = 2 \times 1011 - 1$이므로 구하는 값은

$2 \times (1 + 1 + 1 + \cdots + 1) = 2 \times 1011 = 2022$

(2) $a_n = \int_0^1 x^n(x-1)\,dx$로 놓으면

$$a_n = \int_0^1 (x^{n+1} - x^n)\,dx$$

$$= \left[\frac{1}{n+2}x^{n+2} - \frac{1}{n+1}x^{n+1} \right]_0^1$$

$$= \frac{1}{n+2} - \frac{1}{n+1}$$

$$\therefore \sum_{n=1}^{10} a_n = \sum_{n=1}^{10} \left(\frac{1}{n+2} - \frac{1}{n+1} \right)$$

$$= \left(\frac{1}{3} - \frac{1}{2} \right) + \left(\frac{1}{4} - \frac{1}{3} \right) + \left(\frac{1}{5} - \frac{1}{4} \right) + \cdots$$

$$+ \left(\frac{1}{12} - \frac{1}{11} \right)$$

$$= -\frac{1}{2} + \frac{1}{12} = -\frac{5}{12}$$

(답) (1) 2022 (2) $-\dfrac{5}{12}$

16 (전략) $[x]$ ➡ 구간을 $0 \le x < 1$, $1 \le x < 2$, $\cdots$로 나눈다.

$0 \le x < 1$일 때 $[x] = 0$,

$1 \le x < 2$일 때 $[x] = 1$,

$2 \le x < 3$일 때 $[x] = 2$이므로

$$\int_0^3 [x](x+1)\,dx$$

$$= \int_0^1 [x](x+1)\,dx + \int_1^2 [x](x+1)\,dx$$

$$+ \int_2^3 [x](x+1)\,dx$$

$$= \int_0^1 0 \times (x+1)\,dx + \int_1^2 (x+1)\,dx$$

$$+ \int_2^3 2(x+1)\,dx$$

$$= 0 + \left[\frac{1}{2}x^2 + x \right]_1^2 + \left[x^2 + 2x \right]_2^3$$

$$= \frac{5}{2} + 7 = \frac{19}{2}$$

(답) $\dfrac{19}{2}$

(참고) $f(x)$가 연속함수가 아니어도 연속함수인 구간으로 나누어 정적분을 계산할 수 있다. 이 문제에서 $f(x) = [x](x+1)$이라 하면 구하는 정적분의 값은 그림과 같이 색칠한 부분들의 넓이의 합과 같다.

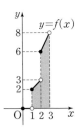

17 (전략) $-a \le x < 0$, $0 \le x \le a$로 나누어 적분한다.

$$\int_{-a}^a f(x)\,dx$$

$$= \int_{-a}^0 f(x)\,dx + \int_0^a f(x)\,dx$$

$$= \int_{-a}^0 (2x+2)\,dx + \int_0^a (-x^2 + 2x + 2)\,dx$$

$$= \left[x^2 + 2x \right]_{-a}^0 + \left[-\frac{1}{3}x^3 + x^2 + 2x \right]_0^a$$

$$= -a^2 + 2a - \frac{1}{3}a^3 + a^2 + 2a$$

$$= -\frac{1}{3}a^3 + 4a$$

$g(a) = -\dfrac{1}{3}a^3 + 4a$라 하면

$g'(a) = -a^2 + 4 = -(a+2)(a-2)$

$g'(a) = 0$에서 $a = -2$ 또는 $a = 2$

$g(a)$의 증감표는 다음과 같다.

a	$\cdots$	-2	$\cdots$	2	$\cdots$
$g'(a)$	$-$	0	$+$	0	$-$
$g(a)$	↘	극소	↗	극대	↘

$a > 0$이므로 $g(a)$는 $a = 2$에서 최대이다.

$$\therefore g(2) = -\frac{8}{3} + 8 = \frac{16}{3}$$

(답) ②

18 (전략) $f(x)$의 주기가 3임을 이용하여 $y = f(x)$의 그래프를 그린다.

$f(x)$는 주기가 3인 주기함수이므로 그래프는 그림과 같다.

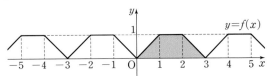

$y = f(x)$의 그래프가 y축에 대칭이므로

$$\int_{-a}^a f(x)\,dx = 2\int_0^a f(x)\,dx = 13$$

$$\therefore \int_0^a f(x)\,dx = \frac{13}{2}$$

구간 $[0, 3]$에서 $y = f(x)$의 그래프와 x축으로 둘러싸인 부분의 넓이는 삼각형과 사각형의 넓이의 합이므로

$$\int_0^3 f(x)\,dx = 2$$

$f(x)$는 주기가 3이므로

$\int_0^3 f(x)\,dx = \int_3^6 f(x)\,dx = \int_6^9 f(x)\,dx = 2$ 이고

$\int_9^{10} f(x)\,dx = \int_0^1 f(x)\,dx = \dfrac{1}{2}$

곧, $\int_0^{10} f(x)\,dx = 2 \times 3 + \dfrac{1}{2} = \dfrac{13}{2}$ 이므로 $a = 10$

답 ①

19 전략 함수 $g(x)$부터 구한다.

$y = x^3$의 그래프를 x축 방향으로 a만큼, y축 방향으로 b만큼 평행이동하면 $y = (x-a)^3 + b$이므로

$g(x) = (x-a)^3 + b$

$g(0) = 0$이므로 $-a^3 + b = 0$, $b = a^3$

$\therefore g(x) = (x-a)^3 + a^3$

이때

$\int_a^{3a} g(x)\,dx - \int_0^{2a} f(x)\,dx$

$= \int_a^{3a} \{(x-a)^3 + a^3\}\,dx - \int_0^{2a} x^3\,dx$

$= \left[\dfrac{(x-a)^4}{4} + a^3 x \right]_a^{3a} - \left[\dfrac{x^4}{4} \right]_0^{2a}$

$= 4a^4 + 3a^4 - a^4 - 4a^4 = 2a^4$

이므로 $2a^4 = 32$ $\therefore a^4 = 16$

다른 풀이

$y = f(x)$, $y = g(x)$의 그래프는 그림과 같고, 색칠한 두 부분의 넓이는 같다.

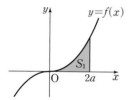 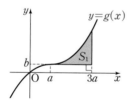

$S_1 = \int_0^{2a} f(x)\,dx$라 하면

$\int_a^{3a} g(x)\,dx = S_1 + b(3a - a) = S_1 + 2ab$

$\therefore \int_a^{3a} g(x)\,dx - \int_0^{2a} f(x)\,dx = 2ab$

$2ab = 32$이므로 $ab = 16$

또 $g(0) = 0$에서 $b = a^3$이므로 $a^4 = ab = 16$

답 16

20 전략 $f(x) = f(-x)$ ➡ y축에 대칭

$g(-x) = -g(x)$ ➡ 원점에 대칭

$(x-1)f(x) = xf(x) - f(x)$에서 곡선 $y = f(x)$는 y축에 대칭이고, $g(x) = xf(x)$라 하면

$g(-x) = -xf(-x) = -xf(x) = -g(x)$

이므로 곡선 $y = g(x)$는 원점에 대칭이다.

$\therefore \int_{-5}^5 (x-1)f(x)\,dx$

$= \int_{-5}^5 xf(x)\,dx - \int_{-5}^5 f(x)\,dx$

$= 0 - 2\int_0^5 f(x)\,dx$

$= -2 \times (-3) = 6$

답 6

21 전략 $\int_0^1 f(t)\,dt = p$로 놓고 양변을 x에 대하여 미분한다.

$\int_0^1 f(t)\,dt = p$ (p는 상수) $\cdots$ ㉠

로 놓으면 $\int_0^x f(t)\,dt = x^3 - 2x^2 - 2px$

양변을 x에 대하여 미분하면

$f(x) = 3x^2 - 4x - 2p$

㉠에서

$\int_0^1 f(t)\,dt$

$= \int_0^1 (3t^2 - 4t - 2p)\,dt$

$= \left[t^3 - 2t^2 - 2pt \right]_0^1$

$= -1 - 2p$

$-1 - 2p = p$이므로 $p = -\dfrac{1}{3}$

$\therefore f(x) = 3x^2 - 4x + \dfrac{2}{3}$

답 $f(x) = 3x^2 - 4x + \dfrac{2}{3}$

22 전략 $\int_2^x (x-t)f(t)\,dt = x\int_2^x f(t)\,dt - \int_2^x tf(t)\,dt$

로 고친 다음 양변을 미분한다.

$\int_2^x (x-t)f(t)\,dt = -x^3 + 3ax + b$ $\cdots$ ㉠

㉠의 양변에 $x = 2$를 대입하면

$0 = -8 + 6a + b$ $\cdots$ ㉡

또 ㉠의 좌변을 정리하면

$x\int_2^x f(t)\,dt - \int_2^x tf(t)\,dt = -x^3 + 3ax + b$ $\cdots$ ㉢

㉢의 양변을 x에 대하여 미분하면

$$\int_2^x f(t)\,dt + xf(x) - xf(x) = -3x^2 + 3a$$

$$\therefore \int_2^x f(t)\,dt = -3x^2 + 3a$$

양변에 $x=2$를 대입하면 $0 = -12 + 3a$ $\therefore a=4$

$a=4$를 ⓒ에 대입하면 $b=-16$

답 $a=4,\ b=-16$

23 전략 $x \to 1$일 때 극한값이 존재하고 (분모) $\to 0$이므로 (분자) $\to 0$일 조건을 구하고, 극한은 미분계수의 정의를 이용할 수 있는 꼴로 고친다.

주어진 극한에서 $x \to 1$일 때, 극한값이 존재하고 (분모) $\to 0$이므로 (분자) $\to 0$이다. 곧,

$$\int_1^1 f(t)\,dt - f(1) = 0 \qquad \therefore f(1) = 0$$

$F(x) = \displaystyle\int_1^x f(t)\,dt$라 하면 $F(1) = \displaystyle\int_1^1 f(t)\,dt = 0$

$$\therefore \lim_{x \to 1} \frac{\displaystyle\int_1^x f(t)\,dt - f(x)}{x^2 - 1}$$

$$= \lim_{x \to 1} \frac{F(x) - f(x)}{x^2 - 1}$$

$$= \lim_{x \to 1} \frac{F(x) - F(1) - f(x) + f(1)}{x^2 - 1}$$

$$= \lim_{x \to 1} \frac{\{F(x) - F(1)\} - \{f(x) - f(1)\}}{(x-1)(x+1)}$$

$$= \lim_{x \to 1} \left\{ \frac{F(x) - F(1)}{x-1} \times \frac{1}{x+1} \right.$$
$$\left. - \frac{f(x) - f(1)}{x-1} \times \frac{1}{x+1} \right\}$$

$$= \frac{1}{2}\{F'(1) - f'(1)\} = 2$$

$F'(1) - f'(1) = 4$이므로 $f'(1) = F'(1) - 4$

이때 $F'(x) = f(x)$이므로 $F'(1) = f(1) = 0$

$$\therefore f'(1) = -4$$

답 ①

24 전략 구간 $[x,\ x+1]$에서 $y=f(x)$의 그래프와 x축으로 둘러싸인 부분의 넓이가 최대인 경우를 찾는다.

이차함수 $y=f(x)$의 그래프의 축이 직선 $x = \dfrac{-1+3}{2}$,

곧 $x=1$이므로 $g(x) = \displaystyle\int_x^{x+1} f(t)\,dt$를 그래프에서 도형의 넓이로 생각하면 그림과 같다.

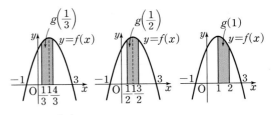

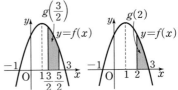

$g\left(\dfrac{1}{2}\right)$의 넓이가 최대이므로 최댓값은 $g\left(\dfrac{1}{2}\right)$이다.

다른 풀이

$f(x)$의 한 부정적분을 $F(x)$라 하면

$$g(x) = \int_x^{x+1} f(t)\,dt = F(x+1) - F(x)$$

$$g'(x) = F'(x+1) - F'(x) = f(x+1) - f(x)$$

그래프에서

$$f(x) = a(x+1)(x-3) = ax^2 - 2ax - 3a\ (a<0)$$

로 놓을 수 있으므로

$$g'(x) = a(x+1)^2 - 2a(x+1) - 3a - ax^2 + 2ax + 3a$$
$$= a(2x-1)$$

$g'(x)=0$에서 $x=\dfrac{1}{2}$

$a<0$이므로 증감을 조사하면 $g(x)$는 $x=\dfrac{1}{2}$에서 극대이고, 극댓값이 하나뿐이므로 극대에서 최대이다.

답 ②

정적분의 활용

1

(1), (2)를 좌표평면 위에 나타내면 그림과 같으므로 색칠한 부분의 넓이를 구한다.

(1) 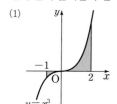   (2) $y=x^4$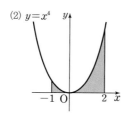

(1) $\displaystyle\int_{-1}^{2} |x^3| \, dx = -\int_{-1}^{0} x^3 \, dx + \int_{0}^{2} x^3 \, dx$

$\qquad = -\left[\dfrac{1}{4}x^4\right]_{-1}^{0} + \left[\dfrac{1}{4}x^4\right]_{0}^{2}$

$\qquad = \dfrac{1}{4} + 4 = \dfrac{17}{4}$

(2) $\displaystyle\int_{-1}^{2} |x^4| \, dx = \int_{-1}^{2} x^4 \, dx$

$\qquad = \left[\dfrac{1}{5}x^5\right]_{-1}^{2} = \dfrac{33}{5}$

📌 (1) $\dfrac{17}{4}$ (2) $\dfrac{33}{5}$

2

(1) 곡선과 직선의 교점의 x좌표는 $x^2 = -x+2$에서

$\quad x^2 + x - 2 = 0$, $(x+2)(x-1) = 0$

$\quad \therefore x = -2$ 또는 $x = 1$

(2) 곡선과 직선을 좌표평면 위에 나타내면 그림과 같고 $-2 \le x \le 1$에서 $-x+2 \ge x^2$이므로 색칠한 부분의 넓이는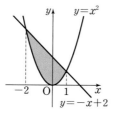

$\displaystyle\int_{-2}^{1} (-x+2-x^2) \, dx$

$= \left[-\dfrac{1}{2}x^2 + 2x - \dfrac{1}{3}x^3\right]_{-2}^{1}$

$= \dfrac{9}{2}$

📌 (1) -2, 1 (2) $\dfrac{9}{2}$

대표 01

(1) 곡선과 x축의 교점의 x좌표는 $x^2 - 3x - 4 = 0$에서 $(x+1)(x-4) = 0$

$\therefore x = -1$ 또는 $x = 4$

$-1 \le x \le 4$에서 $y \le 0$이므로 색칠한 부분의 넓이는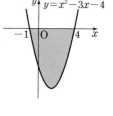

$-\displaystyle\int_{-1}^{4} (x^2 - 3x - 4) \, dx$

$= -\left[\dfrac{1}{3}x^3 - \dfrac{3}{2}x^2 - 4x\right]_{-1}^{4} = \dfrac{125}{6}$

(2) 곡선과 x축의 교점의 x좌표는 $x^3 - 2x^2 - x + 2 = 0$에서

$(x+1)(x-1)(x-2) = 0$

$\therefore x = \pm 1$ 또는 $x = 2$

$-1 \le x \le 1$에서 $y \ge 0$, $1 \le x \le 2$에서 $y \le 0$이므로 색칠한 부분의 넓이는

$\displaystyle\int_{-1}^{1} (x^3 - 2x^2 - x + 2) \, dx$

$\displaystyle - \int_{1}^{2} (x^3 - 2x^2 - x + 2) \, dx$

$= 2\displaystyle\int_{0}^{1} (-2x^2 + 2) \, dx - \int_{1}^{2} (x^3 - 2x^2 - x + 2) \, dx$

$= 2\left[-\dfrac{2}{3}x^3 + 2x\right]_{0}^{1} - \left[\dfrac{1}{4}x^4 - \dfrac{2}{3}x^3 - \dfrac{1}{2}x^2 + 2x\right]_{1}^{2}$

$= \dfrac{8}{3} - \left(-\dfrac{5}{12}\right) = \dfrac{37}{12}$

(3) 곡선과 x축의 교점의 x좌표는 $x^2 - 2x = 0$에서

$x(x-2) = 0$

$\therefore x = 0$ 또는 $x = 2$

$0 \le x \le 2$에서 $y \le 0$, $2 \le x \le 3$에서 $y \ge 0$이므로 색칠한 부분의 넓이는

$-\displaystyle\int_{0}^{2} (x^2 - 2x) \, dx + \int_{2}^{3} (x^2 - 2x) \, dx$

$= -\left[\dfrac{1}{3}x^3 - x^2\right]_{0}^{2} + \left[\dfrac{1}{3}x^3 - x^2\right]_{2}^{3} = \dfrac{4}{3} + \dfrac{4}{3} = \dfrac{8}{3}$

📌 (1) $\dfrac{125}{6}$ (2) $\dfrac{37}{12}$ (3) $\dfrac{8}{3}$

1-1

(1) 곡선과 x축의 교점의 x좌
표는 $-2x^2+4=0$에서
$-2(x+\sqrt{2})(x-\sqrt{2})=0$
$\therefore x=-\sqrt{2}$ 또는 $x=\sqrt{2}$
$-\sqrt{2}\leq x\leq\sqrt{2}$에서
$y\geq0$이므로 색칠한 부분의
넓이는

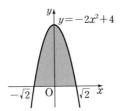

$$\int_{-\sqrt{2}}^{\sqrt{2}}(-2x^2+4)\,dx=2\int_{0}^{\sqrt{2}}(-2x^2+4)\,dx$$
$$=2\left[-\frac{2}{3}x^3+4x\right]_{0}^{\sqrt{2}}$$
$$=\frac{16\sqrt{2}}{3}$$

(2) 곡선과 x축의 교점의 x좌표
는 $x^4-3x^3+2x^2=0$에서
$x^2(x-1)(x-2)=0$
$\therefore x=0$ 또는 $x=1$
　　또는 $x=2$

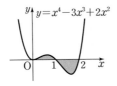

$0\leq x\leq1$에서 $y\geq0$, $1\leq x\leq2$에서 $y\leq0$이므로 색칠
한 부분의 넓이는

$$\int_{0}^{1}(x^4-3x^3+2x^2)\,dx-\int_{1}^{2}(x^4-3x^3+2x^2)\,dx$$
$$=\left[\frac{1}{5}x^5-\frac{3}{4}x^4+\frac{2}{3}x^3\right]_{0}^{1}-\left[\frac{1}{5}x^5-\frac{3}{4}x^4+\frac{2}{3}x^3\right]_{1}^{2}$$
$$=\frac{7}{60}-\left(-\frac{23}{60}\right)=\frac{1}{2}$$

답 (1) $\dfrac{16\sqrt{2}}{3}$　(2) $\dfrac{1}{2}$

1-2

(1) 곡선과 x축의 교점의 x좌
표는 $x^2-2x-8=0$에서
$(x+2)(x-4)=0$
$\therefore x=-2$ 또는 $x=4$
$-3\leq x\leq-2$에서 $y\geq0$,
$-2\leq x\leq4$에서 $y\leq0$이므
로 색칠한 부분의 넓이는

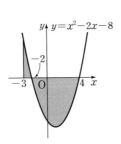

$$\int_{-3}^{-2}(x^2-2x-8)\,dx-\int_{-2}^{4}(x^2-2x-8)\,dx$$
$$=\left[\frac{1}{3}x^3-x^2-8x\right]_{-3}^{-2}-\left[\frac{1}{3}x^3-x^2-8x\right]_{-2}^{4}$$
$$=\frac{10}{3}-(-36)=\frac{118}{3}$$

(2) 곡선과 x축의 교점의 x좌표는
$-x^3+x^2+2x=0$에서
$x(x+1)(x-2)=0$
$\therefore x=-1$ 또는 $x=0$
　　또는 $x=2$

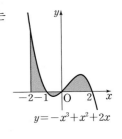

$-2\leq x\leq-1$에서 $y\geq0$,
$-1\leq x\leq0$에서 $y\leq0$,
$0\leq x\leq2$에서 $y\geq0$이므로 색칠한 부분의 넓이는

$$\int_{-2}^{-1}(-x^3+x^2+2x)\,dx$$
$$-\int_{-1}^{0}(-x^3+x^2+2x)\,dx$$
$$+\int_{0}^{2}(-x^3+x^2+2x)\,dx$$
$$=\left[-\frac{1}{4}x^4+\frac{1}{3}x^3+x^2\right]_{-2}^{-1}-\left[-\frac{1}{4}x^4+\frac{1}{3}x^3+x^2\right]_{-1}^{0}$$
$$+\left[-\frac{1}{4}x^4+\frac{1}{3}x^3+x^2\right]_{0}^{2}$$
$$=\frac{37}{12}-\left(-\frac{5}{12}\right)+\frac{8}{3}=\frac{37}{6}$$

답 (1) $\dfrac{118}{3}$　(2) $\dfrac{37}{6}$

대표 02

(1) 곡선과 직선의 교점의 x좌
표는 $x^2-3x=4$에서
$x^2-3x-4=0$
$(x+1)(x-4)=0$
$\therefore x=-1$ 또는 $x=4$
$-1\leq x\leq4$에서
$4\geq x^2-3x$이므로 색칠한 부분의 넓이는

$$\int_{-1}^{4}\{4-(x^2-3x)\}\,dx$$
$$=\int_{-1}^{4}(-x^2+3x+4)\,dx$$
$$=\left[-\frac{1}{3}x^3+\frac{3}{2}x^2+4x\right]_{-1}^{4}=\frac{125}{6}$$

(2) 곡선과 직선의 교점의
x좌표는
$x^3-3x+1=x+1$에서
$x^3-4x=0$
$x(x+2)(x-2)=0$
$\therefore x=0$ 또는 $x=\pm2$
$-2\leq x\leq0$에서

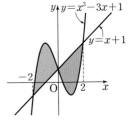

$x^3-3x+1 \geq x+1$,

$0 \leq x \leq 2$에서 $x+1 \geq x^3-3x+1$이므로
색칠한 부분의 넓이는

$$\int_{-2}^{0}\{(x^3-3x+1)-(x+1)\}\,dx$$

$$+\int_{0}^{2}\{(x+1)-(x^3-3x+1)\}\,dx$$

$$=\left[\frac{1}{4}x^4-2x^2\right]_{-2}^{0}+\left[-\frac{1}{4}x^4+2x^2\right]_{0}^{2}$$

$$=4+4=8$$

(3) $f(x)=x^3-6x^2+9x$,

$g(x)=-2x^2+8x-6$

이라 하자.

두 곡선의 교점의 x좌표
는 $f(x)=g(x)$에서

x^3-6x^2+9x

$=-2x^2+8x-6$

$x^3-4x^2+x+6=0$

$(x+1)(x-2)(x-3)=0$

$\therefore x=-1$ 또는 $x=2$ 또는 $x=3$

$-1 \leq x \leq 2$에서 $f(x) \geq g(x)$,

$2 \leq x \leq 3$에서 $g(x) \geq f(x)$이므로
색칠한 부분의 넓이는

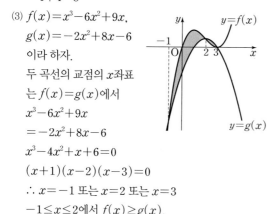

$$\int_{-1}^{2}\{f(x)-g(x)\}\,dx+\int_{2}^{3}\{g(x)-f(x)\}\,dx$$

$$=\int_{-1}^{2}(x^3-4x^2+x+6)\,dx$$

$$+\int_{2}^{3}(-x^3+4x^2-x-6)\,dx$$

$$=\left[\frac{1}{4}x^4-\frac{4}{3}x^3+\frac{1}{2}x^2+6x\right]_{-1}^{2}$$

$$+\left[-\frac{1}{4}x^4+\frac{4}{3}x^3-\frac{1}{2}x^2-6x\right]_{2}^{3}$$

$$=\frac{45}{4}+\frac{7}{12}=\frac{71}{6}$$

답 (1) $\dfrac{125}{6}$ (2) 8 (3) $\dfrac{71}{6}$

2-1

(1) 곡선과 직선의 교점의 x좌
표는 $x^2-2x=3$에서

$x^2-2x-3=0$

$(x+1)(x-3)=0$

$\therefore x=-1$ 또는 $x=3$

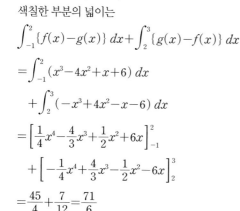

$-1 \leq x \leq 3$에서 $3 \geq x^2-2x$이므로
색칠한 부분의 넓이는

$$\int_{-1}^{3}\{3-(x^2-2x)\}\,dx$$

$$=\int_{-1}^{3}(-x^2+2x+3)\,dx$$

$$=\left[-\frac{1}{3}x^3+x^2+3x\right]_{-1}^{3}$$

$$=\frac{32}{3}$$

(2) 곡선과 직선의 교점의
x좌표는

$x^3-x^2-3x=x-4$에서

$x^3-x^2-4x+4=0$

$(x+2)(x-1)(x-2)$

$=0$

$\therefore x=-2$ 또는 $x=1$ 또는 $x=2$

$-2 \leq x \leq 1$에서 $x^3-x^2-3x \geq x-4$,

$1 \leq x \leq 2$에서 $x-4 \geq x^3-x^2-3x$이므로
색칠한 부분의 넓이는

$$\int_{-2}^{1}\{(x^3-x^2-3x)-(x-4)\}\,dx$$

$$+\int_{1}^{2}\{(x-4)-(x^3-x^2-3x)\}\,dx$$

$$=\int_{-2}^{1}(x^3-x^2-4x+4)\,dx$$

$$+\int_{1}^{2}(-x^3+x^2+4x-4)\,dx$$

$$=\left[\frac{1}{4}x^4-\frac{1}{3}x^3-2x^2+4x\right]_{-2}^{1}$$

$$+\left[-\frac{1}{4}x^4+\frac{1}{3}x^3+2x^2-4x\right]_{1}^{2}$$

$$=\frac{45}{4}+\frac{7}{12}=\frac{71}{6}$$

(3) 두 곡선의 교점의 x좌표는

$x^3-2x^2-x+2=x^2-1$
에서

$x^3-3x^2-x+3=0$

$(x+1)(x-1)(x-3)=0$

$\therefore x=-1$ 또는 $x=1$
    또는 $x=3$

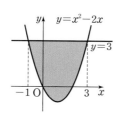

$-1 \leq x \leq 1$에서 $x^3-2x^2-x+2 \geq x^2-1$,

$1 \leq x \leq 3$에서 $x^2-1 \geq x^3-2x^2-x+2$이므로
색칠한 부분의 넓이는

$$\int_{-1}^{1}\{(x^3-2x^2-x+2)-(x^2-1)\}\,dx$$
$$+\int_{1}^{3}\{(x^2-1)-(x^3-2x^2-x+2)\}\,dx$$
$$=\int_{-1}^{1}(x^3-3x^2-x+3)\,dx$$
$$\qquad+\int_{1}^{3}(-x^3+3x^2+x-3)\,dx$$
$$=2\int_{0}^{1}(-3x^2+3)\,dx$$
$$\qquad+\int_{1}^{3}(-x^3+3x^2+x-3)\,dx$$
$$=2\Big[-x^3+3x\Big]_{0}^{1}+\Big[-\frac{1}{4}x^4+x^3+\frac{1}{2}x^2-3x\Big]_{1}^{3}$$
$$=4+4=8$$

답 (1) $\dfrac{32}{3}$ (2) $\dfrac{71}{6}$ (3) 8

대표 03

(1) $f(x)=x^2-2x+3$이라
하면 $f'(x)=2x-2$
$f'(0)=-2$이므로
점 $(0, 3)$에서 접선의 방
정식은
$y-3=-2(x-0)$
$\therefore y=-2x+3$
또 $f'(2)=2$이므로 점 $(2, 3)$에서 접선의 방정식은
$y-3=2(x-2)$ $\therefore y=2x-1$
또한 두 접선의 교점의 x좌표는
$-2x+3=2x-1$ $\therefore x=1$
따라서 색칠한 부분의 넓이는
$$\int_{0}^{1}\{(x^2-2x+3)-(-2x+3)\}\,dx$$
$$+\int_{1}^{2}\{(x^2-2x+3)-(2x-1)\}\,dx$$
$$=\int_{0}^{1}x^2\,dx+\int_{1}^{2}(x^2-4x+4)\,dx$$
$$=\Big[\frac{1}{3}x^3\Big]_{0}^{1}+\Big[\frac{1}{3}x^3-2x^2+4x\Big]_{1}^{2}$$
$$=\frac{1}{3}+\frac{1}{3}=\frac{2}{3}$$

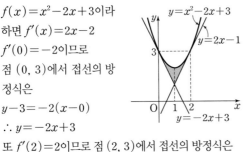

(2) $f(x)=x^3+1$이라 하면
$f'(x)=3x^2$
$f'(-1)=3, f(-1)=0$
이므로 점 $(-1, 0)$에서
접선의 방정식은
$y=3(x+1)$
$\therefore y=3x+3$
또 곡선과 접선의 교점의 x좌표는
$x^3+1=3x+3$에서
$x^3-3x-2=0, (x+1)^2(x-2)=0$
$\therefore x=-1$ 또는 $x=2$
$-1\le x\le 2$에서 $3x+3\ge x^3+1$이므로
색칠한 부분의 넓이는
$$\int_{-1}^{2}\{3x+3-(x^3+1)\}\,dx$$
$$=\int_{-1}^{2}(-x^3+3x+2)\,dx$$
$$=\Big[-\frac{1}{4}x^4+\frac{3}{2}x^2+2x\Big]_{-1}^{2}=\frac{27}{4}$$

답 (1) $\dfrac{2}{3}$ (2) $\dfrac{27}{4}$

3-1

$f(x)=x^2$이라 하면
$f'(x)=2x$
$f'(2)=4, f(2)=4$이므로
점 $(2, 4)$에서 접선의 방정
식은
$y-4=4(x-2)$
$\therefore y=4x-4$
$0\le x\le 2$에서 $x^2\ge 4x-4$이므로
곡선과 접선 및 y축으로 둘러싸인 부분의 넓이는
$$\int_{0}^{2}\{x^2-(4x-4)\}\,dx=\int_{0}^{2}(x^2-4x+4)\,dx$$
$$=\Big[\frac{1}{3}x^3-2x^2+4x\Big]_{0}^{2}=\frac{8}{3}$$

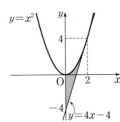

답 $\dfrac{8}{3}$

3-2

$f(x)=x^3-2x^2-x+2$라 하면 $f'(x)=3x^2-4x-1$
$f'(1)=-2, f(1)=0$이므로 점 $(1, 0)$에서 접선의 방
정식은

$y=-2(x-1)$ $\therefore y=-2x+2$

또한 곡선과 접선의 교점의 x좌표는

$x^3-2x^2-x+2=-2x+2$에서

$x^3-2x^2+x=0$

$x(x-1)^2=0$

$\therefore x=0$ 또는 $x=1$

$0 \le x \le 1$에서

$x^3-2x^2-x+2 \ge -2x+2$

이므로 색칠한 부분의 넓이는

$\displaystyle \int_0^1 \{(x^3-2x^2-x+2)-(-2x+2)\}\,dx$

$\displaystyle = \int_0^1 (x^3-2x^2+x)\,dx$

$\displaystyle = \left[\frac{1}{4}x^4 - \frac{2}{3}x^3 + \frac{1}{2}x^2 \right]_0^1$

$\displaystyle = \frac{1}{12}$

달 $\dfrac{1}{12}$

대표 04

(1) 그림에서 색칠한 두 부분의 넓이가 같으면

$\displaystyle \int_0^a x(x-1)(x-a)\,dx=0$

이다. 곧,

$\displaystyle \int_0^a x(x-1)(x-a)\,dx$

$\displaystyle = \int_0^a \{x^3-(a+1)x^2+ax\}\,dx$

$\displaystyle = \left[\frac{1}{4}x^4 - \frac{a+1}{3}x^3 + \frac{a}{2}x^2 \right]_0^a$

$\displaystyle = -\frac{1}{12}a^4 + \frac{1}{6}a^3 = 0$

에서 $a^4-2a^3=0$, $a^3(a-2)=0$

$a>1$이므로 $a=2$

(2) 곡선과 직선의 교점의 x좌표는 $-x^2+2x=mx$에서

$x(x+m-2)=0$

$\therefore x=0$ 또는 $x=-m+2$

$0 \le x \le -m+2$에서

$-x^2+2x \ge mx$이므로

곡선과 직선으로 둘러싸인 부분의 넓이는

$\displaystyle \int_0^{-m+2} (-x^2+2x-mx)\,dx$

$\displaystyle = \left[-\frac{1}{3}x^3 - \frac{m-2}{2}x^2 \right]_0^{-m+2}$

$\displaystyle = \frac{1}{6}(-m+2)^3$

또 곡선과 x축으로 둘러싸인 부분의 넓이는

$\displaystyle \int_0^2 (-x^2+2x)\,dx = \left[-\frac{1}{3}x^3 + x^2 \right]_0^2 = \frac{4}{3}$

조건에서 $\dfrac{1}{6}(-m+2)^3 = \dfrac{1}{2} \times \dfrac{4}{3}$이므로

$(-m+2)^3=4$

m은 실수이므로 $-m+2=\sqrt[3]{4}$ $\therefore m=2-\sqrt[3]{4}$

달 (1) 2   (2) $2-\sqrt[3]{4}$

4-1

그림에서 색칠한 두 부분의 넓이가 같으면

$\displaystyle \int_{-2}^a (x^2+2x)\,dx=0$

이다. 곧,

$\displaystyle \int_{-2}^a (x^2+2x)\,dx = \left[\frac{1}{3}x^3 + x^2 \right]_{-2}^a$

$\displaystyle = \frac{1}{3}a^3 + a^2 - \frac{4}{3} = 0$

에서 $a^3+3a^2-4=0$, $(a-1)(a+2)^2=0$

$a>0$이므로 $a=1$

달 1

4-2

곡선과 직선의 교점의 x좌표는 $x^2-3x=mx$에서

$x(x-m-3)=0$

$\therefore x=0$ 또는 $x=m+3$

$0 \le x \le m+3$에서

$mx \ge x^2-3x$이므로

곡선과 직선으로 둘러싸인 부분의 넓이는

$\displaystyle \int_0^{m+3} \{mx-(x^2-3x)\}\,dx$

$\displaystyle = \left[-\frac{1}{3}x^3 + \frac{m+3}{2}x^2 \right]_0^{m+3}$

$\displaystyle = \frac{1}{6}(m+3)^3$

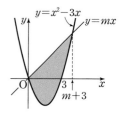

또 곡선과 x축으로 둘러싸인 부분의 넓이는

$$-\int_0^3 (x^2-3x)\,dx = -\left[\frac{1}{3}x^3 - \frac{3}{2}x^2\right]_0^3 = \frac{9}{2}$$

조건에서 $\frac{1}{6}(m+3)^3 = 2 \times \frac{9}{2}$이므로

$(m+3)^3 = 2 \times 3^3$

m은 실수이므로 $m+3 = 3\sqrt[3]{2}$ $\therefore m = -3 + 3\sqrt[3]{2}$

답 $-3 + 3\sqrt[3]{2}$

날선 05

(1) $y=f(x)$, $y=g(x)$가 역함수 관계이므로 두 함수의 그래프는 직선 $y=x$에 대칭이다.

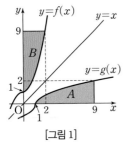 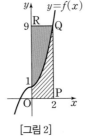

[그림 1]   [그림 2]

$f(0)=1$, $f(2)=9$이므로 $\int_{f(0)}^{f(2)} g(x)\,dx$는 [그림 1]에서 A 부분의 넓이이고, A와 B 부분은 직선 $y=x$에 대칭이다. 또 $\int_0^2 f(x)\,dx$는 [그림 2]에서 빗금친 부분의 넓이이다.

따라서 $\int_0^2 f(x)\,dx + \int_{f(0)}^{f(2)} g(x)\,dx$의 값은 [그림 2]에서 직사각형 OPQR의 넓이이므로

$2 \times 9 = 18$

(2) $y=f(x)$, $y=g(x)$가 역함수 관계이므로 두 함수의 그래프는 직선 $y=x$에 대칭이고, 두 그래프의 교점은 $y=f(x)$의 그래프와 직선 $y=x$의 교점과 같다.

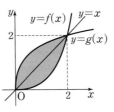

교점의 x좌표는 $\frac{1}{4}x^3 = x$에서

$x(x^2-4)=0$, $x(x+2)(x-2)=0$

$x \ge 0$이므로 $x=0$ 또는 $x=2$

따라서 구하는 넓이는 $y=f(x)$의 그래프와 직선 $y=x$로 둘러싸인 부분의 넓이의 2배이므로

$$2\int_0^2 \{x - f(x)\}\,dx = 2\int_0^2 \left(x - \frac{1}{4}x^3\right)dx$$
$$= 2\left[\frac{1}{2}x^2 - \frac{1}{16}x^4\right]_0^2 = 2$$

다른 풀이

빗금친 두 부분은 합동이고 하나의 넓이는

$$\int_0^2 \frac{1}{4}x^3\,dx = \left[\frac{1}{16}x^4\right]_0^2$$
$$=1$$

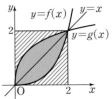

따라서 정사각형의 넓이에서 빗금친 두 부분의 넓이를 빼면

$2^2 - 2 \times 1 = 2$

답 (1) 18   (2) 2

5-1

$y=f(x)$, $y=g(x)$가 역함수 관계이므로 두 함수의 그래프는 직선 $y=x$에 대칭이다.
$f(0)=1$, $f(1)=3$이므로
$\int_1^3 g(x)\,dx$는 그림에서 A 부

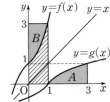

분의 넓이이고, A와 B 부분은 직선 $y=x$에 대칭이다.
또 $\int_0^1 f(x)\,dx$는 그림에서 빗금친 부분의 넓이이다.
따라서 $\int_0^1 f(x)\,dx + \int_1^3 g(x)\,dx$의 값은 빗금친 부분과 B 부분으로 이루어진 직사각형의 넓이이므로

$1 \times 3 = 3$

답 3

5-2

$y=f(x)$, $y=g(x)$가 역함수 관계이므로 두 함수의 그래프는 직선 $y=x$에 대칭이고, 두 그래프의 교점은 $y=f(x)$의 그래프와 직선 $y=x$의 교점과 같다.

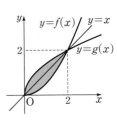

교점의 x좌표는 $\frac{1}{2}x^2 = x$에서

$x(x-2)=0$ $\therefore x=0$ 또는 $x=2$

따라서 구하는 넓이는 $y=f(x)$의 그래프와 직선 $y=x$로 둘러싸인 부분의 넓이의 2배이므로

$$2\int_0^2 \{x-f(x)\}\,dx = 2\int_0^2 \left(x-\frac{1}{2}x^2\right)dx$$
$$= 2\left[\frac{1}{2}x^2-\frac{1}{6}x^3\right]_0^2 = \frac{4}{3}$$

다른 풀이

빗금친 두 부분은 합동이고 하나의 넓이는

$$\int_0^2 \frac{1}{2}x^2\,dx = \left[\frac{1}{6}x^3\right]_0^2$$
$$= \frac{4}{3}$$

따라서 정사각형의 넓이에서 빗금친 두 부분의 넓이를 빼면

$$2^2 - 2\times\frac{4}{3} = \frac{4}{3}$$

답 $\dfrac{4}{3}$

개념 Check 156쪽

3

(1) $x(t) = 1+\int_0^t (6-2t)\,dt$
$$= 1+\left[6t-t^2\right]_0^t$$
$$= -t^2+6t+1$$

(2) $\int_0^4 (6-2t)\,dt = \left[6t-t^2\right]_0^4 = 8$

다른 풀이

(1)의 결과를 이용하면 $x(4)-x(0)=9-1=8$

(3) $0\le t\le 3$에서 $6-2t\ge 0$, $t\ge 3$에서 $6-2t\le 0$이므로

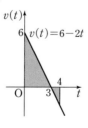

$$\int_0^4 |6-2t|\,dt$$
$$= \int_0^3 (6-2t)\,dt$$
$$\quad -\int_3^4 (6-2t)\,dt$$
$$= \left[6t-t^2\right]_0^3 - \left[6t-t^2\right]_3^4$$
$$= 9+1 = 10$$

답 (1) $x(t)=-t^2+6t+1$ (2) 8 (3) 10

대표Q 157쪽~160쪽

대표 Q6

(1) $v(t) = t^2-4t+3$
$$= (t-1)(t-3)$$

이므로 $v(t)=0$의 해는
$t=1$ 또는 $t=3$
$t=1$의 좌우에서 $v(t)$의 부호가 양에서 음으로 바뀌고, $t=3$의 좌우에서 $v(t)$의 부호가 음에서 양으로 바뀐다.
시각 t에서 P의 위치는
$$x(t) = 2+\int_0^t (t^2-4t+3)\,dt$$
$$= 2+\left[\frac{1}{3}t^3-2t^2+3t\right]_0^t = \frac{1}{3}t^3-2t^2+3t+2$$
이므로 움직이는 방향이 바뀔 때 P의 위치는
$$x(1) = \frac{10}{3},\ x(3)=2$$

(2) $\int_1^4 v(t)\,dt = \int_1^4 (t^2-4t+3)\,dt$
$$= \left[\frac{1}{3}t^3-2t^2+3t\right]_1^4 = 0$$

다른 풀이

$$\int_1^4 v(t)\,dt = x(4)-x(1) = \frac{10}{3}-\frac{10}{3} = 0$$

(3) $1\le t\le 3$에서 $v(t)\le 0$, $t\ge 3$에서 $v(t)\ge 0$이므로
$$\int_1^4 |v(t)|\,dt$$
$$= -\int_1^3 (t^2-4t+3)\,dt + \int_3^4 (t^2-4t+3)\,dt$$
$$= -\left[\frac{1}{3}t^3-2t^2+3t\right]_1^3 + \left[\frac{1}{3}t^3-2t^2+3t\right]_3^4$$
$$= \frac{4}{3}+\frac{4}{3} = \frac{8}{3}$$

(4) 출발 지점에 다시 돌아오면 $x(t)=2$이므로
$$\frac{1}{3}t^3-2t^2+3t+2 = 2$$
$$t^3-6t^2+9t=0,\ t(t-3)^2=0$$
$t>0$이므로 $t=3$일 때 P가 출발 지점에 다시 돌아온다.
이때까지 P가 움직인 거리는
$$\int_0^3 |v(t)|\,dt$$
$$= \int_0^1 (t^2-4t+3)\,dt - \int_1^3 (t^2-4t+3)\,dt$$

$$= \left[\frac{1}{3}t^3 - 2t^2 + 3t\right]_0^1 - \left[\frac{1}{3}t^3 - 2t^2 + 3t\right]_1^3$$

$$= \frac{4}{3} + \frac{4}{3} = \frac{8}{3}$$

답 (1) $\frac{10}{3}$, 2 (2) 0 (3) $\frac{8}{3}$ (4) $\frac{8}{3}$

6-1

(1) $v(t) = -t^2 + 2t = -t(t-2)$

이므로 $v(t) = 0$의 해는

$t=0$ 또는 $t=2$

$t=2$의 좌우에서 $v(t)$의 부호

가 양에서 음으로 바뀐다.

시각 t에서 P의 위치는

$$x(t) = \int_0^t (-t^2 + 2t)\, dt$$

$$= \left[-\frac{1}{3}t^3 + t^2\right]_0^t$$

$$= -\frac{1}{3}t^3 + t^2$$

이므로 움직이는 방향이 바뀔 때 P의 위치는

$$x(2) = \frac{4}{3}$$

(2) $0 \le t \le 2$에서 $v(t) \ge 0$, $t \ge 2$에서 $v(t) \le 0$이므로

$$\int_0^4 |v(t)|\, dt$$

$$= \int_0^2 (-t^2 + 2t)\, dt - \int_2^4 (-t^2 + 2t)\, dt$$

$$= \left[-\frac{1}{3}t^3 + t^2\right]_0^2 - \left[-\frac{1}{3}t^3 + t^2\right]_2^4$$

$$= \frac{4}{3} + \frac{20}{3} = 8$$

(3) 다시 원점을 지날 때 $x(t) = 0$이므로

$-\frac{1}{3}t^3 + t^2 = 0$, $t^2(t-3) = 0$

$t > 0$이므로 $t=3$일 때 다시 원점을 지난다.

이때까지 P가 움직인 거리는

$$\int_0^3 |v(t)|\, dt$$

$$= \int_0^2 (-t^2 + 2t)\, dt - \int_2^3 (-t^2 + 2t)\, dt$$

$$= \left[-\frac{1}{3}t^3 + t^2\right]_0^2 - \left[-\frac{1}{3}t^3 + t^2\right]_2^3$$

$$= \frac{4}{3} + \frac{4}{3} = \frac{8}{3}$$

답 (1) $\frac{4}{3}$ (2) 8 (3) $t=3$, 움직인 거리 : $\frac{8}{3}$

대표 07

시각 t에서 물체의 높이는

$$x(t) = 35 + \int_0^t (30 - 10t)\, dt$$

$$= 35 + \left[30t - 5t^2\right]_0^t$$

$$= -5t^2 + 30t + 35$$

(1) $x(2) = -20 + 60 + 35 = 75(\text{m})$

(2) 물체가 최고 지점에 있을 때 $v(t) = 0$이므로

$30 - 10t = 0$ ∴ $t=3$

따라서 최고 높이는

$x(3) = -45 + 90 + 35 = 80(\text{m})$

다른 풀이

$x(t) = -5(t-3)^2 + 80$

이므로 $t=3$일 때 최고 높이는 80 m

(3) 물체가 지면에 떨어지면 $x(t) = 0$이므로

$-5t^2 + 30t + 35 = 0$, $t^2 - 6t - 7 = 0$

$(t+1)(t-7) = 0$

$t > 0$이므로 $t=7$(초)

(4) $0 \le t \le 3$에서 $v(t) \ge 0$, $3 \le t \le 4$에서 $v(t) \le 0$이므로

$$\int_0^4 |v(t)|\, dt$$

$$= \int_0^3 (30 - 10t)\, dt - \int_3^4 (30 - 10t)\, dt$$

$$= \left[30t - 5t^2\right]_0^3 - \left[30t - 5t^2\right]_3^4$$

$$= 45 + 5 = 50(\text{m})$$

답 (1) 75 m (2) 80 m (3) 7초 (4) 50 m

7-1

시각 t에서 열기구의 높이를 $x(t)$라 하자.

(1) $0 \le t \le 20$에서 $v(t) = t$,

$20 \le t \le 40$에서 $v(t) = 60 - 2t$이므로

$$\int_0^{20} t\, dt + \int_{20}^{40} (60 - 2t)\, dt$$

$$= \left[\frac{1}{2}t^2\right]_0^{20} + \left[60t - t^2\right]_{20}^{40}$$

$$= 200 + 0 = 200(\text{m})$$

(2) 열기구가 최고 높이에 도달하면 $v(t) = 0$이고

$t > 0$이므로

$60 - 2t = 0$에서 $t = 30$

따라서 최고 높이는

$$\int_0^{20} t\,dt + \int_{20}^{30} (60-2t)\,dt$$

$$= \left[\frac{1}{2}t^2\right]_0^{20} + \left[60t - t^2\right]_{20}^{30}$$

$$= 200 + 100 = 300\,(\mathrm{m})$$

답 (1) 200 m (2) 300 m

대표 08

(1) 그림에서 S_1, S_2, S_3 의 넓이는 각각 2, 2, 4이다. 곧,

$$\int_0^4 v(t)\,dt = S_1 - S_2$$
$$= 0$$

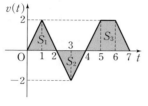

이므로 $t=4$일 때 P는 출발점에 있다. (참)

(2) $\displaystyle\int_0^1 v(t)\,dt = 1$

$$\int_0^6 v(t)\,dt = \int_0^4 v(t)\,dt + \int_4^6 v(t)\,dt = 0 + 3 = 3$$

따라서 $t=1$일 때와 $t=6$일 때 P의 위치가 다르다.

(거짓)

(3) $\displaystyle\int_0^7 |v(t)|\,dt = S_1 + S_2 + S_3 = 8$이므로 P가 7초 동안 움직인 거리는 8이다. (참)

답 (1) 참 (2) 거짓 (3) 참

8-1

그림에서 색칠한 세 부분의 넓이를 각각 S_1, S_2, S_3이라 하면

$$\int_0^a |v(t)|\,dt$$

$$= \int_a^d |v(t)|\,dt$$이므로

$$S_1 = S_2 + S_3 \qquad \cdots \text{㉠}$$

① ㉠에서 $S_1 > S_2$이므로 P는 다시 원점을 지나지 않는다. (거짓)

② $\displaystyle\int_0^c v(t)\,dt = S_1 - S_2$, $\displaystyle\int_c^d v(t)\,dt = S_3$

이때 ㉠에서 $S_1 - S_2 = S_3$이므로

$$\int_0^c v(t)\,dt = \int_c^d v(t)\,dt \text{ (참)}$$

③ $\displaystyle\int_0^b v(t)\,dt = \int_0^a v(t)\,dt + \int_a^b v(t)\,dt$

$$= S_1 + \int_a^b v(t)\,dt \qquad \cdots \text{㉡}$$

$$\int_b^d |v(t)|\,dt = -\int_b^c v(t)\,dt + \int_c^d v(t)\,dt$$

$$= -\int_b^c v(t)\,dt + S_3 \qquad \cdots \text{㉢}$$

㉡－㉢을 하면

$$S_1 + \int_a^b v(t)\,dt + \int_b^c v(t)\,dt - S_3$$

$$= S_1 + \int_a^c v(t)\,dt - S_3 = S_1 - S_2 - S_3 = 0 \ (\because \text{㉠})$$

곧, $\displaystyle\int_0^b v(t)\,dt - \int_b^d |v(t)|\,dt = 0$이므로

$$\int_0^b v(t)\,dt = \int_b^d |v(t)|\,dt \text{ (참)}$$

④ $t=a$일 때 P의 위치는 S_1,

$t=d$일 때 P의 위치는 $S_1 - S_2 + S_3$

따라서 $S_3 > S_2$이면 $t=d$일 때 원점에서 가장 멀리 떨어져 있다. (거짓)

⑤ P가 $t=0$부터 $t=d$까지 움직인 거리는

$$S_1 + S_2 + S_3 = S_1 + (S_2 + S_3) = 2S_1 \ (\because \text{㉠})$$

이고, P가 $t=0$부터 $t=a$까지 움직인 거리는 S_1이므로 2배이다. (참)

따라서 옳지 않은 것은 ①, ④이다.

답 ①, ④

날선 09

출발 지점의 높이를 0이라 하고, t초 후 A, B의 높이를 각각 $F(t)$, $G(t)$라 하면

$$F(t) = \int_0^t f(t)\,dt, \ G(t) = \int_0^t g(t)\,dt$$

따라서 A, B의 높이 차이는

$$F(t) - G(t) = \int_0^t \{f(t) - g(t)\}\,dt$$

$F(0) - G(0) = 0$이고,

$$F(c) - G(c) = \int_0^c f(t)\,dt - \int_0^c g(t)\,dt = 0$$이므로

$y = f(t) - g(t)$의 그래프와 $y = F(t) - G(t)$의 그래프는 각각 그림과 같다.

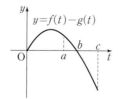
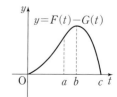

(1) $0 < t < c$에서 $F(t) - G(t) > 0$이므로 A, B의 높이가 같은 시각은 없다. (거짓)

(2) $b < t < c$에서 $F(t) - G(t) > 0$이므로 A는 B보다 높은 위치에 있다. (거짓)

(3) $t = b$일 때 $F(t) - G(t)$가 최대이므로 A와 B의 높이의 차가 최대이다. (참)

圉 (1) 거짓 (2) 거짓 (3) 참

9-1

출발 지점의 위치를 0이라 하고, t초 후 A, B의 위치를 각각 $F(t)$, $G(t)$라 하면

$$F(t) = \int_0^t f(t)\,dt,\ G(t) = \int_0^t g(t)\,dt$$

따라서 A, B의 위치 차이는

$$F(t) - G(t) = \int_0^t \{f(t) - g(t)\}\,dt$$

$F(0) - G(0) = 0$이고,

$$F(d) - G(d) = \int_0^d f(t)\,dt - \int_0^d g(t)\,dt = 0$$이므로

$y = f(t) - g(t)$의 그래프와 $y = F(t) - G(t)$의 그래프는 각각 그림과 같다.

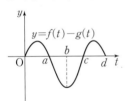 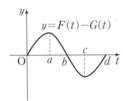

① $0 < t < d$에서 $F(t) - G(t) = 0$의 해가 $t = b$ 1개이므로 A, B는 한 번 만난다. (거짓)

② $a < t < b$에서 $F(t) - G(t) > 0$이므로 A가 B보다 앞에 있다. (거짓)

③ $t = a$일 때 $F(t) - G(t)$가 최대이므로 $t = a$일 때 A가 B에 가장 멀리 앞에 있다. (거짓)

④ $t = c$일 때 $F(t) - G(t)$가 최소이므로 B가 A에 가장 멀리 앞에 있다. (참)

⑤ (평균 속도) $= \dfrac{(위치 \ 변화량)}{(움직인 \ 시간)}$이다.

$F(0) = G(0)$, $F(d) = G(d)$이므로 A, B의 위치 변화량이 같고, 움직인 시간도 d로 같으므로 평균 속도도 같다. (참)

따라서 옳은 것은 ④, ⑤이다.

圉 ④, ⑤

161쪽~164쪽

연습과 실전 9 정적분의 활용

01 (1) -5	(2) 3	(3) -7	**02** $\dfrac{7}{6}$	**03** $\dfrac{76}{3}$	**04** ⑤
05 $\dfrac{27}{4}$	**06** 10	**07** $\dfrac{15}{2}$	**08** $\dfrac{9}{2}$	**09** ④	**10** ④
11 $\dfrac{4}{3}$	**12** 풀이 참조	**13** ②	**14** $\dfrac{3}{2}$	**15** ④	
16 $(3, -18)$	**17** $\dfrac{4}{9}$	**18** ④	**19** 1		

01

(1) $\displaystyle\int_c^b f(x)\,dx = -\int_b^c f(x)\,dx = -S_2 = -5$

(2) $\displaystyle\int_a^b f(x)\,dx + \int_b^c f(x)\,dx = -S_1 + S_2$

$$= -2 + 5 = 3$$

(3) $\displaystyle\int_c^a |f(x)|\,dx = -\int_a^c |f(x)|\,dx$

$$= -(S_1 + S_2) = -(2 + 5) = -7$$

圉 (1) -5 (2) 3 (3) -7

02

그림에서

$$S_1 = \int_0^1 (-x^2 + 2x)\,dx$$

$$= \left[-\frac{1}{3}x^3 + x^2 \right]_0^1 = \frac{2}{3}$$

$$S_2 = \int_1^2 (-x + 2)\,dx$$

$$= \left[-\frac{1}{2}x^2 + 2x \right]_1^2 = \frac{1}{2}$$

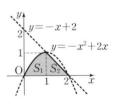

따라서 구하는 넓이는

$$S_1 + S_2 = \frac{2}{3} + \frac{1}{2} = \frac{7}{6}$$

圉 $\dfrac{7}{6}$

03

곡선 $y = -x^2 + 6x$와 직선 $y = 2x$의 교점의 x좌표는 $-x^2 + 6x = 2x$에서

$$x^2 - 4x = 0$$

$$x(x - 4) = 0$$

$$\therefore x = 0 \ 또는 \ x = 4$$

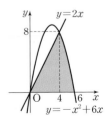

따라서 구하는 넓이는

$$\int_0^4 2x\,dx + \int_4^6 (-x^2+6x)\,dx$$

$$= \left[x^2\right]_0^4 + \left[-\frac{1}{3}x^3+3x^2\right]_4^6$$

$$= 16 + \frac{28}{3} = \frac{76}{3}$$

답 $\dfrac{76}{3}$

04

곡선 $y=-x^2+4$, $y=x^2(x^2-4)$의 교점의 x좌표는

$-x^2+4=x^2(x^2-4)$에서 $(x^2-4)(x^2+1)=0$

x는 실수이므로 $x=\pm 2$

$-2 \le x \le 2$에서

$-x^2+4 \ge x^2(x^2-4)$이므

로 구하는 넓이는

$$\int_{-2}^{2} \{(-x^2+4)$$

$$-x^2(x^2-4)\}\,dx$$

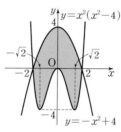

$$= \int_{-2}^{2}(-x^4+3x^2+4)\,dx$$

$$= 2\int_0^2 (-x^4+3x^2+4)\,dx$$

$$= 2\left[-\frac{1}{5}x^5+x^3+4x\right]_0^2 = \frac{96}{5}$$

참고 $y=x^2(x^2-4)$의 극값을 구하면 곡선을 보다 정확하게 그릴 수 있다. 그러나 넓이를 구할 때에는 교점의 x좌표를 구하고 두 함수의 대소만 비교할 수 있으면 충분하다.

답 ⑤

05

$f(x)=x^3-2$라 하면

$f'(x)=3x^2$

$f'(1)=3$이므로 점 $(1, -1)$

에서 접선의 방정식은

$y+1=3(x-1)$

$\therefore y=3x-4$

곡선과 접선의 교점의 x좌표

는 $x^3-2=3x-4$에서

$x^3-3x+2=0$

$(x+2)(x-1)^2=0$

$\therefore x=-2$ 또는 $x=1$

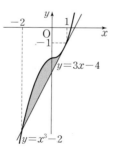

$-2 \le x \le 1$에서 $x^3-2 \ge 3x-4$이므로 구하는 넓이는

$$\int_{-2}^{1}\{(x^3-2)-(3x-4)\}\,dx = \int_{-2}^{1}(x^3-3x+2)\,dx$$

$$= \left[\frac{1}{4}x^4-\frac{3}{2}x^2+2x\right]_{-2}^{1}$$

$$= \frac{27}{4}$$

답 $\dfrac{27}{4}$

06

$v(t)=0$일 때 자동차가 멈추므로

$30-at=0$에서 $t=\dfrac{30}{a}$

$\dfrac{30}{a}$초까지 자동차가 미끄러진 거리는

$$\int_0^{\frac{30}{a}} (30-at)\,dt = \left[30t-\frac{a}{2}t^2\right]_0^{\frac{30}{a}}$$

$$= \frac{450}{a}$$

곧, $\dfrac{450}{a}=45$이므로 $a=10$

답 10

07

시각 t에서 P의 위치는

$$x(t)=\int_0^t (t^2+at+1)\,dt$$

$$= \left[\frac{1}{3}t^3+\frac{a}{2}t^2+t\right]_0^t$$

$$= \frac{1}{3}t^3+\frac{a}{2}t^2+t$$

$x(1)=\dfrac{5}{6}$이므로

$\dfrac{1}{3}+\dfrac{a}{2}+1=\dfrac{5}{6}$ $\qquad \therefore a=-1$

따라서 $x(t)=\dfrac{1}{3}t^3-\dfrac{1}{2}t^2+t$이므로

$$x(3)=9-\frac{9}{2}+3=\frac{15}{2}$$

답 $\dfrac{15}{2}$

08

$v(0)=10>0$이므로 P가 처음 출발한 방향과 반대 방향으로 움직인 시각에는 속도가 음수이다.

곧, $v(t)=t^2-7t+10<0$에서

$(t-2)(t-5)<0$ $\qquad \therefore 2<t<5$

따라서 처음 출발한 방향과 반대 방향으로 움직인 거리는

$$-\int_{2}^{5}(t^2-7t+10)\,dt=-\left[\frac{1}{3}t^3-\frac{7}{2}t^2+10t\right]_{2}^{5}$$
$$=\frac{9}{2}$$

🅐 $\dfrac{9}{2}$

09

ㄱ. $a\le t\le b$에서 $v(t)\ge0$이므로 위치 변화량이 움직인 거리이다.

곧, P가 움직인 거리는 $\displaystyle\int_{a}^{b}v(t)\,dt$이다. (참)

ㄴ. $t=b$의 좌우에서 속도의 부호가 바뀌므로 P는 움직이는 방향을 바꾼다. (참)

ㄷ. 순간적으로 정지 상태일 때 속도는 0이지만 P는 $t=a$에서 속도가 양수이다. (거짓)

따라서 옳은 것은 ㄱ, ㄴ이다.

🅐 ④

10 🔲전략 포물선은 축에 대칭임을 이용한다.

포물선 $y=x^2-4x+p$의 축은 직선 $x=2$이므로 B 부분은 축 $x=2$에 의해 이등분된다.

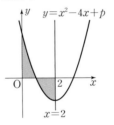

따라서 그림에서 색칠한 두 부분의 넓이가 같으므로

$\displaystyle\int_{0}^{2}(x^2-4x+p)\,dx=0$에서

$$\left[\frac{1}{3}x^3-2x^2+px\right]_{0}^{2}=\frac{8}{3}-8+2p=0 \qquad \therefore p=\frac{8}{3}$$

🅐 ④

11 🔲전략 $\displaystyle\int_{0}^{10}f(x)\,dx-\int_{3}^{10}f(x)\,dx$부터 간단히 하고, 조건이 나타내는 부분을 생각한다.

$\displaystyle\int_{0}^{10}f(x)\,dx-\int_{3}^{10}f(x)\,dx=0$이고,

$\displaystyle\int_{0}^{10}f(x)\,dx-\int_{3}^{10}f(x)\,dx=\int_{0}^{3}f(x)\,dx$이므로

$\displaystyle\int_{0}^{3}f(x)\,dx=0$

$f(x)$는 x^2의 계수가 1이고 $f(3)=0$인 이차함수이므로 $f(x)=0$의 나머지 한 근을 α라 하면 $f(x)=(x-3)(x-\alpha)$로 놓을 수 있다.

$\displaystyle\int_{0}^{3}f(x)\,dx=0$이므로

$$\int_{0}^{3}(x-3)(x-\alpha)\,dx=\int_{0}^{3}\{x^2-(\alpha+3)x+3\alpha\}\,dx$$
$$=\left[\frac{1}{3}x^3-\frac{\alpha+3}{2}x^2+3\alpha x\right]_{0}^{3}$$
$$=\frac{9}{2}\alpha-\frac{9}{2}$$

곧, $\dfrac{9}{2}\alpha-\dfrac{9}{2}=0$이므로 $\alpha=1$

따라서 구하는 넓이는

$$-\int_{1}^{3}(x-1)(x-3)\,dx=-\int_{1}^{3}(x^2-4x+3)\,dx$$
$$=-\left[\frac{1}{3}x^3-2x^2+3x\right]_{1}^{3}$$
$$=\frac{4}{3}$$

🅐 $\dfrac{4}{3}$

12 🔲전략 곡선이 x축과 만나는 점이 α, β이므로 정적분의 아래끝과 위끝이 α와 β이다.

곡선 $y=a(x-\alpha)(x-\beta)$는 x축과 $x=\alpha$, $x=\beta$에서 만나므로 곡선과 x축으로 둘러싸인 부분은 그림과 같다.

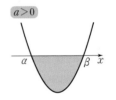 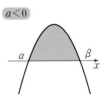

따라서 색칠한 부분의 넓이는

$$\int_{\alpha}^{\beta}|a(x-\alpha)(x-\beta)|\,dx$$
$$=-|a|\int_{\alpha}^{\beta}(x-\alpha)(x-\beta)\,dx$$
$$=-|a|\int_{\alpha}^{\beta}\{x^2-(\alpha+\beta)x+\alpha\beta\}\,dx$$
$$=-|a|\left[\frac{1}{3}x^3-\frac{\alpha+\beta}{2}x^2+\alpha\beta x\right]_{\alpha}^{\beta}$$
$$=-|a|\left\{\frac{1}{3}(\beta^3-\alpha^3)-\frac{\alpha+\beta}{2}(\beta^2-\alpha^2)+\alpha\beta(\beta-\alpha)\right\}$$
$$=-\frac{|a|}{6}(\beta-\alpha)\{2(\beta^2+\alpha\beta+\alpha^2)-3(\alpha+\beta)^2+6\alpha\beta\}$$
$$=-\frac{|a|}{6}(\beta-\alpha)(-\beta^2+2\alpha\beta-\alpha^2)$$
$$=\frac{|a|}{6}(\beta-\alpha)(\beta^2-2\alpha\beta+\alpha^2)=\frac{|a|}{6}(\beta-\alpha)^3$$

🅐 풀이 참조

13 전략 곡선 $y=x^2$과 $y=ax^2$이 직선 $y=1$과 만나는 점의 x좌표부터 구한 후 적분한다.

곡선 $y=x^2$ $(x\geq0)$과 직선 $y=1$의 교점의 x좌표는 $x^2=1$에서 $x=1$ $(\because x\geq0)$ 따라서 곡선 $y=x^2$ $(x\geq0)$과 y축 및 직선 $y=1$로 둘러싸인

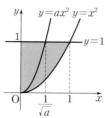

부분의 넓이는
$$\int_0^1(1-x^2)\,dx=\left[x-\frac{1}{3}x^3\right]_0^1=\frac{2}{3}$$

곡선 $y=ax^2$ $(x\geq0)$과 직선 $y=1$의 교점의 x좌표는 $ax^2=1$에서 $x=\frac{1}{\sqrt{a}}$ $(\because x\geq0)$

따라서 곡선 $y=ax^2$ $(x\geq0)$과 y축 및 직선 $y=1$로 둘러싸인 부분의 넓이는
$$\int_0^{\frac{1}{\sqrt{a}}}(1-ax^2)\,dx=\left[x-\frac{a}{3}x^3\right]_0^{\frac{1}{\sqrt{a}}}=\frac{2}{3\sqrt{a}}$$

조건에서 $\frac{2}{3\sqrt{a}}=\frac{1}{2}\times\frac{2}{3}$이므로 $\sqrt{a}=2$ $\quad\therefore a=4$

답 ②

14 전략 접선의 방정식을 구하고 정적분을 이용하여 넓이를 구한다.

$y'=2x$이므로 접선 l의 방정식은
$$y-(a^2-9)=2a(x-a)$$
$$\therefore y=2ax-a^2-9$$

그림에서 색칠한 부분의 넓이는

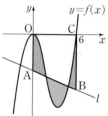

$$\int_0^3\{(x^2-9)-(2ax-a^2-9)\}\,dx$$
$$=\int_0^3(x^2-2ax+a^2)\,dx$$
$$=\left[\frac{1}{3}x^3-ax^2+a^2x\right]_0^3$$
$$=9-9a+3a^2=3\left(a-\frac{3}{2}\right)^2+\frac{9}{4}$$

따라서 $a=\frac{3}{2}$일 때 넓이가 최소이다.

답 $\frac{3}{2}$

15 전략 $y=\sqrt{x+4}$의 역함수가 이차함수임을 이용한다.

$y=\sqrt{x+4}$ $(y\geq0)$의 양변을 제곱하면 $y^2=x+4$ x와 y를 바꾸면 $y=x^2-4$ 곧, $y=\sqrt{x+4}$의 역함수는 $y=x^2-4$ $(x\geq0)$이다.

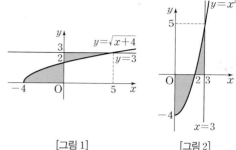

[그림 1]   [그림 2]

[그림 1]에서 곡선 $y=\sqrt{x+4}$와 y축 및 두 직선 $y=0$, $y=3$으로 둘러싸인 부분의 넓이는 [그림 2]에서 곡선 $y=x^2-4$와 x축 및 두 직선 $x=0$, $x=3$으로 둘러싸인 부분의 넓이와 같다.

따라서 [그림 2]에서 색칠한 부분의 넓이는
$$-\int_0^2(x^2-4)\,dx+\int_2^3(x^2-4)\,dx$$
$$=-\left[\frac{1}{3}x^3-4x\right]_0^2+\left[\frac{1}{3}x^3-4x\right]_2^3$$
$$=\frac{16}{3}+\frac{7}{3}=\frac{23}{3}$$

답 ④

16 전략 넓이가 같은 부분 ➡ 정적분의 값이 0임을 이용한다.

$f(x)=x^3-6x^2=x^2(x-6)$이라 하면 곡선 $y=f(x)$는 원점 O에서 x축에 접하고 점 C를 지난다.

사다리꼴 OABC의 넓이가 곡선 $y=f(x)$와 x축으로 둘러싸인 부분의 넓이와 같으면 그림에서 빨간색 두 부분의 넓이의 합과 초록색 부분의 넓이가 같다.

따라서 l의 방정식을 $y=g(x)$라 하면
$$\int_0^6\{f(x)-g(x)\}\,dx=0$$
곧, $g(x)=mx+n$이라 하면
$$\int_0^6(x^3-6x^2-mx-n)\,dx=0$$
$$\left[\frac{1}{4}x^4-2x^3-\frac{m}{2}x^2-nx\right]_0^6=0$$
$$-108-18m-6n=0 \qquad\therefore n=-3m-18$$

l의 방정식은
$$y=mx-3m-18 \qquad\therefore y+18=m(x-3)$$

따라서 l은 항상 점 $(3, -18)$을 지난다.

답 $(3, -18)$

17 전략 곡선 $y=f(x)$와 직선 $y=x$로 둘러싸인 부분의 넓이를 이용한다.

곡선 $y=f(x)$와 $y=g(x)$가 만나는 점의 x좌표는 곡선 $y=f(x)$와 직선 $y=x$가 만나는 점의 x좌표와 같으므로 $ax^2+b=x$, 곧 $ax^2-x+b=0$의 근이다.

이 이차방정식의 두 근이 1과 2이므로 근과 계수의 관계에서

$$\frac{1}{a}=1+2, \ \frac{b}{a}=1\times 2 \qquad \therefore a=\frac{1}{3}, \ b=\frac{2}{3}$$

이때 $f(x)=\frac{1}{3}x^2+\frac{2}{3}$이고

$$A=2\int_0^1 \{f(x)-x\}\,dx, \quad B=2\int_1^2 \{x-f(x)\}\,dx$$

이므로

$$A-B=2\int_0^1 \{f(x)-x\}\,dx-2\int_1^2 \{x-f(x)\}\,dx$$
$$=2\int_0^1 \{f(x)-x\}\,dx+2\int_1^2 \{f(x)-x\}\,dx$$
$$=2\int_0^2 \{f(x)-x\}\,dx$$
$$=2\int_0^2 \left(\frac{1}{3}x^2-x+\frac{2}{3}\right)dx$$
$$=2\left[\frac{1}{9}x^3-\frac{1}{2}x^2+\frac{2}{3}x\right]_0^2=\frac{4}{9}$$

답 $\dfrac{4}{9}$

18 전략 실수 전체의 집합에서 증가하고 $f(x)=f(x-3)+4$인 그래프를 생각한다.

㈎에서 $f(x)=f(x-3)+4$이므로 $0\le x\le 3$에서의 그래프를 x축 방향으로 3만큼, y축 방향으로 4만큼 반복하여 평행이동했다고 생각할 수 있다.

또 $f(x)$는 실수 전체의 집합에서 증가하고 ㈏에서

$\int_0^6 f(x)\,dx=0$이므로 그림에서 색칠한 두 부분의 넓이가 같다.

곧, $-\int_0^3 f(x)\,dx=\int_3^6 f(x)\,dx$이므로

$$-\int_0^3 f(x)\,dx=\int_3^6 f(x)\,dx$$
$$=\int_3^6 \{f(x-3)+4\}\,dx$$
$$=\int_3^6 f(x-3)\,dx+\int_3^6 4\,dx$$
$$=\int_0^3 f(x)\,dx+12$$

$$\therefore \int_0^3 f(x)\,dx=-6, \ \int_3^6 f(x)\,dx=6$$

따라서 구하는 넓이는 빗금친 부분의 넓이이므로

$$\int_6^9 f(x)\,dx=\int_3^6 f(x)\,dx+12$$
$$=6+12=18$$

답 ④

19 전략 x_0에서 출발하면 위치는

$$x(t)=x_0+\int_0^t v(t)\,dt$$이다.

시각 t에서 P, Q의 위치를 각각 $x_P(t)$, $x_Q(t)$라 하면

$$x_P(t)=2+\int_0^t (-2t+1)\,dt=-t^2+t+2$$
$$x_Q(t)=6+\int_0^t (4t-5)\,dt=2t^2-5t+6$$

시각 t에서 P, Q 사이의 거리는

$$|(2t^2-5t+6)-(-t^2+t+2)|=|3t^2-6t+4|$$
$$=|3(t-1)^2+1|$$

따라서 $t=1$일 때 최소이다.

답 1

memo

memo

정답 및 풀이